Arnold Pfeiffer

Franz Overbecks Kritik des Christentums

Studien zur Theologie und Geistesgeschichte
des Neunzehnten Jahrhunderts

Band 15

Forschungsunternehmen „Neunzehntes Jahrhundert"
der Fritz Thyssen Stiftung

ARNOLD PFEIFFER

Franz Overbecks Kritik des Christentums

GÖTTINGEN · VANDENHOECK & RUPRECHT · 1975

ISBN 3-525-87466-9

Vorwort

Dieses Buch beruht auf einer Arbeit, die unter dem Titel „Diastase und Eschatologie — Franz Overbecks Kritik an Christentum und Theologie in systematisch-theologischer Sicht" als Dissertation eingereicht und 1971 von der Theologischen Fakultät der Philipps-Universität Marburg angenommen worden ist.

Herrn Professor D. Hans Graß habe ich für die nie ermüdende Geduld und Freundlichkeit zu danken, mit der er den Gang der Arbeit von Anfang an begleitet hat. Mein Dank gilt auch Herrn Professor D. Dr. C. H. Ratschow für sein Korreferat zur Arbeit.

Während meines Aufenthaltes in Basel ist mir viel freundliche Unterstützung zuteil geworden. Die Herren Professoren Ernst Staehelin und Fritz Buri haben mir weitergeholfen, und der Leiter der Handschriftenabteilung der Basler Universitätsbibliothek, Herr Dr. Max Burckhardt, hat mir in entgegenkommender Weise den Franz-Overbeck-Nachlaß mit seinen reichen Materialien zugänglich gemacht.

Die Arbeit, die hier in gestraffter Fassung vorliegt, möchte den Weg aufhellen, der zu Overbecks theologischer Außenseiterposition geführt hat, und sie möchte die Linien der Kritik deutlich machen, die Overbeck an dem Christentum geübt hat, wie er es historisch in Erscheinung treten sah. Stärker als in früheren Interpretationen profiliert sich hier Overbeck als der scharfe Kritiker des Christentums, der er in Wahrheit gewesen ist.

Eine theologisch orientierte Darstellung wird immer dazu neigen, Overbeck im Horizont der Sache zu sehen, gegenüber der er selber in zunehmendem Maße als nurmehr Abwehrender sich empfand. Indem unser Augenmerk auf den verneinenden Overbeck fällt, übersehen wir leicht den bejahenden Overbeck, den es doch auch gegeben hat. Die Welt des frühen Treitschke, die Welt Wagners und — soweit sie sich ihm erschloß — die Welt Nietzsches, das war die Welt *seines* Ja-Sagens. Wem es, unabhängig von theologischen Interessen, darum ginge, den Menschen Overbeck zu verstehen, der müßte ihn wohl von seinen Bejahungen her zu verstehen suchen. —

Meinen Eltern schulde ich für manchen Beistand großen Dank.

Juni 1974   Arnold Pfeiffer

Inhalt

I. KAPITEL

Das Echo auf Overbeck

Franz Overbeck hat zu Lebzeiten nur wenige Arbeiten publiziert[1]. Er legte strenge Maßstäbe an, wenn es die Frage zu entscheiden galt, ob eine Arbeit veröffentlichungsreif sei, und er verachtete den „Vielschreiber" Harnack, bei dem die Maßstäbe weniger streng waren[2].

Overbeck selbst sucht es mit „geringem Antrieb durch starke Gaben und dennoch daneben stehender weitgehender Selbstgenügsamkeit" zu erklären, daß er „wenig fertig gebracht" habe (SB 126). „An mir", bemerkt er an anderer Stelle, „ist nichts übermenschlich als die Ansprüche, die ich mir bei meinen Arbeiten an meine Lebenszeit zu machen erlaubt habe. Die Langsamkeit und Umständlichkeit, mit denen ich damit meinen Zielen entgegengegangen bin, setzten einen menschlichen Lebenslauf voraus von mehrfach multiplicirter Länge des gewöhnlichen. In dieser Weise habe ich manchmal von einer Geschichte der Kirche geträumt und schließlich nur unfertige Vorarbeiten zu Stande gebracht, immerhin genug, um mir vielleicht mit dem Gedanken schmeicheln zu können, daß ich in ein paar Jahren eine ganz lesenswerthe, den Gegenstand nicht ungefördert lassende Kirchengeschichte zu Stande brächte. Aber wie soll ich in meinem 60. Lebensjahre" – Overbeck schreibt dies am 10. Februar 1898, –„ so wie ich mein Alter fühle, auch nur zu diesen wenigen Jahren Zuversicht fassen, und vor allem zu einer Arbeit, bei welcher mich der Gedanke der Vorzeitigkeit, – wegen der unvollendeten Vorarbeiten – niemals verließe!"[3]

Overbeck hat im Laufe seines Lebens eine umfassende Materialsammlung zur Geschichte und Theologie des Christentums angelegt. „Den auffallenden Zwiespalt zwischen einem so imponierend ausgestatteten Lager an Rohstoff und einem derartigen Mangel an innerem Zwang, es zu verarbeiten, erklärt kein individuelles Unvermögen ausreichend", meint Carl Albrecht Bernoulli[4]. In der Tat wird von

---

1 Overbecks eigenes Verzeichnis seiner Publikationen findet sich bei C. A. Bernoulli, Franz Overbeck und Friedrich Nietzsche, Band I, 1908, S. 439ff. und bei W. Nigg, Franz Overbeck, 1931, 229ff. Vgl. auch das in Overbeckiana I, 1962, 15ff. enthaltene „Verzeichnis der gedruckten Schriften, Abhandlungen und Besprechungen Franz Overbecks".
2 Vgl. dazu K. Blaser, Harnack in der Kritik Overbecks, ThZ 21, 1965, 104f.
3 ONB A 268b. – Die Texte aus Overbecks Nachlaß werden durchweg in Overbecks Orthographie wiedergegeben. Augenscheinliche Versehen sind stillschweigend verbessert, einzelne Wörter gelegentlich in Klammern ergänzt, abgekürzte Wörter ausgeschrieben. Zur Erleichterung der Lektüre sind häufig Kommata eingefügt; Overbeck war in deren Verwendung recht sparsam.
4 BJB 1906, 178. Die folgende Stelle ebd. 176.

einem „Unvermögen" nur zu reden sein, wenn man vom „Vermögen" anderer ausgeht, wie dies in der Kontroverse Overbeck-Harnack aktuell wird. Es ist aber auch zweifelhaft, ob man mit Bernoulli sagen kann, daß „Overbecks Werk gescheitert ist"[5]. Sofern man unter „Werk" die angestrebte Gesamtdarstellung der Kirchengeschichte vom profanen Standpunkt aus versteht, ist Bernoullis Satz freilich unbestreitbar. Aber Overbecks ganzes Interesse galt eben jenen „Vorarbeiten", die in der Art, wie Overbeck sie ansah, wohl immer unvollendet bleiben mußten[6].

Bernoulli sagt, daß Overbeck „nur sehr spärlich druckte und schließlich kein einziges wirkliches Buch zurückläßt"[7]. Kein einziges wirkliches Buch? Es fällt auf, daß hier von jenem „Schriftchen" Overbecks abgesehen ist, dessen Bedeutung nicht nur für seine „theologische", sondern auch für seine schriftstellerische Wirksamkeit daraus zu ersehen ist, daß er es 1903, kurz vor seinem Lebensende, noch einmal in einer kommentierten Fassung vorlegte: „Über die Christlichkeit unserer heutigen Theologie" (1873).

Overbeck selbst hat in seinem „Schriftchen" einen *Monolog* gesehen (C. 160ff.), und er ist sich, so sagt er, bewußt, daß er darin im Grunde wirklich nur an sich denke, daß das darin Erarbeitete sich nur auf seine Bedürfnisse beziehe und daher „das Muster eines für Andere nur schwer genießbaren Monologs" sei (C. 161f.). Ein „wirkliches Buch" wäre die „Christlichkeit" dann nicht, wenn man unter „Buch" ein „Sachbuch" verstünde und in bloßer „Information" des Lesers den Zweck des Buches sähe. Aber auch bei seinen im engeren Sinne wissenschaftlichen Arbeiten hat Overbeck den subjektiven Bezug nie verdrängt; er sei, sagt er, bei seinen Arbeiten „in außerordentlichem Maße" darauf aus gewesen, „sie als ... persönlichstes Eigenthum zu beherrschen", und „eine andere Sorge" habe er „im Grunde dabei nicht gehabt" (SB 127).

Wenn von jemandem, dann gilt von Overbeck, daß Persönlichkeit und wissenschaftliche Arbeit sich gegenseitig durchdringen, und eben dies macht das Problem seiner Schriftstellerei aus. Overbecks wissenschaftliche Arbeit ist undenkbar ohne die ihr zugrundeliegende prinzipielle Infragestellung der Christlichkeit der Theologie. Overbeck hat die Erfahrung gemacht, daß sein Wissen ihm mit dem Sog der Notwendigkeit den Glauben unmöglich gemacht hat; seine Überzeugung ist, so sagt er, daß er als Theologe das ihm durch die Gemeinschaft, in die er gestellt sei, gegebene Verhältnis zum Christentum lediglich untergrabe (SB 134).

---

5 Es ist zu bedenken, daß es sich bei dem Aufsatz im BJB um Bernoullis früheste ausführlichere Darstellung Overbecks handelt, mit der sich Bernoulli in seine Rolle als Herold Overbecks erst einzuleben begann. Siehe unten Kap. II.

6 Der Historiker Johannes Haller, der Overbeck persönlich kannte, meint, Overbeck habe die „Gestaltungskraft" gefehlt, „so daß Gelehrsamkeit und Gedankenfülle ihm eher hinderlich wurden – er beherrschte sie nicht und stolperte gleichsam über die eigenen Füße" (Lebenserinnerungen, 1960, 208). Es ist freilich dabei an die *sachliche* Außenseiterposition Overbecks in seiner Disziplin (der Kirchengeschichte) zu denken. – Der späte Overbeck selber sah das Problem: „Ein Gelehrtenleben spricht zum Publicum durch seine Werke. Dazu genügen nun meine nicht. Ich kann mich nicht damit ruhig auf den Standpunkt des Gerechten der Apocalypse 14, 13 zurückziehen." (ONB A 268b)

7 BJB 1906, 177.

So sehr jedoch Overbecks wissenschaftliche Arbeit um das Problem seiner eigenen theologischen Existenz kreist, man muß beachten, daß diese seine theologische Existenz ihm erst in den Spätjahren zum ausdrücklichen Thema wird [8], während er zuvor das Problem dahin objektivierte, daß er „das Verhältniß des Christenthums zur Wissenschaft" (SB 134) erforschte, ein Verhältnis, das einbezogen ist in das allgemeine Weltverhältnis des Christentums.

Die Materialsammlung Overbecks orientierte sich an der Frage, wie das Christentum sich zur Welt verhalte. Die Überzeugung, daß Theologie dem Christentum zum Schaden gereiche, ist nur eine Folgerung aus der These, daß alle Christlichkeit, die Gott in die Welt und in die Geschichte hineinziehen will, pseudochristlich sei. Christlich wäre es, die Diastase zwischen Christlichkeit und Weltlichkeit in aller Konsequenz durchzuhalten, eine Haltung, die in der Naherwartung des Weltendes in der Urchristenheit zum Ausdruck kam. Wie aber kann man zugleich in der Welt leben und doch die Welt verneinen? Overbeck findet, daß die Christen durch vielerlei Selbsttäuschungen sich die Aporie eines Christseins inmitten der Welt verschleiern.

Overbecks Auseinandersetzung mit dem Christentum hat durchaus systematische Intention. Wenn er von seinem Entschluß spricht, „das Neue Testament *ohne Tendenz* zu erklären und die Kirchengeschichte *ohne Tendenz* zu erzählen" (SB 120), so drückt diese Programmatik den Gegensatz gegen die herrschende Tendenz in der Theologie aus, die sich, ob liberal oder positiv, die Rechtfertigung des Christentums zum Ziel setzt. Der Kampf speziell gegen das *„moderne"* Christentum, gegen die Indienststellung der modernen Bildung für das Christentum, ist für Overbeck die Konsequenz all dessen, was er wissenschaftlich erkannt und erstrebt hat.

„Bedenke ich", notiert er am 21.4.1902, „was ich jetzt weiß und zum Theil auch in meinen Papieren aufgespeichert, so komme ich mir bisweilen nicht viel anders als die Jungfrau von Orleans zur Befreiung Frankreichs, so zur Stürzung des Ansehens der ‚modernen Theologie' und in ihr insbesondere ihres Meisters Harnack *berufen* vor"[9].

Overbeck hat, aus verschiedenen Gründen, die er bei dieser Gelegenheit erwägt, dieser „Berufung" nicht entsprechen können. Daß es dabei um etwas viel Umfassenderes ging als etwa um einen Methodenstreit unter Kirchenhistorikern, das war Overbeck deutlich bewußt: „Um etwas Anderes wäre es mir freilich nicht zu thun als um den Nachweis des finis Christianismi am modernen Christenthum"[10]. Indem Overbeck das Resultat seiner historischen Arbeit in dieser Perspektive sah, kamen die systematischen Implikationen zur vollen Klarheit, die schon in seiner „Streit- und Friedensschrift" „Über die Christlichkeit unserer heutigen Theologie" (1873) enthalten waren.

---

8 Vgl. dazu die autobiographischen Ansätze in den „Selbstbekenntnissen" und die Beigaben zur Neuauflage der „Christlichkeit", die im Jahre 1903 erschien.

9 ONB A 218 Berufsmoral (Allgemeines), S. 3f., vgl. die unkorrekte Wiedergabe Bernoullis, CK 289.

10 ONB am Anm. 9 angegebenen Ort.

Eine theologische Würdigung Overbecks wird dem „negativen Theologen" gelten. Sie muß die leitenden Voraussetzungen in Overbecks historischem Denken herauszustellen sich bemühen, ohne deren Verständnis die historischen Arbeiten im Halbschatten bleiben.

Eine solche theologische Würdigung Overbecks konnte aber, sollte sie befriedigend ausfallen, nur geliefert werden unter Beiziehung des reichen Overbeck-Nachlasses, der Overbecks Haltung erst voll verständlich macht. Denn Overbeck hatte, wie er selbst sagt, als Professor nicht gelehrt, was er „glaubte", d.h. was er „wollte", sondern was er für „zweckmäßig", d.h. für seine „sogen(annte) Pflicht" hielt (SB 115). Um aufzudecken, was er wirklich „wollte", hätte man sich dieser Nachlaß-Aufzeichnungen bedienen müssen[11].

Diese gingen nach Overbecks Tode in den Besitz seines Schülers und Altersfreundes *Carl Albrecht Bernoulli* über. Da sich Overbecks literarisches Schicksal und die Interpretation seiner Gedanken von da an in nicht zu unterschätzendem Maße mit Bernoullis Tätigkeit verknüpften, müssen wir dem Verhältnis zwischen Overbeck und Bernoulli ein eigenes Kapitel widmen[12].

Bernoulli hat versucht, Overbeck dazu zu bewegen, im Anschluß an die Neuauflage der „Christlichkeit" (1903) einen „allgemein interessirenden Aufsatz" zu verfassen, der im Jahre 1904 in der „Neuen Rundschau" veröffentlicht werden sollte. Es gehörte zu den mancherlei Mißverständnissen, die Bernoulli in bezug auf Overbeck hegte, daß er annahm, Overbeck sei daran gelegen, auf diese Weise ins Licht der Öffentlichkeit zu treten. Bei Overbeck regten sich vielmehr alsbald „Bedenken", „ob die Neue Rundschau der rechte Ort" für ihn und seine Pläne sein möchte[13]. Wohl dachte Overbeck daran, sich über die Neuauflage der „Christlichkeit" hinaus noch einmal zum „modernen Christentum" zu äußern, aber er hat solche Pläne nicht mehr realisieren können und dafür auch nicht mehr eine ihm adäquat erscheinende Form gefunden.

Nach Overbecks Tod versuchte Bernoulli, Overbecks Geltung in der Öffentlichkeit auf andere Weise sicherzustellen. Durch die Veröffentlichung von Aufzeichnungen Overbecks über Nietzsche[14] und in dem umfassenden Werk „Franz Overbeck und Friedrich Nietzsche. Eine Freundschaft"[15] brachte er ihn in engen Zu-

---

11 Bernoulli hat durch die Art, wie er sich besonders in der eigenwilligen Edition von Overbeck-Texten in „Christentum und Kultur" (1919) des Overbeckschen *Nachlasses* bediente, diesen zum notwendigen Gegenstand aller Overbeck-Forschung gemacht. Doch darf nicht übersehen werden, daß nach Overbecks eigenem Selbstverständnis seine exoterische Existenz, wie sie sich in Vorlesungen und Publikationen äußerte, durchaus zu trennen ist von der esoterischen Existenz, die in seinen persönlichen Aufzeichnungen sich ausdrückt. Wir erfahren also aus dem Nachlaß wohl bis zu einem gewissen Grade, was Overbeck „*wollte*", aber es muß offenbleiben, ob er je vorhatte, das alles auch öffentlich zu *sagen*. Nur unter diesem Vorbehalt kann man den Overbeckschen Nachlaß verwenden.

12 S. u. Kap. II.

13 ONB A 203 I.

14 Neue Rundschau 1906, Bd. 1, 209–31, 320–30.

15 2 Bände, Jena 1908.

sammenhang mit Nietzsche. Der Weimarer Nietzsche-Tradition stellte er unter Verwertung von Nietzsche-Aufzeichnungen von Franz und Ida Overbeck und der Briefe Peter Gasts an Overbeck[16] eine bis dahin unbekannte „Basler Tradition" entgegen.
Elisabeth Förster-Nietzsche hat den Kampf gegen Bernoulli in vielen Presseverö-
öffentlichungen und schließlich in dem Werk „Der einsame Nietzsche"[17] aufgenommen und ihn von vornherein auch als Kampf gegen Franz und besonders gegen
Frau Ida Overbeck geführt, nachdem es bereits 1904 anläßlich des Erscheinens von
Band II, 2 von Elisabeth Förster-Nietzsches Werk „Das Leben Friedrich Nietzsche's"
zu einer Gegenäußerung Overbecks gekommen war[18].

Wenn Frau Förster berichtet, Bernoulli habe ihr im Oktober 1903 gesagt, Overbeck
sei „kein Freund Nietzsches, sondern sein Feind"[19], so könnte hinter dieser sicherlich mit einseitiger Pointierung erzählten Geschichte immerhin ein Stück Wahrheit
stecken, aber wenn Frau Förster meint, in Bernoullis beiden Bänden („Franz Overbeck und Friedrich Nietzsche") komme als „die wahre Meinung Bernoullis" eben
jene Ansicht zum Ausdruck, daß Overbeck Nietzsches Feind gewesen sei[20], so ist das
auf jeden Fall schief, auch wenn Bernoulli bestimmt einen Gegensatz zwischen Overbeck und Nietzsche anerkannt hat. Bernoullis eigener Weg war mehr von nietzsche-
anischen als von Overbeckschen Impulsen bestimmt.

In der Kontroverse zwischen Weimar und Basel spielt die Stellung Overbecks zur
Theologie so gut wie keine Rolle. In die Nietzsche-Literatur ist im allgemeinen, in
kritischer Wendung gegen Elisabeth Förster-Nietzsche, das von Bernoulli gezeichnete
Bild Overbecks als des treuen Freundes Nietzsches eingegangen, das sich seit 1916
an dem von Bernoulli und R. Oehler herausgegebenen Briefwechsel zwischen Nietzsche und Overbeck verifizieren ließ[21].

Die Tatsache, daß zwischen Nietzsche und Overbeck sachliche Differenzen bestan-
den, daß Overbeck nicht daran dachte, sich Nietzsches Philosophie anzuschließen
und öffentlich für sie einzutreten[22] und daß er von *dieser* Seite her nicht dazu beitragen konnte, Nietzsches Einsamkeit aufzuheben, bleibt freilich bestehen.

---

16 Gast focht die Verwendung seiner Briefe gerichtlich an, und sie mußten im 2. Band durch
Überdruck unkenntlich gemacht werden; siehe dazu die „Erklärung" Bernoullis vom 25.8.
1908 in Band II und E. F. Podach, Gestalten um Nietzsche, 1932, der die „Basler Tradition"
fortsetzte.

17 Leipzig 1914.

18 Vgl. auch Overbeckiana II, 142ff. über Overbecks Notizen zu diesem Bande.

19 Der einsame Nietzsche, 1914, VII.   20 Ebd., S. IX.

21 Vgl. z. B. E. Salin, Jakob Burckhardt und Nietzsche, 2. Aufl. 1948, 108, 253. Siehe auch
E. F. Podach, Der kranke Nietzsche. Briefe seiner Mutter an Franz Overbeck, 1937. – Zur
Sache selbst vgl. R. M. Meyer, Nietzsche, 1913, der, in allen wesentlichen Punkten die
Weimarer Tradition vertretend, doch mitteilt: „Von Overbeck hat mir ein Freund und
Amtsgenosse der Baseler Zeit" (gemeint ist offenbar Karl Joël) „gesagt: ,Es ist ganz sicher,
daß er keinen Menschen geliebt hat wie Nietzsche.' " (652) Dazu vgl. den von Overbeck
berichteten Satz des kranken Nietzsche, er, Overbeck, sei der Mensch gewesen, den er am
meisten geliebt habe (bei F. Würzbach, Nietzsche, o. J., 390; siehe auch Bernoulli II, 238).

22 Nach einem von Elisabeth Förster-Nietzsche veröffentlichten Brief vom 14.6.1886 (Friedrich Nietzsches Briefe an Mutter und Schwester, 2. Theil, o. J., Nr. 438, S. 675) hätte
Nietzsche es Overbeck zum Vorwurf gemacht, ihn nicht verteidigt zu haben. „Weder Rohde
noch Overbeck" hätten „die blasseste Vorstellung", worum es sich bei ihm handle, „ge-

Auf jeden Fall gehört Overbeck in den Komplex hinein, dem sich die Nietzsche-Forschung zugewandt hat und weiter zuwendet[23].

Als Lehrstuhlnachfolger Overbecks (seit 1902) beschäftigte sich *Eberhard Vischer*[24] mit Leben und Werk Overbecks. In seinen Overbeck-Studien, die sich vom Jahre 1905 bis ins Jahr 1941 hinziehen, widersprach Vischer dem von Bernoulli und später von Barth gezeichneten Overbeck-Bild[25]. Vischer sah von Anfang an deutlich, daß man Overbeck nicht als Vertreter des Christentums oder auch nur der Religion in Anspruch nehmen könne. Er operiert gern mit dem Gedanken, das „Negative" bei Overbeck könne von Nietzsche verschuldet sein — was indessen unzutreffend ist.

Zur Sache selbst bemerkt Vischer: „Wohl weist er" (Overbeck) „nach, daß jede Religion sich aus dem Gebiete der Welt ihre Formen schaffe und mit diesen Formen rettungslos dem Wissen unterliege. Wer jedoch überzeugt ist, daß in der Religion ein tatsächlicher Verkehr zwischen Gott und der Menschheit vorliegt, der wird den Schluß nicht als notwendig anzuerkennen vermögen, dem Wissen sei dann, wenn ihm der bisher geltende Ausdruck des christlichen religiösen Lebens preisgegeben werden müsse, alles zugestanden, wessen es bedürfe, um das Christentum als Religion immer wieder zu vernichten. Man müßte denn unter Religion lediglich die äußern Formen dieses Verkehres: die Dogmen, Institutionen und Riten, die sich auf Grund religiöser Erlebnisse bilden, verstehen."[26]

---

schweige ein Gefühl der Pflicht" gegen ihn. (Vgl. dazu den Brief an Overbeck, Sommer 1886, BWNO 340, wo freilich nur von Rohde die Rede ist.) Ferner heißt es in dem Brief vom 14.6.1886: „Wenn mich Overbeck nicht versteht, trotzdem er sich redliche Mühe giebt (wofür ich ihm immer dankbar sein werde), so darf ich mich nicht beklagen: *er kann es nicht*, es liegt nicht in seiner Art." — Doch ist, da das Original des Briefes nicht vorhanden ist, neuerdings im Zusammenhang mit der Aufdeckung von Brieffälschungen der Schwester die Echtheit des Briefes fraglich geworden (siehe Schlechta III, 1376, 1411).

23 Wenn neuerdings der Anschein entstanden ist, daß der „Weimarer Tradition" zugunsten der „Basler Tradition" eine endgültige Niederlage bereitet sei (es ist insbesondere an Arbeiten von E. F. Podach und K. Schlechta zu denken), so hat doch gerade E. F. Podach in bemerkenswerter Weise auf Übereinstimmungen zwischen Nietzsche und seiner Schwester aufmerksam gemacht (so schon in dem wichtigen Buch „Friedrich Nietzsche und Lou Salomé"), die es fraglich erscheinen lassen, daß *der* Nietzsche, der sich seinem Freunde Overbeck (etwa in den Briefen) darbot, der *ganze* Nietzsche ist.

24 Über E. Vischer vgl. E. Staehelin, BJB 1947, 7ff.

25 E. Vischer, Basler Nachrichten, 28.6.1905, 2. Beilage zu Nr. 174; ders., Kirchenblatt für die reformierte Schweiz, 1905, 111ff.; ders. in: Festschrift zur Feier des 450jährigen Bestehens der Universität Basel, 1910, 218ff.; ders., RE 3. Aufl. Bd. XXIV (1913), 295ff.; ders., Kirchenblatt für die reformierte Schweiz, 1920, 122ff. 125ff.; ders., Vortrag über Overbeck, gehalten vor dem Geistlichkeitskapitel in Zürich (Zürichhorn) am 18.5.1921 (Manuskript im Nachlaß Eberhard Vischer, Universitätsbibliothek Basel); ders., ChW 36, 1922, 109ff. 125ff. 142ff.; ders., ebd. 286f.; ders., Einleitung zu: Franz Overbeck, Selbstbekenntnisse, 1941.

26 E. Vischer, Kirchenblatt für die reformierte Schweiz, 1905, S. 112. — Vischer konnte nicht wissen, daß Overbeck sich mit diesem Argument in seinen Papieren bereits auseinandergesetzt hatte. „*Eb. Vischer*, Ist die Wahrheit des Christentums zu beweisen?, Tübingen und Leipzig 1902, S. 20 fordert gegen mich für seinen apologetischen Zweck die Freiheit, zwischen ‚Wesen' und ‚Verwirklichung' des Christenthums zu unterscheiden. Just

Den religiösen Sinn, dessen es bedarf, um sich vom tatsächlichen Verkehr zwischen Gott und der Menschheit zu überzeugen, kann Vischer mit dem ästhetischen Sinn vergleichen, der uns etwa die „Freude am Wohlklang"[27] ermöglicht. So bleibt ihm Overbeck ein psychologisches Rätsel, und Overbecks ganze Arbeit bleibt ihm fremd.

Wolfgang Köhler, in einer Erlanger Dissertation von 1950, geht dem psychologischen Problem weiter nach[28]. Er will in Overbecks „Christlichkeit" von 1873 das „Resultat eines tiefen Ringens und eines abrupten Bruches" erkennen (33). Die „negativen Urteile Overbecks über das Christentum", so meint Köhler, hätten „für ihn" (Overbeck) „persönlich zugleich ein schmerzliches Ringen bedeutet . . . , weil er damit selbst Verzicht leistete und von seinem Glauben Stück um Stück abstrich" (36).

Nicht nur Overbecks Nachlaß, den er eingesehen hat — Zitate aus diesem Nachlaß bilden ein wichtiges Stück seiner Arbeit[29] —, sondern schon die von Eberhard Vischer 1941 herausgegebenen „Selbstbekenntnisse" Overbecks hätten Köhler zeigen können, daß man guttut, nicht vom „Glauben" Overbecks zu reden.

Bemerkenswert ist, daß Köhler die These von Ernst Benz über den Zusammenhang Nietzsches mit dem deutschen Spiritualismus[30] auf Overbeck anzuwenden versucht. Nach Köhler habe Overbeck „die Geschichtskonzeption des christlichen Spiritualismus ad absurdum geführt" (72). Es sei der von Overbeck entlarvte Widerspruch, daß „die Spiritualisten" „etwas als unbedingt negativ" erklärten, was sie doch „zu retten bestrebt" seien und „als positiv hervorheben" möchten (73).

Köhler will Overbeck als „Repräsentant(en) des Spiritualismus in moderner Form" verstehen (120). „Weltfrömmigkeit" und „Weltmystik" bei Overbeck seien als der Teil des Spiritualismus zu begreifen, der „nach der Eliminierung des christlichen Teiles" übrigbleibt.

Auf religionsphilosophischen Bahnen bewegt sich die Overbeck-Dissertation von *Robert Kiefer*[31]. Aber auch er bemüht zuerst die Psychologie.

Die „Vernunftehe" Overbecks mit der Theologie sei zur Zwangsehe geworden. „Kein Wunder, daß sich das Mißvergnügen über diese Mesalliance einen Sünden-

---

die Freiheit, die ich am wenigsten zugestehen kann, da mir vielmehr die ganze Unterscheidung nur als der Apparat erscheint, den sich die Menschen eigens dazu erfunden haben, um sich die ganze Welt und alles, was darin ist, — also auch das Christenthum — zu verderben und unkenntlich zu machen und (sich) sozusagen vom Leibe zu halten." (ONB A 241 Wesen [Allgemeines], S. 2.)

27 E. Vischer, RE 3. Aufl. XXIV, 302.

28 Wolfgang Köhler, Christentum und Geschichte bei Franz Overbeck, Diss. phil. Erlangen 1950.

29 Köhler zitiert den Nachlaß noch nach den alten, seither geänderten Signaturen; vgl. dazu M. Tetz, Overbeckiana II, 27, Anm. 30.

30 Zuerst ZKG 3. Folge VII, Bd. 56, 1937; vgl. jetzt: Nietzsches Ideen zur Geschichte des Christentums und der Kirche, 1956, 122ff.

31 Robert Kiefer, Die beiden Formen der Religion des Als-Ob, 1932. Es handelt sich um eine Wiener theologische Dissertation.

bock und Prügelknaben suchte, der glücklicher war als er, in diesem Falle also die Theologie, an deren Spitze er Meister Harnack marschieren sah. Es war Ressentiment nach dem Gesetz der Überkompensation. Aus dem Ärger, von Amts wegen eine verlorene Sache traktieren zu müssen, entwickelte sich der Haß, der das Ventil wurde für den heimlich fressenden Ingrimm. Es war auch eine Verdrängung, die zwangsläufig zu einer krankhaften Gereiztheit führte, womit sich seine Unzufriedenheit kompensierte und Luft machte." (69)

Kiefer hat offensichtlich wenig Sinn für Nuancen. Er stellt Overbeck mit einem anderen verunglückten Theologen, mit *Bruno Bauer,* zusammen. Statt darauf zu achten, daß Overbeck eine Schrift wie „Das entdeckte Christentum" eben *nicht* geschrieben hat, und etwa zu fragen, welches die Gründe dafür sein könnten, findet Kiefer bei Bauer und Overbeck denselben „dämonischen Haß" (19, Anm. 1). „Bauers Haß gegen Christentum und Theologie ist ebenso pathologisch wie bei Overbeck." (69)

Aber in Wirklichkeit hegt Overbeck keinen Haß gegen das Christentum [32]. Weder Bauer noch Overbeck kann man im Ernst mit der Kategorie des Dämonischen erfassen. Bauers „Entdecktes Christentum" erinnert eher an Nietzsches „Antichrist" als an Overbecks „Christlichkeit" [33].

Kiefer meint, und dies ist wohl seine eigentliche These, man könne Overbeck als „Als-Ob-Theologen" ansprechen. Aber Kiefer muß selber zugeben: Overbeck „würde . . . jeden Fiktionalismus rundweg abgelehnt haben" (77).

Eine bedeutende Leistung der Overbeck-Interpretation stellt die Monographie von *Walter Nigg* dar, die 1931 erschien [34]. Besonders verdienstlich war es, daß Nigg den unveröffentlichten Nachlaß Overbecks zu seiner Darstellung heranzog.

Nigg führte Overbeck unabhängig von Nietzsche als markante Persönlichkeit in die geistesgeschichtliche Betrachtung ein.

Overbecks Aussagen, so meint er, „sollten ein für allemal unmöglich machen, Overbeck zu einem Christen wider Willen zu stempeln" (160). Aber Nigg betont nun, daß Overbeck sich gegenüber dem Christentum nicht ohne weiteres auf die Seite der modernen Kultur gestellt hat. Die Kultur der deutschen Gründerzeit kann gegen das Christentum unmöglich recht bekommen. Es muß erst noch eine Kultur kommen, die imstande ist, das Christentum geistig zu besiegen.

„Das Eigenartige und Bedeutungsvolle an Overbecks Durchleuchtung der Beziehung von Christentum und Kultur ist, daß sie überhaupt keine Lösung darstellt. Jede Lösung müßte mit seinem Grundaxiom in Kollision geraten. Overbecks Verdienst besteht gerade darin, daß er die Unmöglichkeit einer Lösung nachwies, wenigstens einer solchen, die der heutige Mensch von sich aus bewerkstelligen könnte. In der

---

32 Overbeck stellt selber das Fehlen „ernsten Christen- oder Religionshasses" bei sich fest; ONB A 218 Berufsmoral (Allgemeines), S. 3f., vgl. CK 289.
33 Siehe E. Benz, Nietzsches Ideen zur Geschichte des Christentums und der Kirche, 1956, 104ff. – Über Overbecks Verhältnis zu Bruno Bauer vgl. K. Löwith, Von Hegel zu Nietzsche, 4. Aufl. 1958, 405f.
34 Walter Nigg, Franz Overbeck. Versuch einer Würdigung, 1931.

Gegenwart kann nur die Unmöglichkeit der Quadratur des Kreises eingesehen werden." (165f.)

Overbeck kann in der gegebenen Situation nur zur Vorsicht mahnen, ohne darum zu verkennen, daß man sich gerade gegenüber der Bibel und der christlichen Überlieferung irgendwann werde „in die Luft stellen" müssen.

Niggs geistesgeschichtliches Verfahren führt nun aber dazu, Overbeck für die Theologie in gewisser Weise unschädlich zu machen. Es klingt fast fatalistisch, wenn Nigg sagt: „Der offiziellen Theologie Overbecks Angriff immer wieder vor Augen zu führen und ihr Eingehen auf Overbeck zu fordern, ist sinnlos, da sie das von ihren Voraussetzungen aus nun einmal nicht kann und auch die nötige Unbefangenheit zu dieser Beschäftigung nicht aufbringt." (174)

Wilhelm Kamlah fand bei Overbeck den Ausgangspunkt für eine philosophische Beschäftigung mit dem Christentum, die zunächst „die Frage Christentum oder Selbstbehauptung in wissenschaftlicher Besinnung zugunsten der Selbstbehauptung" zu entscheiden bemüht war[35]. Kamlah stimmte Overbeck darin zu, daß „der ursprüngliche Christusglaube ... mit Kultur nicht zu vereinen" sei[36], indem er seinerseits „Kultur" als geschichtlich-politische Selbstbehauptung deutete.

In späteren Jahren dagegen geht Kamlah zu einer „Kritik des durchschnittlichen profanen Erkenntnis- und Realitätsbegriffs"[37] über und möchte sich nunmehr „wissentlich" an die „vorgegebene religiöse Überlieferung" des Christentums binden[38], die freilich auf vernunftgemäße Weise auszulegen sei.

---

35 W. Kamlah, Christentum und Selbstbehauptung, 1940, 5. Das Werk erschien 1951 in Neubearbeitung unter dem Titel „Christentum und Geschichtlichkeit".

36 W. Kamlah, Christentum und Selbstbehauptung, 1940, 458. – Bultmann hat in seinem Vortrag „Neues Testament und Mythologie" gegen Kamlah eingewandt, er polemisiere „gegen das christliche Seinsverständnis als eschatologisches ... auf Grund eines Mißverständnisses, insofern die Entweltlichung des Glaubens undialektisch als eindeutig negatives Weltverhältnis verstanden wird, indem jenes paulinische ‚als ob nicht' nicht zur Geltung gebracht wird" (Kerygma und Mythos, Bd. I, 4. Aufl. 1960, 33). Dieser Einwand ist mit Ph. Vielhauer (Aufsätze zum Neuen Testament, 1965, 251, Anm. 41) auch gegen Overbeck selber zu erheben.

37 W. Kamlah, Der Mensch in der Profanität, 1949, 129.

38 W. Kamlah, Der Ruf des Steuermanns, 1954, 84. – An diese Phase von Kamlahs Philosophie suchen manche Theologen Anschluß; siehe etwa Ph. Vielhauer, Urchristentum und Christentum in der Sicht Wilhelm Kamlahs (EvTh 15, 1955, 307–333 = Aufsätze zum Neuen Testament, 1965, 253ff.); E. Gräßer, Das eine Evangelium (ZThK 66, 1969, 305–344, speziell 333ff. = Text und Situation, Ges. Aufsätze, 1973, 84ff., speziell 110ff.). Als Neutestamentler hat Vielhauer sich zu Overbeck geäußert in der Probevorlesung „Franz Overbeck und die neutestamentliche Wissenschaft" (EvTh 10, 1950/51, 193–207 = Aufsätze zum Neuen Testament, 1965, 235ff.) Vgl. auch seinen Artikel über Overbeck, RGG 3. Aufl. Bd. IV, 1960, Sp. 1750–1752. – Zum Problem der Formgeschichte bei Overbeck vgl. M. Tetz, Über Formengeschichte in der Kirchengeschichte (ThZ 17,1961, 413–431); ders., Altchristliche Literaturgeschichte – Patrologie (ThR 32, 1967, 1–42); E. Güttgemanns, Offene Fragen zur Formgeschichte des Evangeliums (BEvTh 54), 2. Aufl. 1971, 106ff., J.-C. Emmelius, s. u. Anm. 55. In hermeneutischer Sicht äußert sich zu Overbeck E. Gräßer, Wort Gottes in der Krise?, 1969 (vgl. dazu die Kritik von J.-C. Emmelius, s. u. Anm. 55, Anmerkungsband, S. 5f.).

Karl Löwith wurde der Behutsamkeit seiner Formulierungen wegen gelegentlich als christlicher Denker mißdeutet[39]. In Wirklichkeit bedenkt er mit zunehmender Deutlichkeit die „Gott losgewordenen Konsequenzen der uns geläufig gewordenen Reduktion von *Gott, Mensch* und *Welt* auf: *Mensch* und *Welt*"[40], mit der Absicht, gegenüber der Frage nach dem Sein seines Lehrers Heidegger „die an ihr selber fraglos und sprachlos bestehende Welt der Natur zur Geltung zu bringen"[41].

Mit einem Abschnitt über Overbeck schließt Löwiths 1941 in Zürich erschienenes Buch „Von Hegel bis Nietzsche"[42], das „den zerstörenden Mächten der alles ergreifenden Zeit" mit ruhiger Würde opponiert.

Löwith sieht viele Gebildete in Deutschland als Advokaten eines „christlichen Humanismus" auftreten, die angesichts der akuten Gefährdung der Christlichkeit durch die Kirchenpolitik des Diktaturstaates Christentum und Humanität auf eine Linie rücken sehen[43]. Demgegenüber verweist Löwith darauf, daß wir durch Overbeck dazu angehalten werden, die *christliche* Gestalt der Humanität in ihrer Zeitbedingtheit zu erkennen und uns vielmehr an das *Ewige* — im Sinne Löwiths: an den ewigen Kreislauf der *Natur* — zu halten. Löwith zitiert Overbeck: „Was an uns ewig ist, ist in uns stets gewesen und uns nicht erst nachträglich in einem historischen Moment unseres Lebens zu Teil geworden. Gegen diese Auffassung der Geschichte kann auch die von uns Menschen mit dem Christentum gemachte Erfahrung nicht aufkommen, sie wird vielmehr durch diese nur bestätigt."[44]

Freilich steckt, wie *Jacob Taubes* herausstellte[45], in einer Wieder-Holung der antiken Weltansicht durch Overbeck die Schwierigkeit, daß hierzu die Aufhebung genau jenes historischen Bewußtseins erforderlich ist, mit dessen Hilfe Overbeck die Relativität des Christentums erkannt hat. „Overbecks historische Analyse der christlichen Erfahrung als einer Geschichte der Verblendung und des Verfalls, die den Weg zurück zu einer antiken Welterfahrung bahnen soll, muß auch seinen eigenen historischen Sinn affizieren. Overbecks historische Besinnung muß am Ende die Konstruktion des historischen Bewußtseins selbst abbauen und Geschichte — ‚das ewige Wesen der Geschichte' (CK, 7), wie es an einer Stelle erhellend und verräterisch heißt — in die immer gleiche Natur des Kosmos und des Menschen zurückholen."

Hier wird die letzte Unklarheit deutlich, in welcher Overbecks Denken stets begriffen war. Overbecks Bemühung um die Historie des Christentums setzt voraus,

---

39 So etwa bei F. W. Kantzenbach, Krisis der Theologie als Krisis der Gotteserfahrung, in: G. Vicedom (Hg.), Das Mandat der Theologie und die Zukunft des Glaubens, 1971, 102f., aber selbst bei Martin Werner, Der protestantische Weg des Glaubens, Bd. II, 1962, 469.
40 K. Löwith, Gott, Mensch und Welt in der Metaphysik von Descartes bis zu Nietzsche, 1967, 9.
41 K. Löwith, Aufsätze und Vorträge 1930–1970, 1971, 203.
42 K. Löwith, Von Hegel bis Nietzsche, 1941. Siehe die Widmung an Husserl, S. 5. Die 2. Aufl. erschien 1950 unter dem Titel „Von Hegel zu Nietzsche".
43 Vgl. Reinh. Niebuhr, An Interpretation of Christian Ethics, 1935, 227f.
44 CK 73; das Original findet sich ONB A 219 Christenthum (Zeit) Allgemeines.
45 J. Taubes, Entzauberung der Theologie: Zu einem Porträt Overbecks (in: F. Overbeck, Selbstbekenntnisse, 1966), 21.

daß sich der Lauf des Christentums als ein auf sein Ende zusteuernder Lauf erkennbar machen lasse. Der Begriff des Christentums, den die Geschichte Overbeck an die Hand zu geben scheint, ist der Begriff des *Verfalls*.

Derselbe Overbeck aber weiß von Nietzsche her: „In Hinsicht auf den Sinn ihrer Entwickelung ist die Geschichte im Fundament zweideutig. Sie ist je nach dem Gesichtspunkt, unter dem sie betrachtet wird, *Fortschritt* oder steter *Verfall*. Weil sie eben überhaupt ‚Entwickelung der Zwecke in der Zeit' ist, kommt Alles auf die Schätzung ihrer jedesmaligen, im Laufe der Zeit sich stets regenden Zwecke an."[46]

So muß denn das Instrument der Relativierung, der historische Sinn, selber relativiert werden. Hier aber kann jeder Schritt für Overbecks Unternehmen einer geschichtlichen Widerlegung des Christentums gefährlich werden. Seine Abweisung eines die Historie zu seiner Rechtfertigung nützenden Christentums steht selber unter dem Vorzeichen eines spezifisch modernen historischen Bewußtseins. Der „Glaube an die absolute Relevanz des Relativsten: der Geschichte", den Löwith als die falsche „dogmatische Voraussetzung unseres heutigen Denkens" bezeichnet[47], hat die Arbeitsweise Overbecks stärker bestimmt, als seine eigene skeptische Einsicht, eine „Einsicht in die Unzuverlässigkeit und Hinfälligkeit aller menschlichen Dinge"[48], es von Rechts wegen hätte zulassen dürfen.

Neuerdings hat sich eine Anzahl von Dissertationen Overbeck zugewandt. *Bernhard Müller*[49] verzichtet auf die Heranziehung des Overbeck-Nachlasses. Leider hat sich Bernoulli an die von Müller noch gehegte Erwartung, daß er an den von ihm aus dem Nachlaß herausgegebenen Texten nichts habe „ändern, verbinden oder ergänzen ... dürfen", nicht gehalten[50]. Einen begründeten Zweifel in dieser Hinsicht hatte freilich *Martin Tetz* schon 1962 anläßlich der Herausgabe des für die Forschung künftighin grundlegenden II. Bandes der „Overbeckiana" ausgesprochen[51].

Das Verdienst der Müllerschen Arbeit besteht darin, die Auswertung der bisher (freilich unzureichend) publizierten Texte[52] weiter vorangetrieben zu haben.

Müller hat die zentrale Rolle der *Diastase* bei Overbeck erfaßt. „Weltbildung und Christentum" sind für Overbeck „unverträgliche Größen" (9), „Christentum und

---

46 ONB A 224 Geschichte (Allgemeines), S. 4. Overbeck beschäftigt sich hier mit einer Aufzeichnung Nietzsches zum Thema Geschichte aus dem Jahre 1883, die bei E. Förster-Nietzsche, Das Leben Friedrich Nietzsche's, 2. Bd., 2. Abth., 1904, 437 abgedruckt ist.

47 K. Löwith, Gesammelte Abhandlungen. Zur Kritik der geschichtlichen Existenz, 1960, 174.

48 K. Löwith, Vorträge und Abhandlungen. Zur Kritik der christlichen Überlieferung, 1966, 138.

49 Bernhard Müller, Glaube und Wissen nach Franz Overbeck, Diss. Berlin (Kirchliche Hochschule) 1967.

50 Ebd., S. 2. – „Christentum und Kultur" figuriert bei Müller (S. 7) noch als „Nachlaßwerk".

51 M. Tetz, Overbeckiana II, 1962, S. 17ff. Siehe auch schon die Erörterungen von Eb. Vischer, Overbeck und die Theologen (Kirchenblatt für die reformierte Schweiz, 1920, Nr. 31), 122f.

52 Müller zieht besonders die Vorlesung über „Vorgeschichte und Jugend der mittelalterlichen Scholastik", herausgegeben von C. A. Bernoulli, 1917, heran.

Weltbildung sind Gegensätze" (12). Müller wendet sich besonders dem „Antagonismus von Glaube und Wissen" (21) zu. Hierbei erscheint es zu Unrecht als die Meinung *Overbecks,* „urchristlicher Glaube" sei „auch urchristliches Wissen" gewesen (23); es gehe um „die einmalige und paradoxe Realität eines Glaubens, der auch Wissen und eines Wissens, das auch Glauben war" (22, vgl. auch 132). In diesen Formulierungen ist die eigene Position des Autors (vgl. 106) in die Position Overbecks eingetragen.

Der Versuch, in der „Erkenntnis unseres Nichtwissens" die „Erkenntnis einer neuen Möglichkeit eines *nach*wissenschaftlichen Glaubens" aufzuzeigen (83), kann sich keineswegs in der Art, wie Müller es behauptet, auf Overbeck berufen. Wenn man als Overbecks Meinung einseitig das herauskehrt, wir seien „unaufhebbar *Nicht*-Wissende" (156, Anm. 50) und hier einen Ansatzpunkt des Glaubens annimmt, so ignoriert man, daß wir nach Overbeck an *der* Stelle *Wissende* geworden sind, wo wir als Nicht-Wissende vielleicht Glaubende sein könnten (vgl. nur CK 300). In einer Niederschrift der 60er Jahre sagt Overbeck: „Es ist unmöglich, daß das Christenthum noch unser Aller Religion sei, weil es unmöglich geworden ist, daß unser Aller Wissen davon das Gleiche sei. Für die Wissenden ist es ganz etwas Wissbares, sie haben erkannt, daß es ganz auf Wissbarem ruht, nur für die Nichtwissenden ist es Gegenstand des Glaubens."[53]

Die Art, wie Müller meint, Overbecks „Auffassung" einmal bestreiten und ein andermal ihr zustimmen zu können und die Versicherung, Overbecks „gelehrte Gründlichkeit" sei „lobenswert" (16)[54], zeigen, daß in der Arbeit von Müller Overbecks Herausforderung nicht in ihrer ganzen Schärfe erfaßt ist.

Johann-Christoph Emmelius[55] liefert eine überaus exakte und materialreiche Studie zu Overbecks Auslegung der Apostelgeschichte.

Emmelius weist darauf hin, daß schon bei *Baur* Historismus und Spekulation auseinanderzutreten beginnen. Indem Overbeck das spekulative Moment in Baurs Geschichtsschreibung sich nicht aneignet, hat er „nicht nur die Möglichkeit verloren, die Geschichte unter der Idee der Einheit eines dialektisch vorwärtsschreitenden vernünftigen Prozesses zu begreifen und die Vergangenheit mit der Gegenwart universal zu vermitteln; er hat sich zugleich auch einer Verstehensweise begeben, für die geschichtliche Erkenntnis und philosophischer Begriff zum Ausgleich kommen und für die das Christentum als die geistige Macht erscheint, die das Wesentliche der Vergangenheit in sich aufgehoben hat und darum alles Glauben und Denken der Gegenwart zusammenhält".

---

53 ONB A 219 Christenthum (Gegenwart), Entzweiung, S. 22. Siehe auch die sachlich parallele Stelle ONB A 219 Christenthum (historischer Beweis), S. 9, vgl. CK 279.

54 Ähnlich schon P. Walser, Franz Overbeck: Christentum und Kultur (Kirchenblatt für die reformierte Schweiz, 1920, Nr. 19), 75. Gelehrt und gründlich konnten auch die Arbeiten eines Konservativen wie *Th. Zahn* sein.

55 Johann-Christoph Emmelius, Tendenzkritik und Formengeschichte. Franz Overbecks Beitrag zur Auslegung der Apostelgeschichte, Diss. Bochum 1971. Die mir vorliegende Typoskriptfassung umfaßt einen Textband von 303 Seiten und einen Anmerkungsband von 345 Seiten. Die Literatur ist in umfassender Weise berücksichtigt. Die Zitate finden sich im Textband S. 51, 63f., 65f. und 302f. und im Anmerkungsband S. 295.

Für Overbeck ist „die historisch-kritische Methode die allein zeitgemäße, dem Geist der Gegenwart allein entsprechende Weise des Umgangs mit der Vergangenheit", während *Nietzsche* den „Bau einer neuen, von der historischen Bildung befreiten Kultur" ins Auge faßt.

So kommt Emmelius zu einer instruktiven Erläuterung der Stellung Overbecks zwischen *Baur* und *Nietzsche*:

„Was Ov(er)b(eck) mit Nietzsche verbindet und beide von Baur trennt, ist die Überzeugung, daß die Historie, sofern sie als Wissenschaft betrieben wird, ein Unternehmen ist, das einer Religion bzw. einer Kultur den tiefsten Schaden bereitet und zuletzt notwendig ihren Tod herbeiführt. Baur verfügte mit der spekulativen Geschichtsbetrachtung über ein Verfahren, das ihm gestattete, die destruktiven Implikationen der empirischen Historie, denen sich Ov(er)b(eck) und Nietzsche unentrinnbar konfrontiert sahen, aufzuheben und abzufangen. Was Ov(er)b(eck) mit Baur verbindet und beide von Nietzsche trennt, ist die Überzeugung von dem Recht und der Pflicht zur rein historischen Betrachtung. Dieser Betrachtung wußte sich Nietzsche überhoben, weil er mit der vor-rationalen plastischen Lebenskraft eine Größe zum Fundament und Prinzip seines Fragens machte, die ihm erlaubte, die Ansprüche wissenschaftlicher Objektivität zu unterlaufen und hinter sich zu lassen. Die Eigenständigkeit Ov(er)b(eck)s zwischen Baur und Nietzsche liegt mithin darin, daß er dem Vollzug historisch-kritischer Arbeit verpflichtet blieb, obwohl er die mit dieser Arbeit aufbrechende Problematik *als Aporie* durchschaute."

Man muß nach Emmelius bei Overbeck von einer „fundamentalen kritischen Distanz gegenüber dem NT als ganzem" reden. Durch Overbeck wird die Frage nach der theologischen Legitimität der historisch-kritischen Methode verschärft. Sind wir mit dieser Methode auf dem richtigen Wege oder sind wir im Gegenteil „dem gelobten Land der Versöhnung von Glauben und historischem Wissen nicht näher gekommen"? Mit dieser Frage schließt Emmelius, und er fügt nur noch hinzu, wenn es wahr sei, „daß die Wissenschaft" (nach Heidegger) „im *Verfallen* gründet", so stehe sie „in ausschließendem *Gegensatz* zu der aus der *Eigentlichkeit* des Daseins entspringenden existentialen Interpretation".

So führt die Overbeck-Forschung zur Frage nach einer angemessenen theologischen Methode. *Jürgen Courtin* will in seiner Arbeit[56] „an Overbecks Weg stringente Problemerfassung wie Fehllösung theologischer Theoriebildung" demonstrieren, „zum Nutzen einer gründlichen Methodenkritik in der Theologie". Ob die „Zäsur im Werke Overbecks", die mit der „Christlichkeit" von 1873 gegeben sei, von Courtin wirklich bewiesen ist, muß dahingestellt bleiben. Wesentlich ist jedenfalls der Versuch, Overbeck im Rahmen des Geschichtsdenkens des 19. Jahrhunderts zu würdigen.

---

56 Jürgen Courtin, Das Problem der theologischen Wissenschaft in ihrem Verhältnis zur Theorie der Christentumsgeschichte bei Franz Overbeck. Es handelt sich um eine in Vorbereitung befindliche Mainzer Dissertation, von der mir das Inhaltsverzeichnis und einige Passagen der Typoskriptfassung vorlagen.

Resümiert man ein wenig die Forschungsgeschichte, so könnte folgendes klar sein: Das *sachliche* Problem, das durch Overbeck gestellt ist, darf nicht in ein *psychologisches* verwandelt werden. Es genügt nicht, von der „Tragik" Overbecks „betroffen" zu sein[57], denn der „Fall Overbeck" könnte, zumal heute, weniger exzeptionell sein, als er vor der Folie einer scheinbar intakten bürgerlich-„christlichen" Welt sich ausnimmt. Statt Overbeck als „Fall" zu isolieren, haben wir allen Anlaß, in seinen Problemen weithin unsere eigenen Sorgen mit dem Christentum expliziert zu finden.

Es hilft auch nicht, gegenüber dem nichtchristlichen Weg, den Overbeck zu gehen versuchte, gewisse christliche Wege in Vorschlag zu bringen, die ihm vielleicht offenstanden und von ihm nicht beschritten worden sind[58]. Was gerade *theologisch* zu würdigen ist, ist vielmehr dies, daß Overbeck eben jenen anderen Weg gegangen ist.

Man darf schließlich nicht Overbeck verharmlosen wollen, indem man ihn als einen „frommen Mann"[59] hinstellt.

Für ein Gespräch mit Overbeck, bei dem es oft wichtiger wäre, Overbecks Frage ernstzunehmen, als sogleich eine Replik bereitzuhalten, könnten etwa folgende Gesichtspunkte in Frage kommen:

1. Overbeck hat durchweg die Ansicht vertreten, das Christentum sei durch Weltverneinung bestimmt. Hier kann gefragt werden, ob Overbeck sich nicht zu stark in die Abhängigkeit von *Schopenhauer* begeben hat. Ist der christliche Glaube wirklich exzessiv asketisch? Erlegt er wirklich den Menschen eine radikale Diastase zu ihrer Umwelt auf?
Overbeck findet es charakteristisch für Jesus, daß er Menschen dazu aufrufen kann, zu werden wie die Kinder. Ein solcher Aufruf, so meint er, „war nur möglich, weil es nach Jesus mit der Welt vorbei war"[60].

Das meint Overbeck natürlich im Sinne der weltanschaulichen Voraussetzung der Nähe des Weltendes im zeitlichen Sinne, die uns heute fremd geworden sei. Aber hier könnte man fragen, ob das Zeitverständnis Jesu in seinem bezeichnenden Element damit überhaupt getroffen wird. Daß es „mit der Welt vorbei" sei, könnte

---

57 So H. Zahrnt, Ein „ungläubiger" Theologieprofessor (Zeitwende 26, 1948/49), 229. – Von der „Tragik von Overbecks Leben" spricht auch H. Hermelink, Das Christentum in der Menschheitsgeschichte von der französischen Revolution bis zur Gegenwart, Bd. III, 1955, 461.

58 Th. Buske, Overbecks theologisierte Christlichkeit ohne Glauben (ThZ 23, 1967, 396–411): *Kierkegaard*; F. W. Kantzenbach, Krisis der Theologie als Krisis der Gotteserfahrung. Franz Overbecks Zwiesprache mit Wesen und Auftrag der Theologie (in: G. Vicedom, Hg., Das Mandat der Theologie und die Zukunft des Glaubens, 1971, 88–103): *Robert Kübel*. Eher käme der Hinweis auf *Richard Rothe* in Frage, dem Overbeck sich als Student beinahe genähert hätte. Man kann natürlich auch erwägen, was es bedeutet hätte, wenn Overbeck in seinem kirchengeschichtlichen Fach etwa von *Neander* oder *Thiersch* sich hätte beeinflussen lassen, oder wenn, unter den Philosophen, er etwa *Karl Steffensen* oder *Rudolf Eucken,* die beide in Basel in seiner Nähe wirkten, nähergetreten wäre. Aber all das ist spekulativ.

59 So W. Köhler, (s. Anm. 28), 31.

60 ONB A 227 Jesu Reden über die Parousie, vgl. CK 48.

dies nicht vielmehr heißen, Jesus ist mit „der Welt" „am Ende"?[61] Es wäre dann nicht von der Welt schlechthin, sondern von einem bestimmten Aspekt der Welt die Rede. Die „sich in sich selbst abschließende, die den Menschen in sich einschließende, ihn umschließende" und gefangennehmende Welt wäre für den Glaubenden eine vergangene, erledigte Welt.

Gegen solches Verständnis erhebt sich freilich der Verdacht, daß hier die Erlösung, statt real verwirklicht zu werden, im bloßen Selbstbewußtsein des Glaubenden aufgeht. Ist ein Bewußtsein von Erlösung inmitten einer unerlösten Welt nicht ein falsches Bewußtsein?

Wenn für den christlichen Glauben die „Erbarmungen Gottes", „ohne ihre Jenseitigkeit aufzugeben, zur letzten Bestimmung der ihr gegenüberstehenden Diesseitigkeit" werden, dann kann, nach einer paulinischen Wendung, es sich nur darum handeln, sich „nicht zu fügen in die Gestalt dieser Welt, wohl aber in ihre Verwandlung"[62], so daß es mit „dieser" Welt so „vorbei" wäre, daß auch in ihren Zuständen es nicht beim Alten bliebe.

2. Das Christentum, so meint Overbeck, verlange von seinen Gläubigen Kindersinn, so lange es ein „praehistorischer Embryo" sei, – „als Kirche, d. h. als das ausgewachsene historische Gebilde, in dem wir Lebende selbst stehen und als welches es allein für uns in Betracht kommt", schließe es „diesen Kindersinn bei seinen Gläubigen aus". Demnach sei entweder das Evangelium „weltunmöglich", – und so optiert Overbeck, – oder aber das Evangelium müßte „die Kirche in der Welt aus den Angeln" heben[63].

Hier kann nun argumentiert werden, daß der „Kindersinn" des Christen von Paulus als mündige „Sohnschaft" interpretiert wird[64]. Aber es wird nicht gut zu bezweifeln sein, daß solche Mündigkeit im geschichtlich wirksamen Christentum oft institutionell niedergehalten wurde und noch wird. So tritt das Evangelium in der Tat oft genug in einen Gegensatz zur „Kirche". Wenn der Eindruck entsteht[65], daß die Quellen des Judentums und Christentums versiegt seien, so deswegen, weil die kirchliche Institution sich einer christlichen Selbstkritik versagt, in der das Evangelium jenen „Geist der Schwere" überwinden könnte, von dem Nietzsche gesprochen hat[66].

---

61 F. Gogarten, Der Mensch zwischen Gott und Welt, 1952, 21f.
62 K. Barth, R II, 410ff. – Schon für *Ferdinand Christian Baur* stellt sich das „ursprüngliche Bewußtsein" des Christen nicht nur als *Selbst*bewußtsein, sondern auch als *Welt*bewußtsein dar: nämlich Salz der Erde und Licht der Welt zu sein (Das Christenthum und die christliche Kirche der drei ersten Jahrhunderte, 2. Aufl. 1860, 27f. = Ausgewählte Werke in Einzelausgaben, 3. Bd., 1966, 27f.) – Vgl. hierzu Eberhard Arnold, Das Geheimnis der Urgemeinde (Das neue Werk, 2. Jg. 1920/21), 163: „Die persönliche Wiedergeburt kann von der Umgestaltung aller Dinge durch Christus nicht abgetrennt oder ausgeschaltet werden."
63 ONB A 219 Christenthum und Kindersinn, vgl. CK 64.
64 F. Gogarten, (s. Anm. 61), 358ff.
65 K. Löwith, Aufsätze und Vorträge 1930–1970, 1971, 155.
66 Siehe dazu E. Biser, Die Waage des Geistes. Nietzsches Kampf mit dem Geist der Schwere (Concilium 10, 1974, 326–334).

3. In Overbecks Kritik des Christentums wird das skeptizistische Motiv der „Beschränkung der bürgerlichen Rationalität aufs Bestehende" und Feststellbare[67] im theologischen Bereich geltend gemacht. Jedoch meinte der junge Overbeck jedenfalls eine Zeitlang, daß uns, wenn schon nicht das abgelebte, historisch gewordene Christentum, so doch die Religion noch etwas sein könne[68]. Sein Sinnen ging damals im Anschluß an *Schopenhauer* auf „emprunts au mysticisme chrétien émancipé du contrôle ecclésiastique"[69]. Resultieren könnte aus der Verbindung dieser Motivationen eine skeptische Religionsphilosophie[70], in welcher eine wechselseitige Kritik von Zeitgemäßem und Unzeitgemäßem stattfände.

Kann die christliche Theologie aus dem „babylonischen Gefängnis"[71], das die bürgerliche und nachbürgerliche Rationalität ihr bereitet, ausbrechen? Das Ideologische an der bürgerlichen Fragmentierung des Geistes ist unschwer zu erkennen, schwer jedoch zu überwinden, will Theologie nicht zum Anwalt kruder Heteronomie von Menschen sich zurücktransformieren. Die Kritik historischer Vernunft, welche einer gegenwärtigen Theologie aufgegeben ist[72], kann sie der Charybdis der unverbindlichen, gar zynischen Spekulation gleichermaßen entgehen wie der Skylla der sich selbst verzehrenden[73] Skepsis?

„Das Christentum", sagt *Unamuno*[74], „muß agonisch, polemisch, in seiner Funktion als Kampf definiert werden. Und vielleicht ist es besser, man definiert es, indem man feststellt, was das Christentum nicht ist." Dazu hilft Overbeck nicht zum wenigsten dadurch, daß er den „Widerspruch mit dem innersten Geist des Christenthums" aufdeckt, der darin liegt, daß Theologen und Kirchenmänner „Religion und Christenthum mit Vorliebe unter dem Gesichtspunkt des Machtmittels, des Mittels zur Weltherrschaft betrachten und schätzen"[75].

---

67 M. Horkheimer, Vernunft und Selbsterhaltung, 1970, 9.

68 Siehe ONB A 219 Christenthum (Gegenwart), S. 23.

69 E. Seillière, Arthur Schopenhauer, 1911, 109ff.

70 Vgl. H. R. Schlette, Skeptische Religionsphilosophie, 1972.

71 H. Lachenmann, Welt in Gott, 1960, 9ff.

72 Vgl. dazu etwa A. Dempf, Selbstkritik der Philosophie, 1947; ders., Kritik der historischen Vernunft, 1957; H. Lachenmann, a.a.O.; S. Buddeberg, Grundformen christlichen Lebensgefühls, 1962; E. Reisner, Der begegnungslose Mensch, 1964.

73 „Indem die Vernunft die Begriffsfetische zerstört, kassiert sie schließlich den Begriff ihrer selbst." (Horkheimer, a.a.O., 10.)

74 Miguel de Unamuno, Die Agonie des Christentums, 1928, 27. – In Unamunos Ringen mit dem Christentum kommt eine Haltung zutage, die mit derjenigen *Pascals* Gemeinsamkeiten aufweist. Overbeck versagte einem so passionierten christlichen Denker wie Pascal seine Sympathien nicht, weil dessen literarisches Bekenntnis zum Christentum, existentiell wie es ist, „die Arbeit eines Denkers und demgemäß ... Apologie und Kritik des Christenthums zugleich" ist (ONB A 233 Pascal, Apologie des Christenthums, Characteristik [Allgemeines], S. 13).

75 ONB A 232 Nietzsche (Theologen über ihn), S. 4f.; vgl. Bernoulli I, 219.

II. KAPITEL

Die Overbeck-Interpretation von Carl Albrecht Bernoulli

Unter den Interpretationen, die Overbeck gefunden hat, ist diejenige von C. A. Bernoulli besonders einflußreich geworden. Bernoulli hat Overbeck den Weg in die Öffentlichkeit gebahnt.

Der Bogen von Bernoullis Overbeck-Interpretation spannt sich von der frühen Abhandlung „Die wissenschaftliche und die kirchliche Methode in der Theologie. Ein enzyklopädischer Versuch" (1897) bis zur Einleitung in die Overbecksche Übersetzung der „Teppiche" des Clemens von Alexandrien von 1936.

Bernoulli, geboren 1868, der in Neuenburg, Basel, Straßburg und Marburg evangelische Theologie studierte, hatte seit Sommer 1888 bei Overbeck gehört[1], bei ihm seine Licentiatenarbeit über den „Schriftstellerkatalog des Hieronymus" (1895) angefertigt und sich 1895 als Privatdozent für Kirchengeschichte habilitiert. In die Privatdozentenzeit fällt die Abfassung der „Methode", mit deren Erscheinen er damals seinen Lehrer Overbeck überraschte.

Nachdem Overbeck die „Methode" „unter gesteigertem Beifall und freilich auch nicht geminderten Bedenken" (im Blick wohl vor allem auf den für Bernoulli daraus erwachsenden Schaden bei den Fachkollegen) gelesen hat[2], überreicht ihm Bernoulli ein weiteres Werk, das für Overbeck „womöglich noch ungeahnter" ist „als der ‚Versuch'"[3]. Dieses Werk ist seiner Entstehung nach viel älter „als sein wissenschaftliches Gegenstück, die ‚Methode'"[4]. Es ist der Bekenntnisroman „Lucas Heland", den Bernoulli unter dem Pseudonym Ernst Kilchner 1897 herausgibt.

Overbeck, dem Gegner einer belletristischen Tätigkeit von Gelehrten, gegenüber verteidigt Bernoulli sein Werk damit, daß die Entbergung der „künstlerische(n) Hemisphäre" seines „Wesens" nur Ausdruck sei für eine „gewaltsame Selbstbefreiung": Bernoulli meint in diesem Buch von *Duhm* zu *Overbeck* überzugehen.

Aber eine wirkliche Konversion von der romantisch-poetischen Religiosität zu einer wissenschaftlichen Laufbahn im Sinne einer skeptisch orientierten „reinen Wissenschaft" wird nicht vollzogen. Von sich aus verspürt Bernoulli „nur eine so geringe Zuversicht" zu seinen gelehrten Talenten. Nur Overbecks Vertrauen habe ihn „dauernd an die Wissenschaft gefesselt" — eine Äußerung, in der gewiß ein Element

---

1 ONB A 409.

2 Overbeck an C. A. Bernoulli, 10.9.1897, Nachlaß C. A. Bernoulli, Universitätsbibliothek Basel, G I b 7.

3 ONB A 267 c, S. 9.

4 Bernoulli an Overbeck, 26.10.1897, BNB G I a. Dort auch die folgenden Stellen.

von captatio benevolentiae steckt, da ihn gerade auch *Duhms* Theologie an die Wissenschaft band, wie der Roman deutlich aussagt. „Ob ich", sagt er, „freilich je Professor werde, ist mir nach den Erfahrungen der jüngsten Zeit fraglich, aber auch nebensächlich."

Diese „Erfahrungen" werden expliziert in einem Brief an Overbeck vom 6.10.1898[5]. Es handelt sich um die Nachfolge auf dem Lehrstuhl Overbecks, nachdem Overbeck am 31.3.1897 in den Ruhestand getreten war. Bernoulli war von Overbeck für die Nachfolge ausersehen und sollte das Ordinariat offenbar auch erhalten, nur mit dem für Bernoulli mißlichen Beiklang, „daß es eitel Gnade und zwar des andern Fachordinarius Gnade war" (gemeint ist der Vermittlungstheologe *Rud. Stähelin*, Ordinarius für Kirchengeschichte seit 1875). Bernoulli erwähnt außerdem „die mir offiziös gemachte Erklärung, man nehme mich, weil ich nun eben einmal da sei, aus persönlichen Rücksichten". Angesichts der wachsenden theologischen Entfremdung von Stähelin hatte die Publikation der „Methode" den Sinn, „die Vertrauensfrage zu forcieren oder ein nur halbes Vertrauen dann auch gerade gänzlich zu zerstören". Das letztere scheint erreicht worden zu sein, so daß sich die Befürchtungen Overbecks erfüllt hätten. Bernoulli legt Wert darauf, die Nichterlangung des Lehrstuhls als eigenen Verzicht zu deuten: „Man hat mich behandelt wie einen dressierten Hund: Du bekommst das Zückerchen, aber du mußt erst hübsch Männchen machen. Das that ich erst; dann kam mir unversehens die Dressur abhanden, und der Pudel entsprang!"

Daß seine Stellung in der Fakultät so schwach war, führte Bernoulli auch darauf zurück, daß seine wissenschaftliche Selbständigkeit gegenüber Overbeck zweifelhaft erschien. Bernoulli will es nicht bei der früheren Aussage lassen, sein Verhältnis zur kirchengeschichtlichen Wissenschaft „reduciere sich gewissermaßen auf mein persönliches Verhältnis zu Ihnen" (= Overbeck). Denn einer solchen Aussage, so will er es nun interpretieren, habe die „bewußte Absicht" zugrundegelegen, „möglichst lange" von Overbeck zu lernen. Nun aber will er den Nachweis seiner Selbständigkeit antreten und wendet sich der Erforschung der Heiligen der Merowinger zu. Die betreffende Arbeit wurde auch wirklich vollendet und ist 1900 erschienen. Nach Eberhard Vischers Urteil[6] fand diese Schrift „wohl unter allen seinen theologischen Werken die größte und allgemeinste Anerkennung". Bernoulli meint sich auch hier nicht von Overbeck zu trennen, insofern nach dessen Ansicht die Bekehrung der Germanen eine „Lebensarbeit" für den Kirchenhistoriker abgeben könne[7].

In seinen kirchenhistorischen Arbeiten der Frühzeit, einschließlich des Buches über die Heiligen der Merowinger, folgt Bernoulli Overbeckschen Wegen. Durch die „Methode" und durch „Lucas Heland" brachte Bernoulli jedoch theologische Grundanschauungen zum Ausdruck, die ihn zu Overbeck in einen Gegensatz brachten. Hinsichtlich der „Methode" hat Overbeck selbst dies in seinen Papieren festgehalten. In

---

5 BNB G I a. Dort die folgenden Stellen.
6 Carl Albrecht Bernoulli 10. Januar 1868 – 13. Februar 1937 (Gedenkschrift), 1937, 18.
7 Bernoulli an Overbeck, 6. 10. 1898, BNB G I a.

der Dedikation der 2. Auflage der „Christlichkeit" weist er darauf hin, daß Bernoulli sich damals (1897) die „Christlichkeit" nur räuberisch angeeignet, sie also falsch interpretiert habe.

In dem Nebeneinander von „Lucas Heland" und „Methode", von Roman und theologiegeschichtlicher Darstellung kommt die Zwiespältigkeit in Bernoullis „Wesen" zum Ausdruck. Wenn er im Brief an Overbeck vom 6. Oktober 1898 von der „Errungenschaft" seiner „vollständigen Selbständigkeit" spricht (gemeint ist der Entschluß, der Basler Universitätslaufbahn zu entsagen), so gehört auch dies zu seinem „in stetem Fluß und Wandlung befindlichen Zustande", den er im gleichen Brief konstatiert. Denn wenn er laut diesem Brief unter seine belletristische Tätigkeit „den Strich . . . gezogen" hat und sich nun der kirchengeschichtlichen Forschung widmen will, so wird doch dieser Entschluß, wie der Brief an Overbeck vom 8. Februar 1900 beweist, bald wieder umgestoßen.

Bernoulli und Overbeck sind beide ausgeprägte Individualisten, aber in Overbeck tritt Bernoulli das Objektive wissenschaftlicher Forschung als ein Element der Ruhe entgegen und zieht ihn an. Im Brief vom 6. Oktober 1898 bedauert er es ehrlich, Overbeck bei dessen eigenen Arbeiten nicht zur Hand gehen zu können.

Der Roman „Lucas Heland", gibt sich als Problemroman; er ist mit theologischen Exkursen überladen. Bernoulli selbst beklagt (am 6.10.1898 an Overbeck) das „Inhaltlichallzuviele" und bringt den Roman später unter eigenem Namen in einer überarbeiteten Fassung heraus (1901), in der die meisten der Exkurse beseitigt sind. Da es sich um eine poetische Selbstdarstellung handelt, ist es konsequent, wenn in der 2. Ausgabe die Ichform gewählt wird.

Der äußere Verlauf der Erzählung ist der, daß ein junger schweizerischer Pfarrer in Schwierigkeiten kommt, weil er die Enge des kirchlichen Gemeindelebens und die herrschende Orthodoxie[8] nicht gut ertragen kann. Insbesondere aber geraten seine Naturhaftigkeit und seine ästhetischen Anlagen zu den Aufgaben des geistlichen Amtes in Spannung. Die Folge ist, daß er das Amt schließlich aufgibt.

Lucas Heland erweist sich ständig als Adept der Duhmschen Theologie, und die Erstfassung des Romans endet (274ff.) mit der Reproduktion einer Duhmschen Kollegstunde über Genesis 2–3[9] und mit der Habilitierung Helands in der theologischen Fakultät.

Overbeck hat auf das nahe Verhältnis der Romangestalt zu Bernoulli selbst hingewiesen[10] und es an der Zweitfassung gerügt, daß Bernoulli hier das „Ich" formal einsetze, sich aber gleichzeitig selbst von der Helandgestalt distanziere. Bernoulli bringe „seinen Heland um die theologische Entwickelung . . . , die er ursprünglich mit ihm gemein gehabt hat". Overbeck erkennt aber an, daß Helands

---

8 Bernoulli erinnert selbst an „Sebaldus Nothanker" von Fr. Nicolai, Heland I, 228. Freilich steht Nicolai in einer doppelten Front, gegen Orthodoxie *und* Romantik; vgl. E. Hirsch, Geschichte der neuern evangelischen Theologie, Bd. IV, 3. Aufl. 1964, 264.
9 Duhm tritt als „Professor Thomas" auf.
10 ONB A 218 Bernoulli (C. A.) Schriften, Lucas Heland.

Rückkehr in das geistliche Amt, wie sie in der 2. Auflage erfolgt, „erst einen, ästhetisch beurtheilt, möglichen und annehmbaren Schluß" für den Roman bringt. Ob Overbeck damit recht hat, daß dieser Schluß sich für Bernoulli *nur* aus poetischen Gründen nahelegte? Wenn Overbeck ausspricht, Bernoulli habe in der 2. Auflage einen „bloßen Märchenprinzen" dargestellt, er habe sich selbst dabei nicht ernstgenommen, so ist aus der neu hinzugekommenen Einleitung in der 2. Ausgabe des „Heland" der Satz danebenzuhalten: „Einer durchschlagenden Kraft und der klar verlaufenden Linien hat mein Leben . . . entbehrt"; Heland sei „vom Spiel und Gegenspiel verschieden gearteter Mächte ergriffen" worden (3). Wird dies als Grundtenor verstanden, so scheint die Entfernung zwischen Heland und Bernoulli auch in der 2. Ausgabe trotz des Schlusses (bei dem immerhin zu erwägen ist, ob Bernoulli nicht doch eine reale *Möglichkeit* seiner selbst aussprechen wollte) nicht allzu groß zu sein. Die Widersprüchlichkeit des 2. Heland gibt Overbeck richtig an, wenn er sagt, daß hier „die thätige Herbeiführung dieses Schlusses durch den Helden der Erzählung" nicht ausgeglichen ist damit, daß er in der 2. Auflage des Buches „noch viel ausschließlicher durch Umstände (Menschen und Dinge) nur *geschoben*" wird „als in der ersten". Es dürfte sich dabei um eine Widersprüchlichkeit der Tendenzen bei Bernoulli selbst handeln.

Bernoulli hätte, wie er sagt, das Buch über die „*Methode*" auch betiteln können: „Das Verhältnis der Wissenschaft zur Religion und zur Kirche"[11]. Bernoulli redet bewußt als Theologe. Er macht in dem Buch, das sich als wissenschaftsgeschichtliches Referat mit breit ausholenden Exzerpten gibt, den Vorschlag, zwei Arten von Theologie streng voneinander zu trennen, nämlich die *wissenschaftliche* Theologie (Exegese und Kirchengeschichte) und die *kirchliche* Theologie (Dogmatik und praktische Theologie).

Im „Heland"[12] sagt Prof. Thomas (= B. Duhm): „Wir" (die „wissenschaftlichen" Theologen) „führen sie" (die Theologiestudenten) „an die großen Religions- und Kirchenmänner heran, schildern ihnen die Zeiten, wo sich die Menschen besonders lebhaft um Gott gekümmert haben, und liefern sie dann der Kirche ab, die sie zu ihren Dienern macht; die dämpft den faustischen Drang dann schon. Wir lehren sie die Bibel geschichtlich verstehen, während die Dogmatik diesem Verständnis die kirchlichen Accente aufsetzt." — „Zweierlei ist es jedenfalls, Theologie in der Kirche und Theologie auf der Universität, . . . jene läßt nur das eine Christentum gelten, das sie verbreitet, diese jedoch so viele Christentümer, als es lebendige Christen gibt."[13]

Bernoullis Vorschlag soll ein Vermittlungsversuch sein, doch würde er es „der Schrift als einen weiteren Vorzug anrechnen, wenn sie das zünftige Bewußtsein der in der Kirche nicht thätigen, wissenschaftlichen Theologen zu kräftigen vermöchte"[14]. Bernoulli meint, daß sich durch Ausführung seines Vorschlages der

---

11 C. A. Bernoulli, Die wissenschaftliche und die kirchliche Methode in der Theologie, 1897 (= Methode), Vorrede, S. V.
12 Ernst Kilchner, Lucas Heland, 1897 (= Heland I), 286.
13 Ebd., 260.
14 Methode S. X; für das folgende siehe S. 226f.

Friede in der Kirche wiederherstellen lasse, denn die Liberalen werden als Partei überflüssig, weil der wissenschaftlichen Theologie als Größe sui generis ihr Bestand garantiert ist, und die konservative Theologie fällt dahin, weil ihr Anliegen in den Betrieb der kirchlich-dogmatischen Theologie aufgenommen ist. Die Irenik dieses Vorschlages steht im Einklang mit der irenischen Tendenz in Overbecks „Christlichkeit". Sowohl in der „Christlichkeit" wie in Bernoullis „Methode" bilden die irenischen Töne den Ausklang[15].

Bernoulli inspiriert sich besonders an *Lagarde* und an *Duhm*[16]. Wenn er Overbeck zur Vindizierung einer neuen, der lebendigen Religion ihr Recht gebenden Theologie als testis veritatis neben Lagarde und Duhm stellt, so wird er Overbeck nicht gerecht[17].

Im zentralen Punkt ist der Dissensus ganz deutlich. Overbeck fordert die Anerkennung der Tatsache, „daß in aller Theologie die Wissenschaft als ein für die Religion zerstörendes und sie einschränkendes Element liegt" (C. 147), — Bernoulli will dagegen der kirchlich-dogmatischen Theologie „im Bereich bestimmter, von ihr selbst abgesteckter Schranken" ausdrücklich Wissenschaftlichkeit zugestehen[18]. Daneben gebraucht er freilich den Ausdruck „wissenschaftliche Theologie" oder „theologische Wissenschaft" durchweg von der profanen Disziplin, die er von der kirchlichen abtrennen will[19].

Auf Overbeck berufen kann sich Bernoulli mit der Forderung nach (scheinbarer!) Versachlichung des pfarramtlichen Wirkens: der Pfarrer soll nicht seine persönliche Überzeugung, sondern die Lehre der Kirche vermitteln[20]. Das wird von Bernoulli als *priesterliche* Funktion beschrieben, die von dem römisch-katholischen Amtspriestertum sich dadurch unterscheide, daß „statt des aus Brod magisch verwandelten Leibes Christi das durch einen kräftigen persönlichen Glauben belebte ‚feste,

---

15 C. 146f. (Schluß der 1. Aufl.); Bernoulli, Methode 226—29.
16 Bernoulli war in Basel Duhms Schüler. Der Einfluß Overbecks lag bei Bernoulli im Streit mit dem wesentlichen Einfluß von Duhm. Sein Theologiestudium wäre erfolglos vorübergegangen, meint Bernoulli später, „wäre nicht seit dem Jahre 1889 neben Franz Overbeck auch Bernhard Duhm unser verehrter Lehrer geworden. Diese beiden überragenden Geister haben mein inneres Heranwachsen in abwechselndem Einfluß bestimmt." (Carl Albrecht Bernoulli 10. Januar 1868 – 13. Februar 1937, 1937, 6). Vgl. auch J. Weidenmann (ebd., 11): Bernoulli sei „überzeugt" gewesen, „mit seinen wissenschaftlichen Forderungen und seiner theologischen Haltung die Synthese zu bilden zwischen seinen Lehrmeistern", Duhm und Overbeck.
17 K. Leese, der Overbeck als Vertreter eines sich entchristlichenden radikalen Protestantismus neben Lagarde stellt (Der Protestantismus im Wandel der neueren Zeit, 1941, 281ff.), betont im Unterschied zu Bernoulli ausdrücklich die Differenz zwischen beiden in bezug auf Religion und Theologie (283).
18 Methode 219, vgl. 224f.
19 So etwa in dem Satz: „Die kirchliche Theologie ist ... dogmatisch berechtigt, in der theologischen Wissenschaft eine zweite außerkirchliche Seite des Protestantismus anzuerkennen. Daran schließt sich das weitere Recht, von dieser Wissenschaft zu lernen und aus ihrem Wissen nach Gutdünken sich anzueignen, was sie für ihre kirchlichen Interessen förderlich hält." (214)
20 Methode 206f. Das folgende Zitat S. 209.

prophetische' Gotteswort" ausgeteilt werde, denn „je mehr der Geistliche sich der Verantwortung des eigenen unsicheren Urteils überhoben fühlt und sich für den Vermittler der allgemeinen Kirchenlehre halten darf, um so kräftiger wird auch seine persönliche Überzeugung sein". — Demgegenüber ist die Priesterlichkeit des protestantischen Kirchendieners bei Overbeck wesentlich als Zurückdrängung der persönlichen Überzeugung verstanden, und es wird eine Verpflichtungsformel verlangt, die für den Geistlichen „seine persönliche Überzeugung ganz unzweideutig und vollständig freigiebt, ihn aber in der Ausübung seines Amts durchaus an das Bedürfniß seiner Gemeinde bindet" (C. 140f.)[21].

An das Hauptthema Overbecks rührt Bernoulli nur ganz leicht, wenn er sagt, „Weltflucht und Weltverneinung, in denen Overbeck das Wesen des Christentums sieht", seien „doch zu sehr Schlagwörter, als daß man darunter nur soviel sich vorstellt, als Overbeck damit sagen will: nämlich die Selbstabschließung der Kirche gegenüber der Welt und ihrer Kultur". „Der Kirche", sagt Bernoulli, — und er meint, Overbecks Kritik gelte dem Christentum nur „in seiner kirchlichen Beschränkung"[22]. Hier wird Overbeck verharmlosend zu den liberalen Theologen gestellt.

Durchaus im Gegensatz zu Overbeck befindet sich Bernoulli, wenn er im „Heland" die Weltnähe des Christentums anhand von Psalm 8 und Genesis 1 entwickelt[23]: „Wir sollen die Erde nicht fliehen; wir sollen sie uns unterthan machen". Dagegen ist es im Sinne Overbecks, wenn Prof. Thomas (= B. Duhm) im Roman ausführt: „Die meisten Pfarrer sind heutzutage der Ansicht, die Welt sei im großen und ganzen gut, wie sei sei; dieser Optimismus ist unbiblisch. Das Neue Testament sagt durchweg, diese Welt sei böse. Die ersten Christen sehnten sich, die Gegenwart hinter sich zu bekommen; darum sind die Märtyrer ihre Lieblinge . . . Der Optimismus der Bibel ist vielmehr tragischer Natur und lautet, diese Welt wird zu Grunde gehen, um einer besseren Platz zu machen."

Doch steht dieser Hinweis auf die urchristliche Eschatologie bei Bernoulli ganz vereinzelt da[24]. Die Sätze: „Ich liebe die Erde, ich bin ein Sohn der Erde. Von Weltflucht will ich nichts wissen; ich gehöre der Welt, will mich ihrer freuen und ihr dienen. Aber etwas ist vom Christentum in mir zurückgeblieben: die ruhige Sehnsucht hinüber . . ."[25] mögen wohl Overbecks eigenen Gedanken nahestehen, aber Overbeck würde sich entschieden dagegen verwahren, solche Sätze, wie es Bernoulli tut[26], als Folgerungen der „Predigt, die vom Kreuz an die Menschheit ergangen ist", geltend zu machen[27]. Die Verherrlichung des naturhaften Lebens und

---

21 Lagardes Auffassung des priesterlichen Elements im Christentum (Die Religion der Zukunft, 1878. Deutsche Schriften, 1924, 271f.) beeinflußt zwar nicht Bernoullis Formulierungen in der „Methode", umso mehr aber seine Darstellung von Pfarrerfiguren in „Lucas Heland" (I, 1897 und II, 1900) und dem „Sonderbündler" (1904).

22 Methode, S. VII.   23 Heland I, 153ff. Die Zitate S. 154 und 128f.

24 Zur Beerdigung wird einmal der jenseitseschatologisch klingende Text 2 Kor 4,16ff.; 5,1ff. zitiert (Heland I, 125f.), ein anderes Mal wird am Grabe eine Platon-Stelle verlesen (Heland I, 198; vgl. dazu Heland I, 243).

25 Heland I, 285; vgl. den Leib-Seele-Dualismus Heland I, 93; ferner Heland I, 53 = Heland II, 66f., sowie Heland I, 224 = Heland II, 176 über die Natur- und Weltverbundenheit Jesu.

26 Heland I, 224.

27 Siehe auch das Turgenjewsche „Gebet", Heland I, 235.

eines „ewigen Lebens", „das im Grunde nichts anderes sein wird als die ungehinderte und unendliche Lust erdbefreiter Geister an edlem Leben"[28], ist für Overbeck im Bereich genuinen Christentums völlig undenkbar.

Der zugrundeliegende Irrtum wird noch deutlicher, wenn Bernoulli schreibt, es wäre „weniger mißverständlich gewesen, wenn Overbeck die wissenschaftliche Theologie nicht unchristlich, sondern unkirchlich genannt hätte". Aber Overbecks Buch suchte gerade die Spannung von Glauben und Wissen, von Christentum und Wissenschaft aufzuzeigen; daß Wissenschaft schlechterdings „irreligiöse Tendenzen" hat, ist für ihn ausgemacht (C. 147). *Die Kirche ist für Overbeck kein Problem, kirchlich hat er nie empfunden.* Bei Bernoulli aber heißt es: „Dieses nagende Grübeln an dem kirchlich Gegebenen, dieser unstillbare Drang nach Befreiung von jedem Zwange und dann doch wieder die liebevolle, kindliche Pietät vor der Kirche, ... — sind das nicht meine Eigenschaften?"[29]

Bernoulli redet durchaus in Overbecks Sinn, wenn er der „unbestochenen Forschung"[30] Lob spendet, die „mündige Wissenschaft"[31] verteidigt und ihre Ergebnisse dahin interpretiert, daß „von den heutigen kirchlichen Einrichtungen und Lehren ... fast jede auf einen weltlichen Ursprung zurückgeführt" werde und „über das Urchristentum ein von unseren Zuständen völlig verschiedenes Bild" entstehe[32]. Daß aber nicht dieser Tatbestand, sondern der Rekurs auf Jeremia 23,24[33], also ein „religiöses" Motiv, den Austritt aus dem Pfarramt veranlaßt, bezeichnet den Unterschied zu Overbeck. Die vermittelnde Formel, die Theologie solle das dynamische Element, die Kirche das statische verkörpern[34], hält einen Gedanken fest, für den Overbeck längst nicht mehr zu gewinnen war.

Zur Zeit der Abfassung der 1. Auflage der „Christlichkeit" ist Overbeck ein irreligiöser Theologe, der eine „kritische Theologie" befürwortet und die religiöse Praxis vor den zerstörenden Wirkungen des Treibens der Theologen schützen zu wollen vorgibt. Die „ernste und freie wissenschaftliche Bildung", für die Overbeck damals plädiert (C. 144), ist eine solche, „die edel und erhaben genug wäre, um daran denken zu können, gegen das Christenthum recht zu behalten" (ebd. 116). Von einer religiösen Füllung dieser Bildung ist nirgends die Rede. Nach Bernoulli braucht dagegen die Theologie den „Glauben, daß ein gewisser dafür begabter Teil der Menschheit in einem lebendigen Zusammenhang steht mit Gott, der über die irdischen Geschicke verfügt als persönliches Wesen, mit einem Herzen, das für uns schlägt, mit einem Auge, das wachsam auf uns gerichtet ist, mit einem starken Arm, den er ausstreckt, um uns bei der Hand zu fassen. In diesem Glauben stellt sich dar, was der wissenschaftliche Theologe von sich aus an religiösem Besitztum mitbringen muß, wenn er Theologe sein will."[35]

---

28 Heland I, 111. Die folgende Stelle Methode, S. VII.

29 Heland I, 262, vgl. Heland II, 253.

30 Heland I, 14.

31 Heland I, 145.

32 Heland I, 162. Dabei kommt Gottfr. Arnolds Abfallstheorie (Heland I, 69), kritisch modifiziert, zum Zuge (Heland I, 159ff.).

33 Heland I, 166.   34 Heland I, 163f.   35 Methode 100f.

Diese Religiosität wird im „Heland" weiter entfaltet[36]. „Religion ist Besessenheit", sie wird erlebt von „dem Einzelnen mit Gott". „Die Gottlosen" sind „die Mut-, Kraft- und Schwunglosen, die Kurzsichtigen und Impotenten".

Wie fern steht Overbeck eine solche Apologie der Religion, besonders, wenn dieser auch noch eine Stätte im Umkreis des Wissens angewiesen werden soll: „Es wäre eine verdrehte Philosophie, Kräfte, deren Dasein nicht mathematisch beweisbar ist, hartnäckig für Illusion zu erklären, während man doch in einem fort sich im Genuß ihrer erfreulichen und schönen Wirkungen befindet." „Bin ich für mein persönliches Leben Gottes gewiß, so darf ich ihn im Weltbilde wenigstens für möglich halten. Als Menschen gewährt mir die Religion unumstößliche Sicherheit; darf sie mir, dem Wissenden, dann nicht Vermutung sein?"[37]

Für Bernoulli steht die Religion sogar über der Wissenschaft: Heland „stand unter der Eingebung, die Gewißheit, nach der die Wissenschaft immer nur trachten kann, anderswoher als Besitz bereits in sich zu tragen"[38]. Wenn Wahrheit „stete Lockung nach dem Höchsten" ist, so ist Heland „der Mann nicht", den Besitz der Wahrheit „abzuwarten". Overbeck steht in dieser Angelegenheit bei Lessing und gegen Bernoulli.

Die inhaltliche Füllung des Religionsbegriffes verdankt Bernoulli Lagarde und Duhm. Bei beiden ist die Religiosität romantisch bestimmt[39].

Für sein Interesse am religiös durchwirkten Individuum kann Bernoulli beim späten Overbeck nicht auf ein Echo hoffen. Im selben Jahr, in dem Bernoullis „Heland" und Bernoullis „Methode" erscheinen (1897), notiert sich Overbeck: „Alle Romantik spielt mit den Dingen, hat mit ihnen im Grunde nichts zu thun und nur mit einem illusorischen Schimmer, den (sie) über sie breitet. Das Christenthum ist seinem Wesen nach eine besonders fruchtbare Brutstätte der Romantik!"[40] Ähnlich heißt es 1902: „Romantik, alle Romantik scheint mir Denk- und Gefühlsweise dessen, was Schopenhauer ‚ruchlosen Optimismus‘ nannte, zu sein, bei welchem allein der Wahn möglich ist, mit irgend welcher ‚Sehnsucht‘ sei überhaupt in der Welt auszukommen."[41] Man soll nach Overbeck „fest ⋮ ... stehen, wo man steht, und sich durch Sehnsucht überhaupt möglichst wenig beißen . . . lassen."[42]

---

36 Vgl. zu Methode 100f. besonders Heland I, 156 = Heland II, 121. – Die folgenden Zitate Heland I, 106, 129, 202.

37 Heland I, 232, 185.　　　　　38 Heland I, 14; siehe Heland II, 37.

39 Für Lagarde erkennt es Bernoulli ausdrücklich an, Methode 92. Für Lagarde vgl. etwa Deutsche Schriften, 1924, 79; für Duhm: Das Geheimnis in der Religion, 1896, 32; Israels Propheten, 2. Aufl. 1922, 4.

40 ONB A 235 Romantik (Allgemeines), S. 1.

41 Der Verweis auf die Sehnsucht bildet einen der Höhepunkte des Heland. Den Routinegeistlichen Traugott überrascht die Frage nach der Sehnsucht. ‚Sehnsucht?‘ sagte er verwundert. ‚Warum denn Sehnsucht? Ja. Doch. Ich weiß schon, was Sehnsucht ist.‘

‚Er weiß es nicht‘, dachte Heland. ‚Der Wunsch nach Frau und Pfründe ist noch lange keine Sehnsucht.‘ " (Heland I, 147f.; anders Heland II, 120f., wo im Blick auf den neu gewonnenen Schluß diese Regung als „Hochmut" abgetan wird.)

42 Am Anm. 40 angegebenen Ort, S. 1f. – Vgl. auch aus 1903/1904 ebd. S. 2f.: „Romantik ist die Denkart, bei der man allen Zusammenhang mit den realen Dingen, d. h. den Boden unter den Füßen verloren hat. Was wie alle Dinge sein Schlimmes, aber auch sein Gutes hat. Überwiegend sind natürlich für uns Menschen die Gefahren solchen Vorwärtskommens."

Zu Overbecks Bekenntnisbuch von 1873 findet Bernoulli nur einen dünnen Verbindungsfaden: „Da die Religion so sehr persönliche Angelegenheit ist, so müssen auch wissenschaftliche Äußerungen über sie, wenn anderes sie ein Spiegelbild des Gegenstandes sein wollen, einen gewissen persönlichen Anstrich haben. Und käme dieser auch nur etwa in der Bekämpfung von Lagardes Romantik zum Ausdruck wie bei Franz Overbeck"[43]. Immerhin zeigt diese Stelle, daß Bernoulli vom Unterschied zwischen Lagarde und Overbeck wußte. Daß Overbeck wirklich so ganz anders als Lagarde und Duhm war, hat sich Bernoulli freilich wohl nie völlig klarmachen können[44]. Bernoulli verkennt das Acumen der Overbeckschen Kritik an Lagarde. Daß sich im „Persönlichen" die Getrennten finden sollen, ist im Sinne Overbecks gerade eine romantische Ausflucht. Overbeck plädiert seinerseits für die Legitimität eines *irreligiösen* Individualismus, wie er ihn bei *Nietzsche* findet und für sich selber sicherstellen möchte.

Allerdings hatte Bernoulli bereits im Vorwort der „Methode" eine bedeutsame Unterscheidung getroffen: er verdanke „Duhm den rein historischen Begriff der Religion und Overbeck den rein historischen Begriff der Kirche"[45]. Nur ist eben der Geschichtsbegriff bei beiden Gewährsmännern ein höchst verschiedener. In Wirklichkeit werden die Weichen im Sinne *Duhms* gestellt, wenn die *Sache* der wissenschaftlich verfahrenden Forschung in der „Kunde von einem doppelseitigen Verhältnis zwischen Himmel und Erde, von einem Verkehr zwischen Gott und Mensch, oder in der Mehrzahl, zwischen Göttern und Menschen" gesehen wird[46]. Denn eben das lag Duhm am Herzen: das dynamische Element in der Religion zu betonen. Indem er Religion als Geschichte faßt, will er sie als lebendiges Geschehen verstanden wissen, und diese Dynamik stellt er der in Lehre und Ethik verkümmernden Religion der Gegenwart gegenüber[47].

Duhm trifft sich darin mit Overbeck, daß er die Theologie in Spannung zur Religion sieht: „Die Beschlüsse dieser neuen gesetzgebenden Theologie" (der alten Kirche) „hatten rechtsverbindliche Kraft, sie gründeten die Kirche, aber verwüsteten die Religion"[48]. Aber die historische Aufgabe der Wissenschaft liegt für Overbeck ganz auf der Linie der Theologie: „Das Wissen ... stellt sich, sobald es angerufen ist, neben den Glauben und bleibt in alle Ewigkeit etwas Anderes, als dieser" (C. 24).

Dagegen will Duhm, indem er auf das Wort der Propheten lauscht, dieses für unsere Zeit zum Reden bringen, und er fordert die „Kongenialität des wissenschaft-

---

43 Methode 92.
44 Die Zweideutigkeit der Ausdrucksweise an dieser Stelle kommt zutage, wenn man folgende Stelle vergleicht: „Der wissenschaftliche Theologe darf in keiner Weise kirchlich engagiert sein, muß aber als Mensch an der Religion persönlich beteiligt sein." (83)
45 Methode, S. VII.
46 Methode 89; vgl. Heland I, 227: „alle Religionen reden von einem thatsächlichen Verkehr Gottes mit Menschen".
47 Das Geheimnis in der Religion, 1896, 31.
48 Über Ziel und Methode der theologischen Wissenschaft, 1889, 18. Vgl. dazu die Bestreitung dessen, daß das „Fürwahrhalten kirchlicher Sätze" eine „unerläßliche Bedingung der Religion" sei (Heland I, 50).

lichen Theologen", d.h. „das Verständnis für die originale religiöse Persönlichkeit und nicht bloß die schöpferische, den Propheten, sondern auch die aufnehmende, den ,Glaubenden' "[49]. Der wissenschaftliche Theologe „folgt in bescheidener Entfernung der lebendigen Geschichte, die sich zwischen Gott und den Bewohnern dieses kleinen Planeten abspielt". Für Overbeck dagegen handelt es sich nicht um eine Geschichte zwischen Gott und Mensch, sondern um eine Geschichte der Menschen, die miteinander und mit ihren eigenen Illusionen umgehen.

Duhms Konzeption der systematischen Theologie als „Pfadfinderin" und „Verwalterin der gesammelten Schätze"[50] will Bernoulli dadurch für seinen Trennungsvorschlag in Anspruch nehmen, daß er sie „auf ein anderes Piedestal hinüberhebt"[51]. Aber wenn Bernoulli Overbecks historische Arbeiten als „Anfänge einer systematischen Theologie im historischen Sinne" reklamiert[52], so ist der Kassenprüfer mit dem Schatzmeister verwechselt.

Zwar berührt sich Duhm mit Overbecks Bekenntnisbuch in der Ablehnung einer Parteinahme für eine der herrrschenden theologischen Richtungen. „Eine wissenschaftliche, d.h. sachgemäße Forschung", sagt Duhm, „läßt sich bloß von der Sache leiten, die ist aber weder konservativ noch liberal."[53]

Aber Theologie im Sinne *Duhms* ist lebendige Bewegung, vom Lebensgeist der Religion selbst erfüllt. Der Theologe ist „immer nur auf dem Wege, niemals am Ziel". Das Ziel ist im Grunde das „Schauen Gottes von Angesicht zu Angesicht". „Dann", sagt Duhm im Anklang an Goethe[54], „hört das Ringen der Wissenschaft auf, das Unzulängliche ist Ereignis geworden. Zu diesem letzten Ziel hinauf ist dann die Theologie nicht mehr gewandert, sondern getragen"[55].

Dieser Wissenschaftsbegriff ist von dem Overbeckschen weit entfernt. Bei Overbeck werden die Grenzen des Menschlichen streng fixiert; ihre Überschreitung wird denunziert. Wohl sieht auch Overbeck in der Wissenschaft ein Scheidewasser, aber die Religion wird gerade als das Unbrauchbare, das Antiquierte ausgeschieden. Zu verfolgen sind die Stadien, in denen sich Welt und Mensch im Bereich der Religion gegenüber der Religion geltend machen. Indem Overbeck danach fragt, in welchen Formen die Religion gelebt hat, will er gerade nicht den Eigenwert der Religion sicherstellen, sondern umgekehrt die Sache des Menschen *gegen die Religion* vertreten.

Durch seine Zusammenordnung von Duhm und Overbeck bringt Bernoulli Overbeck in eine Gesellschaft, in die er nicht gehört. Das läßt sich sagen, obgleich die beiden Basler Fakultätskollegen in der Unabhängigkeit ihrer Haltung verbunden

---

49 Über Ziel und Methode (s. Anm. 48), 1889, 30. Dort auch die folgende Stelle.
50 Ebd. 28.
51 Methode 98, vgl. 96ff.
52 Ebd. 99. Dort auch die folgenden Zitate.
53 Über Ziel und Methode (s. Anm. 48), 24. Die folgenden Stellen ebd. 7,26,27.
54 Vgl. auch die Goethe-Reminiszenzen bei Bernoulli, Heland I, 283: „Nenn es Musik, nenn es Religion, nenn es Liebe – es ist unser höchstes Gut und unser seligstes Geheimnis."
55 Über Ziel und Methode (s. Anm. 48), 31; siehe Methode, S. 105, wo Bernoulli die Stelle zitiert.

waren und obgleich Overbeck Duhms wissenschaftliche Resultate zu schätzen wußte[56].

Ein Punkt, an dem Bernoulli Overbeck durchaus richtig verstanden hat, ist die Wendung gegen Popularisierungsversuche in der Wissenschaft. Bernoulli bespricht dabei kritisch Schriften von *Johannes Meinhold, Johannes Weiß* und *Harnack*[57]. Bei *Harnack* schränkt er seine Kritik ein: „Wen hätte er nicht gefördert und angeregt? In dem Sinne, als sollte damit sein Gesamtwerk geschmälert werden, möchten die nachfolgenden Ausstellungen eines Teiles seiner Thätigkeit also ja nicht mißverstanden sein."[58] Das war in Overbecks Augen eine ungerechtfertigte Schonung Harnacks.

Das Pathos des betreffenden Kapitels bei Bernoulli ist ganz das Overbecksche. „Alle Versuche", sagt Bernoulli, „zwischen dem kirchlichen Glauben und den Resultaten der Wissenschaft zu vermitteln, sind in Gefahr, an Stelle bestimmter Positionen Täuschung und Illusion zu setzen." Nur müßte im Sinne Overbecks gesagt werden, daß solche Versuche jener Gefahr bereits *erlegen* sind.

Der Dissensus kommt bei der unterschiedlichen Beurteilung der „bestimmten Positionen" heraus. Für Bernoulli kann die kirchliche Position, wenn sie nur als solche etabliert ist, sich ruhig ausleben, für Overbeck verrät dagegen das stets Sichanklammern des Glaubens an das Wissen die essentielle Schwäche der gläubigen Haltung, nämlich in dem Versuch, im Diesseits am Jenseits festzuhalten. Dieser Sachverhalt, den nach Overbeck die Wissenschaft an den Tag bringt, soll nach der Absicht seines Bekenntnisbuches nicht zur alsbaldigen destruktiven Auswirkung gebracht, sondern durch äußerlich konservative Verwaltung des geistlichen Amtes vor den Augen der Öffentlichkeit verschleiert werden. Aber der späte Overbeck glaubte nicht mehr an die Möglichkeit und Praktikabilität solcher Verschleierung. Daß die „bestimmte Position" der Kirche noch einmal zur haltbaren Position werden könnte, konnte er nicht zugeben.

Bernoullis Schrift ist mehr von *Lagardes* als von Overbecks Geist belebt. Lagardes Kombination von eigenwilliger Religiosität und Forscherleidenschaft kam Bernoullis eigenem Naturell entgegen. Von Lagarde, dem „Sohn der Romantik", sind die Sätze inspiriert: „Sobald Religion intensiv erlebt wird, hat sie auch den Glauben im Gefolge, daß diese Religion kein Hirngespinnst sei, sondern Thatsache. Thatsache, nicht Ding, also nicht handgreiflich, mit den Sinnen nicht wahrzunehmen, aber eben doch Thatsache und deshalb so wirklich, als Stein und Eisen. Sieht man sie nicht, so kann man sie vielleicht tasten, geht das nicht, so hilft man sich sonst. Reicht Wort und Begriff nicht aus, so greift man zum Bild und zum Gleichnis. Ist nur der Glaube an diese außerweltliche Thatsache da, so muß die Wissenschaft auch hinter die Religion kommen, soweit sie im Menschen Gestalt gewonnen."[59]

---

56 Er beschäftigte sich mit den Duhmschen Kommentaren zu Hiob (1897) und den Psalmen (1899).

57 Das Christentum und die Geschichte (1896); wieder abgedruckt in: Reden und Aufsätze. 2. Bd. (1904), 2. Aufl. 1906, 3–21.

58 Methode 78. Die folgende Stelle ebd. 83.

59 Ebd. 104.

Eine „außerweltliche Thatsache" wird von Overbeck, der sich um die Grenzen des
Menschlichen bemüht, nicht ins Auge gefaßt. Während er im Bekenntnisbuch ein
eigentliches, aber absurdes gegen das bestehende, aber praktikable Christentum
kehrt, kreist die Reflexion von Overbecks Spätzeit die Religion soweit ein, daß
sie kaum anders denn eben als „Hirngespinnst" zu stehen kommt.

Wenn Bernoulli sagt, die Theologie sei „keine voraussetzungslose Wissenschaft",
denn sie verlaufe „unter der Leitung des Glaubens, daß der von sämtlichen Religionen behauptete Verkehr mit dem Jenseits keine Einbildung sei, sondern auf
einen persönlichen und frei waltenden Gott zurückführe, der mit seinen Offen-
barungen an Propheten die Initiative und Führung bei dieser seiner Geschichte
mit Menschen in Händen hat" — so würde Overbeck in einer solchen Definition
die Unwissenschaftlichkeit der Theologie bestätigt finden. Eine Geschichte mit heils-
geschichtlichen Akzenten lehnt er ab: Geschichte ist eine Geschichte von Menschen
und nichts außerdem. Was aber „sämtliche Religionen" betrifft, so stehen sie nach
Overbeck in ihrem Widereinander sich gegenseitig nur im Wege, das argumentum
e consensu gentium verschlägt also nicht.

Ein Hauptvorwurf Overbecks gegen Lagarde ist, daß dieser die Theologie als Pfad-
finder statt als Liquidator der Religion verstanden hat (siehe C. 129), und die
Aussage, die Theologie habe „den Beruf, in der Weltgeschichte den reinen Gottesgedanken nachzuspüren"[60], würde in Overbecks Sicht jedenfalls ebenso als „Exceß"
erscheinen wie die Erwartung, die Lagarde in die Theologie setzt, obgleich es sich
bei Bernoulli um die *vergangene* und nicht, wie bei Lagarde, um die *zukünftige* Geschichte handelt. Wenn Overbeck der Theologie die „Aussichtslosigkeit ihres letzten
Trachtens" bescheinigt (C. 130), meint er mehr als die historischen Schwierigkeiten.
Es geht gerade um den Anspruch der Theologie, von „Gottesgedanken" zu wissen,
sie als „unter der Oberfläche der Ereignisse wirksam"[61] aufzuspüren.

In der Auseinandersetzung mit *Gustav Krüger,* der im Anschluß an Ritschl die Dogmengeschichte christozentrisch konzipiert hatte, führt Bernoulli aus: „Der Historiker muß sich doch gewiß bei dem heutigen Stand der Forschung fragen, ob die
Person Jesu nicht viel eher als Endpunkt denn als Anfangspunkt der religionsgeschichtlichen Entwicklung zu fassen sei, nämlich als Endpunkt einer Geschichte der
semitischen Prophetie, während die Kirchengeschichte dann den Proceß darstellt,
wie sich der indogermanische Geist mit den Wirkungen dieser Prophetie auseinander-
setzt."[62] Jesus in den Zusammenhang der alttestamentlichen Prophetie zu stellen,
war durch *Wellhausen* und *Duhm* nahegelegt, die Definition der Kirchengeschichte
erinnert an *Harnacks* berühmte Formel, das Dogma sei „in seiner Conception und
in seinem Ausbau ein Werk des griechischen Geistes auf dem Boden des Evangeliums"[63]. Bezeichnend ist, daß bei Bernoulli an die Stelle des griechischen Geistes
der indogermanische Geist tritt[64].

---

60 Bernoulli, Methode 107; vgl. freilich die Einschränkung, die Bernoulli macht.
61 So Bernoulli, Methode 107.
62 Methode 81.
63 Lehrbuch der Dogmengeschichte, Bd. I, 5. Aufl. 1931, 20.
64 Heland I, 41.

Seine erste Stellungnahme zu Bernoullis Buch gibt Overbeck in einem Brief an Bernoulli im Sommer 1897[65]. Er bekennt, „dabei schon die Vision der Carthago delenda gehabt zu haben", die ihn „nun einmal bei jedem währschaften Buch neuester Production mindestens für die Hälfte desselben sofort beim bloßen Anblick zu befallen" pflege. Den Gebrauch, den Bernoulli von Overbecks „Christlichkeit" gemacht hat, unter Ablehnung dessen, was ihm darin „mißverständlich" erschien, will Overbeck gelten lassen. Bücher hätten immer den Sinn, „daß sich ein jeder daraus nehme, was er brauchen kann", was „bei der Bescheidenheit und Beschränktheit des Zwecks, den sein Verfasser seiner Zeit damit verfolgte", im gegebenen Falle erst recht angemessen sei.

Bernoullis Wagnis liege in dem mit „hochmögenden Schriftgelehrten unserer Tage" (Overbeck denkt wohl vor allem an *Harnack* und *Krüger*) vom Zaune gebrochenen Streit. In der Frage, was von der These, mit der Bernoulli „der Noth der Theologen beispringen zu können" meine, zu halten wäre, habe er, schreibt Overbeck, „freilich schon jetzt gegen die Zulänglichkeit der angebotenen Hülfe" seine „ernsten Bedenken".

In seinen privaten Aufzeichnungen spricht Overbeck[66] geradezu von dem „unmöglichen Versuch einer Reconstruction der Theologie". Bernoulli stelle ihn „unter die Meister, auf die er sich ... beruft", habe ihn aber „aus dem Fundament mißverstanden".

In dem Brief vom Sommer 1897 ist Overbeck hauptsächlich daran interessiert, sich aus der Sache herauszuhalten. Wollte er, sagt er, seine „Bedenken" mit Bernoulli ausführlich besprechen, so „kämen wir auf Erörterungen", die für ihn selbst „,unreif'" wären. — Diese Zurückhaltung erinnert ebenso wie die auffallend starke Affektation der „Bescheidenheit" der Ansprüche der „Christlichkeit" an *Jacob Burckhardt*[67] und bezeichnet wie bei diesem eine Tendenz der Verhüllung. Overbeck möchte nicht präzis Stellung nehmen und tarnt diese Vorsicht als Inkompetenz und Bescheidenheit. Da Overbeck seine grundsätzlichen theologiekritischen Erwägungen gerade in den Jahren seines Ruhestandes immer weiter trieb, könnte ausgesprochen sein, daß er mit seinen Überlegungen bisher zu keinem definitiven Abschluß gekommen sei. Die wirkliche Erklärung ist aber die, daß Overbeck Bernoulli auf dem Standpunkt der Theologen antrifft, diesen Standpunkt selbst aber längst nicht mehr einnehmen kann, während er seine Antitheologie dem Theologen vorläufig nicht zu vermitteln weiß.

Das Verhältnis zwischen Overbeck und Bernoulli begann, wie Overbeck sagt[68], „mit einer ausdrücklichen und sich rasch verschärfenden Zurückweisung (Bernoullis) als Schüler, um dann freilich in so merkwürdiger Weise in seine (Bernoullis) Wandlung" in den letzten der „besten Freunde" Overbecks „auszulaufen". Diese Wandlung machte Bernoulli zum Erben von Overbecks hinterlassenen Papieren. Durch einen

---

65 ONB. „Währschaft" ist schweizerischer Ausdruck für „gediegen".
66 5.1.1898, ONB A 267c.
67 Vgl. Burckhardts Briefe an Nietzsche.
68 ONB A 268b.

Besuch Bernoullis in Basel — Bernoulli lebte seit 1900 als Schriftsteller in Berlin — hatte, wie Overbeck bemerkt, das seit Jahren gepflegte Verhältnis der beiden Männer „seine weitere Aufhellung . . . erfahren". Overbeck versprach sogar, seine Papiere und Aufzeichnungen „in dem Stande zu erhalten, in welchem sie sich bei unserem letzten Abschied befanden"[69].

Zwar bestand hinsichtlich der Verwertung der Overbeckschen Papiere zwischen Overbeck und Bernoulli noch Unklarheit, dennoch hatte Overbeck schon im Januar 1902 mündlich Bernoulli den künftigen Besitz der Papiere zugesagt, und laut Brief vom 28.6.1904[70] betrachtete er schließlich schon zu Lebzeiten Bernoulli als den Eigentümer seines „ganzen Papierbestandes".

Overbeck hatte mit zunehmendem Alter die Sorge empfunden, daß er zu einer zusammenhängenden literarischen Verwertung seiner Studien zur Geschichte und Kritik des Christentums nicht mehr kommen würde. Er suchte Bernoulli dafür zu gewinnen, anhand seiner (Overbecks) Vorarbeiten eine „profane Kirchengeschichte" zu verfassen[71], mußte aber dann „Bernoullis indiscrete Aneigung" seines „einer ‚profanen Kirchengeschichte' geltenden Lebensplanes" „mit Verwahrungen und Warnungen beantworten"[72].

Overbeck forderte Bernoulli vergeblich auf, „allen belletristischen Plänen fürs Nächste unverzüglich zu entsagen"[73] und sich wieder kirchenhistorischen Studien zuzuwenden. Voraussetzung dafür, daß Bernoulli das geistige Erbe Overbecks antreten könnte, war auf jeden Fall Bernoullis „Freiheit von der modernen Theologie", die Overbeck, wie er hofft, für immer, Bernoulli „schon in die Hand gedrückt" zu haben glaubt[74].

Daß Bernoullis Trennung von der Theologie die unerläßliche Voraussetzung für ein näheres Verhältnis zu Overbeck war und daß sie von Overbeck direkt betrieben wurde, erfahren wir aus Overbecks tagebuchartigen Aufzeichnungen, in denen er feststellt[75], daß er im Hinblick auf das Buch über die „Methode" Bernoulli „bis auf weiteres als Theologen und Menschen nicht ernst nehmen" konnte. Er habe dann — wir zitieren — „unter völliger Wegsetzung über die bisher in meinem Verkehr mit Schülern beobachteten Schranken, ihm aus meinen Zweifeln an jeder Möglichkeit für ihn, zur Theologie zurückzukehren, kein Hehl gemacht und ihm den Rath gegeben, an diese Rückkehr nicht zu denken, bevor er sich auf das Gründlichste mit dem modernen Unglauben bekannt gemacht habe und ihm dazu *Nietzsche's* Schriften und den mir gerade erst in die Hände gekommenen Sant'Ilario von *P. Mongré* empfohlen." So wartet denn Overbeck fortan „auf nichts anderes . . . , als auf eine taghelle Entscheidung über sein" (Bernoullis) „zukünftiges Verhältniß zur Theologie und damit auch über die Fortdauer unseres persönlichen Verhältnisses"[76].

---

69 Geschrieben am 15.4.1905, zwei Monate vor Overbecks Tod, ONB A 267e.
70 Siehe Overbeckiana, II, 16, Anm. 12.
71 Siehe den Brief an Bernoulli vom 22.3.1902, Overbeckiana II,11ff.
72 ONB A 267 c, S. 56.   73 Overbeckiana II, 13.
74 Overbeckiana II, 12.   75 ONB A 267 c, S. 9.
76 Ebd., S. 13. – Das Werk „Sant'Ilario" trägt den Untertitel „Gedanken aus der Landschaft Zarathustras". „P. Mongré" ist ein Pseudonym; Verfasser ist der Mathematiker Felix Hausdorff, 1868–1942 (vgl. E. Kähler, EvTh 25, 1965, 738).

Overbeck hat sich also regelrecht darum bemüht, Bernoulli von der Theologie abzuwerben und ihn in ein positives Verhältnis zum „modernen Unglauben" zu bringen. „Schüler" Overbecks konnte Bernoulli nur sein, wenn er in Overbeck statt den Lehrer im Christentum vielmehr *den* Lehrer gefunden hätte, der ihn aus dem Christentum herausführte. Ein Christentum, dem jemand etwa noch angehören könnte, der einmal sich von der modernen Theologie getrennt hat, wird hier wie sonst von Overbeck gar nicht erst als erwägenswerte Möglichkeit ins Auge gefaßt. Der Abkehr von der Theologie entspricht die Zuwendung zum Unglauben — in beiderlei Hinsicht stehen bezeichnenderweise für Overbeck nur moderne Größen überhaupt zur Wahl.

Overbeck macht[77] einen Unterschied zwischen dem „persönlichen Wohlwollen", das er Bernoulli unter keinen Umständen entziehen will, und der Aufgabe der Auswertung seines Nachlasses, für die der Bruch mit der Theologie Voraussetzung ist.

Noch am 8. Februar 1900 wiederholt aber Bernoulli, „wie eingewurzelt" in ihm „das Interesse an der Theologie trotz der Erkenntnis, in ihr nichts mehr zu thun zu haben, geblieben" sei. „Ja ich glaube, daß die Aussicht auf mögliche Rückkehr in den ehemals angestrebten Beruf mich zwar nicht zu Zugeständnissen ernster Natur, aber doch zu kleinen Arrangements bereit fände"[78].

Nach Basel will er nur deshalb nicht zurückkehren, um nicht sein Gesicht zu verlieren und wieder die „Rolle einer Creatur" zu übernehmen. Sonst aber bekennt er sich ganz zu seinem „geistigen Überbein": „Jedenfalls ist die mir oft vorgetragene Doktrin von der Unmöglichkeit, beide Interessen" (Theologie und Literatur) „ersprießlich neben einander zu pflegen, an meiner Anlage trotz der aufrichtigsten Gegenwehr gescheitert." Er verhalte sich „wie der münchhausensche Hase mit den acht Läufen, der sich, wenn er müde ist, auf den Rücken wirft und mit den vier Reservebeinen weiterspringt".

In der Zwischenzeit dachte Overbeck daran, einen ähnlichen Bekehrungsversuch, wie er ihn gegenüber Bernoulli unternommen hatte, an *Paul Wernle* zu machen. Nachdem Wernles „Anfänge unserer Religion" (1901) erschienen und von *Weinel* kritisch rezensiert worden waren, hatte Overbeck im Sinn, Wernle zu besuchen und ihn aufzufordern, „sichs nochmals zu überlegen, ob er wirklich auf den Pfaden der modernen Theologie weiter wandeln und in die Verwirrung sich stürzen wolle, wo er sich mit *Harnack* und *Weinel* und ihrem Unsinn verbrüderte. Ich habe", fährt Overbeck in seinen Aufzeichnungen fort, „den Gedanken fallen lassen. Aber doch nun nicht mehr allein aus den Erwägungen, ... wonach es zu solchem Vorgehen für mich zu spät ist und mir überdieß der Glaube an *Wernle* fehlt, sondern auch im Gefühl, daß ich in meinem Verhältniß zu ihm die Freiheit nicht mehr habe, die ich vor dem Pact jener Januartage, bei dem ich meine Papiere an Bernoulli ausgeliefert oder doch zugesagt habe, hatte. Ich thäte ja, mich wie oben angegeben zu Wernle begebend, an ihm noch heute im Grunde nichts Anderes als was ich auch an Bernoulli gethan, dem ich nun den Geschmack an ‚moder-

---

77 Ebd., S. 14.
78 An Overbeck, 8.2.1900, BNB G I a.

ner' und damit praktisch auch an aller Theologie wirklich verdorben. Aber eben
weil, was ich an Bernoulli gethan, mindestens der Form nach bei einem Andern
nicht mehr wiederholbar ist, fühle ich von nun an, auch durch meine Abmachun-
gen mit ihm (mich) dazu gebunden, mir solche Gedanken mit *Wernle* vergehen
zu lassen, wie die bei mir durch die Weinel'sche Anzeige geweckten."[79]

Der ideale Erbe, den Overbeck sucht, soll von der modernen Theologie und von
Theologie überhaupt frei sein. So tut Overbeck das Seine, um Bernoulli weiter
in die gewünschte Richtung zu bringen. Nach Overbecks Brief an Bernoulli vom
20. Mai 1901 konnte es keine schlimmere Klippe für ihre beiderseitige Freundschaft geben als den neuerlichen Versuch Bernoullis, „das elende Wrack der modernen Theologie hier in Basel wieder zu besteigen, den", so sagt Overbeck, „ich geschehen ließ . . . nicht ohne die Besorgniß, im Laufe der Fahrt auch unsere Freundschaft mindestens in Entfremdung auslaufen, wenn nicht Schiffbruch leiden zu
sehen". Aber nun kam es zu keiner neuen Eingliederung Bernoullis in die Theologie, und so ist er zur lebhaften Freude Overbecks „auf offenem Meere"[80]. So
kann Overbeck schließlich in dem Brief vom 22.3.1902 von Bernoullis gewonne-
ner „Freiheit" reden.

Mit dem Aufsatz Bernoullis über „Modernes Christentum" im Aprilheft 1904 der
„Neuen Rundschau", Overbeck zum Beweis seiner „vollzogenen Wandlung", nämlich der Abkehr von der Theologie, gewidmet, erlebt Overbeck das für seine Wünsche „sehr vorzeitige Wiederauftreten Bernoullis als Schriftsteller über Theologie"[81].
Der Aufsatz war entstanden, nachdem Oscar Bie das Thema zuerst Overbeck angeboten hatte, der aber vorläufig absagte[82].

Den in Bernoullis Aufsatz enthaltenen Satz, „das modern theologische Geschichtsbild vom Christentum" bilde „einen tüchtigen Beitrag der Wahrhaftigkeit an die
Wahrheit", versieht Overbeck im Korrekturbogen[83] mit einem Fragezeichen, ebenso
den Satz, der neuere Unglaube sei keine „Unreligion". Ein Punkt, der „tiefer zu
erwägen" sei, als Bernoulli meine, sei getroffen, wenn Bernoulli schreibt: „Rechtfertigen schon die deutschen Klassiker ihre Abkehr von den Religionen mit ihrem
tieferen Verständnis für Religion an sich, so hat sich seitdem erst recht die Forderung ausgebildet, das Christentum nicht zu widerlegen, sondern es zu ersetzen.
Keine Zerstörung mit kalten mordenden Händen, eine neue Beseelung aus einem
warmen und vollen Herzen heraus — das ist die Umwertung aller Werte."

---

79 ONB A 241 Wernle (Paul) Vermischtes, S. 15ff. — Wernles kritisches Echo auf die Neuauflage der „Christlichkeit" im Unterschied zu Bernoullis gleichzeitigen Freundschaftsbe-
   kundungen bestärkt Overbeck später in dem Gefühl, mit seinem Verzicht auf Beeinflussung
   Wernles richtig gehandelt zu haben. Overbeck nennt Wernle „den von sich selbst überzeug-
   testen Theologen" unter seinen Schülern und notiert: „Auch fürchte ich, daß der Erfolg
   Wernle's Bemühen nicht krönen wird." (Siehe Wernles Brief vom 16.5.1903 mit Overbecks
   Randnotizen, BNB G I b 51, vgl. Overbeckiana I, 208f.; ferner ONB A 241 Wernle [Paul]
   Vermischtes, S. 17f.)
80 BNB G I b 11.
81 ONB A 267 c, S. 93.
82 Siehe ONB A 203 I.
83 ONB A 362.

Bernoulli bewegt sich hier zwar in den Bahnen der Irenik Overbecks, wie sie im Untertitel der „Christlichkeit", „Streit- und Friedensschrift", zum Ausdruck kommt, aber wenn Bernoulli die fällige Erneuerung als *religiöse* Erneuerung faßt, so trennt er sich damit von Overbeck.

„Das Prophetenspielen der modernen Theologen gut persiflirt" hat Bernoulli nach Overbecks Ansicht[84], wenn er dem neueren Protestantismus nachsagt, er gebe der Reformation eine prophetische Rolle und warte vorderhand auf „den rechten Mann". Jesus würde, so hatte *Johannes Weiß* geschrieben[85], im fiktiven Falle seiner Wiederkehr heute „der Modernste von allen sein", und wir wüßten nicht, „ob er heute im Gewande des Wanderpredigers oder im Arbeiterkittel, ob als Staatsmann oder Gelehrter oder gar als Feldherr erscheinen würde". Bernoulli, der sich auf diese Stelle bezieht, findet hier „vielleicht sogar" einen „leisen Seitenblick" auf *Bismarck*.

„Das neue Christentum soll die deutsche Reichsreligion werden", sagt Bernoulli. Dazu bemerkt Overbeck: „Das soll aber nicht ‚werden', *das* und weiter nichts *ist* schon das moderne Christenthum."

„Recht gut" findet es Overbeck, wenn den Modern-Christlichen das Recht bestritten wird, „ihr religiöses Parteitreiben für eine einigermaßen wirksame Volksbewegung auszugeben". Overbeck verweist hierzu auf seine „Christlichkeit", wo er bereits 1873[86] behauptet habe, „daß die ‚religiöse Bewegung' der Gegenwart, wenigstens soweit sie für ‚volksthümlich' gelten und ernst genommen werden soll, ihren Namen nur ‚zum Schein' trägt"[87]. Bernoulli bestätigt ihn in der Überzeugung, daß die „religiöse Bewegung" zu Anfang des 20. Jahrhunderts genau so wenig Boden unter den Füßen habe wie diejenige, die 30 Jahre früher von sich reden machte.

Overbecks Beifall hat es auch, wenn Bernoulli kritisch von den „Popularisierungsversuchen gelehrter Materien", gegen die er sich früher bereits in der „Methode" gewandt hatte, spricht und bei der „Mischung von Glauben und Wissen" die „Fusion" als „Konfusion" denunziert.

„Die angebliche modern religiöse Renaissance", sagt Bernoulli, „ist das Produkt einer inneren Fäulnis und Zersetzung, die den Protestantismus ergriffen hat in tragischer Folgerichtigkeit der ihm eingepflanzten Solidarität mit der freien Forschung". Dabei hat Bernoulli nach Overbecks Ansicht die Rolle der modernen Theologen richtig erfaßt, „das nichtskönnerische Promessenwesen", mit dem sie „auf dem Weltmarkte und in der Tagesliteratur ihre Geschäfte treiben"[88]. „Schwindelcharacter dieser Marktschreierei, Wiederaufleben der Goeten des absterbenden Alterthums. Das ist, wovon wir wirklich eine ‚Renaissance' erleben."[89]

---

84 Siehe auch Overbecks Brief an Bernoulli vom 12.3.1904, BNB G I b 67.
85 Die Nachfolge Christi und die Predigt der Gegenwart, 1895, 167. Vgl. auch schon Bernoulli, Methode 75f.
86 S. 59 und 60, Neuauflage S. 95 und 97f.
87 ONB A 218 Bewegung (religiöse) Gegenwart, S. 5f.
88 Overbeck an Bernoulli, 12.3.1904, BNB G I b 67.
89 ONB A 362, Beiblatt.

Soweit sich Bernoulli auf dieser Linie gehalten hat, fand er Overbecks „Genug-
thuung"[90]. Von daher ist Overbeck „vollkommen über die Möglichkeit eines Rück-
falls in die modern-theologischen Bahnen" der „Methode" „beruhigt", und er kann
die Widmung des Aufsatzes akzeptieren, da die „Gewähr für die ‚Wandlung'", die
Bernoulli ihm „andemonstrieren" wolle, erbracht sei.

Overbeck stimmt zu, wenn Bernoulli[91] sagt, der moderne Mensch habe „für An-
preisungen über die Erde hinaus" „vernünftigerweise keine Verwendung mehr",
er sei „der Christlichkeit für immer entwachsen ... und einer angeblich modernen am gründlichsten", werde aber „doch an das Christentum, wie es einst war,
mit Ehrfurcht zurückdenken". Dagegen „gefällt" es Overbeck „sehr wenig"[92],
wenn Bernoulli mit dem Verweis auf Goethes „Erleben" schließt:

> „Was, von Menschen nicht gewußt
> Oder nicht bedacht,
> Durch das Labyrinth der Brust
> Wandelt in der Nacht".

Dieser „Goetheknix" erscheint Overbeck „gar zu sehr den schlechtesten Manieren
der modernen Theologie abgeguckt". Dabei handelt es sich für Overbeck nicht um
Goethe selbst, denn er ist auf seine Weise selber ein Goetheverehrer[93], sondern es
geht darum, daß Goethe nicht als Kronzeuge für eine moderne, dem Christentum
am Ende doch nicht völlig entwachsene Religiosität aufgestellt werden soll.

Wenn Overbecks Bedenken hier und sonst „vornehmlich" der von Bernoulli ge-
wählten „Form des Vortrags" gelten, so hat das den Sinn, daß Grundsätzliches
auf dem Spiele steht, denn ein literarisches Produkt lebt nach Overbeck durch
seine Form. Insofern Bernoulli in seinem Aufsatz neben die kritische Analyse ein,
wenn auch verhaltenes, religiöses Bekenntnis setzt, macht er sich in Overbecks Augen der Formverletzung schuldig und bereitet so Overbeck eine „zum Theil un-
liebsame Überraschung"[94].

Demgegenüber wollte Bernoulli ursprünglich, so weit er auch in der Betonung der
Diesseitigkeit zu gehen bereit war, einer eigenwüchsigen Religiosität ihr Leben belassen; er faßt es denn auch, mit *Duhm* und anders als Overbeck, als wesentliches
Resultat der Bibelkritik auf, daß man im Alten und Neuen Testament den „Zwiespalt eigens erlebter und satzungsmäßig geregelter Frömmigkeit" nachgewiesen
habe[95]. Bernoulli bleibt weit hinter Overbecks kritischen Intentionen zurück, wenn
er nicht gegen „die Loyalität und bona fides der modernen Christlichkeit" plädie-
ren will, sondern gegen ihre „Bescheidenheit".

---

90 Siehe den Anm. 88 genannten Brief.
91 ONB A 362, Korrekturbogen S. 12.
92 Laut dem Anm. 88 angegebenen Brief.
93 Vgl. Bernoulli, BJB 1906, 190.
94 ONB A 203 I.
95 Neue Rundschau 1904, 445. Die folgende Stelle dort 449.

Bernoullis Standpunkt ist hier derselbe wie im „Heland", wo sich das Pathos des Autors gegen die kirchliche „Enge" richtet, und in der „Methode", wo Overbeck dahingehend mißverstanden wird, als wolle er eine bornierte Kirchlichkeit als historisch begründet, aber auch historisch überwunden nachweisen. Der Versuch einer Synthese von *Duhm* und *Overbeck* stößt stets auf die gleichen Schwierigkeiten.

Die wirkliche Differenz zwischen Overbeck und Bernoulli zeigte sich auch an einem für die Wirkungsgeschichte Overbecks wichtigen Punkt. Bernoulli hatte in einem Gutachten über die von ihm geplante Verwendung der Overbeckschen Papiere[96] unter anderem angeregt, Overbeck „Gehör vor einem breiten Publikum" zu verschaffen, indem seine Erinnerungsstücke an *Nietzsche*, die er bisher wegen seiner Meinungsverschiedenheiten mit der Leiterin des Nietzsche-Archivs, Frau Elisabeth Förster-Nietzsche, der Öffentlichkeit vorenthalten hatte, ohne Verzug publiziert würden, während Overbeck an ein 20jähriges Zuwarten gedacht hatte. Overbeck vermöchte es, so meint Bernoulli, „die noch mangelnde Korrektur für das Bild Nietzsches in seiner Eigenschaft als Luftreiniger der Welt" zu bieten, „uns von der Überschätzung" Nietzsches „zu heilen und dabei uns aus der Überschwänglichkeit in ein tieferes Verständnis hineinzuführen".

Bernoulli schließt den Abschnitt mit den Worten, der Entschluß Overbecks, die Publikation dieser Nietzsche-Papiere hinauszuschieben, sei für Overbecks „*gesamtes* Oeuvre" „von äußerster Tragweite", nämlich „des Anknüpfungspunktes wegen", den er so für seine eigenen Werke vor der Öffentlichkeit einbüße.

Aber Overbeck ist mit den Plänen Bernoullis nicht einverstanden. „Es ist nicht meines Amts", schreibt er, „das allgemeine Urtheil über Nietzsche vor Verwirrungen zu bewahren. Ich halte mehr darauf mir das ungefähr schönste Erlebnis meines Lebens nicht zu verderben . . . Und noch weniger liegt mir daran eine Publication über Nietzsche als praktischsten ‚Anknüpfungspunkt' für ‚mein gesammtes Oeuvre' nicht zu ‚versäumen' . . . Wider Willen plädirt Bernoulli . . . für meine Zurückhaltung mit Nietzsche."[97] Doch kommt Bernoulli durch spätere Verfügungen Overbecks[98] in die Lage, als Herausgeber der an Overbeck gerichteten Briefe Nietzsches eingesetzt zu werden, und alsbald nach Overbecks Tode beginnt er mit dem Versuch, Overbeck als den Freund des vielbesprochenen Nietzsche in das öffentliche Bewußtsein einzuführen.

Bernoulli hatte sich 1902 auf ein Wort Overbecks berufen, daß auch er (Overbeck) „nach Erfolg vor der Öffentlichkeit" trachte[99]. In seinen Anmerkungen zu Bernoullis Gutachten stellt Overbeck dies in Abrede: „Ich ‚*trachte*' nicht ‚nach Erfolg vor der Öffentlichkeit'".

Wahrscheinlich hat man den Widerspruch zwischen beiden Aussagen so zu erklären, daß Overbeck und Bernoulli eine verschiedene Vorstellung vom Charakter der öffentlichen Stellung eines Menschen haben. Während Bernoulli in seiner Eigenschaft als

---

96 Abgedruckt Overbeckiana II, 8ff.
97 Overbeckiana II, 8f., Anm. 6.
98 ONB A 319.
99 Overbeckiana II, 8.

junger Schriftsteller in der Presse besprochen werden und, auf welche Weise auch immer, ins öffentliche Gespräch kommen möchte, geht es Overbeck um sein *wissenschaftliches* Ansehen, um die Beachtung, die seine gelehrten Bestrebungen zur Historie und Kritik des Christentums finden.

Sein Zusammenhang mit Nietzsche ist ihm, was seine eigene öffentliche Stellung angeht, nur ein opus alienum, und er möchte die Beachtung, die dem sachlichen Gewicht seiner wissenschaftlichen Thesen (würden sie nur, wie er es gerade von Bernoulli erwartet, einmal in der Breite neu aufgenommen) zukommen könnte, auf keinen Fall durch ephemeres Aufsehen ersetzt wissen.

Neben der Verachtung für den „ganzen" von Nietzsches Schwester „organisierten Betrieb des öffentlichen Geschäfts mit Nietzsche"[100] handelt es sich für Overbeck auch einfach darum, daß er immer „weniger . . . so zu sagen für Nietzsche noch Zeit" hat. „Ich bin mit mir selbst noch viel zu beschäftigt, als daß ich mich mit andern zu beschäftigen vermöchte."[101]

Diese Haltung fand ein verschiedenes Echo. Während Bernoulli sie realistisch und verständlich findet[102], zitiert Elisabeth Förster-Nietzsche den Nietzsche-Adepten Peter Gast dahingehend, dieser habe schon im Herbst 1893 gesagt: „Overbeck will nichts mehr von Nietzsche wissen."[103]

Auf jeden Fall sieht Overbeck seinen „Beruf" nicht in der Nietzsche-Interpretation oder gar in der Propagierung von Nietzsches Gedanken, sondern in der Beschäftigung mit dem Christentum und der Theologie. Er sei, so sagt er in einer Aufzeichnung von 1902[104], in seinem ersten, offiziellen Beruf, nämlich dem des Theologen, gescheitert. Aber auch seine neu in Sicht gekommene Aufgabe, die Stürzung des Ansehens der „modernen Theologie", werde ihm zu lösen kaum vergönnt sein. „Theils aus der meinem Alter natürlichen Unlust, mit einer persönlichen Polemik" (gemeint ist hier insbesondere eine Polemik gegen *Harnack*) „von der Welt zu scheiden, . . . theils aus der Verzweiflung daran, trotz aller Vorbereitung noch im Besitz der Kräfte zu sein, über den Lärm, den ich hervorrufen würde, noch Herr zu werden. Denn um etwas Anderes wäre es mir freilich nicht zu thun als um den Nachweis des finis Christianismi am modernen Christenthum. Das ist für mich zu viel, selbst wenn ich mir auch noch zutrauen wollte, mit der Meute der Harnackianer noch fertig zu werden."[105]

---

100 Overbeck bei Bernoulli II, 435, vgl. auch ebd. 432.
101 Overbeck bei Bernoulli II, 416.
102 Bernoulli II, 511f. u. a.
103 Bei Bernoulli II, 407. Dazu wäre Gasts Brief an Overbeck vom 29.9.1893 zu vergleichen (siehe Bernoulli I, 301 und Overbeckiana I, 173). Bernoulli wird die für Overbeck „von vornherein vorliegende Unmöglichkeit, mit der Schwester jemals einig zu gehen", in den richtigen Zusammenhang gestellt haben, wenn er sagt: „Für sie wurde der Bruder, je mehr er für Overbeck aufhörte, fühlbare Wirklichkeit zu sein, die alles andere verdrängende fundamentale Tatsache ihres realen Lebens, die er früher . . . für sie nicht gewesen war." (Bernoulli II, 434).
104 21.4.1902.
105 ONB A 218 Berufsmoral (Allgemeines),S. 3ff.; vgl. dazu Bernoullis Bearbeitung dieses Textes in CK 289.

Overbeck hat ein scharf profiliertes eigenes Thema, dem sein ganzes Interesse gilt. Dieses Thema, die kritische Destruktion des Christentums als einer geschichtlichen Erscheinung, läßt sich seiner Auffassung nach nicht einfach an die Kulturkritik *Nietzsches* anschließen, sondern es hat eigenes Gewicht. Sieht sich Overbeck nun außerstande, den Kampf gegen die moderne Theologie in Gestalt einer persönlichen Auseinandersetzung mit *Harnack* zu führen, so möchte er doch die Intention dieses Kampfes in einer Verwaltung seines Erbes aufgenommen sehen, wie er sie sich von Bernoulli erhofft. Dadurch, daß Bernoulli dennoch den „Anknüpfungspunkt" bei Nietzsche wählt, trägt er den Namen Overbecks rascher in die Öffentlichkeit, als das auf anderem Wege hätte geschehen können. Overbecks Hoffnungen aber erfüllten sich nicht.

Bernoulli ging seinen eigenen Weg und gab das Unternehmen einer „profanen Kirchengeschichte" unter Beiziehung von Overbecks Vorarbeiten auf, noch ehe er es recht ins Auge gefaßt hatte. Overbeck rechnete denn auch bereits 1902 damit, einmal „ganz vergessen" zu sein — dann nämlich, wenn „in ungeheuer größerem Maaßstab" auch ohne ihn „zur Anerkennung ... gelangen" werde, was er bereits „vorweggenommen" habe [106].

Es muß zweifelhaft bleiben, inwieweit Bernoulli durch seine Nachlaßpublikationen Overbecks Intentionen wirklich entsprochen hat. Daß Overbeck a limine ein Gegner der „modernen Theologie" war, wurde jedenfalls erst 1919 durch Bernoullis Publikation „Christentum und Kultur" in seinen Konsequenzen dokumentiert. Freilich war schon die Publikation von „Studien" Overbecks zur Kritik der Erforschung des Johannesevangeliums, die Bernoulli 1911 vornahm, geeignet, Overbecks exegetische Außenseiterstellung offenbar zu machen. Kennzeichnend dafür ist, daß sich Bernoulli in der Vorrede zu einer Apologie des von Overbeck für die landläufige Exegese verwendeten Begriffs „Pseudokritik" veranlaßt sah. Aber selbst in „Christentum und Kultur" war nur in abgeschwächter Weise erkennbar, wie Overbecks Gegnerschaft zur „modernen Theologie" ihn über die Aussichten des Christentums überhaupt denken ließ.

In einen charakteristischen Zusammenhang mit *Nietzsche* wurde Overbeck bereits durch einen Gedenkartikel Bernoullis kurz nach seinem Tode gestellt [107], wenn es dort hieß, Nietzsche, „der Freund", werde „sein bestes Teil dazu beigetragen haben ... zu Overbecks Reinigung für eine höhere, philosophische Lebensauffassung" [108]. Im „Basler Jahrbuch" 1906 [109] verkündet Bernoulli die Aufgabe, Overbeck „als Freund Nietzsches ins rechte Licht zu rücken".

Inzwischen nämlich war das Verhältnis beider Männer zur öffentlichen Streitfrage geworden. Elisabeth Förster-Nietzsche war durch einen Gedenkartikel des mit Over-

---

106 ONB A 218 Berufsmoral (Allgemeines), S. 6.
107 In der Basler Wochenschrift „Der Samstag", 1.7.1905, Nr. 27, S. 385–88. Overbeck war am 26. Juni 1905 gestorben.
108 Ebd. 386.
109 BJB 1906, 136–192: C. A. Bernoulli, Franz Overbeck. Zitat S. 173.

beck persönlich bekannt, aber kaum vertraut gewesenen[110] Eduard Platzhoff-Lejeune[111] gereizt worden, weil sich Platzhoff als „ein Freund Nietzsches" unterzeichnete. Sie antwortete mit einer scharfen Entgegnung[112], in der sie den Zufallscharakter der Freundschaft zwischen Nietzsche und Overbeck betonte. Dagegen zog Bernoulli seinerseits heftig zu Felde: „Behaupten zu wollen, es sei keine Wahlfreundschaft gewesen, der Zufall sei der Stifter dieses Lebensbundes, wäre töricht"[113], denn es komme darauf an, was beide aus ihrer Freundschaft gemacht hätten.

Elisabeth Förster-Nietzsche hatte behauptet, daß beide „niemals Freunde geworden wären, wenn sie nicht zufällig in einem Hause zusammengewohnt hätten". So stellte sich für Bernoulli die Aufgabe, die Freundschaft der beiden im einzelnen zu erörtern, und dies besorgte er in seiner zweibändigen Monographie über Overbeck und Nietzsche (1908)[114].

---

110 Vgl. ONB A 267 c, S. 64ff. Von E. Platzhoff-Lejeune erschien 1905 „Religion gegen Theologie und Kirche. Notruf eines Weltkindes". Ein Exemplar mit Widmung des Verfassers befand sich in Overbecks Bibliothek.

111 Im Berliner Tageblatt vom 6.7.1905, Nr. 339, Abendausgabe.

112 Nietzsches literarischer Nachlaß und Franz Overbeck, Berliner Tageblatt, Nr. 376, 26.7.1905.

113 BJB 1906, 173.

114 Der direkte Konflikt zwischen Elisabeth Förster-Nietzsche und Bernoulli entstand, als Elisabeth Förster-Nietzsche in der Neuen Zürcher Zeitung vom 2. und 3. Oktober 1905 (jeweils Morgenblatt) „die irrtümlichen Behauptungen des Herrn C. A. Bernoulli" in der Neuen Zürcher Zeitung vom 30.6. und 28.8.1905 zu widerlegen unternahm. Daß aus Overbecks Nietzsche-Nachlaß eine Korrektur des herrschenden Nietzschebildes zu erwarten sei, hätte Bernoulli nach ihrer Ansicht nicht sogleich nach Overbecks Ableben verkünden dürfen. „Diese ‚Korrektur' hätte Herr Bernoulli vielleicht nach einigen Jahren als Resultat einer ernsten, wissenschaftlichen Forschung aufstellen dürfen . . . Herr Bernoulli ist aber Romancier, kann Wahrheit und Dichtung nicht unterscheiden und phantasiert in der fröhlichsten und unbedenklichsten Weise ins Blaue hinein, wo ihm der wahre Sachverhalt unbekannt ist, – das mag wohl für einen Roman dienlich sein, aber nicht für einer ernsten wissenschaftlichen Arbeit." Das erregende Moment brachte Elisabeth Förster-Nietzsche dadurch in die Diskussion, daß sie, nachdem sie schon im Artikel vom 26.7.1905 (s. o. Anm. 112) Overbeck mangelnde Zusammenarbeit mit dem Nietzsche-Archiv und mangelndes öffentliches Eintreten für Nietzsche vorgeworfen hatte, nunmehr die Anklage erhob, Overbeck sei für den Verlust von Nietzsche-Manuskripten verantwortlich. (Vgl. jedoch schon ihr Vorwort zu Bd. XV von Nietzsches Werken, 1901, XVII. Zur Kritik siehe Bernoulli I, 512ff. und dagegen u. a. R. M. Meyer, Overbeck-Nietzsche, Deutsche Rundschau, 35. Jg. 1908, 312.) In dieser Frage kam es schließlich zu gerichtlichen Auseinandersetzungen zwischen Frau Förster-Nietzsche und Frau Overbeck (vgl. dazu Bernoulli I, 421ff.). Die Spannungen zwischen beiden Damen rührten schon aus den 80er Jahren her, als sie durch Nietzsches „Lou-Affäre" aneinandergerieten. (Vgl. dazu neben Elisabeth Förster-Nietzsche, Das Leben Friedrich Nietzsche's, II, 2, 1904, 402ff., 830ff. und Bernoulli I, 328ff. vor allem E. F. Podach, Friedrich Nietzsche und Lou Salomé, o. J. und H. A. Reyburn-H. E. Hinderks, Friedrich Nietzsche, 1947, 249ff.)

Für Overbeck selbst ist es charakteristisch, daß für ihn in der Beziehung zu Frau Förster das Maß voll ist, als diese versucht, ihm durch Vermittlung von Hermann von der Goltz, dem ehemaligen Basler Kollegen Overbecks, in Deutschland eine Professur zu verschaffen. Overbeck rügt diese „Einmischung in seine persönlichsten Angelegenheiten" (Frau Ida

Bernoullis subjektive Stellung zum Gegenstand drückt sich darin aus, daß er Overbecks gedenkt als dessen, durch den ihm „Nietzsche das geworden" sei: „ein Führer zur grünen Au und zum frischen Wasser, zu tieferen Anfängen und zu heimlichem Entdeckerglück" (II, 463). Hier stattet Bernoulli in verborgener Weise Overbeck den Dank dafür ab, daß dieser ihn einst bei Nietzsche die Wegweisung zum „Unglauben" hatte finden lassen. Es ist Bernoullis Problem, was zu tun sei, „wenn man die Religion nicht los wird" — nämlich *trotz* Nietzsche! — „und doch gern ein ehrlicher Sohn der grünen Erde bliebe"[115]. Kann, wenn der Beschwörung Zarathustras, der Erde treu zu bleiben, ganz und gar entsprochen wird, die Religion noch sie selbst bleiben?

Bernoulli referiert, daß nach *Frau* Overbecks Meinung Nietzsches Philosophie „imstande" sei, „religiöse Wirkungen auszuüben": „seine Art als Denker" sei „mit Religiosität verwandt"[116]. Für Overbeck selbst aber hat „Nietzsche mit Religion nichts zu tun" — und Bernoulli gibt dem, was wir die Overbecksche „Tendenz" nennen mögen, Folge, wenn er sich dagegen verwahrt, Nietzsches Sache als Religion zu begreifen[117]. Dabei kommt es zu der Spitzenaussage: „Es gilt mit dem Vorurteil zu brechen, daß ein philosophisches Verhalten im Sinne Nietzsches nicht alle Gefühlsingredienzien des religiösen Verhaltens restlos in sich zu enthalten vermöge."

Lagarde wird von Bernoulli jetzt neben den „Reichsherold" *Treitschke* gestellt, und beiden wird bescheinigt, daß Nietzsche nur mit „einer starken Verdünnung der ursprünglichen Essenz" ihnen zugeordnet werden könne.

Aber wird der Tenor der „Methode" und des „Heland" wirklich zurückgenommen? Bernoullis magnum opus ist bei Diederichs erschienen, und „die Veröffentlichungen unseres Diederichsschen Verlages", so sagt Bernoulli, „gruppieren sich um den zentralen Gesichtspunkt einer im Aufstreben begriffenen pantheistisch-neureligiösen Bewegung. Über die *Sache* kann natürlich keinerlei Zweifel bestehen . . ." Nur das *Wort* „Religion" will Bernoulli lieber auswechseln, eben der „Sache" wegen. Aber wenn Ernst Horneffer den „Vorabend einer neuen Religion" proklamiert, erhebt Bernoulli, in der *Sache,* keinen Einspruch.

Wie früher entnimmt Bernoulli der Overbeckschen „Tendenz" nicht viel mehr als das Mißvergnügen an der Christlichkeit der *Kirche,* während er Overbecks Absage an alle Religion praktisch nicht zur Kenntnis nimmt.

Overbeck an Frau Förster, 14.4.1894, Bernoulli II, 404). Er versteht auf diesem Gebiet keinen Spaß und möchte in seine persönlichen Existenzbedingungen jedenfalls von Frau Förster weder praktisch noch literarisch (Bernoulli II, 410) eingegriffen sehen. (Overbeck hebt ausdrücklich das Problem der *Formen* hervor, an denen es beim Verkehr von Frau Förster mit dem Ehepaar Overbeck hapere.) An die Annahme eines Lehrstuhls in Deutschland dachte Overbeck in keiner Weise: „Er hätte niemals einen Ruf nach Deutschland angenommen: das versicherte er voll ehrlichen Erstaunens darüber, daß er das überhaupt noch gefragt werde." (BJB 1906, 179 = Bernoulli II, 135).

115 Heland II, 264. Seine Naturfreudigkeit entwickelt Bernoulli auch in dem Roman „Zum Gesundgarten" (1906).

116 Bernoulli II, 75.

117 Bernoulli II, 457, 514ff. Die folgenden Stellen ebd. 515f., 457, 514.

Die Darstellung der Person und der „Sache" Overbecks ist bei Bernoulli ganz in den Rahmen des Nietzsche-Problems gestellt. Doch kann zur Ergänzung des in der zweibändigen Monographie gegebenen Overbeck-Bildes Bernoullis Artikel „Franz Overbeck" im „Basler Jahrbuch" 1906 herangezogen werden, aus dem größere Stücke unverändert in die Monographie übergegangen sind.

Der Gedenkartikel im „Basler Jahrbuch" macht von kleineren Vorarbeiten Gebrauch, die vorher schon in Zeitungen erschienen waren. Bernoulli betont das Entwicklungsmoment bei Overbeck sehr stark. „Erst im Laufe langer Jahre" sei Overbeck „zum unerbittlichen historischen Kritiker des Christentums" geworden[118].

Bernoulli berücksichtigt nicht die Texte, die zeigen, welche Schwierigkeiten Overbeck von Anfang an mit der Theologie hatte. Zum mindesten mißverständlich ist es, wenn er sagt: „Auf dem Standpunkt der Theologen stand er noch in seiner sonst grundgelehrten Abhandlung, mit der er sich 1870 in sein Lehramt einführte", also der Antrittsvorlesung „Über Entstehung und Recht einer rein historischen Betrachtung der neutestamentlichen Schriften in der Theologie"[119]. Es ist richtig, daß Overbeck damals eine Umformung der Theologie wohl noch für möglich hielt: er demonstrierte den Theologen, daß die Notwendigkeit historischer Kritik eine Konsequenz des Verlaufs der Theologiegeschichte sei. Aber damit nahm Overbeck *den* „Standpunkt" *der* Theologen gerade *nicht* ein.

Ebenso mißverständlich ist es, wenn Bernoulli sagt, daß „von da an" „jedes neue Produkt" Overbecks „ein Schritt weiter . . . zur Selbständigkeit in der Problemstellung" gewesen sei[120], denn die Verselbständigung der Kritik war die *Voraussetzung,* von der Overbeck ausgegangen war. Die Basler Jahre brachten nicht etwa ein inneres Ringen Overbecks mit der Theologie und ihren Methoden, so als hätten diese in irgendeinem Sinne eine innere Möglichkeit für ihn gebildet, gegen die er sich hätte entscheiden müssen, sondern diese Jahre brachten, Overbecks eigenem Selbstverständnis nach, einen Fortschritt im Bewußtsein der Freiheit von der Theologie und eine weitere Entfaltung seiner Erudition bei der Entschleierung des Christentums.

Ganz in den Fehler seines Buches über die „Methode" fällt Bernoulli zurück, wenn er den Vorschlag einer Trennung zwischen persönlicher Ansicht und öffentlicher Verkündigung beim Geistlichen, den Overbeck im Zusammenhang einer Kritik der *gesamten* Theologie machte, als den „Gedanken" hinstellt, „dem er sein Leben widmete"[121]. Dieser Gedanke besaß für Overbeck in Wirklichkeit den Sinn eines Expediens, das nur wirksam werden konnte, wenn es gelänge, der herrschenden affirmativen Theologie eine *kritische* Theologie zu substituieren, wobei Kritik nichts anderes hieße als Desavouierung des Christentums als geschichtlicher Erscheinung. Als sich die Theologie zu dieser Umfunktionierung nicht verstehen wollte, war mit der Voraussetzung auch die Folge hinfällig geworden. Obwohl Overbeck hinsichtlich

---

118 BJB 1906, 139.
119 BJB 1906, 185f. = Bernoulli II, 137.
120 BJB 1906, 186 = Bernoulli II, 137.
121 Bernoulli II, 132.

seiner eigenen Amtstätigkeit genau die Stellung einnahm, die in der „Christlichkeit" für den „kritischen Theologen" angedeutet war, empfand er dies doch zunehmend als unerträglich und hob Schritt um Schritt sein offizielles Verhältnis zur Theologie auf. Sein Leben trug darum wohl erkennbar die Signatur jenes „Gedankens" von 1873, aber Overbecks Grundpathos galt keineswegs diesem „Gedanken". Vielmehr meinte er gegen Schluß seines Lebens unversöhnlich gegen die Voraussetzungen streiten zu müssen, unter denen dieser „Gedanke" überhaupt erst möglich war.

Die zehn Jahre zwischen 1897 und 1907 haben Bernoulli nicht wirklich von dem Irrtum abbringen können, in Overbeck einen Seitengänger seines eigenen Vorschlags zur „Methode" der Theologie zu sehen. Nach wie vor wird ignoriert, daß Overbecks Kritik nicht der Kirche als Institution, sondern dem Christentum selber gilt.

Mit dem „geheimen — irrationalen und instinktiven — Zusammenhang" Overbecks mit der Theologie, den Bernoulli konstruiert[122], ist es eine fragwürdige Sache. Daß Overbeck gar, bei völligem Bruch mit der Theologie, „die Entwurzelung aus einer Heimat" gefürchtet habe, ist jedenfalls ein Satz, mit dem Overbeck besser verstanden werden soll, als er sich selber versteht, ohne daß die Fülle der entgegenstehenden Äußerungen Overbecks dabei zur Geltung käme.

Overbecks eigenen Ansichten kommt die Bemerkung Bernoullis näher, Overbeck habe „auf eine Freierstellung seines akademischen Berufes ... nicht zu rechnen" gehabt[123]. Bei der Erörterung der Frage, warum Overbeck um die Mitte der 80er Jahre es unterließ, „etwa sich als Privatdozent außerhalb der theologischen Fakultät noch im rüstigen Alter die ersehnte wissenschaftliche Freiheit zu verschaffen"[124], mochte Bernoulli durch schmerzliche Erinnerung an eigene frühere Empfindungen dazu bewogen sein, die Reflexion auf die konkreten Berufsumstände des Professors und auf mögliche Erwägungen des Prestiges hier völlig zu verdrängen.

Daß Overbeck vom Aufkommen der „modernen Theologie" der Ritschlschen Schule in den 90er Jahren überrascht worden sei[125], dürfte zutreffen, wenn es auch übertrieben ist, zu sagen: „Dieser für ihn unglaubliche Handstreich überrumpelte ihn ... so sehr, daß er ... buchstäblich ‚sprachlos' blieb". Denn theologische „Gründerschaft" hatte doch der Gründerzeit nicht gefehlt, und Bernoulli präzisiert denn auch, daß Overbeck „die Entwicklung, die jene zeitgenössische historische Theologie nehmen sollte, zum Teil hellseherisch vorausgeschaut und zum andern Teil nicht von ferne geahnt" habe[126]. Doch kann von Hellsehen keine Rede sein. Vielmehr meinte Overbeck das wahre Wesen der affirmativen Theologie schon lange Zeit enthüllt und diese damit antiquiert zu haben. Seine Enttäuschung bestand darin, daß die Kulturwelt, statt das Christentum von sich zu stoßen, es sich von eben einer solchen, wenn auch „modern" drapierten Theologie in einer „neuen"

---

122 BJB 1906, 181 = Bernoulli, 135.
123 BJB 1906, 179 = Bernoulli II, 134.
124 BJB 1906, 181 = Bernoulli II, 135.
125 Neue Zürcher Zeitung 30.6.1905 = BJB 1906, 180 = Bernoulli II, 139.
126 Bernoulli II, 138.

Gestalt wieder hatte aufschwatzen lassen. Die Rolle, die den „modernen Theologen" dabei zufiel, vermochte Overbeck nur mit deren Malice sich zu erklären. In *diesem* Zusammenhang ist es richtig, mit Bernoulli den Vorgang, daß Overbeck „die Augen aufgingen für die angeblich sich vollziehende ‚Verjüngung' des Christentums in der modernen Theologie", spät, nämlich in den 90er Jahren anzusetzen, wobei zu bedenken ist, daß der Ruhestand für zusammenhängende Reflexionen dieser Art förderlich war.

Wichtig ist die Feststellung Bernoullis: „Eine andere Stellung zum Christentum einzunehmen als die Stellung des Erkennenden zu seinem Objekt, war ihm", (Overbeck), „dem religiös gänzlich Bedürfnislosen, ein Ding der Unmöglichkeit". Die „Erkenntnis" sei „nackt historisch" und „unbarmherzig profan" ausgefallen[127].

Mit Recht stellt Bernoulli Overbeck „seiner geistigen Beschaffenheit nach" neben *Lichtenberg*. Das in der Tendenz richtige Urteil, Overbeck gehöre „unter die namhaften Skeptiker des neunzehnten Jahrhunderts"[128], hätte freilich der Nuancierung bedurft. Wie bei Lichtenberg findet Bernoulli bei Overbeck „ein außerordentliches, fast zu schriftlichen Tätlichkeiten übergehendes Mißtrauen gegen alles menschliche Wissen". Nun bekennt sich Overbeck den Ansprüchen des Christentums gegenüber zwar zu der skeptischen Haltung metaphysischer Bescheidung[129], aber Overbecks Skepsis ist nicht so konsequent, daß er streng zwischen wissenschaftlicher Richtigkeit und „der Wahrheit" trennte[130], obwohl bei ihm ein diesbezüglicher Vorbehalt nicht fehlt. Was Overbeck an der Metaphysik von *Weiße* und *Lotze*[131], aber auch an der von *Schopenhauer* abwies, war ihr Anspruch auf objektive Geltung. Er entnahm aber der Metaphysik Anregungen für das „Hineinhorchen der Individualität in sich selber"[132]. Der Kraft der Vernunft vertraute er mehr, als es bei konsequenter Skepsis der Fall wäre.

Entsprechend seiner kritischen Anlage, die Bernoulli richtig herausstellt, hatte Overbeck, der „Bücherwurm"[133], die Gewohnheit, aller literarischen Produktion als Rezensent gegenüberzutreten. Die große Mehrzahl dieser Rezensionen diente nur der Vervollständigung seines kritischen Arsenals und kam nicht zur Veröffentlichung.

Dem Mißtrauen Overbecks gegen die Theologie entsprach ein Vertrauen, das sich auf die eigene, von Bernoulli hervorgehobene „handgreifliche Vernünftigkeit"[134] richtete und sich andern als „unbedingte Wahrhaftigkeit" dartun mochte[135].

---

127 BJB 1906, 179 = Bernoulli II, 135.
128 Bernoulli II, 146.
129 Vgl. dazu G. Schnurr, Skeptizismus als theologisches Problem, 1964, 81ff.
130 Siehe Schnurr, ebd. 95.
131 Mit Christian Hermann Weiße hatte sich Overbeck in seiner Leipziger Studienzeit (1856–57), mit Lotze seit der Göttinger Studienzeit (1857–59) beschäftigt.
132 Schnurr (s. Anm. 129), S. 92, nach einer Formulierung von H. Friedrich.
133 BJB 1906, 177.
134 Ebd. 139.
135 Ebd. 151.

Es wird richtig sein: „Was Nietzsche an Lichtenberg anzog, war dasselbe, was Overbeck zu seinem besten Freunde gemacht hat."[136]

Freilich gilt nicht nur, wie Bernoulli sagt, daß „alle Verwirklichungen in Overbecks
Leben . . . für Nietzsches Leben ebensoviele Unmöglichkeiten" bedeutet hätten,
sondern es trennte sie vor allem dies, daß Nietzsche das Vertrauen seines Freundes
auf die Kraft der kritischen Vernunft, das Overbeck zeitlebens erhalten blieb, bald
nicht mehr teilen konnte. Nietzsche sieht, „daß jenes *Stück Welt,* welches wir
kennen – ich meine unsre menschliche Vernunft – nicht allzu vernünftig ist"[137].
Und er schreibt an Overbeck: „Zuletzt geht mein Mißtrauen jetzt bis zur Frage,
ob Geschichte überhaupt *möglich* ist? Was will man denn feststellen? – etwas,
das im Augenblick des Geschehens selbst nicht ,feststand'?"[138] Hier ist ein Mißtrauen, das viel tiefer geht als das kritische Bewußtsein, das in Overbecks maliziöser
Médisance gegenüber Ingenium und Moral seiner theologischen Fachgenossen zum
Ausdruck kommt.

Zweifelhaft ist, ob man mit Bernoulli das gespreizt einhergehende Nachwort zur
Neuauflage der „Christlichkeit" als „Manifest gegen die moderne Theologie" bezeichnen kann[139]. Gerade in der von Bernoulli zitierten Passage stellt Overbeck
fest, daß er „von dem allerdings reichen Material", das er „zu einer Kritik der
modernen Theologie" besitze, „nichts oder so gut wie nichts hier auszukramen"
beginne. Statt „Manifest" schlägt er den Titel „Bekenntnisse eines Sonderlings"
vor[140].

Zu Overbecks wissenschaftlichem Unternehmen, der „profanen Kirchengeschichte",
bemerkt Bernoulli lakonisch, es sei „gescheitert"[141]; es sei „Stückwerk geblieben",
„soweit es sich um den literarischen Ausbau handelt", sei es „überhaupt nicht aus
den Fundamenten zum Boden hinausgediehen"[142]. Hier verdeckt Bernoulli die
Rolle, die ihm selber beim Ausbau dieses Werkes zugedacht war. Daß Overbeck
mit seiner Arbeit nicht zum Ziel gekommen war, hat er freilich selber gewußt.

Den Gegensatz, in dem sich Overbeck zu seinen Fachgenossen befand, bringt Bernoulli richtig zum Ausdruck, wenn er sagt, er habe bei den anderen die „Summen-
ziehung" vermißt[143], nämlich, nach Overbecks eigenen Worten, das Wertlegen auf
die „wichtigsten und interessantesten Probleme" der Frühzeit des Christentums[144].
Aber das Gemeinte müßte deutlicher profiliert werden. Auch *Harnacks* „Dogmengeschichte" wollte eine Summe ziehen, aber in ganz anderer Art, als Overbeck dies
für richtig hielt.

---

136 Bernoulli II, 147.
137 Menschliches, Allzumenschliches, II. Band, Der Wanderer und sein Schatten, 2; TA 4, 190
    = Schlechta I, 873.
138 Nietzsche an Overbeck, 23.2.1887, BWNO 365 = Schlechta III, 1250.
139 Bernoulli II, 141.
140 Siehe Bernoulli II, 143.
141 BJB 1906, 176.
142 Bernoulli II, 148.
143 Bernoulli II, 138.
144 Bernoulli II, 142f.

Wie sehr Bernoulli die eigenen Motive und Wünsche in Overbeck hineininterpretiert, zeigt die Formulierung, daß Overbeck „einmal Liebe verdienen wird von den Bürgern jenes sogenannt dritten Reiches, das uns kommen soll, dem Kind und Erben und Willensvollstrecker von Griechentum *und* Christentum, so widersprechender Eltern!"[145]. Hier nimmt Bernoulli seinen alten Wunsch[146] nach einer Synthese griechischer „Schönheit" und semitischer „Religion" wieder auf, ohne die Bürgenschaft Overbecks dafür irgendwie beweisen zu können. Overbeck endet mit der Ansage des finis Christianismi, und das neureligiöse Künden von einer Morgenröte des Christentums[147] hätte Overbecks Skepsis nicht beseitigt, wie tief auch die dem Christentum zugedachte Metamorphose gehen mochte.

Auf Bernoullis Monographie über Nietzsche und Overbeck folgt 1911 die Edition von „Studien" Overbecks zum Johannesevangelium. 1916 kann endlich der Briefwechsel zwischen Nietzsche und Overbeck erscheinen, nachdem sich die streitenden Parteien von Basel und Weimar darüber geeinigt haben[148].

Nach der Vorlesung, die Overbeck erstmalig im Wintersemester 1887/88 über „Geschichte der Theologie im Mittelalter" gehalten und im Sommersemester 1891 sowie im Sommersemester 1893 wiederholt hat, gibt Bernoulli 1917 das Buch „Vorgeschichte und Jugend der mittelalterlichen Scholastik. Eine kirchenhistorische Vorlesung" heraus.

Im Bemühen, Overbecks Forschungen als aktuell zu erweisen, sucht Bernoulli sie mit der Psychologie von *Carl Gustav Jung* zusammenzureimen (X f.). „Ein illegitim gekreuztes, bastardiertes Denken, das als Theologie und Dogmatik in der europäischen Kultur bis heute sein lautes Wort mitspricht, hat Anspruch darauf, in seiner unaufhaltsam triebhaften Entstehung verstanden zu werden" (XI). Overbeck selber, der bei Ausarbeitung des Kollegs „in ominöser Weise unter dem Eindruck" stand, „wie es der europäischen Menschheit nur möglich war sich aus dem Wuste wieder herauszufinden, mit dem sie ins Mittelalter trat und den sie zunächst noch häufte"[149], sah im geschichtlich sich behauptenden Christentum nicht viel anderes als eine Verirrung des Menschengeistes.

Nach Abschluß des 1. Weltkrieges hielt Bernoulli die Zeit für gekommen, Overbecks Attacke gegen die „moderne Theologie" in Form einer Zusammenstellung Overbeckscher Notizen zu erneuern. Es sei, so führt Bernoulli aus, damit zu rechnen, man werde im Gefolge der politischen Revolution „auch auf geistigem Gebiete mit einer Wirtschaft der Götzen und Auguren aufräumen"[150]. So habe auch

---

145 BJB 1906, 191 = Bernoulli II 428f.
146 Siehe Heland I, 41, 147.
147 Bernoulli II, 514.
148 Siehe das Vorwort von R. Oehler und C. A. Bernoulli vom 15. Oktober 1914.
149 Overbeck an Nietzsche, 24.10.1887, BWNO 400.
150 Christentum und Kultur, Neudruck Darmstadt 1963, XVII. Die Seitenzählung differiert
    bei der Vorrede gegenüber der Originalausgabe von 1919 jeweils um zwei Seiten. Wir folgen
    der Paginierung des Neudrucks.

der Angriff gegen *Harnack,* den Overbeck führen zu müssen meinte, jetzt eine größere Chance als früher, sich öffentlich durchzusetzen. Bernoulli selbst erinnert bei dieser Gelegenheit an seine Fehde mit dem Nietzsche-Archiv: die Publikation von „Christentum und Kultur" im Jahre 1919 leitet eine neue Phase der posthumen Wirkung Overbecks ein, bei der es sich abermals um ein polemisches Unternehmen handelt.

Bernoullis Vorrede zu „Christentum und Kultur" läßt den Leser darüber im unklaren, welches der Anteil des Herausgebers an dem „Buch" ist. Da Bernoulli ständig von einem „Buch" spricht[151], wird, ohne daß dies direkt gesagt würde, der Eindruck erweckt, Overbeck selbst habe dieses „Buch" schreiben wollen und sei nur an der Fertigstellung verhindert gewesen[152].

Wenn Bernoulli den Leser „um das Zutrauen ersucht, daß nur Erforderliches zum Ausdruck gelangt" (XXII), so wird nicht klar, welches die Grundlage für die Bemessung des Erforderlichen ist und inwieweit die „Knüpfung des fortlaufenden Zusammenhanges" (XXII) etwa tatsächlich Bernoullis eigene Leistung sein könnte[153]. Recht vage bleibt auch der Hinweis, „unser Buch" sei „teils Material, teils Plan" (XXXVIII)[154].

In Wirklichkeit hat Bernoulli das „Buch" selber geschaffen; er hat nach Kriterien, über die er nicht Rechenschaft gibt, Aufzeichnungen Overbecks exzerpiert und in einen Zusammenhang eingegliedert, der, wie auch die Überschrift des Buches und aller seiner Kapitel[155], durchaus Bernoullis Werk ist.

Bernoulli hat die Masse von einzelnen, von Overbeck zum Handgebrauch lexikalisch nach dem Alphabet geordneten Notizzetteln eigenmächtig in Kapitel zusammengefaßt. Von Bernoulli rührt also beispielsweise der Titel „Von mir selbst und vom Tode" (CK 287) her, und was Bernoulli S. 300 abdruckt, sind keineswegs die „eigenen abschließenden Worte" Overbecks, wie Bernoulli irreführenderweise sagt (XXXVIII), sondern ein Ausschnitt aus Overbecks Aufzeichnung „Tod (Allgemeines)", die im Original ihre Fortsetzung mit den in „Christentum und Kultur" auf S. 46 (!) wiedergebenen Sätzen über Mt 5,48 findet[156].

Bernoulli hat sich aber nicht nur die Freiheit genommen, zusammenhängende Aufzeichnungen in Einzelteile zu zerlegen und zertrennt abzudrucken, sondern er hat die Neueinteilung so vorgenommen, daß nicht einmal durch Einrücken der Zeile zu

---

151 S. VII, VIII, IX, X, XI usw. Selbst 1936 nennt er CK noch „sein" (scil. Overbecks) „Buch", Kl S. 62.

152 So wird die Sache denn auch später oft aufgefaßt, z. B. von E. His, Basler Gelehrte des 19. Jahrhunderts, 1941, 295f. (vgl. daneben die Kritik an Bernoulli, ebd. 301).

153 Siehe dazu Eb. Vischer, Overbeck und die Theologen (Kirchenblatt für die reformierte Schweiz, 35. Jg., 1920, Nr. 31), 122f.

154 Auf diese Stelle nimmt K. Barth bezug; er nennt in völlig zutreffender Weise das „Buch" „eine vom Herausgeber betitelte und gegliederte Sammlung von Fragmenten" (Unerledigte Anfragen an die heutige Theologie, in: Die Theologie und die Kirche, 1928, 2f.).

155 Vgl. dazu C. A. Bernoulli, Franz Overbeck (Neue Schweizer Rundschau, Heft 1, Januar 1931), 10.

156 ONB A 239.

erkennen gegeben wird, daß im Original die betreffenden Sätze *nicht* hinterein-
ander stehen. Dabei fällt besonders erschwerend ins Gewicht, daß Overbecks Aufzeichnungen aus ganz verschiedenen Perioden seines Lebens stammen, von den
60er Jahren bis hin ins Jahr 1905.

So stammen z. B. auf S. 43 die ersten Zeilen aus dem Artikel „Jesus (Allgemeines)"
aus den Sechzigerjahren, das Schweitzer-Zitat dagegen aus dem Artikel „Jesus
(Leben) Aufgabe" aus dem Jahre 1901, „Was heißt Menschheit . . ." aus dem
Artikel „Jesus (Menschheit)" aus den Siebziger- oder Achtzigerjahren, „Die Menschheit . . ." aus einem Teil desselben Artikels aus den Neunzigerjahren, „Das Höchste
. . . " aus dem Artikel „Jesus (Sündlosigkeit) Bestimmung" aus Overbecks Frühzeit
und „Die alte Kirche . . ." aus dem Artikel „Jesus (Schönheit)" ebenfalls aus Overbecks Frühzeit.

Wenn Bernoulli das „Zutrauen" des Lesers erwartet, daß „auch dem ersten Gefühl
Widerstrebendes gerade an dem Orte untergebracht ist, wo es zur Knüpfung des
fortlaufenden Zusammenhanges den besten Dienst leistete" (XXII), so ist damit
nur der Tatbestand verhüllt, daß Bernoulli durch seine Art der Zusammensetzung
der Texte manche Verständnisschwierigkeit erst geschaffen hat. Viele scheinbare
Gedankensprünge und Spannungen im Text sind auf Bernoullis Redaktion zurückzuführen.

Daneben hat Bernoulli aber auch Änderungen am Text selber vorgenommen[157].
Dabei handelt es sich nicht nur um stilistische Verbesserungen, bei denen man freilich einen dringenden Anlaß oft nicht sehen kann[158]. Es handelt sich vielmehr auch
um sachliche Veränderungen. Wörter und Sätze des Originals sind ausgelassen, andere
Wörter und Sätze sind eingefügt.

Zusatz des Herausgebers ist beispielsweise der Satz: „Der Gott des Christentums ist
der Gott des Alten Testaments" (CK 266); weggelassen ist am Ende desselben Ab-
satzes (CK 267, Zeile 2): „z. B. eines kleinen Zeitgötzen der Art wie Harnack.
Was mag *der* sich dünken!"[159] CK 55 ist „unsere heutige Weltauffassung" von Bernoulli eingetragen, so daß es heißt: „wir leugnen, daß unsere heutige Weltauffassung
ein Fundament abgeben kann für die religiöse Weltanschauung des Paulus", während im Original steht: „wir läugnen, daß sie" (nämlich die *Geschichte*) „ein Fundament abgeben kann für die religiöse Weltanschauung des Paulus"[160].

Es darf angenommen werden, daß Bernoulli mit seinen Textänderungen[161] durchweg einem vermeintlichen Interesse Overbecks dienen wollte, auch da, und vielleicht
da besonders, wo er Overbecks härteste Aussagen verschwieg.

---

157 Seltsamerweise wendet sich W. Nigg, dem die Originaltexte (freilich durch Bernoulli
    selbst!) zugänglich waren, gegen den „Verdacht", „Bernoulli habe den Text Overbecks
    willkürlich ausgewählt und einer Bearbeitung unterzogen". Nigg fügt hinzu: „Sinnver-
    ändernde Korrekturen habe ich keine feststellen können." (Franz Overbeck, 1931, VIII).
158 Z. B. S. 264: die Theologie muß mit Grundannahmen vorsichtig verfahren, „die sie zu
    verabscheuen sich den Anschein geben muß", Original: „die sie zu abhorriren wenigstens
    die Miene annehmen muß", ONB A 235 Religion (Entstehung) Vermischtes.
159 ONB A 224 Gott des Altes Testaments (Vermischtes).   160 ONB A 233 Paulus.
161 Häufig begegnen auch Lese- oder Druckfehler. So nennt nach CK 163 Pascal „alle Gottes-
    kinder ohne Christus unnütz und leer (inutile et stérile)", nach dem Original handelt es

Das gilt nicht nur da, wo es sich um lebende oder auch verstorbene Personen handelte (wie besonders im Falle *Harnack*). Da konnte es in der Tat angezeigt erscheinen, den privaten Charakter von Overbecks Aufzeichnungen besonders in Rechnung zu stellen. Sondern es gilt auch, wo Texte, die für die grundsätzliche Position Overbecks wesentlich sind, nicht gebracht wurden, etwa solche, die unter dem Stichwort „Religion"[162] zu finden sind und Overbecks Widerspruch gegen die Religion in ganzer Schärfe bekunden.

Für die Ausscheidung dieser Texte scheint Frau Ida Overbeck mit verantwortlich gewesen zu sein, die anläßlich der Vorbereitung von „Christentum und Kultur" in einem Exposé „zu meines Mannes Blättern über Christenthum und Theologie" ausführt: „Manche Blätter sind befangen und nicht zu brauchen. O. setzte sich selbst erst nach und nach zurecht. Es muß natürlich auf Hauptsachen gesehen werden. Zu diesen Hauptsachen gehören natürlich nicht alle persönlichen Bekenntnisse, die aus der Darstellung des Stoffes von selbst hervorgehen. O. unterscheidet den enthusiastischen Character des Christenthums von der bewußten Anempfindung desselben bei der modernen Theologie, vorab Harnack's, durchaus. Trotzdem wirft er gelegentlich unterschiedslos den ächten Zug und die affectirte Schwarmgeisterei in einen Topf. Auf solchen Blättern steht er nicht auf der Höhe seiner Betrachtungsweise, man merkt es gleich an einem gewissen murrenden Tone . . ."[163]

Hier ist die Tendenz wirksam, einen „frühen" Overbeck zu idealisieren — in seltsamer Analogie zu Elisabeth Förster-Nietzsche, die großen Wert darauf legte, zu „konstatieren, daß der Overbeck der siebziger Jahre ein ganz anderer Mensch gewesen ist: heiter, mutig, witzig, voller kühner Ansichten"[164].

Das sage sie, führt Frau Förster aus, „allen Nietzsche-Verehrern zum Trost, die den späteren Overbeck kennen lernten und unglücklich waren, daß dieser bedrückte, ängstliche Mann, der so wenig Verständnis für die Philosophie Nietzsches zeigte, ein Freund meines Bruders gewesen sein sollte"[165].

Dem „murrenden Tone" Overbecks kann nur ausweichen, wer an Overbecks fundamentaler Einsicht vorbeigeht, daß seine Tendenz zur Theologie eine falsche Tendenz gewesen sei.

---

sich aber um die „Gottes*kenntnis* ohne Christus" (ONB A 235 Ritschl und Pascal). Zu S. 59, Zeile 8ff., wo bei Bernoulli Lesefehler und Stilkorrektur zusammenkommen, lautet die Vorlage: „Paulus weiß nicht anders, als daß (er) innerhalb einer nur kurzen Spanne Zeit dem Reiche Gottes eine möglichst große Anzahl" (so zu lesen statt „Auswahl" bei Bernoulli) „von Bürgern zu gewinnen hat . . ." In der 2. Hälfte des Satzes finden sich bei Bernoulli weitere Textänderungen. Das Original findet sich ONB A 233 Paulus (Charakteristik) Apostolische Wirksamkeit, Eile.

162 ONB A 235 Religion.
163 Overbeckiana II, 102f.
164 Elisabeth Förster-Nietzsche, Nietzsches literarischer Nachlaß und Franz Overbeck, Berliner Tageblatt (Abendausgabe), Nr. 376, 26.7.1905.
165 Vgl. dagegen das Urteil von Rud. Burckhardt in einem Brief an Elisabeth Förster-Nietzsche vom Juli 1905 (Overbeckiana I, 204, Anm. 3). Über Carl Rudolf Burckhardt (1866–1908) und sein Verhältnis zu Overbeck vgl. D. Grob, Ein überragender Basler Naturforscher, Basler Nachrichten, Nr. 480/1966, 11. Nov. 1966.

Schon in Overbecks kritischem Grundansatz gegenüber dem Christentum liegt es, daß ihm weder die Objektivität *Baurs* noch die Objektivität *Burckhardts* erschwinglich war. Der ‚murrende Ton‘, wie immer man ihn psychologisch beurteilen mag, ist ein wesentlicher Teil seiner Aussage. Der Monotonie des „Nein“, das Overbeck gegenüber dem Christentum selber, durchaus also nicht nur einer modernen „Anempfindung desselben“ gegenüber, sprechen zu müssen meinte, ist auf keine Weise zu entkommen.

Frau Overbeck will sich in einer Aufzeichnung von 1884 (8 Jahre nach ihrer Eheschließung mit Overbeck) angesichts der bleibenden Rätselhaftigkeit der Welt nicht „Christinn im ausschließlichen Sinn“ nennen, bekennt aber dennoch: „Ich sehe, daß mein innerstes Herz an den Lehren des Christenthums theil hat und sie bilden würde, wenn es nicht von ihnen gebildet wäre ... Wer zu fest an Gott glauben will, verliert den Glauben, wer nicht glaubt, sucht doch immer nach ihm und möchte ihn nur anders nennen.“[166] Ein vergleichbares Bekenntnis wird man in den nachgelassenen Papieren Overbecks vergeblich suchen. Wenn Nietzsche 1882 zu Frau Overbeck sagte, daß der „Gottesgedanke“ ihr Leben beherrsche[167], so hat er dies von Overbeck niemals gesagt, und er hätte es auch nicht sagen können, wenn es um die christliche Gestalt des „Gottesgedankens“ geht.

Es ist nicht zu verkennen, daß Frau Overbeck Vorbehalte gegenüber dem Christentum hat, bei denen die Solidarität mit allen Menschen, „das Gefühl ... in allem der ganzen Menschheit Los zu tragen“[168], eine Rolle spielt. Hier ist zweifellos eine Verbindung zu Overbecks Unglauben gegeben. Aber es ist ebenso unverkennbar, daß die Partizipation an den „Lehren des Christenthums“ Frau Overbeck von ihrem Mann trennte, besonders wenn man bedenkt, mit welcher Intensität Overbeck schon in der „Christlichkeit“ diese „Lehren“ in festen Bezug zur *Weltbetrachtung* des Christentums gebracht hatte: „Auf etwas Anderes als auf die Unseligkeit der Welt ist das Christenthum unter Menschen im Ernste nie begründet worden.“ (C. 71)

Charakteristisch ist das Goethe-Zitat in dem Widmungsexemplar der „Christlichkeit“, das Overbeck seiner Frau schenkte: „Das unheilbare Übel dieser religiösen Streitigkeiten besteht darin, daß der eine Theil auf Mährchen und leere Worte das höchste Interesse der Menschheit zurückführen will, der andere es aber da zu begründen denkt, wo sich niemand beruhigt.“[169] Denn „Mährchen und leere Worte“ waren hier eben jene „Lehren“ genannt, zu welchen Frau Overbeck ein unauflösliches Verhältnis zu haben bekannte.

Die Hypothese von der Möglichkeit eines „enthusiastischen“ Christentums, die wir bei Frau Overbeck antreffen, steht auch im Hintergrund von Bernoullis Overbeck-Deutung in der Einleitung von „Christentum und Kultur“. Bernoulli will

---

166 Overbeckiana II, 123.
167 Siehe Bernoulli I, 250.
168 Bernoulli I, 250; vgl. auch den Schlußsatz der Aufzeichnung von 1884, Overbeckiana II, 123.
169 Overbeckiana II, 157.

einer „dem Verfasser" (= Overbeck) „selbst unbewußten Doppelspur" nachgehen (XI). Bei Overbeck zeige sich nicht nur, was in der Tat unbestreitbar ist, eine „Parteinahme für den rationalen Menschen" (XIV), sondern Bernoulli ist auch mit der „Beförderung Overbecks in die obere Rangklasse der Intuitiven höchlich einverstanden" (X): „obschon sie nur für den Spitzenrand der über Gelehrsamkeit hinwegeilenden Ahnung in Betracht fällt" (Xf.). So ist Overbeck nach Bernoulli „zerrissen in den Brotzwang des Berufes und den Seherzwang der eigenen Begabung" (XIV), „halb diskursiv und halb intuitiv" steht er zum „Lebensproblem" (XXVI), er blieb der „Fähigkeit zur Ekstase als der eigentlichen Kraftquelle der Kultur . . . eingedenk" (XXX).

Zwar bringt Overbeck „normativen Rückblicken auf symptomatische Vergangenheitsvorbilder, sei es (mit Nietzsche) auf den griechischen Dionysismus, sei es (mit den Theologen) auf das spätjüdische Urchristentum . . . Mißtrauen entgegen, weiß sich aber die eigene Fährte für einen Zugang zum Absoluten wohl zu wahren" (XXXIV). „Eine andere Stellung zu den hinterkulturlichen Elementarproblemen, als die Gelassenheit und Resignation, die der skeptische Gelehrte allein dafür übrig hat, gibt Overbeck dem dazu berufenen metaphysischen Drange durchaus anheim, – als zuwartender, für möglich haltender Beschauer bleibt er den historischen Erscheinungen des rauschmäßigen, leibseelischen Enthusiasmus und des heidnisch mystischen Erglühens beinahe neugierig zugewendet." (XXXIV)

Welcher Art sind die Belege, die Bernoulli für diese Sicht Overbecks vorbringt? Im Anschluß an den eben zitierten Satz verweist Bernoulli z. B. auf Overbecks Interesse an Goethes Heidentum. Die Stellen, die er anführt, zeigen jedoch, daß Overbeck sich gegen den „Hokuspokus" bei Goethe abgrenzt und daß ihm „Goethes Verhalten zur Religion" „vorbildlich nur in seiner entschlossenen Betonung ihres unerläßlich humanen Charakters", also der strengen Einhaltung der Grenzen des Menschlichen, zu sein schien (XXXV).

Ein anderes Beispiel. Bernoulli sagt in grundsätzlichem Zusammenhang: „Er, der an jedem *Tröpfchen Schwärmerei* (S. 182) seine Freude hat, wenn er es irgendwo an der Wimper der Echtheit aufglänzen sieht, entlarvt das schale, fadenscheinige Wesen der ‚tollgewordenen Philisterei', genannt: *Moderne Theologie.*" (XXXVIII) Der zitierte Ausdruck bezieht sich jedoch (CK 182) darauf, daß Overbeck das „Tröpfchen Schwärmerei" in der Evangelienkritik bei *Weiße* in Übereinstimmung mit *Bruno Bauer* und im Unterschied zu *Gfrörer* und anderen mit Sympathie betrachtet. Von „Schwärmerei" und „Enthusiasmus" im allgemeinen oder religiösen Sinne ist keine Rede.

Wenn es als eine im Sinne Overbecks zu stellende Frage angesehen wird, „wie und wo" „sich noch Seelenkraft im verchristlichten Kulturleben" rege (XXXVII) und wenn in der Abgrenzung zwischen einer (von Bernoulli bejahten) „rein individuell imaginären" und einer (von Bernoulli verneinten) „eigentlich geschichtlichen Verwirklichung" des Christentums Overbecks Leistung erblickt wird (XIf.), so ist darauf hinzuweisen, daß Overbeck mit einer solchen Konzeption nichts zu tun hat.

„Enthusiasmus" wollte Overbeck als Schlagwort für das Urchristentum nicht gelten lassen. Er verurteilte ausdrücklich den Rekurs auf Enthusiasmus bei Bernoulli und sah überhaupt in der Verwendung des Begriffs so etwas wie eine apologetische Hilfskonstruktion: „Der Begriff ist der modernen Theologie, je mehr sie sich der Sache entfremdet hat, um so geläufiger. Namentlich bei ihren historischen Experimenten wirthschaftet sie damit wie mit einem Rechenpfennig, besonders characteristisch *Ad. Harnack*, bei dem man bisweilen den Eindruck hat, als sei Enthusiasmus die einzige klare Vorstellung, die er überhaupt mit dem Urchristenthum zu verbinden im Stande sei und als meine er, wenn es sich darum handle, seinem Leser die Überzeugung beizubringen, er wisse überhaupt etwas vom Urchristenthum zu sagen, so genüge es, diesem Leser nur das Wort Enthusiasmus hinzuwerfen. Das Wort ist die ultima ratio, mit welcher überhaupt über alle Räthsel des Urchristenthums Rechenschaft abgelegt ist. Von diesem Gebrauch hat sich begreiflicher Weise auch *C. Bernoulli* anstecken lassen, wenn er z. B. gelegentlich meint, dem heiligen *Martinus* habe ‚seine Rusticität in Dingen der Bildung, auch der theologischen fast den Enthusiasmus des Urchristenthums wieder erlaubt' (Die Heiligen der Merowinger, Tübingen 1900, S. 35). Womit denn auch wieder einmal in aller Naivetät verrathen ist, was sich diese moderne Theologie unter Enthusiasmus des Urchristenthums denkt, nämlich die Eigenschaft, durch welche es von der gebildeten Folgezeit, insbesondere von der Gegenwart getrennt ist. Vom Enthusiasmus als dem Character des Urchristenthums zu reden, wird so das bequemste Mittel, um sich mit dem Urchristenthum so ‚auseinander'zusetzen, daß man mit ruhigem Gewissen davon schwatzt. Man ist eben nicht mehr rustik genug, um mit dem Urchristenthum enthusiastisch zu sein."[170]

Gerade das „Enthusiastische" ist das Element am Christentum, das sich Overbeck auf keine Weise aneignen kann. „Die Schwärmerei oder besser, mit den Reformatoren geredet, die Schwarmgeisterei ist es, was ich am Christenthum nicht mag und was im Grunde die moderne Theologie ebenso wenig mag als ich . . ." Denn: „Ich bin so gut modern wie die moderne Theologie und vielleicht noch besser, und würde sagen, ich bin auch ein schlechter Christ wie sie, noch besser, wenn ich nur das geringste Gute an diesem elenden (Ding) von Beziehungen, die die moderne Theologie zum Christenthum noch unterhält, finden könnte."[171] Overbeck sagt es deutlich: „Was mich im letzten Grunde dem Christenthum entfremdet, mich von ihm abstößt, ist, wie ich meine, seine Schwarmgeisterei."[172]

Also eben an dem Punkt, wo Bernoulli bei Overbeck eine relative Anerkennung eines „lebendigen" Christentums heraushandeln will, erfolgt bei Overbeck selbst schroffe Ablehnung. Overbeck tritt, weil er sich betont als moderner Mensch versteht, allem scheinbaren und wirklichen Enthusiasmus entgegen.

Die „Gespaltenheit des Individuums" ist das persönliche Problem *Bernoullis*, nicht das Problem Overbecks. Die ständige Anstrengung Bernoullis, Overbeck zu seinem

---

170 ONB A 222 Enthusiasmus im Christenthum.
171 ONB A 220 Christenthum (Schwärmerei), S. 2.
172 ONB A 220 Christenthum (mein), S. 7.

Problem hinüberzuziehen, bezeugt zwar dankbare Schülerschaft, aber ebenso anhaltendes Unverständnis für das, was Overbeck wirklich bewegt.

„Die Sicherheit der Intuition, mit der unser Skeptiker die Gespaltenheit des Individuums als das Wesentliche bei ihm aufweist", will Bernoulli an zwei Sätzen zeigen, die er aus dem Zusammenhang einer (in „Christentum und Kultur" textlich verändert wiedergegebenen) Aufzeichnung Overbecks über den modernen Individualismus herausreißt. Welches ist dieser Zusammenhang? Overbeck weist die Zusammengehörigkeit des modernen Individualismus mit dem modernen Atheismus auf. Das Individuum „ist nicht unerbittlicher, wenn es auf Gott verzichtet, auf sich reducirt, als es, wenn es sich auf sich stellt, dazu getrieben wird, Gott zu entsagen"[173]. Fern davon, einen „Weg zum Absoluten" in „Ent-Ich-ung und Selbstopfer" in Erwägung zu ziehen, wie Bernoulli unterstellt (CK XXVIf.), betont Overbeck umgekehrt, daß der atheistische Mensch radikal auf sich selbst verwiesen sei: „Sich selbst preiszugeben, ist noch nicht der sichere Weg, Gott zu finden, aber noch hoffnungsloser ist der Gedanke daran, Gott in sich wiederzufinden. Das ist vielmehr der sichere Weg zu Wahnsinn und Verzweiflung. Wer sich auf sich selbst stellt, *muß* es auch mit sich selbst aushalten, wehe ihm, wenn er es nicht vermag. Anders als in Falschheit und Selbstbetrug kann er sich nicht verstricken."[174]

Overbeck blickt hier zweifellos auf *Nietzsche*. Nietzsche hat die aus dem Atheismus folgende „Vereinsamung" nicht ausgehalten und wollte den verlorenen Gott in seinem eigenen Innern wiederfinden. Dies mußte mißlingen und endete im Wahnsinn, nämlich als die Hybris, die den Grenzen des Menschen nicht die schuldige Achtung zollt[175]. Auf den Atheismus als „Dogma" kommt es, wie Overbeck im

---

173 ONB A 227 Individualismus (moderner) Allgemeines, S. 1. Vgl. die unkorrekte Wiedergabe Bernoullis, CK 286: „Wenn der Mensch auf Gott verzichtet" etc.
174 ONB A 227 Individualismus (moderner) Allgemeines, S. 1f.
175 In seiner Aufzeichnung über Nietzsches Atheismus, ONB A 232 Nietzsche (Atheismus) (vgl. Bernoulli I, 216), deutet Overbeck Nietzsches Satz „Gott ist todt" als „menschenmöglichen Atheismus", der es mit dem Gegebensein der Gottes*frage*, nicht Gottes selbst zu tun habe. „Die andere Form" des Atheismus „wäre die übermenschliche, und wie Nietzsche zu dieser stand, steht dahin und hängt vollkommen an der Zweideutigkeit seines Übermenschen-Begriffs." Hier zögert Overbeck also, Nietzsche auf die Tendenz festzulegen, „Gott in sich wiederzufinden". „Ein Bekenntnis Nietzsche's zu *dieser* übermenschlichen Form des Atheismus gibt es auf jeden Fall nicht, und von ihr läßt es sich allerdings behaupten, daß es [ein solches] gar nicht geben kann, wenigstens nicht aus seinen zurechnungsfähigen Tagen." Overbecks Ziel ist es hier, Nietzsches „zurechnungsfähigen" Atheismus an den seinigen nahe heranzurücken und den Zusammenhang des „übermenschlichen" Atheismus mit dem Wahnsinn (wie in der „Individualismus"-Aufzeichnung) zu betonen. – Im Anschluß an die Lektüre von P. J. Möbius, Über das Pathologische bei Nietzsche, 1902, rückt Overbeck dagegen Nietzsche von sich ab, wenn er gegen Möbius fragt, ob bei Nietzsche statt von „irreligiösem Individualismus" nicht vielmehr gerade von „religiösem Individualismus" zu reden sei. „Denn Selbstanbetung war ein Grundcharacterzug des Nietzsche'-schen Individualismus *von vornherein*" (ONB A 227 Individualismus [moderner] Allgemeines, S. 6; Hervorhebung von Overbeck). Der „Größenwahn" sei bei Nietzsche „psychologisch und nicht nur pathologisch begründet" gewesen (ebd.), ja der „Gesichtspunkt des religiösen Wahnsinns" sei auch für die medizinische Diagnose erwägenswert (ebd., S. 11). Nietzsches Übermenschentum wird hier nicht, wie in der andern Aufzeichnung, zum

gleichen Zusammenhang sagt[176], nicht an: „Was er wirklich ist, ist er nur, als was er subjectiv empfunden wird." In eben dieser Empfindung aber scheiden sich Nietzsche und Overbeck. Nietzsche hält die „Vereinsamung" nicht aus und unterliegt so dem Bann, den das „Grauen vor dem Atheismus" schafft. Overbeck aber humanisiert den Atheismus, indem er ihn als Impuls zur Erschließung der inneren Kraftquellen der eigenen Person nutzbar macht.

Ist nun aber Nietzsches Scheitern nicht ein Argument gegen Nietzsche? Overbeck bestreitet das. „Der strenge Individualist muß Gott entbehren können, wenn auch, daß er es nicht kann und an seinem Atheismus zu Grunde geht, die Echtheit seines Individualismus nicht weniger beweist, als daß er es kann."[177] Hier statuiert Overbeck ein in magnis et voluisse sat est: „Wenn Einer nicht ist, was er nicht sein kann, so hat er damit noch nichts gegen sich bewiesen."

Es geht Overbeck hier wie sonst um die „Sicherheit des Unglaubens", von der Bernoulli spricht (CK XVI). Overbeck wehrt sich dagegen, daß die Aporie des Unglaubens in ein Argument für den Glauben verwandelt werden könnte, in einem Methodismus, der voraussetzt, daß der Glaube nicht für sich selber spricht. Im Blick auf *Nietzsche* kommt es in der Tat bei Overbeck nicht zu einem „Seufzer"[178], denn neben dem Bewußtsein, sich selbst vor den allfälligen Folgen des Atheismus sichergestellt zu haben, steht für Overbeck die Überzeugung, daß „die Echtheit des Individualismus" bei Nietzsche gerade nicht zuschanden geworden sei.

Doch rückt er von Nietzsches subjektiver Empfindung des Atheismus ab, und als er bei anderer Gelegenheit Nietzsches Scheitern erörtert, formuliert er geradezu: „Nietzsche's Versuch ist ein *ernster* Versuch, die Welt *verständig* zu begreifen, nicht, oder doch nur einer, den die Verzweiflung auf der Fahrt gepackt, und der sein Fahrzeug selbst dabei preisgegeben hat."[179] Verzweiflung aber ist, wie wir oben sahen, für Overbeck das Resultat eines falsch gehandhabten Atheismus. So kann Nietzsche als Schiffbrüchiger nicht als Argument gegen das Beschiffen des Meeres dienen, und wenigstens als „anonymer Glückspinsel" will sich demgegenüber Overbeck zu denen stellen, „die sich auf ihrer ziellosen Fahrt . . . in[180] ihrem Fahrzeug zu behaupten vermocht haben". Die Rationalität, von der Overbeck sich nie trennen ließ, gehört für ihn zu den Voraussetzungen der Humanität, die es zu bewahren gilt.

Overbecks „resoluter Hang zur verständigen Welterklärung"[181] ist also nicht etwa, wie es bei Bernoulli erscheint, nur das Pendant zu einem unvollständig ausgeleb-

---

Schutz der Menschenmöglichkeit von Nietzsches Atheismus, in seiner „Zweideutigkeit" unter Verschluß gestellt, sondern es wird aus der Dialektik des „religiösen" Selbstbewußtseins Nietzsches erklärt: „Nietzsche hat sich als Individuum wirklich stets mit religiösem Ernst genommen, und daran hängt seine sonst unbegreifliche Doppelgesichtigkeit der wüthenden Natur, des Fanatikers, . . . und des Mustermenschen." (ebd., S. 8, vgl. auch S. 10.)

176 ONB A 217 Atheismus und Individualismus, S. 2.
177 ONB A 227 Individualismus (moderner) Allgemeines, S. 2.
178 Bernoulli, CK XXVI.
179 ONB A 235 Rationalismus (Allgemeines). Dort auch die folgende Stelle. Vgl. CK 136.
180 Bernoulli druckt CK 136 fälschlich „mit".   181 Bernoulli, CK XXV.

ten Irrationalismus. Der Satz: „Overbeck zieht mit fliegenden Fahnen in das Lager Nietzsches über, der dem *Geist* den Krieg erklärt hat"[182] zeigt, daß Bernoulli Overbecks Verhältnis zu Nietzsche mißverstanden hat[183]. Overbeck hat sich selbst von Nietzsche auf eine Art und Weise unterschieden, daß für die Hypothese einer „dionysischen Prämisse", unter der Overbeck „uneingestanden und wahrscheinlich auch völlig unbewußt" stehen soll[184], kein Raum bleibt.

Es handelt sich hier bei Bernoulli um nichts anderes als um ein Wunschdenken, mit dem man sich die Quellen, aus denen man schöpft, als Einheit vorstellt. Overbeck war es ja gewesen, der Bernoulli zu Nietzsche geführt hatte.

Overbeck setzt den Verstand, den „Geist" nicht aufs Spiel und widersteht jenen Experimenten, zu deren Befürworter Bernoulli ihn machen will. Bernoulli hat den *Atheismus* als Hintergrund der Reflexionen Overbecks zum Problem der Individualität völlig eskamotiert und führt die „Intuition" dort ein, wo bei Overbeck die kritische Sicherstellung des Unglaubens am Werk ist.

Der „echte Individualist" ist bei Overbeck kein anderer als der „strenge Individualist", von dem gilt: er „muß Gott entbehren können"[185]. Mit dem Verweis auf die „Nothwendigkeit", der Nietzsche unterlag, wird dieser Strenge nichts abgebrochen, so daß Overbeck keineswegs einem „weichen menschlichen Empfinden ... entsprechend, den Positionen des Glaubens wieder auf weite Strecken entgegenkommt"[186]. Der „Muth", „sich auf Nichts zu stellen"[187] — es ist kein Zufall, daß hier das Motto des Individual-Anarchisten *Stirner* aufgenommen wird! — ist vielmehr eine der essentiellen Tugenden in dem Ethos des Unglaubens, zu dem Overbeck sich bekennt. Wenn Overbeck gelegentlich gegen *Ritschl* sagt, er, Overbeck, hätte zum Christentum nicht auf Ritschls Art, sondern allenfalls auf die pietistische Art ein Verhältnis gewinnen können[188], so bekräftigt er, fern davon, dem Glauben ein Zugeständnis zu machen, nur die Unbedingtheit, mit der er sich selbst in seiner Individualität erfährt.

Bernoulli findet einen „*wilden* (elementaren, kosmischen) Unterton" (CK XXXI) in Overbecks Gebrauch des Wortes „Welt" und will dies anhand einer Erörterung belegen, die Overbeck über das Weltverhältnis von Katholizismus und Protestantismus anstellt. Dabei führt Overbeck aus, der Protestantismus habe zur Weltlichkeit „ursprünglichere, intimere, festere" Beziehungen als der Katholizismus, und zwar kraft der geschichtlichen Umstände seiner Entstehung. Man könne die Welthaltung des Protestantismus der katholischen vorziehen, dürfe dies aber ja nicht „theologisch" tun, denn bei der Weltorientierung auf *religiöse* Grundentscheidungen zu-

---

182 Bernoulli, ebd. XXVIII.
183 W. Elert behauptet im Anschluß an die Aufstellungen von Bernoulli, der „Weg der Entspiritualisierung" führe „von Basel direkt in das Dritte Reich". Er beginne mit Nietzsche *und Overbeck* und laufe über Klages zu Ernst Krieck (Das christliche Ethos, 1949, 427).
184 Bernoulli, CK XXVIII.
185 ONB A 227 Individualismus (moderner), Allgemeines, S. 2.
186 So Bernoulli, CK XVI.
187 Overbeck an der Anm. 185 angegebenen Stelle.
188 ONB A 235 Ritschl, mein Verhältnis zu ihm; vgl. CK 179.

rückgehen, hieße „Rückkehr zur ursprünglichen Wildheit" des Christentums. Über eine solche Barbarei ist aber nach Overbeck die Menschheit hinaus; wer sie zu erneuern suche, schaufle nur beiden Konfessionen ein „gemeinsames Grab"[189]. Bei allen diesen Gedanken ist für Overbeck die Kritik des Christentums das entscheidende Motiv.

Die „Welt" wird nicht religiös gewertet. Keinesfalls hat „Wildheit" für Overbeck etwas per se Positives. Die Frage ist, „wie sich das Christenthum *in der Welt*[190] am besten behauptet". Die hier gemeinte „Welt" ist einfach die Menschenwelt, und wenn man nach Bernoullis Sprachgebrauch die „Selbstentfaltung der humanitären Kultur" auf religiösem Gebiet „nach dem Maßstab und Aufwand vernünftiger Willensziele" *Ideologie* nennen wollte (CK XXXVIII), was freilich sehr mißverständlich ist, so könnten wir durchaus sagen, daß Overbeck „mit ideologischen Zuständen und Vorgängen gerechnet" habe (CK XX). Aber damit gerechnet hat Overbeck nicht in dem Sinne, als bestünde eine Chance, daß ein zu sich selbst gekommenes Christentum etwa Aussicht hätte, in der Welt zu überleben. Für alles Christliche steht nach Overbeck der „allgemeine Weltuntergang" bevor, und die „neue Welt", die aus den christlichen Verlegenheiten herausführt, bringt Overbeck, anders als Bernoulli, nicht mit Ekstase und Wildheit zusammen, sondern er empfiehlt, statt wie Bernoulli (CK XXXVIII) einen „Glutausbruch abgründlicher Schauung" zu beschwören, für den Übergang zur religionslosen Welt strenge Zucht und Besonnenheit: Zu der neuen Welt haben „wir überhaupt noch keinen Zugang . . . , es sei denn, daß wir ihr noch am nächsten kommen, wenn wir am Streit des Katholizismus und Protestantismus möglichst wenig uns betheiligen und mit der Welt anders fertig zu werden suchen." Es wird von der „Welt" also sehr nüchtern gesprochen. Für Overbeck erweckt sie keinen Rausch, sondern ist die vorgegebene Tatsache, mit der sich abzufinden die Aufgabe der Menschen heute ebenso ist wie eh und je. Neu ist nur der Untergang dessen, was an der Welt, und zwar besonders an der Welt der Bildung und der Kultur, vom Christentum beeinflußt war.

Bernoulli stand, als er im November 1918 das Vorwort zu „Christentum und Kultur" schrieb, unter dem Einfluß von *Ludwig Klages,* den er seit Oktober 1918 studiert hatte[191]. Bernoulli ist zwar von Klages und seiner Geistfeindlichkeit begeistert, möchte aber den „Gegensatz von *Seele* und *Geist*" nicht so gern „im Sinne eines unversöhnlichen Dualismus" fassen und fragt, „ob nicht vielmehr der Geist zwar keine Filiale, aber der entartete Bruder der Seele sei" (CK XXXI). Die Art und Weise, wie Overbeck für diese ganze Problemstellung in Anspruch genommen wird, ist nicht zu billigen. Bernoulli hält sich an einen Satz Overbecks, wie den, daß die Welt „nun einmal nicht von Logik" lebe und druckt ihn gesperrt (CK 270), kümmert sich aber nicht um die Fortsetzung: „Das ist aber ein Satz, für den die Gegenwart, wenigstens ihr Augenblick nur zu viel Sinn hat", denn daraus nähre sich „eine förmliche Renaissance des Aberglaubens, selbst des absurdesten"[192]. Gegenüber

---

189 ONB A 228 Katholizismus (Weltlichkeit). Dort auch die folgenden Stellen. Vgl. CK 120f.
190 Diese von uns hervorgehobenen Worte läßt Bernoulli in seiner Wiedergabe CK 121 weg!
191 Siehe Bernoullis Vorwort zu: Jesus, wie sie ihn sahen, 1928.
192 ONB A 230 Meinung (öffentliche) Vermischtes, S. 7f., vgl. CK 270.

solchem Aberglauben stellt sich Overbeck mit einer betonten Selbstverständlichkeit auf die Seite der modernen Bildung, so weit im Blick auf diese auch sonst seine kritischen Vorbehalte gehen mögen.

Keine Rede kann davon sein, daß Overbeck etwa dem „Ehrgeiz der Kommenden" (Bernoulli meint wie 1906 die „Bürger" des „dritten Reiches" jenseits von Christentum und Hellenismus und wie 1908 die Träger der „neureligiösen Bewegung") verbunden sei und „jugendlich passioniert" rede [193], wenn er vom Niedergang der Religion spricht. In dem Zusammenhang der Stelle, die Bernoulli dazu anführt, geht es Overbeck darum, gegen ein etwaiges neues Aktuellwerden der Religion Einspruch einzulegen.

Nachdem Overbeck von der drohenden „Renaissance des Aberglaubens" [194] gesprochen hat, erwähnt er *Rudolf Burckhardts* Auslassungen über die Restaurationsbestrebungen des Katholizismus und grenzt sich gegen ein Liebäugeln mit solchen Ideen, mit denen auch Bernoulli in seinem „Lucas Heland" nicht ohne Beschwörung von Mariologie [195] und päpstlichem Glanz [196] gespielt hatte, scharf ab mit der Forderung, man müsse „mit dem ganzen Antagonismus von Katholizismus und Protestantismus" „fertig" sein: die konfessionelle Problematik des Christentums und das Christentum überhaupt gehen uns, soweit religiöse Ansprüche erhoben werden, gar nichts mehr an. „Die religiösen Probleme" sind „überhaupt auf ganz neue Grundlage zu stellen", „eventuell auf Kosten dessen, was bisher Religion geheißen hat" [197].

Hier spricht sich keineswegs, wie Bernoulli meint, „auf divinatorische Weise" das Vertrauen auf den Irrationalismus der Seele aus (CK XXI). Statt die „Ahnung" einer „Philosophie" zu befördern, „die über Intellektualismus und Individualismus hinaushebt" [198], fordert Overbeck umgekehrt, bei der ratio zu bleiben. Trotz aller Bedenken gegenüber dem Individualismus als Theorie [199] weiß er sich fest in seiner Individualität gegründet und zitiert *Goethe*: „Der *jetzige* Zustand der Welt — Klarheit in allen Verhältnissen — ist dem Individuum sehr förderlich, *wenn es sich auf sich selbst beschränken will*" [200].

Daß die Religion zu *ersetzen* sei, bestreitet Overbeck und befürchtet, daß „ein noch indefinites neues Gemächte" als Religion drapiert auftreten könnte. Mit dem Protest gegen *Eduard von Hartmanns* Konzeption von 1874 [201] sind jedenfalls auch Bernoullis Ambitionen getroffen.

---

193 Bernoulli, CK XXI.
194 Ein Kontrastbegriff zur Wernleschen „Renaissance des Christentums".
195 Heland II, 177.
196 Heland I, 206ff. = Heland II, 156ff.
197 ONB A 230 Meinung (öffentliche) Vermischtes, S. 8, vgl. CK 270.
198 So Bernoulli, CK XXIV.
199 Siehe ONB A 227 Individualismus und Individualität, vgl. CK 133f.
200 ONB A 227 Individuum (Neuzeit). Hervorhebung von Overbeck.
201 Overbeck, Studien zur Geschichte der alten Kirche, 1875, VIII, zu E. v. Hartmann, Die Selbstzersetzung des Christenthums und die Religion der Zukunft, 1874.

Daß sich Overbeck auf sich selbst als Person stellt, verkennt Bernoulli völlig, wenn
er aus den Ausführungen über Nationalismus, in denen Overbeck einen Mittelweg
zwischen *Treitschke* und *Nietzsche* sucht, schließt, Overbeck befinde sich auf der
„Linie", „an deren Ende sich die Entselbstung des Mystikers auftut" (CK XXIV).
Wenn Overbeck auch Treitschke damit entgegenkommt, daß er feststellt, kein
Einzelner könne „seinen Werth . . . sich selbst garantiren"[202] und „fast noch weniger die Macht, die ihm zukommem mag", so hatte er doch vorher, im Blick
auf Nietzsche, sichergestellt: das Allgemeine schöpfe seinen Wert „nur aus dem
Besondern", und er hatte vorausgesagt, daß der Staat ebensowenig Zukunft haben
werde wie die Religion.

Aus diesem Sachverhalt ergab sich für Overbeck die Konsequenz, daß gerade jetzt
die Stunde des aufgeklärten Individuums sei. Die Wolken des Transzendenten, in
denen nach Overbeck der Wert des Menschen verschwinden soll, laden nicht zu
mystischer Betrachtung ein, wie Bernoulli meint, sondern sind ironischer Ausdruck
für den Verzicht auf Selbstbewertung. Damit wird, entgegen der religiösen Stellung
Nietzsches zu sich selbst, gerade eine realistische Haltung signalisiert.

Ausdruck eben dieser realistischen Haltung ist es, daß nach Overbeck das Individuum sich in die Welt zu finden hat und nicht umgekehrt[203]. Die Abgrenzung
gegenüber dem „modernen Individualismus" hat dabei den Sinn, die Abstraktionen
einer Theorie abzuwehren und die Individualität gegen die Machtsprüche solcher
Theorie gerade zu sichern. Es geht also nicht darum, daß „der aus dem persönlichen Dasein hervorbrechende Widerstand gegen die Welt" „seinen Abschied" er-
hielte[204], so daß wir hier in eine Sphäre neureligiöser Weltmystik einträten, sondern
„Welt" ist die Umgebung, die das Individuum vorfindet und mit der es sich wohl
oder übel abfinden muß, ohne daß es dazu eines besonderen Aktes der Entsagung
bedürfte — es handelt sich einfach darum, daß unabhängig von unserer eigenen Haltung unserem Leben bestimmte Bedingungen gesetzt sind.

Overbeck war kein Weltgläubiger. Bei Overbeck trifft die christliche Kritik der
Welt auf eine Antikritik, die sie zur profanen Kritik der Kultur umkehrt. Die Ent-
grenzung, welche im Gefolge der Säkularisierung statthatte, und die entstandene
Autonomie der Kultur lassen das Individuum, sofern es sich in seiner Religions-
losigkeit selber zu verstehen und zu behaupten vermag, in einer Aporie zurück,
zu deren Überwindung die Schopenhauersche Denunzierung des Willens in eine
höhere Gelassenheit aufgehoben sein müßte. Es ist deutlich, daß Overbeck hier-
hin zielt, aber ebenso deutlich ist, daß ihm die stoische Gebärde nicht *mehr* ist
als eine Rückenstärkung bei der kritischen Emphase, in der er völlig aufgeht.

Im ganzen sehen wir, daß Bernoulli den negativen Eindruck, der aus der konzen-
trierten Skepsis Overbecks hervorgehen konnte, dadurch verwischen wollte, daß
er dem Bilde helle Stellen gab, indem er für Overbeck einen Irrationalismus als
unbewußten Hintergrund aller Aussagen postulierte, ohne daß es dafür in den
Texten Anhaltspunkte gab.

---

202 ONB A 232 Nationalismus (Allgemeines), vgl. CK 255.
203 ONB A 227 Individualismus (moderner) Allgemeines, S. 13, vgl. CK 287.
204 So Bernoulli, CK XXXVII.

Als 1931 *Walter Nigg* seine ausführliche Studie über Overbeck veröffentlichte[205], fühlte sich Bernoulli zu einer definitiven Erklärung *seiner* Sicht der Dinge veranlaßt. Zu dieser Darlegung[206] trat später noch als letzte Äußerung Bernoullis die Einleitung zur Ausgabe der Overbeckschen Übersetzung der „Teppiche" des Clemens Alexandrinus hinzu (1936). Hier schließt sich ein Kreis. Bernoulli bekennt sich 1931 ausdrücklich zu der Overbeck-Interpretation, die er 1897 in der „Methode" geliefert hatte: „Ich selbst kann in diesem radikalen Ertrag von Overbecks unvergleichlicher Geisteskraft auch jetzt nur immer wieder das erblicken, was ich einst gegen seinen Protest als einen Beitrag zur ‚wissenschaftlichen Methode in der Theologie' bezeichnete, wobei ich gleichzeitig unter dem entsprechenden Protest der von ihm angefochtenen Schultheologen eine ‚kirchliche Methode' unterschied." (11) Bernoulli weigert sich also weiterhin, für die Deutung Overbecks bei Overbeck selbst in die Schule zu gehen. Overbecks sachliches Abrücken von der Fehldeutung Bernoullis wird jetzt aus der „Nervosität" Overbecks erklärt (8), ohne daß dem Umstand Beachtung geschenkt würde, in welche persönliche Verbindlichkeit damals Overbeck seine Ablehnung zu kleiden wußte. In seinem Bestreben, Overbeck quand même der Theologie einzuordnen, sagt Bernoulli, Overbeck sei doch, „wenn auch mehr oder weniger gegen seinen Willen — der Vertreter einer kritischen Theologie als akademischer Lehrer wirklich gewesen"[207]. Bei einer solchen Berufung auf ein scheinbar unwidersprechliches Faktum wird jedoch unterschlagen, unter welches Vorzeichen Overbeck schon frühzeitig seine Beteiligung an der theologischen Arbeit gestellt hatte. Die mangelhafte Auswertung von Overbecks Schrift „Über die Christlichkeit unserer heutigen Theologie" hatte es ermöglicht, daß Bernoulli Overbeck „mit Wellhausen und Duhm und allerdings auch mit Lagarde zu den Protektoren einer wissenschaftlichen Methode in der Theologie aufrief" (8). Das in der Formulierung jetzt spürbar werdende leise Abrücken von Lagarde[208] ändert nichts daran, daß dieses Unternehmen entgegen Bernoullis Beteuerung durchaus *kein* „richtiges Vorgehen" war.

Bernoulli ist jetzt ganz massiv dabei, Overbeck als Zeugen in eigener Sache zu disqualifizieren. Die „Wahl des Studiums war gar nicht so sehr ein ‚Mißverständnis', wie er sich das hinterher selber vorredete, sondern es war ein natürlicher Ergänzungstrieb seines Wesens in seiner halbwüchsigen Zeit" (5). „Ein günstiges Vorurteil hat ihn *unbewußt*[209] zur Theologie hingezogen". Overbeck hat, entgegen seiner eigenen Aussage[210], „seinen Beruf gerade eben nicht verfehlt!" (7) Es stellt sich „die Frage, ob er sich nicht täuschte mit seiner Meinung, nicht innerlich ganz bei der Sache gewesen zu sein und ‚nicht gelehrt zu haben, was er glaubte' " (8).

---

205 Siehe oben Kap. I.
206 Franz Overbeck, Neue Schweizer Rundschau, Heft 1, Januar 1931, 3—12. Danach die folgenden Stellen.
207 Vgl. dazu K. Barth, TK 22f.
208 Vgl. auch Kl 31.
209 Von uns hervorgehoben.
210 ONB A 218 Berufsmoral (Allgemeines).

Overbeck, der das Christentum besser verstehen wollte, als es sich selbst versteht, wird hier dem Experiment ausgesetzt, besser verstanden zu werden, als er sich selbst verstand. Wenn Bernoulli am Ende seines Aufsatzes die bleibende Geltung Overbecks darin sieht, daß er sich als Richter „einem tausendjährigen geistigen Gesamtgebilde, wie es die christliche Theologie ist", gegenüberstellt und so „jeden von uns" „ermächtigt", „nicht getäuscht zu werden, wenn er sich seinem Mute nähert oder sich von seiner angeblichen Anmaßung abwendet" (12), so verbirgt sich hinter der Widersprüchlichkeit und Unklarheit der Formulierung die Unfähigkeit Bernoullis, wenigstens im Blick auf Overbecks Aussagewillen das zu schaffen, was Overbeck, laut Bernoulli, „mit seiner unermüdlichen und geistesstarken Lebensarbeit erstrebte — eine klare Lage".

Das Risiko einer „Interpretation", die beständig *hinter* den Texten liest, wird daran deutlich, daß Bernoulli am Schluß behauptet, Overbeck lasse die Frage nach der Zukunft der Religion offen: „er gestand sogar, die Zeit scheine ihm jetzt dazu angetan, einem großen Papste zum bildnerischen Töpfertone zu dienen" (12).

Angespielt wird damit auf die Stelle in „Christentum und Kultur" S. 270, deren Kontext Bernoulli bereits in seiner Einleitung zu „Christentum und Kultur" zur Stützung der Hypothese einer proreligiösen Einstellung Overbecks verwendet hatte. Nun ist aber der Leser von „Christentum und Kultur" in den Stand gesetzt, den Zusammenhang zu überprüfen. Dabei ergibt sich, daß Overbeck keineswegs sich zu den ihm referierten „Restaurationsbestrebungen des Katholicismus" bekennen will. Der Satz: „Wäre nicht in der That die heutige Welt die vollkommenste ὕλη für einen großen Papst?"[211] bezeichnet die Schärfe der Overbeckschen Kritik der Gegenwart. Andere Texte, die Bernoulli zwar in „Christentum und Kultur" nicht abgedruckt hat, die er aber sehr wohl gekannt haben dürfte[212], machen deutlich, daß es nach Overbecks Ansicht „unter uns Menschen mit der Religion überhaupt zu Ende geht"[213].

Der „modernen Theologie" hält Overbeck mit Emphase entgegen, daß die Historie des Christentums niemals dessen Apologie, sondern nur seine kritische Destruktion implizieren könne. *Geschichte heißt Vergänglichkeit.* „Das für menschliche Betrachtungsweise klarste Symptom davon, daß es mit der Religion zu Ende geht, ist, daß sie zur Zeit unter uns ganz Historie, ganz historisch geworden ist . . . So bereite[214] sie sich denn auf dieses Ende vor, sie hat unter uns Menschen keine Entschuldigung mehr dafür, wenn sie diese Vorbereitung noch unterläßt."[215]

Bernoulli hat es unterlassen, diesen gedanklichen Zusammenhang bei Overbeck herauszustellen. Hinsichtlich des „späten" Overbeck kommt es bei Bernoulli zu einem kennzeichnenden Widerspruch. Bernoulli möchte die Dinge so hinstellen, als wäre Overbeck „bei der Sache" der Theologie gewesen. Nun sprechen aber die vehementen Äußerungen von Overbecks Theologiekritik dagegen. Deshalb ver-

---

211 ONB A 230 Meinung (öffentliche) Vermischtes, S. 8, siehe CK 270.
212 Er druckt kurz vor unserer Stelle CK 264 einen Text aus dem Komplex „Religion" ab.
213 ONB A 235 Religion (Ende), S. 3.
214 Im Original irrtümlich: „bereitete".   215 ONB A 235 Religion (Ende), S. 4.

sucht Bernoulli, den späten Overbeck vom früheren streng zu unterscheiden. „Der untheologische Kritiker der theologischen Kritik" sei er „zweifellos auf sein Ende hin geworden, aber erst nach seinem Rücktritt von der Professur", in der Zeit, als sich auch seine „Nervosität" gegen Bernoulli geltend machte[216]! Eine „absprechende *Alters*einstellung gegen seinen Beruf als Lehramt" behauptet Bernoulli auch in der Einleitung zum Clemens-Band für Overbeck (33). „Wenigstens in seinen letzten zwei Jahrzehnten" sei ein „Unglaube", aber nicht in religiösem Sinne, sondern nur im Sinne radikaler historischer Fragestellung anzunehmen (69).

Wenn *Eberhard Vischer* Overbecks späte Ausfälle gegen die Theologie als „Verbitterung" verständlich zu machen versuchte, mochte dabei ebenso wie in Bernoullis Auffassung das Bestreben sich manifestieren, den „bösen", „späten" Overbeck durch einen „guten", früheren Overbeck zu überblenden. Mit Vischer will sich aber Bernoulli unter keinen Umständen verbünden. Verbitterung habe es bei Overbeck nicht gegeben. „Damit wird Overbeck unterschätzt, ja geradezu verleumdet — erbittert, nicht verbittert war er; in ihm brach die große grundsätzliche Leidenschaft seiner Erkenntnis auf, die er am Ende seines Lebens in die Scheune brachte"[217].

Es besteht der Verdacht, daß Bernoulli hier Overbeck ein Schöpfertum unterstellen will, wie es den Tatsachen der mühseligen Altersarbeit Overbecks nicht entspricht[218].

Auch der späte Overbeck, sagt Bernoulli, sei dem Christentum „nur fremd, nicht feind" gewesen (10). Zwei Seiten weiter heißt es dann allerdings, die Aussicht, das Christentum werde „still einschlafen", sei „für den Freund Nietzsches" nicht bloß „Vermutung", sondern „sogar eine Hoffnung" gewesen (12).

In Bernoullis Aufsatz von 1931 ist Overbeck nicht mehr ein Torwächter, der die prospektiven Bürger des dritten Reiches jenseits von Hellenismus und Christentum in dieses Reich einläßt, sondern er ist richtig als der erkannt, der sich den Hinzutretenden entgegenstellt, wobei nur zu fragen ist, ob es ausreicht, zu sagen, daß Overbeck den Weg der *modernen Theologie* für unpassierbar erklärte[219], oder ob nicht vielmehr, für Overbecks Perspektive, darüber hinaus die Schlüssel zum „*Himmelreich*" verloren waren. Carl Albrecht Bernoulli fand wohl weiterhin, Overbeck sei ein „Theologos, zum Himmelreich und zur Welt gelehrt" gewesen[220].

Bernoulli fragt, wie Overbeck denn zu nennen sei, „weil er doch ein von ihm urkundlich ergründetes und beherrschtes Stück Vergangenheit, das als Geschichte des Urchristentums und der Kirche von religiöser Beschaffenheit war, beurteilte und verurteilte"[221]. Es sieht so aus, als sei ihm die Rede vom *ver*urteilenden Overbeck

---

216 Neue Schweizer Rundschau 1931, Heft 1, S. 8.
217 Ebd., S. 10. In diesem Aufsatz auch die folgenden Stellen.
218 Im Gegensatz dazu heißt es freilich ebd. S. 11f.: „Overbeck errichtete nicht dauernde Werke, da er nur über die Macht der Wahrheit verfügte, nicht über die Macht der Kunst."
219 Vgl. bei Bernoulli ebd. S. 8 mit S. 12.
220 BJB 1906, 192.
221 Neue Schweizer Rundschau 1931, Heft 1, S. 11. In diesem Aufsatz auch die folgenden Stellen.

nur eben entschlüpft. Gleich darauf bindet er Overbecks Zukunft (sehr gegen dessen Intention!) an die Zukunft der Religion oder doch deren öffentliche „Berücksichtigung" (12), so als wäre Overbeck nicht durchaus Anwalt mit einem dezidierten Plädoyer, sondern so etwas wie ein bei Gericht zuzuziehender Sachverständiger gewesen. Overbeck *wollte* gewiß das letztere *auch* sein. Es macht das sachliche Problem seiner wissenschaftlichen Arbeit im ganzen aus, ob er seiner Anerkennung als unparteiischer Schiedsrichter nicht von vornherein und mit innerer Notwendigkeit Hindernisse in den Weg gestellt hat, die auszuräumen zugleich bedeuten würde, seiner „Individualität" Eintrag zu tun.

Man kann den Fortschritt, dem sich Bernoulli mit dem Aufsatz von 1931 über die Overbeck-Deutung der Einleitung zu „Christentum und Kultur" hinaus sachlich angenähert hat, in dem Satz angedeutet finden, mit dem „religiösen Maßstab" werde man Overbeck nicht gerecht (11). Der Fortschritt wäre dann gegeben, wenn aus diesem Satz zu folgern wäre, daß Overbeck nicht als religiöse Gestalt gedeutet werden darf. Doch schon der Satz selber bringt dies nur sehr undeutlich zum Ausdruck. Mag auch Bernoullis Einspruch dagegen, Overbecks Stellung zur Religion als gottesfürchtige Haltung auszulegen, durchaus ernstgemeint sein, so zeigt jedenfalls der Tenor des ganzen Aufsatzes, daß Bernoulli trotz allem nicht nachläßt mit dem Versuch, Overbeck gegen dessen wiederholtes und unüberhörbares Zeugnis bei der Theologie (11) und doch auch bei der Religion (vgl. 6f., 12) festzuhalten.

Die Publikation von Overbecks deutscher Übersetzung der „Teppiche" des Clemens Alexandrinus (1936) schien sich deshalb anzubieten, weil sich Overbeck mit einer auf Clemens eingehenden Untersuchung[222] „einen Namen gemacht" habe (Kl 65). Im Zusammenhang dieser Ausgabe stellt Bernoulli „Overbecks Leben und Werk" so vor, daß er Overbeck gänzlich in fachwissenschaftliche Beleuchtung rückt. Damit erfährt Bernoullis Overbeck-Deutung eine neue Nuancierung.

Im Hintergrund von Bernoullis Ausführungen steht ein Umstand, den er selber verschwiegen hat. *Wilhelm Bornemann,* der Lehrstuhlnachfolger Overbecks, hatte im „Protestantenblatt"[223] einen Artikel über Overbeck veröffentlicht, in dem Overbecks Schwierigkeiten mit dem Christentum einer psychologischen Erklärung unterzogen wurden. „Er kannte", so schrieb Bornemann, „kein deutsches evangelisches Familienleben, keine kirchliche Gewöhnung und Sitte, kein Heimatsgefühl, kein Gemeindeleben" (102).

Bernoulli hat bestimmt nicht vergessen, was er einst an Overbeck schrieb, als Bornemann und nicht er Overbecks Nachfolger wurde: „Als Basler Kind aber wird es mir zeitlebens leid sein, daß die ehrwürdige theologische Fakultät meiner Vaterstadt, die seit De Wettes Zeiten eine Freistätte neuer und eigentümlicher Ideen heißen durfte, durch die neuesten Vorgänge in ihrem Schooß zu einem trivialen Ableger der deutschen Vulgärtheologie zu versimpeln droht. Die Rücksicht auf das sogenannte ‚Bedürfnis der Studenten' entschuldigt noch lange nicht, daß ein Mann

---

222 Über die Anfänge der patristischen Literatur (HZ 48, NF 12, 1882, 417—72). Eine Neuausgabe (separat) erschien 1954.
223 Protestantenblatt 68, 1935, 85—88, 102—104. Daraus das folgende Zitat.

wie Sie einen praktischen Theologen zum Nachfolger erhalten habe. Es beweist nur, wie gerade die ‚geistlichen‘ Ratgeber der Universitätsbehörde, bona fides vorausgesetzt, so ziemlich keine Ahnung haben, was denn eigentlich der Kern Ihrer treuen viertelhundertjährigen Arbeit an der Hochschule war. Nicht persönliche Empfindlichkeit, sondern das im Tiefsten verletzte Gerechtigkeitsgefühl angesichts des Ihnen angetanen Undanks ist es, was mich wohl immer über die Ereignisse des letzten Jahres ebenso gereizt und unversöhnlich wird denken lassen, wie heute."[224]

Wie problematisch das Verständnis sein mochte, das Bernoulli wirklich vom „Kern" der Arbeit Overbecks besaß, daß dem „praktischen Theologen", der auf so unziemliche Art Overbecks Nachfolger geworden war, entgegengetreten werden mußte, wenn dieser nun gar Overbeck zu deuten sich anschickte, war für Bernoulli selbstverständlich.

In diesem Horizont ist es zu sehen, wenn Overbecks „angeborenes Deutschtum" (Kl 4) jetzt seltsam in den Vordergrund rückt und die Übersiedlung der Overbeck-Familie nach Dresden so erklärt wird, daß der Vater „mit der jahrzehntealten Heimatsehnsucht des Auslanddeutschen ... den ... erstgebornen männlichen Namensträger in die Heimat zurückschickte und diesem Sohne ... dort ein Haus baute, weil nur in Deutschland diese Begabung ... ihre Heimat finden dürfe" (Kl 12).

In Overbecks eigenen Aufzeichnungen, von denen Bernoulli ausgeht, fallen solche patriotischen Regungen vollkommen aus. Die diesbezügliche Niederschrift beginnt damit, daß Overbeck das Symbolische dessen unterstreicht, daß er am Todestag seiner Mutter, die Französin war, die ersten Zeilen davon geschrieben hat (SB 31). Die Übersiedlung von St. Petersburg nach Dresden erfolgt der Gesundheit von Mutter und Sohn wegen (SB 74) und aus der pragmatischen Erwägung, daß „Franzinka" für ein Universitätsstudium in Deutschland „à la source" wäre (SB 75, Fußnote). Den Höhepunkt der Kindheitserinnerungen Overbecks bildet demgegenüber die Schulzeit in St. Germain, wo er, wie er in seiner Sprache sagt, „andere als schöne Erinnerungen ... kaum davongetragen" habe (SB 60).

Man wird Bornemann darin rechtgeben müssen, daß die normale Pflanzstätte einer evangelischen Kirchlichkeit im 19. Jahrhundert in Deutschland das „deutsche Haus" war. In Overbecks Elternhaus aber regierte die französische Sprache, die erst in Overbecks Universitätsjahren ihre Herrschaft vollständig an die deutsche abtrat[225]. „Die Wahl des Orts war zufällig genug zu Stande gekommen, nach dem uns keinerlei natürliche Beziehungen außer denen, die uns an Deutschland ketteten, zogen." (SB 75) Zwar spricht Overbeck trotzdem davon, sein Elternhaus habe in Dresden eine „Heimath" gefunden, und „die liebliche Stadt" sei ein „reicher Quell der erquicklichsten Freuden" geworden (SB 77), aber die Verbundenheit von Heimat, Volkstum und Religiosität, auf die Bornemann anspielt, bestand bei Overbeck jedenfalls *nicht*.

Den jungen Overbeck konstruiert Bernoulli nach dem Muster seines Lucas Heland. Bei diesem „beruhte ... sein ganzes Wesen auf der Zuversicht, daß über den mensch-

---

224 Bernoulli an Overbeck, 6.10.1898, BNB G Ia.
225 Siehe SB 79f.

lichen Geschicken eine höhere Macht waltet und daß diese Macht für uns ein Herz hat"[226]. Dabei aber hatte er „die Wissenschaft geliebkost und gestreichelt, statt vor ihren Zähnen und Krallen zu flüchten". Entsprechend sagt Bernoulli von Overbeck, daß er „lediglich aus reiner Wissensfreude sich einer gelehrten Ergründung des Christentums hingab, also einer Religion, die uns eine Erkenntnis des ,lieben Gottes' und des ,Vaters im Himmel' schenken will", wobei er „eine Art Vorurteil zu gunsten der christlichen Liebesreligion" hatte (Kl 15). Heißt es von Heland: „Die Kirche war ihm zu eng, er konnte in ihr nicht leben und denken, wie's ihm ums Herz war"[227], so von Overbeck, daß es für ihn „niemals in Frage kommen" konnte, „einer Bekenntniskirche als Vertreter oder Empfänger anzugehören . . . Theologe werden hieß damals noch, sich mit einem engsten Konfessionalismus auseinandersetzen!" (Kl 15)

Die hier signalisierte Spannung zwischen der Weite der Religion und der Enge der Kirchlichkeit war bestimmend für *Bernoulli*, aber nicht für *Overbeck*! Grotesk ist es freilich, wenn Bernoulli, um *Bornemann* zu widersprechen, an anderer Stelle plötzlich Overbeck eine „Zugehörigkeit zum evangelischen Christentum in seiner konfessionellen Begrenztheit" als „innerste Überzeugung" nachsagt (Kl 33), eine Überzeugung, die sich 1870 in Overbecks Antrittsvorlesung ausgedrückt haben soll.

In diesem Falle hätte Overbeck in die „dicke Luft der kirchlichen Probleme" (Kl 66) zurückgefunden, aus der er sich, nach Bernoullis Annahme, vorher mit Hilfe des Clemens befreit gehabt hätte! Den „Glaubensfrieden", für den sich Overbeck in dem Vorwort zu seinem Acta-Kommentar aussprach, interpretiert Bernoulli als Interesse am „konfessionellen oder patriotischen Einvernehmen der Volksbürger" (Kl 32) — wieder mit Wendung gegen Bornemann.

In Wirklichkeit lassen sich spezifisch *kirchliche* Interessen bei Overbeck nicht nachweisen. Der Glaubensfriede, nach dem er trachtet, ist alles andere als der status quo der herrschenden Konfessionen: „Am Streit der Theologie habe ich für meine Person nur Interesse als an einem unvermeidlichen Durchgangspunkt zum Glaubensfrieden."[228] Die kritische Arbeit *der* Theologie, die den bisherigen theologischen Betrieb zu ersetzen bestimmt ist, soll erst die Voraussetzung dafür schaffen, daß ein Glaubensfriede in der Zukunft möglich wird und an die Stelle des gegenwärtigen konfessionellen Haders treten kann. Ein Patriotismus, der sich auf die Befestigung dessen, was Overbeck als religiösen Fanatismus ansieht, gründet, war Overbeck immer ein Greuel. Gerade das, was Bernoulli bestreitet, trifft zu: In Overbeck hat sehr wohl „noch der kirchliche Unglaube, also ein Rest des aufklärerischen Nachgefühls, nachgenagt" (Kl 32), nur daß es sich für das Selbstverständnis Overbecks nicht um ein Nagen, also die Zerstörung einer vorhandenen religiösen Substanz, handelte, sondern um die undiskutierte Voraussetzung aller Wissenschaft, daß die

---

226 Heland I, 156f.
227 Heland I, 158.
228 de Wette-Overbeck, Kurze Erklärung der Apostelgeschichte, 1870, XVIII; siehe Kl 32.
       Vgl. hierzu die Einleitung der Dissertation von J.-C. Emmelius, Tendenzkritik und Formengeschichte. Franz Overbecks Beitrag zur Auslegung der Apostelgeschichte (Typoskript, 1971).

Macht des Obskurantismus zu brechen und das Licht der Vernunft geltend zu machen sei.

Der von Bernoulli zitierte Schlußsatz der Antrittsvorlesung Overbecks von 1870 lautet: „Welches daher auch sonst ihr" (der Bibelkritik) „Recht und ihre Nothwendigkeit sein mag, wer in ihrem Sinne arbeitet, wird am wenigsten in seiner Arbeit irre zu machen sein, so lange er zum Protestantismus noch ein moralisches Verhältniß hat, so lange in ihm noch lebendig ist die Erinnerung an die unschätzbaren Güter reineren Glaubens und tieferer Erkenntniß, die wir ihm und seinen ersten streitbaren Bekennern verdanken."[229] Man begreift kaum, wie Bernoulli sich durch die Auseinandersetzung mit Bornemann dazu hinreißen lassen konnte, hier von einer „konfessionellen Begrenztheit" (Kl 33) zu reden. Das Verhältnis Overbecks zum Protestantismus war als *moralisches* Verhältnis klar von einem religiösen Verhältnis unterschieden.

Overbeck spricht von der Mauer, den der Katholizismus um sein Ghetto errichtet hat. Demgegenüber rühmt er die Freiheit, die der Protestantismus gewährt. Das eben promulgierte Unfehlbarkeitsdogma des 1. Vaticanums ist die eiserne Konsequenz eines starren Konfessionalismus. „Ein solches Ende vom Protestantismus noch fern zu halten ist die beste protestantische Bestimmung der heutigen, die Geltung des Vergangenen zum Theil aufhebenden Bibelkritik." Danach folgt der oben angeführte Schlußsatz. Der Konfessionalismus wird als Gefahr auch des Protestantismus angesehen. Indem die Bibelkritik den Protestantismus zu einem protestierenden Protestantismus macht, ermöglicht sie ihm, seinen moralischen Auftrag an der Menschheit zu erfüllen, – *noch* ist das möglich. Brächte nämlich der Protestantismus von seiner christlichen Grundlage her einmal die liberale Moral dem illiberalen Dogma zum Opfer, so hätte sich nach Overbecks Ansicht die Kritik endgültig vom Protestantismus zu emanzipieren, so wie sie sich vom Katholizismus bereits emanzipiert hat.

In einer Auseinandersetzung mit *Eberhard Vischer* wehrt sich Bernoulli dagegen, daß Overbeck „Unglaube nachgesagt" werde (Kl 30). Bernoulli meint feststellen zu können, daß Unglaube „als Gemütsverfassung seinem Wesen gar nicht lag" (Kl 31).

Bei der Erörterung von Overbecks wirklichem oder vermeintlichem Unglauben macht Bernoulli eine schwerwiegende Voraussetzung: „Es hängt an einem Haar und also an dem einen Ausdruck ‚Unglaube‘, ob Overbecks Berufsarbeit überhaupt bestehen konnte oder nicht." (Kl 30) Eberhard Vischer[230] hatte auf die Schwierigkeit hingewiesen, die darin lag, daß Overbeck Pfarrer ausbildete, ohne sich zum christlichen Glauben zu bekennen. Für Bernoulli steht dagegen die wissenschaftliche Arbeit Overbecks überhaupt in ihrer Geltung in Frage, und er versucht, indem er Overbeck mit *Harnack* konfrontiert, eine Taktik der Vorwärtsverteidigung anzuwenden. Es gehe gar nicht um Glauben oder Unglauben in religiösem Sinne, son-

---

229 Über Entstehung und Recht einer rein historischen Betrachtung der neutestamentlichen Schriften in der Theologie, 1871, 34. Dort auch die nachher folgende Stelle.
230 RE 3. Aufl. XXIII, 1913, 302.

dern um Subjektivität und Objektivität in der Wissenschaft. Overbecks Objektivität liege darin, daß er der Tradition nicht von vornherein ein Blankovertrauen entgegenbringe, während sich bei *Harnack* konfessionelle Weltanschauung zeige (Kl 35).

Auf diese Weise entsteht freilich ein gänzlich schiefes Bild. Läge wirklich der „Unglaube" in der Objektivität, die „die von einem volkstümlichen Allgemeinglauben vertretenen Aussagen nicht teilt und gelten läßt" (Kl 29), so könnte man auf keinen Fall, wie es Bernoulli tut, diesen Unglauben nur Overbeck zuschreiben und Harnack umgekehrt zu den Vertretern des Glaubens rechnen. Denn gerade in *Harnacks* wissenschaftlicher Arbeit ging es darum, den Bekenntnisstand der Kirche mit dem, was Harnack als die geschichtliche Wahrheit ansah, ins Verhältnis zu setzen und so die Lehre der Kirche zu reinigen. Zu der „konfessionellen Weltanschauung", zu der ihn Bernoulli seltsamerweise rechnet, stand Harnack in entschiedenem Gegensatz.

Unsachgemäß ist es aber auch, wenn Bernoulli Overbeck zum unbedingten Vertreter der Objektivität im Gegensatz zur Subjektivität in der Wissenschaft machen will.

Bernoulli rühmt die „Wahrhaftigkeit"[231] und „Wahrheitsliebe" (Kl 50) Overbecks. Damit kommt er auf Überlegungen zurück, die schon in seiner Einleitung zu „Christentum und Kultur" maßgebend waren, wo er die „überzeugende Güte und Verständigkeit" Overbecks preist (CK XVI) und behauptet, daß Overbeck „dem Laufe der Wahrheit nicht vorgreifen wollte" (CK XVIII). Als Beleg für eine solche Sicht wird ein scheinbares Overbeck-Zitat vorgebracht: Overbeck habe danach gestrebt, „ ‚den Sieg der Wahrheit nirgends zu verstellen' (S. 289)" (CK XVI).

Bei dieser Stelle aus Overbecks Nachlaß handelt es sich um eine Aufzeichnung über „Berufsmoral"[232]. Overbeck erörtert, daß er mit seinem Scheitern als Theologe und mit seinem vorauszusehenden abermaligen Scheitern an dem „Beruf", „den Nachweis des finis Christianismi am modernen Christenthum" öffentlich zu erbringen, der üblichen Berufsmoral nicht genügen könne. Dann fährt er fort: „Es bleibt mir, so weit ich nach Trost frage, nur der, daß ich im großen Kampf der modernen Menschenwelt mit ihrer Religion jedenfalls nicht das erste noch das letzte Opfer bin. Mit allzuschwachen Kräften, habe ich wenigstens mitgestritten und auf keinen Fall den Sieg der mir jedenfalls doch, so viel ich absehe, überhaupt verhüllten sogenannten ‚Wahrheit' . . . verstellt."[233] Anschließend weist Overbeck auf die Tatsache hin, daß er mit seinem Basler Programm von 1898 über „Die Bischofslisten und die apostolische Nachfolge in der Kirchengeschichte des Eusebius" Harnack wenigstens seine „Geringschätzung" bezeugt habe.

Es ist charakteristisch für das Verfahren Bernoullis, daß er an diesem wichtigen Punkt falsch zitiert, sogar aus seinem eigenen geänderten Text falsch zitiert. Bernoulli gibt nicht die Ambivalenz wieder, die dem Wahrheitsbegriff bei Overbeck

---

231 Neue Schweizer Rundschau 1931, Heft 1, S. 11.
232 ONB A 218 Berufsmoral (Allgemeines).
233 ONB A 218 Berufsmoral (Allgemeines), S. 5, vgl. die tendenziösen Textänderungen in CK 289.

zukommt. Einerseits ist nämlich Overbeck in der Tat der „Wahrheit" als einer Art letzter objektiver Instanz verpflichtet, andererseits ist ihm eben diese Wahrheit aber verhüllt. Gewiß ist Overbecks „Wahrhaftigkeit", seine „unbestechliche" kritische Rationalität, zu dem Prozeß vermittelt, in dem Wahrheit zu sich selber kommt, aber dabei handelt es sich um eine „Wahrheit", in der *Gott abwesend* ist. Overbecks idealistische Prämisse, daß die Methode der Wahrheit durch die Wahrheit der Methode garantiert werde und daß im Vollzug der Wissenschaft Objekt und Subjekt auf einzigartige Weise verschmölzen, wird durch die skeptische Wahrnehmung infragegestellt, daß mehr als der Aufweis von wissenschaftsimmanenten Richtigkeiten nicht zu erreichen sei und daß unser Selbst die letzte für uns erreichbare Instanz sei.

Gerade die „Nachrede" von Overbecks Unglauben hätte Overbeck selber als sachgemäß empfunden. Bernoulli hat den Bezugspunkt von Overbecks „Gelehrsamkeit" (Kl 50) und „kritischer Ader" (Kl. 31, CK X) im unklaren gelassen.

Der Sog, auf die „Qualitäten" Overbecks zu rekurrieren, geht freilich von Overbecks Person selber aus, insofern Overbeck sich selber in einem ausgezeichneten Sinne als „Individualität" verstand. Bernoulli irrt aber darin, daß er Overbecks Persönlichkeit vor einen religiösen Hintergrund stellt.

Overbeck hat *keineswegs* in *Clemens von Alexandrien* „einen umfassenden religiösen Schöpfer erkannt", wie Bernoulli (Kl. 58) in Kursivdruck behauptet. Er will vielmehr von den Verlegenheiten berichten, in die Clemens kam, wenn er den Ansprüchen der Weltbildung genügen und doch die christliche Religion nicht verraten wollte. Nicht dem homo religiosus, sondern dem *Schriftsteller* Clemens kam nach Overbecks Ansicht Originalität zu. Nicht die Theologie des Clemens beschäftigt Overbeck, sondern die Form, in der er diese vorträgt, wobei „die Formlosigkeit ... hier eben die gewollte und bezeichnende Form" ist eine Form, die durch den Zwang der Verhältnisse entstand.

Die Annahme, es habe zwischen Overbeck und Clemens ein Verstehen von Person zu Person gegeben, muß sich auf die weitere Annahme stützen, Overbecks „Individualität" sei durch verborgene Religiosität charakterisiert gewesen, eine Annahme, der Overbecks eigenes Zeugnis entgegensteht [234].

---

234 Eigentümlich ist, daß M. Tetz, der die Relevanz der formgeschichtlichen Fragestellung bei Overbeck aufzeigte, in Übereinstimmung mit Bernoulli Overbeck „an die Seite des Clemens" stellen möchte: „Dort hat er − das spricht aus jeder Zeile − sich selbst gesehen." (ThZ 17, 1961, 426). Sah Bernoulli Overbeck in der „Linie", „an deren Ende sich die Entselbstung des Mystikers auftut" (CK XXIV), meinte er, das Licht des „(mystischen) Gedankens", daß „der aus dem persönlichen Dasein hervorbrechende Widerstand gegen die Welt ... seinen Abschied" erhalte (ebd.), bei Overbeck leuchten zu sehen und ließ er ihn, dem „Laufe der Wahrheit" verpflichtet, „an der Schwelle metaphysischer Möglichkeiten Wache" stehen (CK XXXVIII), so wird nach Tetz Overbeck „zum Hüter der Formen", indem er den festen Verschluß der „Wahrheit" bei Clemens begrüßt und „über der scheinbaren Formlosigkeit an den mystischen Sinn" „gerät", an den „mysteriösen Inhalt der christlichen Überzeugungen". Ähnlich wie bei Bernoulli wird hier der Skopus der Overbeckschen Arbeit, der spätestens seit der „Christlichkeit" (1873) feststeht, verkannt, nämlich der Nachweis der Illegitimität des in der Historie sich festsetzenden Chri-

Falsch ist auch die Ansicht, Overbeck habe die Eintragungen auf seinen Notizzetteln in „Eingebungsaugenblicken", gewissermaßen in Zuständen höherer Weihe,
verfaßt. Es ist der Sache angemessener, wenn man hier das Problem der reaktiven

stentums. Clemens, fern davon, für Overbeck ein positiver Held zu sein, ist für ihn vielmehr der Archegos eines Christentums, das, entgegen seinem eigenen „Geiste", „in dieser
Welt, wie sie einmal war, etwas bedeuten" wollte (Über die Anfänge der patristischen
Literatur, 1954, 39) und sich darum durch Weltanpassung verfälschte. Die Funktion des
Clemens sieht Overbeck in einer Weise, daß nicht etwa er selber, sondern sein Antipode
unter den Kirchenhistorikern, Harnack, im Sinne seiner (sich hinsichtlich Harnacks zunehmend personalisierenden) kritischen Betrachtungsweise auf die Linie des Clemens
gehörte. Hätten Bernoulli und Tetz recht, dann betriebe Overbeck die Rechtfertigung
der Weltbeständigkeit des Christentums, während doch in der Bestreitung von deren
innerer Berechtigung sein ganzes Pathos liegt. Overbeck spricht (gegen Tetz) nicht von
der „scheinbaren", sondern von der wirklichen Formlosigkeit des Clemens. Im Sinne
von Nietzsches erster Unzeitgemäßer Betrachtung über David Strauß, den „Bekenner
und Schriftsteller", sieht er einen Zusammenhang von Sache und Sprache: das literarische
Stranden des Clemens folgt einer inneren Notwendigkeit, die in der Disparatheit von
Christentum und Weltbildung begründet ist.

Die hintergründige Dialektik, daß Overbeck in der „Christlichkeit" selbst als Bekenner
und Schriftsteller auftrat, wird man besser nicht mit Tetz dahingehend entschärfen, daß
Overbeck „ausdrücklich aus der Situation des lehrenden und schriftstellernden Universi-
tätstheologen" (Tetz 422, vgl. 419) gesprochen und lediglich in seiner Weise diese Situation zu explizieren gesucht habe. Der Hinweis auf die Theologen, „die auf den Kathedern
stehen und Bücher schreiben" (C. XI), richtet sich an einen Stand, mit dem er sich nun
gerade *nicht* mehr von Berufs wegen in der Öffentlichkeit pauschal identifizieren lassen
will, und die Bekenntnishaftigkeit seines Buches wird mit dem „Zwang" (NB. dem *Zwang*!)
seines „theologischen Lehreramts" (C. IXf.) begründet. In der Sache wären dazu die späteren Reflexionen SB 105ff., 121f., 135f. u. a. zu vergleichen.

Tetz scheint anzunehmen, daß Overbeck „die Frage nach der Legitimität und Möglichkeit eigenen theologischen Schaffens als Lehrer und Schriftsteller" (419) für sich im
Sinne eines Gralshütertums der Theologie beantwortet habe, dargestellt, daß er den „myste-
riösen Inhalt der christlichen Überzeugungen" (426) bewahrt, „die Wahrheit" nicht „zu
Markte" getragen und „vom Journalismus zerschwatzt" wissen wollte (427). Aber eben
die Voraussetzung ist falsch, daß Overbeck im Christentum „die Wahrheit" gesehen habe.
Wenn Overbeck den Clemens als von „der Wahrheit" redend referiert, macht er sich den
Glauben des Clemens keineswegs zu eigen. Im Gegenteil: das von Clemens verwendete
Bild von Nuß und Kern interpretiert Overbeck (Über die Anfänge der patristischen Literatur, 1954, 62f.) kritisch als Geständnis der Verlegenheit, in die Clemens gerät, da er die
weltverneinende Konventikelweisheit des Christentums dem Tageslicht der Welt aussetzen
will.

Nach der „Möglichkeit eigenen theologischen Schaffens" im Sinne gar einer „Legitimität"
desselben fragt Overbeck überhaupt nicht. Die Abhandlung über die Anfänge der patristischen Literatur stammt aus dem Jahre 1882! Schon in der „Christlichkeit" (1873) sagt
Overbeck, er wolle „helfen, der Wissenschaft den stillen Platz zu sichern, welchen in der
Theologie, der ganzen Natur dieser Disciplin nach, sich zu verschaffen, ihr ohnehin so
schwer gemacht wird" (C. X). Overbeck steht auf der Seite einer „Wissenschaft", die sich
der kirchlichen Bindung der Theologie gegenüber ablehnend verhält. Diese seine Haltung
führte Overbeck dazu, Schritt für Schritt aus der Theologie auszuwandern. Um den Sinn
der Abhandlung über die Anfänge der patristischen Literatur zu erfassen, muß man sich
klarmachen, warum Overbeck sie nicht in einer theologischen Zeitschrift, sondern in der
Historischen Zeitschrift erscheinen ließ. Nietzsche hat die Relevanz des Publikationsortes
für Overbeck schon 1879 bemerkt (an Overbeck, 27.8.1879; BWNO 103).

Lektüre bei Overbeck berücksichtigt. In der Einleitung zu „Christentum und Kultur" verteidigte Bernoulli Overbeck gegen „mißvergnügte Fachgenossen" (gemeint ist *Harnack*), die „Overbecks wissenschaftliche Physiognomie zu entstellen" trachteten, indem sie ihm eine Maske kritischer Starrheit und Unbeweglichkeit aufsetzten. Bernoulli rekuriert demgegenüber auf Overbecks „Wahrheitsliebe", konzediert aber: „allerdings verhielt sich Overbeck als Schriftsteller reaktiv zu seiner Lektüre" (CK XXIII).

Bernoulli verweist auch auf Overbecks Randnotizen zu seinen Büchern und konstatiert: „Er ist sich bis zuletzt treu geblieben." (CK XXIV) Über einen solchen quasi „apologetischen" Satz hinaus ist aber zu sagen, daß Overbecks Umgang mit der Literatur zu einer reichlich starren Haltung eingefroren war. Er selbst, nicht ein mißgünstiger „Fachkollege" hatte die Maske appliziert. In Overbecks letzten Lebensjahren stellte sich der Antrieb ein, zu *allen* Druckerzeugnissen, auch Zeitungsartikeln, Prospekten u. dgl., die ihm zu Gesicht kamen, schriftlich Stellung zu nehmen, sei es am Rande des Originals oder auf einem besonderen Zettel. Es handelt sich dabei um eine Hypertrophie dessen, was im Ingenium Overbecks von vornherein angelegt war: der Tendenz, sich zur Geisteswelt reaktiv und in diesem Sinne kritisch zu verhalten.

Es gibt eine etwas verborgene Stelle, nämlich mitten in der eigenen Auseinandersetzung Bernoullis mit Clemens, wo Bernoulli schließlich zugibt, über Clemens ganz anders zu denken als Overbeck. Dort sagt er, das Werk des Clemens sei „keineswegs nur, wie Overbeck und ihm nach Harnack annahmen, eine Anwendung vorhandener weltlicher Literatur*formen* auf die in der christlichen Urliteratur bereits als vorläufige Aussaat in die Welt gestreute Mitteilung von der Religion Jesu Christi. Es ist weit über die bloße Umlegung auf andere, einer neuen Gegenwart zugänglichere Ausdrucksformen hinweg ein hinter der Erfahrungswelt mit ihrer äußeren Formgebung liegender außerempirischer, a-priorischer Vorgang, in den das Evangelium von Klemens in seinem Werke hineingezogen wurde" (Kl 141).

Es ist hier nicht der Ort, die Clemens-Deutung Bernoullis im Zusammenhang mit der patristischen Forschung zu würdigen, was besonders hinsichtlich der hier *gegen* Overbeck geltend gemachten Gesichtspunkte von Interesse wäre. Doch wäre es gewiß sehr wünschenswert gewesen, daß Bernoulli seinen Dissensus zu Overbeck von vornherein deutlicher artikuliert und nicht die falsche Vorstellung hervorgerufen hätte, als sei die von ihm vorgenommene Aktualisierung des Clemens eine Tat im Geiste Overbecks[235].

Wenn, nach S. 63, Clemens mit Overbeck „wahlverwandt" sein soll, Bernoulli aber, nach S. 141, selber zugesteht, den Clemens anders zu sehen, als Overbeck es tat, so stoßen wir damit wieder auf Bernoullis zweifelhaftes interpretatorisches Verfahren: Bernoulli vergleicht *von sich aus,* ohne dafür bei Overbeck selber einen eindeutigen Anhaltspunkt zu haben, die beiden Männer miteinander, sagt ihnen eine Gemeinsamkeit nach, die er nicht wirklich begründen kann und setzt so seine Umdeutung Overbecks fort.

---

235 Vgl. Kl 153.

Außer mit Overbeck vergleicht Bernoulli den Clemens auch mit *Nietzsche* (Kl 59f). Die sowohl von Nietzsche[236] als auch von Overbeck[237] verwendete Seefahrer-Metaphorik mochte in der Tat einen Vergleich nahelegen mit der Charakteristik des Clemens als eines Schiffers, wie sie bei Overbeck[238] zweimal vorkommt. Overbeck hatte dabei freilich gerade *nicht* einen entschlußkräftigen Willensmenschen vor Augen, als den sich Nietzsche ausgibt, sondern er sieht den Clemens wie den „Schillerschen Pilgrim vor dem großen Meere, welchem ihn der Strom zugetrieben hat, dessen Wogen er sich auf seiner Wanderung überließ"[239], also als einen Menschen, der, indem er Unmögliches anstrebte, sich ins Getriebe der Welt verstrickt hat[240].

Nun beurteilt Overbeck die besondere Art des Nietzscheschen Atheismus, vor allem seinen Übermenschenglauben, sicherlich kritisch, und es mochte für ihn wirklich Parallelen geben zwischen den Grenzüberschreitungen des Christentums und denen Nietzsches. Aber einmal hatte die „Persönlichkeit" des Clemens bei weitem für Overbeck nicht die Bedeutung, die Bernoulli annimmt[241]. Auch wollte Overbeck ja keineswegs den „Rationalismus" bei Nietzsche mit dem „Idealismus" des Christentums auf eine Stufe stellen; denn bei dem ersteren war der Schiffbruch nach Overbecks Ansicht nur Folge von Unglück, Verzweiflung, Kapitulation[242]. Während er das Scheitern des christlichen Experiments für sicher hält, will er Nietzsches Schicksal als Argument gegen die Wiederholung der rationalistischen Meerfahrt

---

236 Vgl. z. B. „Nach neuen Meeren", Lieder des Prinzen Vogelfrei, Anhang zur „Fröhlichen Wissenschaft"; TA 6, 385 = Schlechta II, 271.
237 Vgl. z. B. CK 136.
238 Über die Anfänge der patristischen Literatur, Ausgabe 1954, 52 und 57.
239 Ebd., 57.
240 Das wird noch deutlicher, wenn man das Schillersche Gedicht im ganzen ansieht (Der Pilgrim, 1803; Schillers Werke, ed. A. Kutscher, Berlin 1907, I, 231f.). Der Pilger verläßt sein Vaterhaus und zieht „mit Kindersinn", getrieben durch „ein dunkles Glaubenswort", durch die Welt, um die goldene Pforte zu finden, wo das Irdische „himmlisch, unvergänglich" sein soll. Dabei muß er das Hindernis von Bergen und Strömen überwinden, und als er sich schließlich vertrauensvoll einem Strom überläßt, wird er ans Meer geführt, wo er resignierend sagt:

> „Vor mir liegt's in weiter Leere,
> Näher bin ich nicht dem Ziel."

Und weiter: „Ach, kein Steg will dahin führen,
> Ach, der Himmel über mir
> Will die Erde nie berühren,
> Und das Dort ist niemals hier."

Diese Resignation des Schillerschen Idealismus wendet Overbeck ad detrimentum christianismi an: das Christentum versucht, den bleibenden Unterschied von unten und oben, von Erde und Himmel aufzulösen und muß mit diesem Experiment scheitern. Als spezielle historische Bestätigung dafür gibt Overbeck die literarische Situation des Clemens an, der am Ende seiner umfangreichen Ausführungen vor der „Leere" stehe – eine Betrachtung, bei der durch die Überspitzung der Formkriterien in Wirklichkeit die Sache getroffen werden soll.
241 Daß „tausend Jahre ... wie ein Tag" seien, worauf sich Bernoulli S. 60 ausdrücklich beruft, gilt nicht für *Overbeck,* dem alles an dem Aufweis „unseres" Abstandes von der Frühzeit des Christentums und vom Christentum überhaupt gelegen ist.
242 Siehe CK 136.

nicht gelten lassen, weil hier offenbar Aussicht besteht, den Hafen zu erreichen und weil das Meer nicht, wie im Christentum, „Leere" impliziert.

Was *Bernoulli* selber mit Clemens im Sinne hat, macht er recht deutlich: „Irgendwie", sagt er, „wird das noch lebende, wenn auch zerklüftete Christentum sich in einem Glaubensfrieden zusammenfinden müssen." Dazu soll Clemens seinen Beitrag leisten, denn bei ihm „führt uns" „das Evangelium . . . von dem weltliebenden Kulturidealismus hinweg auf den, der ,der Weg, die Wahrheit und das Leben' ist". Bernoulli selber bekennt: „Mit ihrer letzten Wahrheitskraft, die eine theologische ist, darf die menschliche Erkenntnis nichts anderes erstreben, als: Christus, die göttliche Offenbarungsgestalt, in ihrem unerbittlichen Gegensatz zur sinnlich natürlichen Weltliebe dem menschlichen Bewußtsein nahebringen und lebendig erhalten." (Kl 153)

Daß Bernoulli mit solchem Bekenntnis, auf dessen Zusammenhänge wir hier nicht einzugehen haben, von Overbeck weit abgerückt ist, sieht er selbst. Nach Bernoulli mußte Clemens „einer Religion den Weg ins Leben bahnen, die von Hause aus die Losung mitbekam, daß sie selbst ein Weg sei, daß dieser Weg die Wahrheit sei und daß die Wahrheit zugleich das Leben sei". Gegen Overbeck heißt es dann, daß Clemens „*insofern*" „nicht ohne Einführung . . . in den Wissenskampf seiner Zeit" eingetreten sei, als Theologie, so deutet es jedenfalls Bernoulli an, im Christentum eine *ständige* Aufgabe sei. Clemens „diente der christlichen Gemeinschaft als christlicher Theologe und an diesem Dienst ist er zum Erzeuger einer weltfähigen Konzeption des christlichen Glaubens geworden". Hier nimmt Bernoulli Gelegenheit, sich von Overbeck ausdrücklich zu *distanzieren*. „Wenn man", so sagt er, „auf das heute überholte Wort zurückgreifen will, das einst Harnack von Overbeck aus einer seiner Schriften übernahm, wonach das Christentum mit seiner Theologie eine chronische Verweltlichung darstelle, so muß man sich eben vor Augen halten, daß bei Klemens sein durchaus individuelles Verdienst in der Ergänzung bestand, den sokratischen Vernunftglauben zu einem wirklichen Glauben erst noch zu erheben . . . Pistis ist Gnosis, und umgekehrt." (Kl 143)

Bemerkenswert ist, mit welcher Beiläufigkeit Bernoulli hier der zentralen These Overbecks von der Verweltlichung des Christentums widerspricht. Indem Bernoulli Overbeck neben *Clemens* stellt, ordnet er Overbecks Lebenswerk de facto unter die Versuche einer *Synthese* von Christentum und „Welt" ein. Zu der Möglichkeit, daß jemand, der wie Overbeck die Väterliteratur genau kannte, beharrlich die These vertreten konnte, das Wesen des Christentums liege in der *Diastase*, hatte Bernoulli keinen inneren Zugang.

Es ist ein seltsamer Weg, den Carl Albrecht Bernoulli zwischen Duhm und Overbeck, zwischen Overbeck und Nietzsche gegangen ist. Als Overbeck ihn einst auf Nietzsche hinwies, brachte er ihn zu einem Magneten, dessen Anziehungskraft sich noch zu einer Zeit beweisen sollte, als die Verwaltung des Overbeckschen Nachlasses für Bernoulli zur puren Pflichtübung geronnen wäre, hätte sich nicht sein Enthusiasmus und seine Interpretationsfreudigkeit mittlerweile an *Klages* gespeist. Im historisch falschen Zusammenrücken der Persönlichkeitsbilder seiner Lehrer *Overbeck* und *Duhm* tat sich die doppelte Pietät des Schülers kund. Die

Neigung zog Bernoulli mit Macht zu *Nietzsche* und (durch *Klages*) zu *Bachofen*. In seinem gegen Ende seines Lebens verfaßten „Lebensabriß" setzt er charakteristische Akzente: Neben der akademischen Lehrtätigkeit in Basel auf dem Gebiet der Religionsgeschichte „ging vor der gelehrten Öffentlichkeit sowohl die Verwaltung des Overbeckschen Nachlasses in seiner theologiekritischen Hälfte" einher, „als auch die biographische Erforschung von Friedrich Nietzsches philosophischer Größe". Dazu sei ihm als Basler die „Ehrenpflicht" zugefallen, „das aus innerer Wucht wieder auflebende Lebenswerk des schon verschollenen Johann Jakob Bachofen vom Standpunkt der Religionsforschung aus zu betreuen"[243].

Bernoulli hatte in seiner Monographie über Nietzsche und Overbeck (1908) seine Aufmerksamkeit Overbeck als dem „Rücken für Nietzsches Schaffen"[244] zugewandt. Als jedoch der Schriftsteller Bernoulli seine Schritte immer zielbewußter auf das Zukunftsland des Irrationalismus hinlenkte, da kehrte er der realen Gestalt Overbecks den Rücken, so daß sie ihm in der Ferne ohne klare Konturen erschien. Der zuerst so heftige Gegensatz zu Elisabeth Förster-Nietzsche und zum Nietzsche-Archiv hatte sich, als 1916 der Briefwechsel zwischen Nietzsche und Overbeck endlich herauskam, schon abgeschwächt. Am Ende kam es dann noch zur Versöhnung mit der Nietzsche-Schwester[245].

In Bernoulli rang die „Seele" erfolgreich mit dem „Geist". Zu Overbecks reflektierender Skepsis hatte Bernoulli stets nur ein gebrochenes Verhältnis. Es liegt etwas von hintergründiger Ironie darin, daß Overbeck mit dem Akt, mit dem er Bernoulli entscheidend an sich heranziehen wollte, ihn im Resultat gerade in die Distanz zu sich brachte, als er ihn an jenen Stärkeren wies.

Bernoulli hat für die Erfüllung seiner Treuepflicht gegenüber Overbeck eine Form gefunden, die zweideutig genug ist. Doch hat er fraglos Overbeck auf seine Weise feiern wollen, wenn er der Overbeckschen Kritik metaphysische Lichter aufsteckte. Overbeck hat von Bernoulli als von dem in „alten Tagen noch erworbenen besten und jedenfalls letzten Freunde" gesprochen und ihn der „Gattung" von Freunden beigezählt, der sonst nur *Treitschke, Rohde* und *Nietzsche* angehörten[246]. Die spätere Betrachtung wird es respektieren müssen, daß der gealterte Overbeck die Dinge so zu sehen wünscht; wie problematisch aber insbesondere diese letzte Freundschaft war, wird man sich umso weniger verhüllen dürfen, als Bernoulli die Wirkungsgeschichte Overbecks stark bestimmt hat. Bernoullis publizistischer Geschäftigkeit[247] entsprang das gewagte Unternehmen, die disiecta membra von Overbecks unliterarischer Selbstverständigung zu zeitgemäßer Literatur aufzubereiten und der Welt der nachidealistischen Erschütterungen einen Vorvater zu geben.

---

243 Carl Albrecht Bernoulli 10. Januar 1868–13. Februar 1937 (Gedenkschrift), 1937, 7.

244 Bernoulli II, 463.

245 Hermann Augustin, der mit C. A. Bernoulli freundschaftlich verbunden war, erfuhr, wie er 1937 mitteilte, von Max Oehler, „daß nun das Kriegsbeil zwischen der Basler und der Tradition Weimars begraben sei" (Hermann Randa, Nietzsche, Overbeck und Basel, 1937, 13f.). Die Bekämpfung der Weimarer Nietzsche-Tradition wurde freilich von E. F. Podach und K. Schlechta mit neuer Vehemenz fortgeführt.

246 ONB A 267e.

247 Vgl. R. Linder, Carl Albrecht Bernoulli und seine Dichtungen, in: Schweizer-Bühne, Zeitschrift für Theater und Literatur, Januar 1919, S. 6.

III. KAPITEL

Die Overbeck-Interpretation von Karl Barth

Barth wendet sich Overbeck zu in dem Aufsatz „Unerledigte Anfragen an die heutige Theologie". Dieser Aufsatz ist eine Besprechung des Bandes „Christentum und Kultur". Er erschien zusammen mit einer Predigt von *Eduard Thurneysen* („Die enge Pforte") in der Broschüre „Zur inneren Lage des Christentums" (1920). Die Predigt von Thurneysen erleichtert den Zugang zu Barths Gedanken.

„Das war vielleicht der Irrtum", sagt Thurneysen, „in dem wir alle befangen waren in der Zeit vor dem Kriege, der Irrtum, von dem wir herkommen, daß wir es für möglich hielten, auf direkten, ungebrochenen Wegen zu Gott zu gelangen." (26) „Wir haben Gott nicht mehr als *Gott* verstanden. Wir haben zu viel, zu sicher und zu leicht von ihm geredet. Und darum war es dann eben nicht Gott, von dem wir redeten. Wir haben nicht mehr daran gedacht, daß wir an den Himmel rühren, ins Jenseits greifen, wenn wir von Gott redeten oder gar zu Gott beteten." (32)

Dies aber wäre nun zu sehen, daß der Weg zu Gott kein Weg aufwärts, sondern ein Weg abwärts ist, ja vielmehr, daß das Ziel von uns aus gar nicht erreichbar ist. Darum kann Buße nicht der Versuch sein, das stockende „religiöse Leben" wieder in Gang zu bringen, sondern es muß um *Vergebung* der *Sünde* gehen.

> „Du allein sollst es sein,
> Herr der Himmelsheere,
> Dir gebührt die Ehre!" (32)

Freilich hat der Glaube die Verheißung, — mag er auch, wie Thurneysen hier im Anschluß an *Kierkegaard*[1] formuliert (31), als „Sprung ins Leere" sich darstellen, — „daß jenseits der engen Pforte wirklich die Weite des Himmels sich öffnet" (33). So dürfen wir wissen, daß „aus dem großen kritischen Nein des Todes das viel größere, schöpferische Ja des Lebens siegreich hervorbricht" (32), „daß aus dem Nein und nur aus dem Nein das Ja hervorbricht, daß es aber aus dem Nein wirklich *hervorbricht*"

---

1 Über Kierkegaard als „source principale de la pensée barthienne" handelt ausführlich J. Hamer O. P., Karl Barth, 1949, 181 ff. Die Untersuchungen des Verfassers leiden darunter, daß er den Ansatz der frühen Zwanzigerjahre durchweg auf die Kirchliche Dogmatik überträgt und Barths ganze Theologie von da aus als „Okkasionalismus" meint darstellen zu können. Auch wird man dem Verfasser nicht zugestehen können, daß in der „Christlichen Dogmatik im Entwurf" von 1927 „Barth semble adopter purement et simplement l'existentialisme de Kierkegaard" (281), ebensowenig, daß im „Römerbrief" „Karl Barth avait accepté l'individualisme de Kierkegaard" (174). Fraglos hat Hamer die Bedeutung Kierkegaards für Barth übertrieben. — Besonnener und mit Vorbehalten gegenüber Hamer behandelt das Problem H. Bouillard, Karl Barth, I, 1957, 107 ff., der auch die Bedeutung Dostojewskijs für Barth würdigt, ebd. 105 ff. Siehe auch E. Brinkschmidt, Sören Kierkegaard und Karl Barth, 1971.

(33). Wir haben uns freilich zu hüten, „Gott und das gnädige Ja, das er zu uns Menschen geredet, verstehen zu wollen, ohne zuvor jenes Nein! gehört [zu haben], in jenes Nein! hineingetreten, durch jenes Nein! hindurchgegangen zu sein" (34).

Wenn also Barth sagt, die *Overbeck*-Notizen hätten auch unter dem Titel „Einführung in das Studium der Theologie" veröffentlicht werden können[2], so ist die Meinung nicht, daß Overbeck die Theologie selber ersetzen könne. Man muß durch ihn hindurchgehen, um bei ihm, es sei denn, man hätte es schon woanders gelernt, das Gebot neu zu lernen: „Du sollst den Namen des Herrn deines Gottes nicht unnütz führen!" (TK 3)[3].

Die Behauptung Overbecks, die Theologen seien „die Dümmlinge der menschlichen Gesellschaft" (CK 174), sollte nicht, wie bei *Ritschl,* zu entrüstetem Widerspruch verleiten. Es könnte, wenn man bedenkt, daß vom Standpunkt einer selbstbewußten „Welt" aus gesprochen wird, mit dieser Behauptung etwas Richtiges anvisiert sein. Es braucht nämlich, wie *Thurneysen* sagt[4], „nicht beredtere, gewandtere, gebildetere Pfarrer, aber, sagen wir kurz, demütigere Pfarrer, Theologen, denen es wirklich um Gotteserkenntnis zu tun ist, und denen es darum auch wenig ausmacht, um ihres aus dieser Erkenntnis fließenden und darin gegründeten kühnen, kindlichen, in den Himmel greifenden Glaubens willen die ‚Dümmlinge der menschlichen Gesellschaft' zu heißen". Wenn es wahr ist, daß die Weisheit dieser Welt vor Gott Torheit ist[5], dann kann es der Theologie gerade *nicht* daran liegen, im Sinne *dieser* „Weisheit" als weise zu gelten.

Wie jedoch Thurneysen die Theologie davor warnt, die Buße zu versäumen, so meint auch Barth, daß man es sich mit der Overbeckschen Negation der Theologie nicht zu leicht machen soll. Man muß wissen, „daß uns aus dem Unmöglichen nur das Unmögliche retten kann" (TK 25). Es wäre Overbeck sogar zu danken, daß er seinerseits *nicht* versucht hat, aus seiner Antitheologie eine Theologie zu machen.

Weil Barth aus Overbeck Lehren für die Theologie ziehen wollte, fühlte sich *Eberhard Vischer* in Overbecks Stellvertretung zu dem Ausruf veranlaßt: „Läßt sich ... etwas Dümmling- und Parasitenhafteres denken, als nun nach alter Theologenweise schließlich auch den Mann, der *aller* Theologie den Krieg aufs Messer angesagt hat, für die *eigene* Theologie in Anspruch zu nehmen und gegen die Theologie der *Andern* auszuspielen?" Man müsse Overbeck das Recht sichern, „als das genommen zu werden, was er sein will"[6].

---

2 TK 3. Der Aufsatz „Unerledigte Anfragen an die heutige Theologie" wird im folgenden nach dem Abdruck in TK 1—25 zitiert.
3 Vgl. den Hinweis auf dieses Gebot bei Sigmund Freud, Das Unbehagen in der Kultur, Teil II; in: S. Freud, Abriß der Psychoanalyse, Das Unbehagen in der Kultur, 1953, 73.
4 Zur inneren Lage des Christentums, 1920, 35.
5 Vgl. dagegen das von Goethe entlehnte Motto bei K. Löwith, Gott, Mensch und Welt in der Metaphysik von Descartes bis zu Nietzsche, 1967, 9: „Es wäre nicht der Mühe wert, siebzig Jahre alt zu werden, wenn alle Weisheit der Welt Torheit wäre vor Gott." – Harnack meinte diese Ansicht teilen zu sollen, siehe A. v. Zahn-Harnack, Adolf von Harnack, 2. Aufl. 1951, 415.
6 Eb. Vischer, Overbeck und die Theologen (Kirchenblatt für die reformierte Schweiz, 35. Jg., 1920), 126f.

In einem späteren Artikel[7] wies Vischer darauf hin, Overbeck habe selber erklärt, mit solchen Apologeten des Christentums nichts zu tun zu haben, die nur das jetzt bestehende Christentum bekämpfen. „Wir müssen", schließt Vischer, „deshalb darauf verzichten, uns von ihm sagen zu lassen, was er uns nicht geben kann noch will, und ihn als das zu verstehen suchen, was er gewesen ist, so schwer uns auch das in unserer antiintellektualistischen, von der Wissenschaft und ihrer Macht besonders zur Entscheidung der letzten Lebensfragen nicht hoch denkenden Zeit fallen mag."[8]

Vischer hat sich über diese Probleme noch deutlicher ausgedrückt in der Erstfassung des zuletzt genannten Artikels, nämlich in einem Vortrag über Overbeck vor dem Zürcher Pfarrkapitel am 18. Mai 1921[9]. Der Theologe, heißt es dort, will „ein Diener der Wissenschaft" sein und „als solcher gelten". Nun ist es aber „die höchste Pflicht eines Vertreters der Wissenschaft ..., sich an die Wirklichkeit zu halten und der Wahrheit die Ehre zu geben" (29). Die Theologen sind demgegenüber in der Versuchung, sich unbewußt gegen die Wahrheit zu verschließen. „Nach dem bekannten Spruche des Hebräerbriefs zweifelt der Glaube nicht an dem, was man nicht sieht. In der Tat ist es das eigentliche Wesen der Frömmigkeit, daß sie in einer Wirklichkeit lebt, die nicht mit Händen zu greifen ist[10], die aber als die wahre, echte empfunden wird gegenüber der Welt, die uns umgiebt. Weil er die wahre, göttliche Wirklichkeit vor Augen hat, fühlt sich der Fromme um Gottes willen gedrungen, den Kampf mit der ihn umgebenden Wirklichkeit aufzunehmen. Weil er weiß, daß der Friede Gottes höher ist als alle Vernunft, lehnt er es mit Recht ab, die menschliche Vernunft zur Herrin und Richterin des Göttlichen zu machen. Wie [nahe] liegt aber auch die Verwechselung des Überwirklichen mit dem *Un*wirklichen, des Göttlichen mit den *eigenen Einbildungen,* die Versuchung, sich für desto frömmer zu halten, je weniger man sich um das Tatsächliche bekümmert und ohne jede Rücksicht darauf seine Systeme von Lehren und Hoffnungen baut!" (30)

Eine solche Tendenz nennt Vischer den „Zug nach rechts" (31). Auch die Pfarrer meinten vielleicht „viel zu sehr, Advokaten des lieben Gottes zu sein und in dieser Eigenschaft die Wirklichkeit so darstellen zu müssen, wie sie nach ihrer Meinung sein sollte, statt so wie sie ist" (32).

Daß uns die Wirklichkeit, „so wie sie ist", *bekannt* sei, oder durch die *Wissenschaft* bekannt gemacht werde, setzt Vischer als Selbstverständlichkeit voraus. Auch sagt er nicht, wie er sich des von Overbeck gegen die Religion erhobenen Illusionsverdachtes erwehren will. Dieser bleibt ihm im Grunde unverständlich.

Vischer meint, im Unterschied zu Barth den „wirklichen" Overbeck zu kennen. Es ist in der Tat deutlich, daß er im Vergleich zu Barth das *historisch* richtigere Overbeck-Bild gehabt hat. Für die These, daß es neben dem skeptischen Overbeck

---

7 Overbeck redivivus, Der neuentdeckte Overbeck (ChW 36, 1922, Nr. 7, 8, 9).

8 ChW 36, 1922, Sp. 146.

9 Manuskript im Nachlaß Eb. Vischer, Universitätsbibliothek Basel. Danach die folgenden Stellen.

10 Am Schluß seines Vortrages (S. 34, ebenso ChW 36, 1922, Sp. 148) beruft sich Vischer auf das Nietzschewort, was sich beweisen lassen muß, sei wenig wert.

noch einen frommen Overbeck gegeben habe, hat sich Barth, ohne daß dies über-
zeugend wäre, auf das Zeugnis von *Frau Overbeck* berufen[11]. Barth hat sich hier
durch die Fehlinterpretation, die Overbeck durch *Bernoulli* widerfahren war, beeinflussen lassen.

Aber Barth hat betont, daß *sein* Interesse an Overbeck „wirklich ganz dasselbe
wäre", auch wenn hinsichtlich der biographisch-psychologischen Deutung „Vischer
auf der ganzen Linie recht hätte"[12].

Während nämlich Vischer im *Theologischen* nur die Negativität Overbecks feststellt und keine theologische Zurechtweisung, sondern nur *historische* Belehrung
bei ihm erwartet, fragt Barth: „Wie war es nur möglich, daß man sich damit be-
gnügen konnte, seine historische Gelehrsamkeit" (nämlich die Overbecks) „zu bewundern, über die Wirkungslosigkeit seiner ‚rein negativen Art' sich selbstzufrieden
zu freuen und über die Tatsache, daß er, sich selbst und der Welt zum Trotz, Theologieprofessor war und blieb, immer wieder staunend und mißbilligend den Kopf
zu schütteln?" (TK 1)

Overbeck „kann und soll uns", nach *Eberhard Vischer*[13], „wenn wir es nicht bereits wissen, zum Bewußtsein bringen, daß es eine überaus ernste, ja gefährliche
Sache ist, sich von Amts wegen mit der Religion und insbesondere mit dem Christentum zu beschäftigen". — Er könnte und sollte uns, nach *Karl Barth,* zum Bewußtsein bringen, da wir es offenbar noch *nicht* wissen, daß das göttliche Ja, kraft
dessen Gott in der Tat „der Grund und der Herr aller Wirklichkeit" ist[14], im
strengen Sinn nur *geglaubt* werden kann, während die Geschichte auch als Kirchengeschichte immer den Schatten eines menschlichen Nein, eines Versuchs der Menschen, unter sich zu sein und zu bleiben, bei sich hat[15].

Barth möchte also bei Overbeck etwas lernen, was dieser zu lehren freilich kaum
beabsichtigte. Wenn Barth nun auch den historischen Overbeck, indem er ihm eine
latente Christlichkeit nachsagte, mißverstanden hat, so ist dieses Mißverständnis
darin unerhört produktiv, daß Barth sich durch Overbeck zur *Sache* rufen ließ.

Dieses theologische Interesse Barths ist bei der Würdigung seiner Overbeck-Interpretation zu beachten[16]. Der Hinweis, Barth habe, in einem historischen Sinne,

---

11 Vgl. die Andeutung Barths, ChW 36, 1922, Sp. 249. – Barth hat Frau Overbeck 1920
einen Besuch gemacht (siehe Barths Brief an Thurneysen vom 20.4.1920, BWBT 53, BGA
V, 1, 390). Noch in neuerer Zeit beruft sich Thurneysen darauf, daß Frau Overbeck „Karl
Barths Deutung des Lebenswerkes ihres Mannes völlig bejahen konnte" (BWBT 27). Der
Zeugenwert von Frau Overbeck sollte jedoch nicht zu hoch veranschlagt werden. Es darf
auch nicht vergessen werden, daß damals seit dem Tode ihres Mannes fast 15 Jahres ver-
gangen waren. Frau Overbecks Interesse an „Geistleiblichkeit" (BWBT 53; BGA V, 1, 380)
dürfte eher auf Klages und Bernoulli als auf Overbeck zurückgehen.

12 ChW 36, 1922, Sp. 249.   13 Vortrag (s. o. Anm. 9), 29a.

14 Ebd. 33.   15 Siehe K. Barth, KD IV, 1, 562ff.

16 Der Tatbestand, „daß Overbeck auf Barth so *gewirkt* hat, daß Barth ihn so *aufgefaßt* hat",
wie es geschehen ist, hat ein Eigengewicht gegenüber der Frage, „ob diese Auslegung Overbecks durch B(arth) den Tatsachen" (nämlich Overbecks Intention) „entspricht oder
nicht" (J. Berger, Die Verwurzelung des theologischen Denkens Karl Barths in dem Kerygma der beiden Blumhardts vom Reiche Gottes, Diss. [Ost-] Berlin 1955, Anhang, S. 16,
Anm. 1).

Overbeck mißverstanden, sollte in seinem sachlichen Gewicht nicht überbewertet werden. Er kann aber auch nicht unterlassen werden[17].

Barth ist insofern in einer ganz anderen Lage als *Bernoulli*, als er, was die Erfassung des geistigen Habitus von Overbeck angeht, sich eben auf *Bernoulli* stützen kann. Leider ist er Bernoulli allzu weit gefolgt.

Barth nimmt Overbecks vehemente Kritik des Christentums, die auch in Bernoullis abschwächender Edition in „Christentum und Kultur" erkennbar geblieben ist, entschlossen auf als Kritik des Christentums als *historischer Erscheinung*. Während dem historischen Overbeck die urchristliche Naherwartung als Hebel einer *historisch* argumentierenden Kritik gedient hatte, sieht Barth eine mögliche Verbindung zwischen der Eschatologie bei Overbeck und der Eschatologie beim älteren *Blumhardt*[18], so daß Overbeck geradezu „der rückwärtsschauende kritische Blumhardt" genannt werden kann (TK 2)[19].

Barth möchte das „Unmittelbar-Weltliche" an Overbeck als Weltlichkeit im Sinne der innerweltlichen Reich-Gottes-Erwartung des älteren *Blumhardt* deuten. Es sei „nicht die humanitäre Kultur", sondern „die Parusieerwartung, die hinter dem Christentum steht", von der Overbeck herkomme (TK 14).

Für Overbeck ist jedoch das „Menschengebiet" nur Siedlungsplatz kultureller und auch religiöser Versuche des Menschen, bei denen freilich zwischen solchen zu unterscheiden ist, die offensichtlich verwirrend und verwüstend gewirkt haben, wie dem Christentum, und solchen, die wie der Rationalismus sich um das Menschsein des Menschen Verdienste erworben haben.

Wenn Barth aus Overbecks „Reden" eine „Bewegtheit und Teilnahme" (wie es scheint, am *Christentum*!), „die *nicht von dieser Welt* ist", heraushören will (TK

---

17 Es geht zu weit, wenn T. Stadtland, Eschatologie und Geschichte in der Theologie des jungen Karl Barth, 1966, 133, meint, es sei „von vornherein unnötig, nachzuweisen, a) wie gefährlich die Berufung auf Overbeck sei und b) daß Barth das" (Stadtland meint: sich auf Overbeck zu berufen) „weder von seinem Ansatz her noch mit historischem Recht könne". – Zu H. Schindler, Barth und Overbeck, 1936, siehe unten Anm. 35.

18 G. Sauter, Die Theologie des Reiches Gottes beim älteren und jüngeren Blumhardt, 1962, 248, vertritt die Ansicht, es sei hier „vor allem der Sohn gemeint", obwohl Barth „meistens generell von ,Blumhardt' " rede.

19 J. Berger (s. o. Anm. 16) interpretiert Barths Overbeck-Aufsatz so: „Bl(umhardt) und auch B(arth) haben erkannt, wie Gericht und Gnade, Zorn und Liebe, Schöpfung und Erlösung, Verwerfung und Erwählung . . . in Gott einander gegenüberstehen, wie aber in allen das zweite Element, die Gnade, die Liebe, die Erlösung, die Erwählung den Sieg behält." (337) Doch habe Blumhardt für Barth „zu einseitig die *positiven* Elemente in den Vordergrund gestellt" (338). – In den Kategorien von Berger gesprochen, schiene es uns angemessen, zu sagen, Barth habe hinsichtlich der Eschatologie von Blumhardt Anstöße zum „Realismus" und von Overbeck Anstöße zum „Aktualismus" erhalten, obwohl zu beachten ist, daß der eigentliche Durchbruch des „Aktualismus" bei Barth auf Kierkegaard zurückgeht. – Berger macht mit Recht auf die Verschiedenheit der Gottesvorstellung zwischen Barth und den Blumhardts aufmerksam, die mit der Prädominanz des „Realismus" bei den Blumhardts und des „Aktualismus" bei Barth zusammenhänge (371). Mittels Unterscheidung von Form und Inhalt sucht Berger dann allerdings die beiden Gottesvorstellungen einander anzunähern, – in der Tendenz zweifellos zu Recht.

14), muß demgegenüber betont werden, daß Overbecks „Teilnahme" am Christentum von jeher nur eine „Teilnahme" an der *Theologie* war und sein konnte; die Theologie aber war für Overbeck ein nur zu weltliches Geschäft.

Barth weiß selbst: „Nicht wie Kierkegaard als Vertreter eines wahren Christentums im Gegensatz zu einem falschen erhebt Overbeck seine Anklage gegen das moderne Christentum" (TK 13). Er gehört nicht zu den „Gläubigen". Wenn Barth trotzdem davon redet, daß Overbeck unter einem „jeremianischen Zwang" (TK 14) stehe, daß „das heilige Feuer" (TK 18) sich bei ihm finde, dann ist zu fragen: Läuft man mit solchen Ausdrücken nicht doch Gefahr, sich aufs psychologische Gebiet zu begeben? Daß Barth dies nicht will, ist klar. Aber er war zu Unrecht der Meinung, daß der Sinn von Overbecks Lebenswerk, wie er sich dem *Glauben* darstellt, auch in Overbecks subjektiver Einstellung aufweisbar sei.

In der psychologischen Einschätzung Overbecks ist Barth weithin Carl Albrecht *Bernoulli* gefolgt. Dessen Behauptung einer „enthusiastischen", „schwärmerischen" Komponente in Overbecks Natur geht ihm nicht einmal weit genug (vgl. TK 4f., 22). Bernoulli scheine, sagt er, „unterstreichen zu wollen", daß Overbeck daran gelegen war, „die Welt gegen das moderne Christentum zu schützen". Barth aber will „anders . . . betonen als Bernoulli": der Ton soll darauf fallen, daß Overbeck „das Christentum gegen die moderne Welt . . . schützen" wollte, ja noch mehr, daß es „das Elementare, Primäre, Transzendentale, Unmittelbar-Weltliche, die Parusieerwartung, die hinter dem Christentum steht", daß dies alles dasjenige sei, von dem Overbeck angeblich „herkommt" (TK 14).

Den Satz Overbecks, das Christentum sei ein „in der Geschichte Alles in Frage stellendes Problem von fundamental rätselhafter Natur" (CK 7, TK 14), kann man nicht mit Barth dahin verstehen, daß Overbeck das Christentum wie eine „Sonne" im Rücken habe. Barth und *Brunner*[20] finden zu Unrecht in Overbecks Satz Überweltliches angesagt. Was Overbeck dachte, steht auf derselben Seite von „Christentum und Kultur" (CK 7): „Nicht die Geschichte ist durch das Christentum zu bändigen, sondern die Geschichte wächst überall zu den Grenzen des Christentums hinaus." Die Rätselhaftigkeit liegt für Overbeck darin, daß etwas noch nicht als geschichtliches Phänomen zu existieren ganz aufgehört hat, was einst mit der Bestreitung der Fortdauer der menschlichen Geschichte begonnen hatte. „Rätsel" ist nach Overbeck das Christentum eben „*in* der Menschengeschichte" (CK 7); nicht sein etwaiger übernatürlicher Ursprung, sondern das seltsame Phänomen, wie das Christentum seinen Ausgangspunkt, der sehr wohl unter Menschen lag, so sehr preisgeben und doch existent bleiben konnte, steht in Frage. „Das Christentum hat damit angefangen, eine Geschichte für sich abzulehnen und eine solche denn auch nur gegen seinen eigenen, uranfänglich ausgesprochenen Willen erlebt." (CK 7). *Das* ist für Overbeck das Rätsel.

Auf den Fehlinterpretationen *Bernoullis* beruht es, wenn Barth, der sich sträubt, Overbeck „vorwiegend als Zweifler" zu sehen, „mindestens" einen „frohen lieben-

---

20 E. Brunner, Religionsphilosophie evangelischer Theologie, 1927, 2. Aufl. 1948, 88.

den Zweifler" und noch lieber einen „kritischen Enthusiasten" (TK 5) aus ihm
machen möchte und wenn er das Reden von neuen Grundlagen, auf die die religiösen Probleme zu stellen seien, als Ausdruck einer „besseren Theologie" wertet
(TK 22f.).

Barth ist deutlich von *Bernoullis* Overbeck-Interpretation bestimmt, wenn er sagt,
Overbeck habe „die Grenze zwischen hüben und drüben (*den Ursprung*) jedenfalls
nicht als Zuschauer gehütet" (TK 14f.). So sieht Barth in Overbeck einen bisher
verkannten „selten frommen Mann"[21] und findet bei ihm eine „ganz und gar nicht
‚skeptische' Einsicht und Ehrfurcht und Eindringlichkeit, mit der er von *den* Dingen redet, die das verdienen" (TK 14).

Eine ausgesprochene Umdeutung von seiten Barths liegt hinsichtlich des Begriffs
der *Urgeschichte* bei Overbeck vor[22].

Barth sieht, „nach Overbeck", „das Dasein des Menschen und der Menschheit"
durch zwei Punkte bestimmt und charakterisiert, „die beide zugleich Ausgangs-
und Endpunkte sind", nämlich durch *Urgeschichte* und *Tod* (TK 5). Barth interpretiert weiter: „Von der überzeitlichen, unerforschlichen, unvergleichlichen Urgeschichte, die sich aus lauter Anfängen zusammensetzt, in der die Grenzen, die
das Einzelne vom Ganzen abschließen, noch fließende sind, kommen wir her . . .
Dem einzigen unausdenkbar bedeutenden Moment des Todes, in dem unser Leben
in dieselbe Sphäre des Unbekannten tritt, in welcher für uns schon bei unsern Lebzeiten alles sich befindet, was jenseits der uns bekannten Welt liegt, gehen wir entgegen". „Die beiden großen Unbekannten: Urgeschichte und Tod" seien „gerade
die *Angeln*, in denen die ‚skeptische' Weltanschauung", die nach Barth im Wesen
gerade *nicht* skeptisch wäre, „hängt" (TK 7).

In diese Gedankengänge zeichnet Barth die Urgeschichts-Konzeption Overbecks
als Ortsbestimmung des Christentums ein.

Aber die Verbindung, die Overbeck zwischen Tod und Christentum herstellt, hat
nicht den Sinn, mit der Aktualität des Todes auch die Aktualität des Christentums
zu begründen, sondern den, das Christentum an den Rand der Erfahrungen zu rük-
ken, von denen wir zu leben haben. Insofern nämlich der Tod uns zwar als „Daß"
gewiß ist, wir aber durch keinerlei Einsicht hinter ihn gelangen können, müssen
die Einblicke, die das Christentum in eine Welt jenseits des Todes zu gewähren ver-
spricht, als menschliche Tröstungsversuche erkannt werden. „Der Tod kann uns
als das Ende unseres Lebens über dieses aufklären, nie über das was darauf folgt.
Darüber kann ihm Aufklärung nur abgepreßt werden." (CK 299). „Nur mit Hülfe
unserer eigenen Träumereien kann uns das Christenthum über den Tod weghel-
fen."[23]

---

21 R II, VII.
22 Stadtland meint, Barth habe „von vornherein gewußt", was er 1927 auch *sagt*, nämlich
    „daß der Begriff der ‚Urgeschichte' bei Overbeck ein geschichtswissenschaftlicher Hilfsbe-
    griff' sei" (s. o. Anm. 17, 133). E. Brunner (vgl. sein Buch: Erlebnis, Erkenntnis und Glaube
    [1921], 4. u. 5. Aufl. o. J., 107, Anm. 1) sprach dies von Anfang an deutlich aus.
23 ONB A 219 Christenthum (Eschatologie) Allgemeines, S. 3.

Wenn es also bei Overbeck eine Beziehung zwischen der Urgeschichte des Christentums und dem Tode gibt, so nicht in dem Sinne, daß in diesen „Angeln" unser Leben hinge, sondern so, daß die historische Kritik das ursprüngliche Christentum als „Todesweisheit" erkennt, dieser „Weisheit" aber Mißtrauen entgegenzubringen lehrt, weil sie die Bedingungen unseres Lebens falsch darstellt.

Barth verwendet in der 2. Auflage seiner Erklärung des *Römerbriefes* den Begriff der Urgeschichte als *theologischen* Begriff. Jesus ist als Ur-Geschichte „die uns unbekannte Ebene, die die uns bekannte senkrecht von oben durchschneidet", er ist „das Ende der Zeit", „das Paradox" (R II,6). In der „Offenbarungszeit und Entdeckungszeit" der Jahre 1–30 wird „die verborgene Schnittlinie von Zeit und Ewigkeit, Ding und Ursprung, Mensch und Gott sichtbar" (R II, 5). In dieser Urgeschichte, die *aller* Geschichte in deren „ur-geschichtlicher Bedingtheit" (R II, 117) zugrundeliegt, ist „alle Polarität, alles Sowohl-Als auch, alles Schillern abgetan" (R II, 219f.), – der Begriff signalisiert für Barth allgemein die Ewigkeit in ihrem Gegensatz zu aller Zeit (R II, 231ff.). Die Offenbarung der „Offenbarungszeit" ist keine direkte Offenbarung; „berührt" hier „die neue Welt des Heiligen Geistes die alte Welt des Fleisches", nämlich konkret in der Auferstehung Jesu, so nur mit dem Vorbehalt: „sie berührt sie wie die Tangente einen Kreis, ohne sie zu berühren" (R II, 6).

Barth beruft sich auf *Nietzsches* zweite „Unzeitgemäße Betrachtung", um zu präzisieren: Mit der Urgeschichte tritt *Gott* auf den Plan, und nur „die Ängstlichkeit des linearen Denkens" redet von der „unhistorischen Atmosphäre" des Lebens, „wir", die Glaubenden, dagegen erkennen „das Licht des *Logos* aller Geschichte und alles Lebens" (R II, 117).

Ganz anders meint es freilich Overbeck[24]. Für ihn ist Urgeschichte kein Spezifikum des Christentums, sondern eine Erscheinung, die im Hintergrund *aller* geschichtlichen Phänomene steht. Was für das Individuum der Tod ist, ist als geschichtlicher Einschnitt jeweils das Ende der Urgeschichte. Mit dem Tode des Menschen beginnt seine Wirkungsgeschichte, seine posthume Geschichte. Sie kann er nur noch indirekt beeinflussen. Ebenso hat das Christentum nach Overbecks Ansicht nach Abschluß der urgeschichtlichen Phase nicht mehr die Möglichkeit, sein Selbstverständnis spontan zu entwerfen, es muß sich an die Daten halten, welche ihm die Urgeschichte liefert. Indem es sich mit ihnen auseinander-setzt, setzt es sich von ihnen frei, die *Verfalls*geschichte beginnt.

Diese morphologische Sicht des Christentums impliziert, wie Overbeck deutlich sagt, daß das Leben des Christentums eine Vorbereitung auf sein Sterben ist. Overbeck argumentiert mit der Zeitunterworfenheit aller Ereignisse, die nach *Barth* durch „Urgeschichte" relativiert wäre. Das „ungeschichtliche Oberlicht", das nach Barth als Logos alles erleuchtet (R II, 116f.), wäre für Overbeck ein Irrlicht, und die Geisterbahn der christlichen Urgeschichte kann seiner Meinung nach durch nichts anderes erleuchtet werden als durch das Licht der kritischen Vernunft. Daß

---

24 ONB A 240 Urgeschichte (Allgemeines), S. 7ff., vgl. CK 21.

das Christentum von seiner Urgeschichte abhängig ist, bedeutet für Overbeck keineswegs, daß wir alle von ihr herkämen.

Barth hat, wie sich am Begriff der Urgeschichte zeigt, die Schärfe von Overbecks historischem Bewußtsein gegen das historisch „mögliche" Christentum gekehrt, um, entgegen Overbecks Intentionen, ein „unhistorisches" und „unmögliches" Christentum umso sicherer aus den Flammen bergen zu können. Weil Barth in der psychologischen Einschätzung Overbecks von *Bernoulli* beeinflußt war, konnte er meinen, bei Overbeck Linien weiter auszuziehen, während er in Wirklichkeit Overbeck a limine widersprach. Zu dem Satz Overbecks, die Religion teile ihre Herkunft aus der Menschenwelt mit der Welt überhaupt, bemerkt Barth, das Christentum wolle nicht Religion sein (TK 13), und er meint den Satz Overbecks, die religiösen Probleme seien auf ganze neue Grundlagen zu stellen, christlich interpretieren zu können (TK 23). Aber Overbeck versteht seinerseits das Christentum durchaus als von Menschen ausgedachte Religion, und die neuen Ufer, auf die er zusteuert, sind Zeiten, die des christlichen Gottes ebenso wenig bedürftig wären wie der heidnischen Götter. Wenn man, wie Barth es tut, zugesteht, Christentum und Welt hätten sich seit der urchristlichen Zeit nie mehr verstehen können und würden sich nie mehr verstehen (TK 15), so scheint Overbecks Grundthese von der Diastase als dem Wesen des Christentums akzeptiert zu sein. Aber so hat es Barth nicht gemeint. Den Glauben daran, daß Gott die Welt erschaffen hat und sie erhält, gibt Barth nicht preis.

Die Veränderung, die Barths Theologie durch den Einfluß Overbecks erfährt, wird in dem Aufsatz von 1920 nur wie von ferne angedeutet. In der Breite erkennbar wird sie in der Neubearbeitung seiner in der 1. Auflage 1919 erschienenen Erklärung des *Römerbriefes*. Diese Neubearbeitung wurde 1922 veröffentlicht. Der Aufsatz von 1920 hatte zwar die Verurteilung der Theologie zur Wüstenwanderung ausgesprochen, er hatte aber dadurch, daß Overbeck, den Ansätzen *Bernoullis* folgend, unter die „Enthusiasten" eingereiht und neben *Blumhardt* gestellt wurde, und dadurch, daß Overbecks kritische Distanzierung von der Theologie als Anfrage an die Theologie umgedeutet wurde, den Anstoß andererseits eher gemildert.

Folgende aus Overbeck zu ziehende Lehren kündigten sich 1920 bei Barth an: „Was . . . der Zeit unterworfen ist, das ist begrenzt, relativiert" (TK 6). „Wenn Christentum, dann nicht Geschichte, wenn Geschichte, dann nicht Christentum!" (TK 9). Denn (Zitat von Overbeck): „Rein historisch ist nichts möglich als der Nachweis, daß das Christentum abgebraucht sei und zu alt werde" (TK 10). „Nicht ein Greuel der Geschichte . . . fehlt in den Erfahrungen der Kirchengeschichte" (TK 9).[25]

Barth selber mahnt zur Vorsicht „bei dem verwegenen Unternehmen, als Theologe durch die enge Pforte der Overbeckschen Negation *hindurch* zu gehen, auch dann, wenn wir von dem Blumhardtschen Ja, das die andere Seite des Overbeckschen Nein ist, Einiges zu wissen meinen" (TK 25).

---

25 Vgl. aus einer später veröffentlichten Predigt Barths über Kol 3,1f.: „Auch die menschliche Geistesgeschichte, Religionsgeschichte, Kirchengeschichte weiß von keinen ewigen Werten. Sie ist drunten. Und was drunten ist, das ist Entbehren, Gleichnis, Hoffnung und Wanderschaft im besten Fall." (Komm Schöpfer Geist!, 3. Aufl. 1926, 174.)

Bedenklich ist nur, daß Barth sich zu der „Verwegenheit", eine Theologie der Zukunft ins Auge zu fassen, ausdrücklich durch *Overbeck* ermutigt fühlt, von dem er in Verkürzung eines (CK 16 wiedergegebenen) Satzes die Wendung zitiert: „Anders als mit Verwegenheit ist Theologie nicht wieder zu gründen". Barth rechnet diese Wendung zu den Overbeckschen „Äußerungen über eine allenfalls mögliche einsichtigere und umsichtigere Theologie" (TK 23). Der Kontext bei Overbeck, wie er auch in der Wiedergabe *Bernoullis* erscheint (CK 15f.), schließt aber ein solches Verständnis aus. Overbeck polemisiert gegen die Usurpation der Religionsgeschichte durch die Theologie und bezeichnet es als „Verwegenheit", wenn die Berliner theologische Fakultät, der sein besonderer Widerwille gilt, eine Vorlesung über „Das Wissenswerteste aus der Religionsgeschichte" ankündigt. Man müsse das, meint Overbeck spöttisch, als Ausdruck der desolaten Lage der Theologie verstehen, die sich wohl nur durch solche Waghalsigkeiten noch aufzuhelfen wisse.

Hier hat also Barth einen Gedanken Overbecks in sein Gegenteil verkehrt[26]. Dasselbe gilt überall da, wo Barth eine neue „einsichtigere und umsichtigere" Theologie von Overbeck antizipiert findet.

Der Satz von den neuen Grundlagen, auf die die religiösen Probleme zu stellen seien, war bereits von *Bernoulli* mißdeutet worden, und an diese Fehldeutung schließt sich Barth an.

Einen wichtigen Grundzug in Overbecks Anschauung bilden die Erwägungen über das *Alter des Christentums*[27]. Wenn Overbeck sagt, „die Aeternität des Christenthums" lasse sich „auch nur *sub specie aeternitatis* vertreten"[28], so wendet er sich damit gegen eine historische Apologie des Christentums, die mit dessen Elastizität argumentiert. Denn die Einführung der Begriffe von Jugend und Alter, wie die Historie sie verwendet, hat zur Folge, daß auch ein *Ende,* ein *Ableben* des Christentums ins Auge gefaßt werden muß. Overbeck konfrontiert die Ungläubigen der Frühzeit mit den Ungläubigen der Jetztzeit: damals wurde dem Christentum seine *Jugend*, heute wird ihm sein *Alter* angelastet. Aber diese Disparatheit der Argumentation des Unglaubens soll der Gläubige „nur mit Vorsicht" als Pluspunkt für sich verbuchen: sub specie aeterni könne man die Sache nur betrachten, wenn sich der Eindruck exzessiven Alters nicht gebieterisch aufdrängte. Overbeck hält also den angedeuteten Ausweg aus der prekären Situation nicht für gangbar: „Die Geschichte stellt fest, daß das Christenthum alt in ihrem Sinne, historisch alt ist, aber heute zugleich auch, daß es das absolut, d.h. *zu* alt ist."[29]

Overbeck hat deutlich gesagt, daß er an die Kraft des Christentums, eine bessere als die jetzt bestehende Theologie zu gebären, nicht glaube. „Ist", so fragt er, „das

---

26 Barth gibt dem Overbeckschen Satz, indem er ihn dialektisch verfremdet, später einen beachtlichen theologischen Stellenwert, siehe CD 110 und SThU 30, 1960, 101.
27 Bernoulli hat die Texte in seiner Weise bearbeitet und auseinandergegliedert, vgl. CK 7ff., 69f.
28 ONB A 219 Christenthum (Alter) absolut, S. 3, vgl. CK 70, bei Barth TK 24.
29 ONB a.a.O. (Anm. 28), S. 9.

Christenthum noch jung genug, um die Prüfungen, die ihm der Besitz einer Theologie auferlegt, noch zu vertragen? Nein, das beweist die moderne Theologie ... Ist das Christenthum aber auch noch jung genug, um noch eine Theologie zu erzeugen? Nein, und auch das beweist die moderne Theologie, selbst nur noch ein kraftloses, mit grauen Haaren geborenes Kind." [30]

Es ist *Ironie*, wenn Overbeck sagt, Ritschl hätte sich fragen sollen, ob die den Theologen vorgeworfene Dummheit ein so unbedingtes Unglück sei, als *Dumme* seien sie vielleicht zu tolerieren [31]. Damit wendet sich Overbeck gegen alle Ambitionen der Theologen in bezug auf Bildung und Kultur, gleichzeitig setzt er aber voraus, daß der Theologie solche Ambitionen wesenseigentümlich sind. Mit anderen Worten: die Theologie soll ihr Geschäft gänzlich aufgeben.

In der Vorrede zur 2. Auflage des *Römerbrief*kommentars (1922) sagt Barth, der Schwierigkeit seines Weges bewußt, er habe Overbecks „Warnung an alle Theologen" zuerst auf sich selbst bezogen „und dann erst gegen den Feind gekehrt" (VII). Wie dieser Warnung entsprochen wurde und wie „das sachliche ... Rätsel, das durch Overbeck ein für allemal gestellt ist" (ebd.), expliziert und als das „Rätsel der Sache" (XII), im Gegensatz zum bloßen „Rätsel der Urkunde", verstanden wurde, wie sich überhaupt Barth „als Verstehender" verhielt, das zeigt der Kommentar selbst, das zeigen aber in nuce schon die Bemerkungen, mit denen Barth sein neues Auslegungsverfahren erläutert.

Das „Rätsel der Sache" ist nichts anderes als „die innere Dialektik der Sache" (XIII), die in der Auslegung dann richtig nachvollzogen wird, wenn man „das, was Kierkegaard den ‚unendlichen qualitativen Unterschied' von Zeit und Ewigkeit genannt hat, in seiner negativen und positiven Bedeutung möglichst beharrlich im Auge" behält. „‚Gott ist im Himmel und du auf Erden'. Die Beziehung *dieses* Gottes zu *diesem* Menschen, die Beziehung *dieses* Menschen zu *diesem* Gott ist für mich das Thema der Bibel und die Summe der Philosophie in Einem." Vor allem an seinen Bruder *Heinrich Barth* [32] denkt er, wenn er fortfährt: „Die Philosophen nennen diese Krisis des menschlichen Erkennens den Ursprung. Die Bibel sieht an diesem Kreuzweg Jesus Christus."

Overbecks Einfluß macht sich geltend. „Es gibt keine besondere Gottesgeschichte als Partikel, als Quantität in der allgemeinen Geschichte. Alle Religions- und Kirchengeschichte spielt sich ganz und gar in der Welt ab. Die sog. ‚Heilsgeschichte' aber ist nur die fortlaufende Krisis aller Geschichte, nicht eine Geschichte *in* oder *neben* der Geschichte." (R II, 32) Gott entzieht sich der Sichtbarkeit und Greifbarkeit in dem Maße, daß *alle* Geschichte dem finitum non capax infiniti unterworfen ist. Offenbarung ist *Krisis* der Geschichte, sie läßt sich nicht in die Geschichte einebnen, auch nicht in der Faßbarkeit jener Gestalten, in denen der Pro-

---

30 Ebd., S. 13f.
31 Siehe CK 173, bei Barth TK 24.
32 Siehe dessen Vortrag „Gotteserkenntnis" von 1919 bei Moltmann, Anfänge der dialektischen Theologie, Bd. I, 2. Aufl. 1966, 221ff. und seine Basler Antrittsvorlesung von 1920: Das Problem des Ursprungs in der platonischen Philosophie, 1921.

test gegen die Institution jeweils lebendig wurde. Denn solcher Protest gehört, eben indem er auf Welt bezogen ist, selber der Welt an. „Innerweltlich ist diese Anklage, aus der Not kommt sie, nicht aus der Hilfe, Wort *über* das Leben ist sie, nicht das Leben selbst" (R II, 32). Dies gilt von *Paulus,* von *Jeremia,* von *Luther,* von *Kierkegaard* und von *Blumhardt.* Es „gilt auch vom hl. Franziskus", von dem in Anknüpfung an Overbecksche Sätze (siehe CK 39) gesagt wird, daß er „an ‚Liebe‘, Kindlichkeit und Strenge Jesus weit übertrifft". „Gerade damit" aber wirkt er, wie Barth betont, „als Ankläger", nicht als Retter, er verbreitet wie all die andern Propheten, Apostel und Gottesmänner nur „künstliches Licht in der Nacht". Schon 1920 hatte Barth „unsre neufranziskanischen Freunde" in der Hinsicht zur Nachdenklichkeit ermahnt, daß Nachfolge Christi bei *Franz* etwas *anderes* ist als Nachahmung Jesu (TK 11).

Schon in der ersten Fassung seiner Römerbriefauslegung (1919) hatte Barth betont, daß kein „Virtuose der Unmittelbarkeit", ob er nun *Schleiermacher* oder *Johannes Müller* heiße, das erst *Kommende* einfach gegenwärtig machen könne (R I, 200f.). Aber es handelte sich damals doch noch nicht um das radikale „Unmöglich!", mit dem 1922 die Sünde als die ‚„Möglichkeit aller menschlichen Möglichkeiten als solcher" und die Gnade als die *„jenseits* aller menschlichen Möglichkeiten bestehende *göttliche* Möglichkeit des Menschen" gezeigt wird (R II, 223f.). Weil durch den Einfluß *Overbecks* sich für Barth der Begriff der Weltgeschichte viel schärfer profiliert hatte, war der Gegensatz zwischen „ich" und „wir" (vgl. R I, 201) umschlungen und relativiert worden durch den Gegensatz zwischen *Gott* und *Welt,* in dem Sinne, daß *alles* Menschliche in die Krisis trat.

Jetzt gelten alle „Religionen, Sittlichkeiten und Weltanschauungen" als „kommende und gehende Größen". Der Profanaspekt der Kirchengeschichte, den Overbeck als geschichtswissenschaftliche Leitlinie angesehen hatte, wird von Barth hamartologisch interpretiert. Unter der *Sünde* wird die Kirchengeschichte „profan, kommt unter das Zeichen: ‚Der echte Ring vermutlich ging — verloren!‘ " (R II, 48).

In die *Kutter*sche Kritik an der etablierten Kirche[33] mündet für Barth die Overbecksche Kritik des Christentums. Overbecks Aussage, die Theologen seien „die Dümmlinge der menschlichen Gesellschaft" (CK 174), rückt jetzt neben die Formulierung *Kierkegaards*: „Professor darin, daß Christus gekreuzigt wurde". Damit sollen vor die „Theologie als Wissenschaft" Fragezeichen gesetzt werden (R II, 432). Daß Overbeck hier wieder als zurückhaltender Zeuge der Wahrheit, der auch subjektiv die Wahrheit der Auferstehung habe bezeugen wollen, gilt, zeigt sich darin, daß Overbeck sein „Schweigen" zum Vorwurf gemacht wird: Bei „Erledigung" des „Anliegens" der Theologie wird, dies „die fast unvermeidliche Möglichkeit", „das Christentum durch unser Reden *und* durch unser Schweigen — dies wäre ‚gegen‘ Overbeck zu sagen — verraten" (R II, 433).

---

33 *Kutters* Einfluß auf Barth war sehr groß; vgl. vor allem Kutters Schriften „Sie müssen" (1903) und „Wir Pfarrer" (1907). Über Kutter siehe H. Kutter jr., Hermann Kutters Lebenswerk, 1965.

In seiner Behandlung des Problems der Diastase wird Barth weder Marcionit noch Overbeckianer. So entschieden er sich in der Neuausgabe des „Römerbriefs" von der Vorstellung einer *in* der Geschichte wahrnehmbar ablaufenden „Gottesgeschichte", die jedermann einfach einsichtig wäre, distanziert, und so wenig er gewissen „Gottesmännern" eine Ausnahmestellung gegenüber dem sonstigen Lauf der Welt, zugesteht — trotzdem kann es heißen: „Die ganze Widergöttlichkeit des Geschichtsverlaufs ändert nichts daran, daß es *in* diesem Geschichtsverlauf immer und überall jene Besonderheiten, jene Offenbarungseindrücke, jene Gelegenheiten und offenen Türen gibt, die, von Gott aus gesehen, zur Besinnung rufen, zur Erkenntnis leiten *könnten.*" (R II, 54.)

Man sieht an diesem Punkt, daß der Einfluß Overbecks auf Barth im letzten *nicht* von *entscheidender* Bedeutung war. Overbecks Ironisierung jener Theologie, die „Gott täglich im Sack zu haben" meint (TK 21, vgl. CK 267f.), trug dazu bei, daß Barth von Gott *dialektisch* zu reden begann. Diese Redeweise ergab sich aber *direkt* aus den von *Kierkegaard* [34] geltend gemachten *theologischen* Gesichtspunkten, während Barth Overbecks Antitheologie als Theologe nicht zum Opfer fiel [35]. Das Problem der Geschichte stellte sich für Barth nicht primär als Problem der menschlichen Existenz, sondern von vornherein als das Problem der Akzidentien der in ihrer Wirklichkeit aller Theologie vorgeordneten *Offenbarung* Gottes.

Einzelne Spuren des Einflusses Overbecks auf Barth sind freilich unverkennbar. In der 2. Auflage des „Römerbriefs" gibt Barth zu Kapitel 7 eine eindrucksvolle Charakteristik Overbecks. Er erläutert, wie sich im Gegensatz zu *Schleiermacher,* dem Verherrlicher der Religion, ein Mensch verhalten würde, der besser beraten wäre und verstanden hätte, welche Risiken damit verbunden sind, „Religion triumphierend in Beziehung zu setzen zu Wissenschaft, Kunst, Moral, Sozialismus, Jugend, Volkstum, Staat" (R II, 249f.). „Wem an seiner persönlichen Ruhe, am schönen Gleichgewicht der Humanität, an der Stetigkeit menschlicher Kultur (oder auch Unkultur) ehrlich gelegen ist, der wird sich mit Lessing, Lichtenberg, Kant, Goethe, solange er irgend kann, gegen das Hereinstürmen der Religion in seine Kreise zu verwahren suchen." (R II, 250.) Damit ist die Haltung Overbecks vorzüglich getroffen, und wenn schließ-

---

34 Siehe dazu E. Brinkschmidt, s. o. Anm. 1, 98ff. Zu beachten ist Barths spätere Kritik an Kierkegaard KD I, 1, 19 und dann die korrigierende Aufnahme des Kierkegaardschen Anliegens, KD IV, 1, 826ff., besonders 841ff.

35 H. Schindler, Barth und Overbeck, 1936, 109, behauptet: „Barth nimmt Overbecks Angriffe auf das Christentum ernst, deckt die in ihnen vielfach noch schlummernde radikale Konsequenz auf und sucht dann ihre Schädlichkeit unwirksam zu machen durch eine neue, nicht einheitlich geartete, aber formal an das orthodoxe Dogma angeglichene Begrifflichkeit." Auch die durch die CD und die durch KD I, 1 bestimmte Phase, ja „seine Theologie" überhaupt wäre demnach aufzufassen als „Apologie des Christentums gegen die antichristliche Polemik Overbecks". Es kann kein Zweifel sein, daß dies eine falsche Interpretation sowohl der theologischen Intentionen von Karl Barth wie seiner Äußerungen über Overbeck ist. Schindlers These versagt vor allem deshalb, weil Barths theologische Arbeit nicht in ihrem weiteren Zusammenhang (seit 1909!) ins Auge gefaßt wird, sondern einseitig als „Theologie der Krisis" erklärt werden soll. Vor dem Unternehmen, Overbeck in unkritischer Weise zum „Ahnherrn" (so Schindler passim) Barths zu machen, hätte sich Schindler z. B. schon durch CD S. VI warnen lassen können.

lich die „Einsicht und Sachlichkeit" solcher Haltung gerühmt wird, so könnte damit eine Würdigung Overbecks angedeutet sein, die ihn mit eben jenen Seiten gelten ließe, die in dem Overbeck-Essay von 1920 gegenüber dem Versuch, ihn zu den „Gottesmännern" zu zählen, zu kurz gekommen waren.

Freilich ist klar: Wenn Barth eine solche Haltung zu würdigen vermag, dann bedeutet dies von seiner dialektischen Position aus gerade *nicht*, daß er sich mit ihr identifiziert. Gottes Gericht ergeht auch gegen eine „Humanität", die sich vom religiösen Treiben fernhält.

Die Krise, in die eine allenfalls bei Overbeck sich doch noch einstellende Frömmigkeit tritt, wird in dem Satz ausgesprochen: „Mag er, der Wächter an der Pforte der Humanität, sich nur hüten, daß er nicht etwa in elfter Stunde noch einen kleinen Frieden mit dem mit Recht gefürchteten Gegner schließen muß", und zwar infolge der Tatsache, daß „die religiöse Möglichkeit" „tiefer im Menschen" „sitzt", „als daß er davon lassen könnte" (R II, 250).

Diese Überlegung Barths trifft, eben in der Verhaltenheit und Nüchternheit, mit der hier geredet wird, tatsächlich Overbecks Situation. Nicht daß Overbeck etwa nun doch im Sinne *Bernoullis* religiös gewesen wäre oder im Sinne von Barths Overbeck-Aufsatz von dem Gott jenseits der Religion etwas geahnt hätte, aber die Religion war als Umgebung Overbecks in der Tat für ihn so bestimmend, daß es ohne Konzessionen nicht abging.

Auch das Verhältnis Overbecks zu *Schleiermacher* hat Barth in fast divinatorisch zu nennender Weise richtig gesehen, wenn einerseits die Religion als „ausbrechender Dualismus" erkannt und der als „ihr ausgezeichneter Verräter"[36] denunziert wird, der „diesen Tatbestand durch monistisch klingende Floskeln verhüllt" (R II, 251), aber andererseits „die menschliche Möglichkeit, zu gedenken, daß wir sterben müssen, die Möglichkeit, Gottes zu gedenken" (R II, 250), *objektiv* in das Einzugsgebiet der Religion gestellt wird, auch wenn vom nichtreligiösen, „humanen" Standpunkt her den „angeblichen Virtuosen der Frömmigkeit" durchaus kein Zugeständnis gemacht wird.

Auch die Art ist vollkommen richtig erfaßt, wie Overbeck die Gefahren religiösen Wesens sah. Solche Gefahren drohen den „Hütten und Palästen" der Menschen, wenn „die allzu Unumsichtigen" „aus ästhetischen, historischen, sentimentalen oder politischen Gründen die Deiche durchstechen". Indem Overbeck so als „Wächter der Pforte der Humanität" verstanden wird und nicht als Verwahrer etwelcher religiöser Schätze, vielmehr als einer, der sich selber vor der Religion zu hüten hat, kommt die Deutung in erstaunlicher Weise der Wirklichkeit Overbecks nahe.

Von Overbeck scheint auch die Rede zu sein, wenn (R II, 163) von der „raffiniertesten Skepsis des außerordentlichsten religiös-unreligiösen Außenseiters" gesprochen wird, ohne daß es an dieser Stelle zur Entfaltung der diesbezüglichen Dialektik käme. Barth handelt in diesem Zusammenhang vielmehr von der Dialektik *der Religion* als „des höchst problematischen Versuchs, den Vogel im Fluge abzubilden".

---

36 An dieser Stelle bezieht sich Barth ausdrücklich auf Overbeck, vgl. CK 71 und TK 16.

Aufgenommen wird jedoch das Problem, wenn es an anderer Stelle, offensichtlich wieder im Blick auf Overbeck, aber ohne ausdrückliche Namensnennung, heißt (es handelt sich um die Auslegung von Röm 2,14—16): „Es gibt in den ‚Heiden‘‘ (den nichtreligiösen Menschen) „eine Beunruhigung, Erschütterung und Ehrfurcht, die von den Kanalanwohnern" (den Religiösen) „nur nicht gesehen und verstanden wird. Gott aber sieht und versteht sie . . . Letzter bösester Skeptizismus vielleicht, gänzliche Unzugänglichkeit für alles ‚Höhere‘, gänzliche Unfähigkeit, sich noch von irgendetwas imponieren zu lassen; aber vielleicht gerade darum und darin *wirkliche* Gebrochenheit, Sinn für Gott, für Gott selbst. Nörgelnde Unrast vielleicht, alles bemängelnder Protest und innerer Unfriede; aber gerade darum und darin der Hinweis auf den Frieden Gottes, welcher höher ist als alle Vernunft." (R II, 41f., vgl. dazu TK 14.)

Hier bekommt Barth das durch Overbeck gestellte Problem deshalb richtig in den Griff, weil nun nicht von einer Religiosität die Rede ist, die bei Overbeck vorfindlich oder nachweisbar wäre, sondern von einem Urteil *Gottes* über eine vom Menschen aus durchaus „heidnische" Haltung. Overbeck wird völlig zutreffend als Skeptiker, ja als Nörgler gesehen, und der Friede Gottes erscheint als das *Jenseits* zu menschlichem Unfrieden. Hier ist Overbeck als Wächter an der Schwelle metaphysischer *Un*möglichkeiten ernst genommen und seine „Ehrfurcht" von der Fähigkeit, sich von etwas imponieren zu lassen, so abgehoben, daß deutlich wird: „Ehrfurcht" kann bei Overbeck nicht im Sinne eines religiösen Verhaltens postuliert werden. (Inwiefern solche „Ehrfurcht" dennoch im Vorfeld von „Religion" liegen kann, darüber ließe sich weiter reflektieren.)

Trotz aller hier referierten Einsichten setzt sich Barth nicht deutlich von seiner im Anschluß an Bernoulli 1920 vorgelegten Deutung Overbecks ab. Im Vorwort zur 2. Auflage des „Römerbriefs" nennt er ihn (gegen *Eberhard Vischer*) einen „überaus merkwürdigen und selten frommen Mann" (VII). Es geht ihm um das *sachliche* Rätsel, das mit Overbeck gegeben ist. Doch gesteht er nicht zu, daß das *biographisch-psychologische* Rätsel die Behandlung, die er ihm, mit der zweifelhaften Rückendeckung von Frau Overbeck, 1920 hatte widerfahren lassen, nun eben nicht verträgt. Den *Nachweis*, „daß hier auch in biographisch-psychologischer Hinsicht *mehr* zu sehen ist, als Vischer sehen kann"[37], ist Barth jedenfalls schuldig geblieben.

Die Ansätze einer sachgemäßen Würdigung Overbecks in Barths Erklärung von Römer 7 in der 2. Auflage des „Römerbriefs" berühren sich mit einem Gedanken, den Barth *Vischer* gegenüber nur andeutet, wenn er zu der „Herausforderung" Overbecks die Frage stellt: „Wäre sie etwa weniger gewichtig, wenn Overbeck nun als vollendeter Skeptiker gestorben wäre? Wäre sie nicht gerade dann erst recht *ganz* ernst zu nehmen?"[38]

Barth, der von Overbecks Betonung der Eschatologie im Christentum zu lernen bereit war, erklärt in der 2. Auflage des „Römerbriefs": „Christentum, das nicht ganz und gar und restlos Eschatologie ist, hat mit Christus ganz und gar und rest-

---

37 ChW 36, 1922, Sp. 249.
38 Ebd.

los nichts zu tun." (298) Zur Explikation der Hoffnung legt Barth zunächst die Haltung des Beharrens aus: „Beharren, das ist doch (jeder Bauer, jedes alte Mütterchen, aber auch jeder wirklich tätige oder wirklich leidende Mensch weiß das, ganz abgesehen von seiner Stellung zum ,Christentum') der tiefste Sinn unsrer als Aufgabe erfaßten menschlichen Lebenslage: Beharren, *als ob* es ein Jenseits gäbe von Gut und Böse, Freud und Leid, Leben und Tod, beharren, *als ob* wir im Glück und Unglück, im Aufstieg und Niedergang, im Ja und Nein unseres Da-Seins und So-Seins auf etwas warteten, beharren, *als ob* ein Gott wäre, dem wir unterliegend oder siegend lebend oder sterbend in Liebe zugewandt zu dienen hätten." (R II, 298.) Könnte dieses „als ob" die Position Overbecks charakterisieren? Das berüchtigte Als-Ob am Ende der „Christlichkeit" hat man für eine entsprechende Deutung in Anspruch genommen[39]. Ist Overbeck ein Fiktionalist im Sinne *Vaihingers*? Hier wird zu erwägen sein, was mit der angestrebten „endgültigen und radikalen Befreiung von aller Deisidämonie, von aller transzendentalen Überweltlichkeit" (CK 292, siehe Barth, TK 23), gemeint sein könnte. Auch in der Form eines Als-ob kommt für Overbeck offenbar ein religiöses Apriori nicht in Frage.

Barth meint wohl mit Overbeck einig zu sein, wenn er von der Religion mit Betonung sagt, daß sie „innerhalb der Humanität" verbleibe (R II, 237). Aber Overbeck warf der Religion gerade den Versuch vor, die Grenzen der Humanität zu überschreiten. Das (von Overbeck *nicht* gesehene!) „Licht der göttlichen" „Möglichkeiten" (R II, 236) scheint nach Barth, indem die Religion „innerhalb der Humanität und außerhalb des Göttlichen auf das Außerhalb der Humanität, das das göttliche Innerhalb ist, hinweist" (R II, 237). Die „letzten Dinge", so wie sie Overbeck verstand, waren aber so beschaffen, daß das Menschliche seinen Bezug auf sich selbst und damit seine Grenze behielt. Ein Ausblick auf ein „Außerhalb" erschien unmöglich. Overbeck verteidigte die Unbedingtheit der menschlichen Bedingtheiten, aber er versuchte nicht, der Sünde als der „Möglichkeit aller menschlichen Möglichkeiten" zu entrinnen (vgl. R II, 239).

Barth versteht Overbeck in der Nomenklatur des Römerbriefes zugleich als „Juden" und als „Christen". Man könnte die Frage stellen, ob nicht ein sachgemäßeres Bild entstanden wäre, wenn Overbeck, mehr noch, als es in Barths Auslegung geschieht, zu den im Römerbrief erwähnten „*Griechen*" gerechnet worden wäre.

Overbeck soll „Christ" sein, insofern Glaube „der Respekt vor dem göttlichen Inkognito" ist, „die Liebe zu Gott im Bewußtsein des qualitativen Unterschieds von Gott und Mensch, Gott und Welt, die Bejahung der Auferstehung als Welten-*wende*, also die Bejahung des göttlichen Nein! im Christus, das erschütterte Haltmachen vor Gott" (R II, 14). Nun ließe sich Overbecks diastatisches Verständnis des Christentums immerhin in der Richtung verstehen, daß in der Tat die Unterscheidung von Gott und Mensch, Gott und Welt für Overbeck eine entscheidende Rolle spielt. Aber die *Bejahungen*, zu denen sich Barth bekennt, lagen Overbeck fern. Die Grenzen des Menschseins, von denen Overbeck wußte, waren nicht Kon-

---

39 R. Kiefer, Die beiden Formen der Religion des Als-Ob, 1932, 53ff. Siehe darüber oben Kap. I.

turen einer jenseitigen „Wahrheit". Die Behauptung einer solchen Wahrheit wäre Overbeck gerade als Frevel den genannten Grenzen gegenüber erschienen.

Für Barth gilt Overbeck als Glaubender, und folgende Sätze finden auf ihn Anwendung: „Die die Last des göttlichen Nein auf sich nehmen, werden getragen von dem größern göttlichen Ja ... Die dem Widerspruch nicht ausweichen, sind in Gott geborgen ... Die vor Gott Respekt haben und den Abstand wahren, leben mit Gott." (R II, 16f.) Es ist besonders dieser letzte Satz, in dem der eigentliche Skopus der Overbeck-Deutung Barths hervortritt[40].

Aber Overbeck glaubte nicht an einen lebendigen Gott. Er rechnete wohl mit einem Jenseits, aber diesem Jenseits sprach er alle Relevanz für das Diesseits ab. Er meinte zwar nicht ohne das Gottes*problem,* wohl aber *ohne Gott*[41] zu leben. Anders als in Barths Dialektik war für Overbeck die Grenze des Menschseins nicht ein Widerspruch zum Menschsein, sondern gerade dessen Schutz und Bestätigung.

Indem Barth von der „reinen Negativität" des Glaubens „Gott gegenüber" spricht, will er doch sein Wesen „in jener kritischen Linie" sehen, „die den Religiosus Luther von dem Religiosus Erasmus, den Antireligiosus Overbeck von dem Antireligiosus Nietzsche trennen dürfte", eine Linie, auf der die Negativität in Positivität umschlägt, weil eine „Öffnung für das Leben, das aus dem Tode kommt", da ist (R II, 113), während bei *Erasmus* und *Nietzsche* offenbar das Fehlen einer solchen Öffnung angenommen wird. Solche Unterscheidung muß freilich bedenklich stimmen angesichts dessen, daß nach Barth der Glaube „immer noch und immer wieder verborgen" ist „hinter und über allen menschlichen Bejahungen, Gesinntheiten, Errungenschaften Gott gegenüber" (R II, 72f.). Welcher menschlichen Betrachtung wäre es möglich, in diese Verborgenheit einzudringen? Ist der Glaube „allen möglich, weil er allen gleich unmöglich ist" (R II, 74), so fragt sich, ob man das in objektivierender Weise auf geschichtliche Personen so auftragen kann, daß sich die zitierte Unterscheidung ermöglicht. Ließe sich nicht ebenso gut, oder ebenso schlecht, wie man von Overbeck sagen kann, er habe die Möglichkeit des Glaubens erfaßt, weil er die Unmöglichkeit des Glaubens erfaßt hatte, von *Luther* sagen, er habe die Möglichkeit des Glaubens nicht erfaßt, weil er die Kraft des Glaubens pries?

Barth scheut sich übrigens nicht, auch *Nietzsche,* der hier auf die Seite des Unglaubens gestellt ist, als Zeugen des Glaubens aufzurufen, so, wenn er das Ende aller Dinge mit dem Nietzsche-Zitat beschreibt: „Wahrlich eine Stätte der Genesung soll noch die Erde werden und schon liegt ein neuer Geruch um sie, ein heilbringender und eine neue Hoffnung" (R II, 294 = R I, 243). Barth läßt das Zitat in der 2. Auflage des „Römerbriefs" stehen, obwohl er die Bezugnahme auf die „göttliche Urkraft" (R I, 243) streicht.

---

40 Denselben Gedanken hat *Bonhoeffer* später so formuliert: „Der Gott, der uns in der Welt leben läßt ohne die Arbeitshypothese Gott, ist der Gott, vor dem wir dauernd stehen." (Widerstand und Ergebung, 6. Aufl. 1955, 241; Neuausgabe 1970, 394.)
41 Vgl. zu dieser Unterscheidung E. Reisner, Der begegnungslose Mensch, 1964, 84f.

Overbeck, den Barth einen „Antireligiosus" nennen kann, wird andererseits gerade zur Illustration der „religiösen Möglichkeit" herangezogen (R II, 234).

Bedeutsam für die Theologie des zweiten „Römerbriefs" ist die Einführung des von Overbeck übernommenen Begriffs der *Urgeschichte*. Nach der 1. Auflage ist Jesus Christus „der Held der in den Propheten vorbereiteten und nun entfalteten göttlich-irdischen Geschichte" (R I, 3). Die Christen stehen im „Strom der neuen Zeit", „als der verheißungsvolle Anfang eines neuen Menschengeschlechts".

Nach der 2. Auflage aber bedeutet Jesus „die Bruchstelle zwischen der uns bekannten Welt und einer unbekannten" (R II, 5).

Fällt in solcher Betrachtung die Geschichte als Medium der Offenbarung nicht gänzlich aus? Bleibt für Gottes Wirken in der Geschichte nur die „Offenbarungszeit" von 1 bis 30 übrig? Insofern Barth durch Overbeck vor das Dilemma: „Wenn Christentum, dann nicht Geschichte; wenn Geschichte, dann nicht Christentum" (TK 9) sich gestellt sieht, könnte man dies erwarten.

Aber Barth nennt die „Offenbarungszeit" „die Zeit, in der ... die neue, andersartige, göttliche Bestimmung *aller* Zeit *gesehen* wird, und die ihre Besonderheit unter andern Zeiten selbst auch wieder aufhebt, indem sie die Möglichkeit eröffnet, daß jede Zeit Offenbarungszeit und Entdeckungszeit werden könnte" (R II, 5). So öffnet sich die Urgeschichte zur Geschichte hin, und das Overbecksche Dilemma ist überwunden.

Ewigkeit ist nämlich „die *ganze* Zeit, von den urältesten Tagen bis auf die fernste Zukunft" (R II, 296). Unsere Zeit ist die „Zeit des Jetzt, der Ewigkeit", „vor, hinter und über unserm Lebenstage" ist „der Tag Jesu Christi ... , der kein Tag ist, sondern der Tag aller Tage" (R II, 297).

Hier erhebt sich freilich die Frage, ob das real Ausständige der Zukunft Jesu Christi nicht ungebührlich in den Hintergrund getreten ist[42]. Jedenfalls hat die Anfechtung des Historismus Barth nicht zum Marcioniten gemacht. So sehr er Gott von der Welt unterscheidet, er hat es nie mit der Illusion eines weltlosen Gottes zu tun. Bei aller Betonung des göttlichen Nein ist das göttliche Ja das eigentlich Gemeinte.

Overbecks Kritik des geschichtlichen Christentums hat Barth dazu veranlaßt, den dialektischen Charakter der Geschichte Jesu Christi herauszustellen. Es handelt sich darum, daß „*in* der Geschichte eine Aufhebung dieser Geschichte, *im* bekannten Zusammenhang der Dinge eine Zerreißung dieses Zusammenhangs, *in* der Zeit eine Stillstellung dieser Zeit stattfindet" (R II, 78). Barth meint nicht Geschichtslosigkeit. Wenn Jesus der „Punkt der Schnittlinie" ist, der „*keine* Ausdehnung" hat, dann ist um ihn doch die „Offenbarungszeit" der Jahre 1–30 (R II, 5).

Die Idee eines Siegeszuges des Christentums durch die Welt ist eine Illusion. Umso mehr aber leuchtet die Treue Gottes, die durch menschliche Untreue nicht zu-

---

42 Dies das Anliegen bei T. Stadtland, Eschatologie und Geschichte in der Theologie des jungen Barth, 1966 und bei U. Hedinger, Hoffnung zwischen Kreuz und Reich, 1968, aber auch schon in Jürgen Moltmanns „Theologie der Hoffnung", 1964. Siehe dazu Barths Selbstkritik, KD II, 1, 711ff.

schanden wird: „Treue Gottes ist jenes göttliche Beharren, kraft welcher es an vielen zerstreuten Punkten der Geschichte immer wieder Möglichkeiten, Gelegenheiten, Zeugnisse für die Erkenntnis seiner Gerechtigkeit gibt. Jesus von Nazareth ist unter diesen vielen Punkten derjenige, an dem die übrigen in ihrer zusammenhängenden Bedeutung als Linie, als der eigentliche rote Faden der Geschichte erkannt werden." (R II, 70.)

Wohl ist die Geschichte, auch die Kirchengeschichte, „ihre eigene Anklägerin" (R II, 70), aber weil „der Tag Jesu des Christus . . . der Tag *aller* Tage" ist, weil „das offenbare und gesehene Licht dieses einen Punktes . . . das verborgene, das unsichtbare Licht aller Punkte" (R II, 71), ist, so ist der Bann der Geschichte gebrochen.

Daß auch Overbeck, und er zumal, unter einem solchen Bann gestanden hat, mag Barth erst im Lauf der Zeit deutlich geworden sein. In seinem Dogmatik-Entwurf von 1927 beginnt er von Overbeck abzurücken[43].

In der „Kirchlichen Dogmatik" kommt es später zu einer klaren Absage an Overbeck, wenn Barth mit Verwunderung „jenes seltsame . . . Bild einer einzigen, allmächtigen Weltzeit und Weltwirklichkeit, einer Weltgeschichte" betrachtet, die „ohne Christus, ohne Offenbarung ist, eine harte, spiegelglatte Fläche von Profanität, die auch die Jahre 1–30 bedeckt wie alle anderen, eine Weltgeschichte, in der es zwar neben Kulturgeschichte, Völkergeschichte, Kriegsgeschichte, Kunstgeschichte auch eine Religions- und Kirchengeschichte, aber sicher keine ernsthaft so zu nennende Geschichte der ‚großen Taten Gottes' gibt, in der die Zeit der Erscheinung Christi gerade *nicht* Epoche gemacht hat, sondern als Zeit der ‚Entstehung des Christentums' in aller ihrer Besonderheit schließlich eine Zeit wie jede andere ist."[44]

Barth hat sich in seinem akademischen Schwanengesang, der „Einführung in die evangelische Theologie" des Wintersemesters 1961/62, noch einmal über Overbeck geäußert.

Er findet jetzt nicht mehr „jeremianischen Zwang" (TK 14) bei Overbeck. Er sieht ihn als einen, der den Weg der „Gnosis historisch-kritischer Art" auf seine Weise zu Ende gegangen ist und darum nur Skeptiker sein konnte[45]. Die Theologie ist aber Dienst am Wort Gottes und insofern auch Menschendienst. Weil Overbeck zu diesem Dienst nicht bereit war, konnte er zwar Professor der Kirchengeschichte, er konnte aber nicht — Theologe sein.

Der Barth von 1961/62 bietet freilich eine *andere* Einführung in die Theologie, als es die gewesen war, die zu Beginn der 20er Jahre, dem „frühen" Barth zufolge, in „Christentum und Kultur" vorliegen sollte. Daß jedoch eine „Ausführung Unberufener", wie sie Overbeck zu leisten vermöchte, auch heute aktuell sein könnte, würde wohl auch der „späte" Barth schwerlich haben bestreiten wollen.

---

43 K. Barth, Die christliche Dogmatik im Entwurf, 1. Bd., 1927, 230ff. Vgl. aber S. VI, wo Overbeck zu den Männern gezählt wird, bei denen sich Barth „in entscheidenden Punkten theologisch zu Hause" fühlt.
44 KD I, 2 (1938), 69.
45 Einführung in die evangelische Theologie (1962), Neuausgabe 1968, 146.

IV. KAPITEL

Der junge Overbeck

1. Teil: Die Begründung und die Anfänge der theologischen Existenz Overbecks

Über die Studentenzeit Overbecks unterrichten uns die zusammenhängenden Ausführungen, die Overbeck in der Zeit seines Ruhestandes angefertigt hat. Sie wurden von Eberhard Vischer 1941 unter dem Titel „Selbstbekenntnisse" veröffentlicht [1]. Overbecks Aufzeichnungen hatten ursprünglich den Sinn, ein öffentliches „Bekenntnis" (SB 38) vorzubereiten, das in der vorbereiteten Form freilich von Overbeck nie publiziert wurde. Overbeck hatte sich in eine „Selbstbiographie" „verlaufen", wie er sie „gar nicht beabsichtigte" (SB 99) [2].

Es handelt sich für Overbeck um die Frage, wie er zu seinem Gelehrtenleben (und zwar als Professor der *Theologie*) gekommen ist, zu dem Stück seines Lebens, „das allein für die Öffentlichkeit in Betracht kommt" (SB 39). Dabei soll die Frage, ob er als Verfasser theologischer Werke „überhaupt ein Theologe gewesen ist", „aufs Reine" kommen (41). Overbeck ist der Ansicht, daß seine „individuellen Erfahrungen" „zur Zeit etwas Typisches" hätten und zur Bloßstellung der „modernen Theologie" beitragen könnten (42).

Overbeck erzählt seine Kindheit und berichtet dabei, daß sein Großvater, „mercantilen Unfällen" zufolge (45), nach England, wo ihm als „eifrigem Freimaurer" (46) vom Großmeister des Ordens die englische Staatsbürgerschaft erwirkt wurde, und dann nach Rußland auswanderte. In St. Petersburg wurde Overbeck 1837 geboren. Seine Mutter war eine katholische Französin. Auf die religiöse Erziehung der Kinder war die lutherische Großmutter, die in der Familie das deutsche Sprachelement verkörperte, von Einfluß. 1846—48 besuchte Overbeck eine Internatsschule in St. Germain bei Paris, 1850—56 die Kreuzschule in Dresden. In Dresden kam es erst zu vollständiger Erlernung der deutschen Sprache. Von Ostern 1856 bis Ostern 1857 studierte Overbeck in Leipzig Theologie, von Ostern 1857 bis Frühjahr 1859 in Göttingen.

---

1 Hier der leichten Zugänglichkeit wegen zitiert nach dem Nachdruck, den J. Taubes 1966 veranstaltet hat. Die von Vischer herausgegebenen Texte entsprechen den in Basel liegenden Originalen (ONB A 267, A 268). Die Wiedergabe ist, von minimalen Lesefehlern abgesehen, völlig korrekt. Nur an zwei Stellen (S. 120 und 123 der Ausgabe 1966) fand ich kleinere Omissionen.

2 Schon während der Abfassung hatte Overbeck, auch unter dem Einfluß seiner Frau, Bedenken gegen eine Veröffentlichung des vorliegenden Textes empfunden (siehe SB 87ff.). Schließlich hielt Overbeck „jeden Gedanken an eine Veröffentlichung des Geschriebenen, sei es nur posthumer Art, für vollkommen ausgeschlossen" (SB 99).

Was nun die Frage betrifft, wie Overbeck zur Theologie gekommen ist, so bleibt eine detaillierte Antwort aus; sie könnte, wie Overbeck sagt, nur in einer „Lebensgeschichte" erfolgen, die nur er selber schreiben könnte, diese ist aber am 12. Dezember 1900 „noch nicht geschrieben", und sie habe, meint Overbeck damals, „äußerst geringe Aussicht . . ., noch je geschrieben zu werden" (SB 35). In der Tat ist Overbeck zu einer diesem Punkt „eigens gewidmeten Ausführung", wie sie ursprünglich vorgesehen war (SB 83), nicht mehr gekommen. Wir haben nur kürzere Notizen zur Verfügung, die Vischer den „Selbstbekenntnissen" eingereiht hat.

Overbeck bekennt: „Der Gedanke . . ., Pastor zu werden ist bei mir nie etwas anderes als ein alter Knabentraum gewesen" (SB 130). Seine „Laufbahn als Professor der Theologie" ruhe „auf einem jugendlichen Mißverständniß" (139). Der „Knabentraum" habe „dem flachsten philanthropischen Pfarrerideal" entsprochen, „wie es nur aus der Denkweise des ausgehenden vorigen und des anfangenden gegenwärtigen . . . Jahrhunderts hervorgegangen ist". Es ist zu beachten, daß Overbeck, indem er seine von jeher bestehende Vorliebe für den Rationalismus erörtert, keineswegs diesen desavouieren will, er scheint ihm, von seiner theologischen Einsicht in das Christentum her, nur keine genügende Grundlage für die Ausübung des Pfarrerberufs in der christlichen Kirche zu bieten.

Für die fehlende Disposition zur konfessionellen Entschiedenheit macht Overbeck die religiösen Verhältnisse seiner Familie geltend: „Ich bin aus einem zwar durchaus nicht antireligiösen — Beweis, daß ich daran denken konnte, Pfarrer zu werden — aber gewiß irreligiösen Geschlecht hervorgegangen, schon als Kind einer gemischten Ehe, welche meiner katholischen Mutter geradezu religiösen Einfluß auf unsere Erziehung von Anfang an beschränkte — besonders unter dem Einfluß meiner von Haus aus streng lutherisch gesinnten guten väterlichen Großmutter, die übrigens in ihren letzten Tagen . . . selbst an ihrem Glauben irre wurde" (SB 140). Außerdem hebt Overbeck die „Fremdheit" seiner Familie in „der ganzen Sphäre" hervor, der sein in Aussicht genommener Beruf angehörte: Vater und Großvater waren ja im kommerziellen Bereich zu Hause. Von der theologischen und überhaupt der akademischen Sphäre aber galt: „Ich kann wohl sagen, daß ich zu dieser Sphäre von dieser Seite her nicht die geringsten natürlichen Beziehungen hatte, und als Gelehrter auch in meiner Familie einsam geblieben bin." (86)

Als existentielles Ergebnis seiner wissenschaftlichen Arbeit konstatiert Overbeck: „ . . . daß mein Wissen mich um meinen Glauben gebracht hat" (134). Dieser Glaube aber war niemals ein reifer, ein entfalteter Glaube, und Overbeck hat denn auch, so sagt er, „nichts weniger als im Sinn", sich mit dem „Zweifel gegen das Christenthum", mit dem er aus dem Leben scheide, „für einen schiffbrüchigen Glaubenshelden auszugeben". „Ich habe es nie über den Kinderglauben gebracht: Weiter standgehalten hat mein Glaube nicht." (135) Wie dieser „Kinderglaube" nun im einzelnen ausgesehen hat, erfahren wir leider nicht. Er scheint aber jedenfalls mit dem „philanthropischen Pfarrerideal" zusammengestimmt zu haben, von dem Overbeck sagt, daß es schon der Erfahrung seiner Studentenzeit nicht widerstand (139). Die sich durch das Studium verschärfenden Ansprüche des Wissens ließen dem Glauben keinen Raum mehr, und so blieb Overbeck „ungläubig lediglich mit dem Christenthum als Gegenstand wissenschaftlichen Verständnisses zurück" (140).

Als „Resultat" bereits des ersten Studienjahres in Leipzig stehen demgemäß für Overbeck nebeneinander: 1) der „Verlust des Rests meines Kinderglaubens; 2) die Durchdrungenheit davon, daß ich mit dem bisher gehegten Ideal von einer Pfarrwirksamkeit nicht auskommen werde" (95). Doch sind die Konsequenzen ad 1) und ad 2) von verschiedener Schärfe: er entfremdet sich dem kindlichen Gebet, aber das Berufsvorhaben wird nicht aufgegeben.

Dem Bruch mit der „Gewohnheit des täglichen Abendgebets vor dem Einschlafen" („das ich stets bis dahin im Bette knieend verrichtet hatte" also beinahe noch als 20jähriger) wendet Overbeck keine ausführliche Reflexion zu; er bemerkt nur, daß sich „Ekel an einem Act" eingestellt habe, „bei dem ich immer mehr selbst ‚abwesend' und nicht herzlich betheiligt zu sein empfand" und daß er nicht etwa einer Verführung von außen erlegen sei; er sei „von niemandem dazu veranlaßt" worden, „außer von mir selbst in stiller Zwiesprache mit mir selbst" (95f.).

Den Vorgang selber wird man im Leben eines Jugendlichen nicht ungewöhnlich finden, und er entbehrt bei Overbeck offenbar aller inneren und äußeren Dramatik. *Zu beachten ist, daß die Stellung zur Religion für Overbeck eindeutig eine Sache des Individuums ist, er betrachtet Religion nicht unter dem Aspekt eines Gemeinschaftsverhältnisses.* Gemeinschaft erlebt er in Göttingen in der „Progreßverbindung der Grünen Hannoveraner": Was die „Beziehungen zur Theologie" „betrifft, so hat . . . mein Verhältnis zur Hannovera nur meine Entfremdung von theologischen Interessen gefördert und fördern können. Dgl. lag der Verbindung vollkommen fern" (99f.).

Wenn Overbeck findet, daß er „für einen christlichen Geistlichen nie den geringsten Beruf gehabt" habe (131), so stellt der Geistliche für ihn den strikten Gegensatz zum „modernen Theologen" dar, zu dem Overbeck, wie er meint, „immer noch gut genug" gewesen sei.

Für Overbeck zeigt sich das Problematische einer allgemeinen Christlichkeit darin, daß wir „als Christen geboren" werden (133). Die später von *Strauß* formulierte Frage: „Sind wir noch Christen?"[3] drängt sich für Overbeck auf, nur daß sich ihm diese Frage nicht gegenüber der Mentalität des Volkes stellt, sondern als die individuelle Frage: „ob ich wirklich bin, als was ich geboren bin" (134). Der individuelle Ansatz in der Fragestellung bedeutet für Overbeck jedoch nicht, daß, um eine *Hofmann*sche Formel zu variieren, er, der Nichtchrist, ihm, dem Theologen, eigenster Stoff seiner Wissenschaft wäre in einem anderen Sinne als dem, daß er an sich selbst „das Verhältniß des Christenthums zur Wissenschaft" erfährt, das es *geschichtlich* zu untersuchen gilt. Er wäre, sagt er, „bei der Theologie kaum geblieben", hätte er „nur eine deutliche Vorstellung davon gehabt", wo er „Gelegenheit gehabt hätte, besser auch nur eben so gut Kirchengeschichte zu lernen", wie er sie „ab

---

3 D. F. Strauß, Der alte und der neue Glaube, 1872, Teil I.

ovo, d.h. von dem Ei ab, dessen Legung es bei mir bedurfte, als Professor dieser Disziplin an einer Universität gelernt" habe (135). Die Auseinandersetzung mit dem Defizit der eigenen Christlichkeit geht also in streng historischer Form vor sich. Es handelt sich von vornherein nicht um so etwas wie ein inneres Ringen.

Für irgendeinen „Drang, das Christenthum los zu werden", sagt Overbeck, sei er „nie vollkommen genug in seinen Fesseln gewesen", in keiner Periode seines Lebens habe er es „als Vergewaltigung empfunden" (134).

Overbeck war ein „kritischer Träumer" (138), aber nie ein unkritischer Phantast. Seine Träumereien und Meditationen waren nichts anderes als die Reflexionen, die sich ihm, dem „Träumer in Prosa" (81), beim Vollzug seiner wissenschaftlichen Arbeit und am historischen Objekt selbst aufdrängten. Beim Christentum konnte für Overbeck nie göttliche Offenbarung, es konnte nur das menschliche, das geschichtliche Phänomen in Frage stehen. Die Religiosität, die sich bei ihm allenfalls denken ließe[4], hätte sich nicht auf eine vertikal gedachte Offenbarung beziehen können, ihr wären, nach allem, was wir sehen können, vielmehr die Grenzen der bloßen Vernunft und die rationalistisch festgelegten Grenzen der Humanität verbindlich gewesen.

Der Pietismus, von dem der späte Overbeck sagt, daß seine Form des Christentums die einzige sei, „unter welcher" ihm „ein persönliches Verhältnis zum Christentum möglich wäre oder doch gewesen wäre" (CK 179), ist der zum Rationalismus sich komplementär verhaltende Pietismus des 18. Jahrhunderts. Gegen einen Antipietisten wie *Ritschl* ruft er einen ehemaligen Pietisten wie *Rothe* auf, dessen Kulturprotestantismus einem quietistischen und apolitischen Pietismus durchaus zuwiderläuft.

Die „Freiheit", zu der Overbeck durch seine Eltern erzogen worden war (SB 140), hatte sein Vater auch durch Zustellung des Buches „Zur Geschichte der neuesten Theologie" von *Karl Schwarz*[5] zu fördern gesucht (SB 91).

Die Frage, warum Overbecks Vater mit der von Schwarz eingeschlagenen Richtung sympathisierte, läßt sich wohl dahingehend beantworten, daß Schwarz die Ideen eines aufgeklärten liberalen Bürgertums vertrat, sich gegen theologische und politische Reaktion wandte, gleichzeitig aber sich dem Radikalismus der Linkshegelianer gegenüber abwehrend verhielt und dergestalt ein juste-milieu zu begünstigen schien. Schwarz hatte zuerst, als es sich um die Frontstellung gegen *Hengstenberg* und *Leo* handelte, an den „Hallischen Jahrbüchern"[6] mitgearbeitet, sich aber später

---

4 Dies zu den oben Kap. I, Anm. 58 genannten Autoren.

5 1856; wir zitieren nach der im selben Jahre erschienenen 2. Auflage. Über K. Schwarz siehe Gustav Rudloff, RE 3. Aufl. XVIII, 5ff. und E. Barnikol, Karl Schwarz (1812—1885) in Halle vor und nach 1848 und die Gutachten der theologischen Fakultät. Theologen und Minister in der Restaurations- und Reaktionszeit (WZ Halle/Wittenberg, Ges.-Sprachw. X, 1961, 499ff.).

6 Über die Haltung der von Arnold Ruge und Theodor Echtermeyer 1838 gegründeten „Hallischen Jahrbücher für Kunst und Wissenschaft" vgl. A. Cornu, Karl Marx und Friedrich Engels. Leben und Werk, Bd. 1, 1954, 133ff., 154ff.

wegen des von *Ruge* gesteuerten radikalen Kurses von der Mitarbeit zurückgezogen.
1842 hatte er sich in Halle habilitiert. Wegen seiner Beziehungen zu den „Licht-
freunden"[7] geriet er in Konflikt mit der Regierung und wurde 1845 suspendiert
und erst 1848 rehabilitiert. Nachdem er 1849 ein Extraordinariat erhalten hatte,
wurde er 1856 auf Grund seines Buches über die neueste Theologie als Hofprediger
nach Gotha berufen, wo er schließlich 1877 Generalsuperintendent wurde.

Für Franz Overbeck lag die Wirkung des Schwarzschen Buches nicht auf dem eigentlich politischen Gebiet, obwohl es ihn sicher in dieser Hinsicht in seiner liberalen
Haltung bekräftigte, sondern auf dem Gebiet der Theologiekritik. Overbeck hebt
die „kritische Stimmung gegen alle lebende Theologie" hervor, in die er „durch
das Buch gerieth", wobei allerdings die Voraussetzungen zu solcher Stimmung, wie
er sagt, bei ihm innerlich bereits vorlagen (SB 92).

Wie pointiert kritisch Schwarz, obgleich er Theologe bleiben will, der Theologie gegenübertreten kann, zeigt sich in seiner Erörterung der historisch-
kritischen Arbeit *Ferdinand Christian Baur*s. „Es nimmt dieser Theolog",
sagt Schwarz über Baur, „unstreitg in gegenwärtigem Augenblick durch die
Universalität der Bildung, durch die staunenswerthe Geistesarbeit, welche
er durchgemacht, durch die seltene Verbindung des speculativen Denkens mit
massenhaftem Wissen, durch divinatorischen Scharfsinn, welcher aus einzelnen,
unscheinbaren, bis dahin ganz unbeachteten Daten die entscheidendsten Resultate
gewinnt – er nimmt durch die Vereinigung so seltener und widerstrebender Geistes-
gaben, nach Schleiermacher's Hingang, die erste Stelle ein in unserer Wissenschaft"
(165). Baur ist also durchaus Theologe, ja der größte lebende Theologe, insofern
nämlich Theologie wissenschaftliche Aufgaben zu lösen hat. Wie aber steht es mit
den Gegnern Baurs? Diese Gegner sind nicht bereit, den „Übergang von der *dogmatischen* zur wahrhaft *historischen* Behandlung des Kanon" mitzumachen: „es ist
gerade in der Theologie nicht so leicht, einer solchen Behandlung die Bahn zu
brechen" (190). „Denn" – und nun geht Schwarz zu einer Kritik der Verstehens-
voraussetzungen der Theologie über – „man hat es hier nicht nur mit den auch
sonst herkömmlichen, sondern noch mit ganz specifischen Vorurtheilen zu tun.
Mit allen den Nachwirkungen einer geistlosen Inspirationslehre, mit allen confusen,
freilich durchaus unprotestantischen Vorstellungen über eine sogenannte conservative
Kritik, mit allen den durch die lange Herrschaft der Harmonistik angerichteten Zer-
störungen des geistigen Sehvermögens. Man hat es mit Einem Worte mit dem zähen
Widerstande von *Theologen* zu thun . . ." (190f.)

Was hier über die fundamentalen Schwächen der Theologie gesagt wird, wird sich
später für Overbeck zu einer eingehenden Kritik der Theologie auffächern. Für
Schwarz handelt es sich jedoch nicht um eine prinzipielle Absage an die Theologie,
wie Overbeck sie nachher vollzog, sondern um eine Bekämpfung des Selbstverständnisses *jener* Theologie, die nichts als Theologie sein will und sich der Anstrengung

---

7 Über sie vgl. Carl Mirbt, RE 3. Aufl. XI, 465ff., sowie H. Schlötermann, Die protestantischen Wurzeln der Freireligiösen Bewegung (in: Die Freireligiöse Bewegung – Wesen und
  Auftrag, 1959, 49ff.).

des Begriffs meint überheben zu können. Schwarz, der direkte Schüler *Schleiermachers* und der indirekte Schüler *Hegels*, ergreift Partei gegen eine bornierte Theologie, die sich nach außen hin verschränkt. In diesem Sinne rühmt er es etwa bei *Reuß*, daß sich „dessen freisinnige und wissenschaftlich-freie Behandlung der kritischen Fragen ... weit erhebt über die gewöhnliche Theologenart" (204). Diese „Theologenart" aber weiß Schwarz nicht nur an den Extremen, *Hengstenberg* und den „Hyperlutheranern", sondern auch an den Vermittlungstheologen abschreckend darzustellen.

Schwarz läßt das, was er die neueste Theologie nennt, mit dem „Leben Jesu" von David Friedrich *Strauß* im Jahre 1835 beginnen. Doch geht er davon aus, daß die Versuche *Hegels* und *Schleiermachers*, Theologie und Philosophie in innere Verbindung zu bringen, grundlegend sind für alle darauf folgende theologische Arbeit. Hegel habe „Zucht des Denkens in einer geistig dissoluten Zeit" eingeführt (19), aber sein Bemühen, „die absolute Substanz mit dem Subject, die Spinozistische Philosophie mit der Fichte'schen" zu „versöhnen" (16), habe in der Theologie die *scholastische Verirrung* befördert (20), die Schwarz z. B. bei seinem Lehrer *Marheineke*, bei *Daub, Hinrichs* und *Göschel* findet. Zu tadeln sei an Hegels Philosophie die „übertriebene Vorliebe für das Bestehende", die „Vergötterung der Wirklichkeit", „theologisch ausgedrückt eine Hinneigung zum Dogmatismus" (24), ebenso sehr aber „Formalismus" und „abstracte Begriffsvergötterung" (24f.).

Zu *Schleiermacher* übergehend, meint Schwarz konstatieren zu können, „daß aus dem Boden, welchen Schleiermacher für die Theologie zubereitet, noch immer neue Wissenskeime treiben", „daß Schleiermacher's Einwirkungen noch immer fortgehen, während die Hegel's erschöpft und ausgelebt sind" (29). Der Einfluß dieser Betrachtungsweise auf *Overbeck* wird darin erkennbar, daß er sich anfänglich theologisch an *Schleiermacher*, aber *nicht* an *Hegel* zu orientieren sucht, obgleich er später anläßlich der Dogmatik von *Biedermann* neben den Schwächen auch Stärken an einem durch Hegel bestimmten Denken erkennt.

An Schleiermacher rühmt Schwarz die „Vereinigung ... von *Mystik* im besten Sinne des Wortes, und unendlich beweglicher *Verstandesreflexion*" (35). In den Reden über die Religion hebt Schwarz die Intention hervor, daß die *Bildung* „mit der Religion versöhnt werden soll, ebenso wie die Religion mit der Bildung", und diese „Stellung zur Bildung" sei „der Schleiermacher'schen Theologie durchweg eigen geblieben" (37). Overbecks Frage nach dem Verhältnis von Christentum und Kultur sollte sich aus der Problematisierung solcher Versöhnung herleiten. Schwarz erkennt das Verdienst Schleiermachers um die historische Kritik an und geht in diesem Zusammenhang auf die neutestamentlichen Arbeiten Schleiermachers ein (56ff.).

War der Hinweis auf Schleiermacher für Overbeck bedeutungsvoll, so bestimmte ihn ebenso die Ablehnung der *Neander*schen Theologie durch Schwarz. Schwarz wendet sich bei diesem „protestantischen Mönch oder Heiligen" (46) gegen seine „milde, aber auch abschwächende, alle scharfen Gegensätze durch praktische Beruhigungen ausgleichende Art". Auf Overbecks wissenschaftliches Feld, die Kirchengeschichte, gelangt die Betrachtung, wenn Neanders Kirchengeschichtsschreibung zwar als Fortschritt über die „äußerlich-pragmatisirende Behandlung eines Planck und Spittler" hinaus bezeichnet, ihr aber „die entgegengesetzte Einseitigkeit" zum Vorwurf gemacht wird: „nicht mit Unrecht ist Neander mit Gottfried Arnold verglichen, seine Geschichte eine *ascetische,* ein Erbauungsbuch im höhern Stil genannt worden" (49). Wenn Overbeck sich mit dem Problem der Enteschatologisierung und Verweltlichung des Christentums auseinandersetzt, hat dies, und diese Weiche wird von vornherein gestellt, in der Tendenz nichts mit einer spiritualistischen und pietistischen Verfallstheorie zu tun. Overbeck bekämpft es von vornherein unerbittlich, wenn Wissenschaft und Belletristik, Forschung und Erbauung miteinander vermengt werden. Overbeck wird schon hier bei Schwarz auf das Problem der literarischen *Form* als einem bestimmenden Merkmal der Kirchengeschichtsschreibung aufmerksam.

Die Stellung zu *Neander* ist bedeutungsvoll auch in bezug auf dessen systematischen Ansatz, den „Pectoralismus". Hier signalisiert Schwarz den Gegensatz zwischen Schleiermacher und Neander: „Richtig ist es: pectus est quod facit religiosum, aber falsch und einseitig: pectus est quod facit theologum. Denn der Theolog als solcher, in seinem Unterschiede vom frommen Laien, wird nicht durch das Gemüth gemacht, sondern durch die Wissenschaft, wenn auch die Grundlage und die nothwendige Voraussetzung der Theologie, namentlich der praktischen, das religiöse Gemüthsleben ist" (51f.). Diese Abgrenzung hat für Overbeck nicht nur die Bedeutung, daß dadurch eine Pectoraltheologie unmöglich gemacht wird, sondern auch die, daß Theologie in ihrer unauflöslichen Verbundenheit mit profanem Wissen gesehen wird. Ja, es bahnt sich bereits eine Differenzierung innerhalb der Theologie selber an, insofern die *praktische* Theologie als Reservat des Gemüts gilt, das von den Heerscharen der Kritik, die in der Wissenschaft im allgemeinen dominieren, verschont wird.

Der Widerwille gegen *Hengstenberg,* der Schwarz seit seiner Frühzeit eigen war[8] und der sich in seinem Buch niederschlägt (65ff.), hat sicherlich auch Overbeck erfaßt. Wesentlich ist aber für ihn vor allem der Vorwurf der Panscherei, den Schwarz gegen die Orthodoxie als *„moderne"* Orthodoxie erhebt: Sie ist „überall durchzogen von den Anschauungen und Gedanken der Gegenwart, sie ist angefressen von dem Gifte der Philosophie, welche sie bekämpft, und während sie sie im Innern verabscheut, schmückt sie sich mit den Formen ihrer Bildung. Und das gerade gibt ihr den pikanten Beigeschmack, darin liegt für sie die Möglichkeit, sich mitten in die neue Zeit hineinzustellen." (72) In der Aversion gegen ein solches Verfahren treffen sich, wie bei Schwarz, so auch bei Overbeck ästhetische und moralische Motive. Die protestantische Bindung der objektiven Wahrheit an subjektive Wahrhaftigkeit scheint bei den attackierten Theologen aufgegeben zu sein: „Diese Erscheinung erinnert sehr bestimmt an den katholischen Jesuitismus, dessen Lebenskunst darin vorzugsweise besteht, sich in die Formen der modernen Bildung zu hüllen, um sie eben dadurch in ihrem Inhalt desto sicherer und vollkommener ver-

---

8 RE 3. Aufl. XVIII, 5.

nichten zu können." (72f.) Diese Perspektive wird sich für Overbeck später in unerhörtem Ausmaß erweitern, indem er Theologie überhaupt als Variierung des „jesuitischen" Motivs begreift.

Die Empörung über das Verfahren der Hengstenberg-Leute kann aber schon bei *Schwarz* nur deshalb eine so gründliche sein, weil *moderne Bildung* als unbezweifelbare Norm vorausgesetzt wird. Die Bewegung, die dem „Idealismus des deutschen Geistes" (64) bedrohlich wurde, wird zwar von Schwarz bereits in ihren Anfängen erkannt, aber der Weg von *Feuerbach* zu *Nietzsche* hat für die Einschätzung der Kultur insoweit erhebliche Folgen, als sich Overbeck gezwungen sehen wird, Theologiekritik in einen solchen Zusammenhang mit Kulturkritik zu stellen, daß die Schwarzsche Fortschrittsfreudigkeit nur gebrochen aufgenommen werden kann. Der „Beigeschmack des modernen Geistes" (89), der durch Göschel, Leo, Gerlach, Huber und besonders Stahl der „Evangelischen Kirchenzeitung" zuteil wurde, macht für Schwarz einen gewissen Reiz der Frühzeit dieser Zeitung aus; für Overbeck eröffnet sich dagegen später ein Stück weit die Fragwürdigkeit modernen Geistes. Doch ist zu beachten, daß er bei der ersten Lektüre des Schwarzschen Buches sicherlich die meisten Emotionen seines Verfassers teilte.

Dazu gehört im besonderen die Bejahung der historischen Kritik, die sich bei Schwarz darin bekundet, daß das *Strauß*sche „Leben Jesu" (101ff.) positiv gewürdigt wird. Gegner wie *Tholuck* und *Neander* werden abgewehrt. Bei dieser Gelegenheit kritisiert Schwarz auch *Isaak August Dorner*[9]. In der „Entwicklungsgeschichte der Lehre von der Person Christi" (1839) hatte Dorner eine Christologie entwickelt, in der Christus als Allpersönlichkeit erschien. Dazu bemerkt Schwarz: „Zu einer widerwärtigern Unnatur kann die Person Christi schwerlich verunstaltet werden! Denn mit dieser Allpersönlichkeit wird der Kern der menschlichen Persönlichkeit, die in der Einzelheit besteht, zerstört, ohne daß dafür die göttliche Persönlichkeit gewonnen wäre" (146). Overbeck, der in Göttingen, wohin Dorner 1853 gegangen war, Dorners Hörer war, verzeichnet als Wirkung der gehörten dogmatischen und exegetischen Vorlesungen Dorners die „Kräftigung" seiner „Abneigung gegen alle dogmatische Theologie", da die Vorlesungen „unfaßlich und unfruchtbar" geblieben seien (SB 99)[10].

Anders steht es mit dem Philosophen *Christian Hermann Weiße,* der in seinem von Schwarz (152ff.) hervorgehobenen Werk „Die evangelische Geschichte kritisch und philosophisch bearbeitet" (1838)[11] die Markushypothese in die Evangelien-

---

9 Dorner war als Württemberger seit 1834 Repetent in Tübingen. Er „durchlebte ... als Amtsgenosse von D. Fr. Strauß die Bewegung, welche dessen Leben Jesu hervorrief" (O. Kirn, RE 3. Aufl. IV, 802). 1838 habilitierte er sich in Tübingen. 1839 wurde er Ordinarius in Kiel.

10 Vgl. ONB A 219 Chiliasmus, urchristlicher (judaistischer Character), wo Overbeck mit Schwegler gegen die „ganz willkürliche Bestreitung" des judaistischen Charakters des urchristlichen Chiliasmus bei Dorner opponiert. Es ist bezeichnend, daß sich Overbecks Widerspruch gegen Dorner gerade an diesem Punkt geltend macht.

11 Overbeck nennt es „sein geistvollstes, heute" (1899) „vollends von unverdienter Vergessenheit bedrohtes theologisches Werk" (SB 93). – Vgl. auch Overbecks Notiz vom 17.6.1901 über die „Verschollenheit des Weißeschen Werks" (ONB A 241 Weiße [Christian Her-

forschung eingeführt hatte[12]. Daß Weiße als „Spätidealist" seine theologische Arbeit philosophisch begründete[13], wußte der junge Overbeck zu würdigen (SB 92f.). Overbeck stimmt damals ganz mit Weißes Satz am Ende der Vorrede seines Buches überein: „Wie ohne das Organ der Philosophie der christliche Glaube die Gestalt soll gewinnen können, in der er für unser Zeitalter wieder zur Wahrheit wird, davon gestehe ich mir keinen Begriff bilden zu können".

In Weißes „Reden über die Zukunft der evangelischen Kirche" (2. Aufl. 1849) fand Schwarz „das religiöse Bewußtsein der Gegenwart" ausgesprochen, „wie es in den wahrhaft Gebildeten lebt, Manchen vielleicht selbst verborgen und in den Tiefen des Gemüths schlummernd" (321). Weiße geht es um den verlorenen Faden zwischen Zeitgeist und christlichem „Heilsbewußtsein". Er sieht das Wesen, den Kern des Christentums, in der (historisch ermittelten) „Lehre Jesu", die sich in den drei Begriffen „himmlischer Vater", „Sohn des Menschen" und „Himmelreich" zusammenfassen lasse. Weiße schlägt auch ein modernisiertes Glaubensbekenntnis vor, nach dem die Christen „durch das Leiden des Menschen Sohnes und gegenseitige, vergebende Liebe von dem Verderben der Sünde erlöst und mit des Menschen Sohn auferstanden sind" (Schwarz 323). Für Overbeck vorbildlich ist der von Schwarz apostrophierte „Kampf" Weißes „gegen das beengende, unserer ganzen Weltanschauung widerstrebende supranaturalistische Schema, gegen alles äußerlich Wunderhafte und Magische in unserer Glaubenslehre, gegen die Misachtung und Erniedrigung der freien, nur sich selbst und ihren Vermittelungen Rechnung tragenden Wissenschaft" (324).

Zwar stand Weißes Wirkung die Schwerfälligkeit seines Vortrags entgegen, und Overbeck war, wie er selber sagt, am Anfang seines Studiums verständlicherweise auf das Inhaltliche ungenügend vorbereitet. Doch fand sich Overbeck durch Weiße ebenso wie durch Schwarzens Buch dazu angeregt, sich aneignend mit *Richard Rothe*s Theologie zu beschäftigen. Es gehört sicherlich zu den Knotenpunkten von Overbecks Leben, daß er wegen persönlicher Umstände (er hatte einen Freund, der in Göttingen studierte) statt nach Heidelberg zu Rothe vielmehr Ostern 1857 nach Göttingen ging und so den direkten Einfluß Rothes nicht erfuhr.

---

mann] Evangelische Geschichte, Kritik des Werks; vgl. CK 182). Zu dem Satz: „In meinem Kämmerlein bin ich ganz für Weiße" unterschlägt Bernoulli die Fortsetzung: „im Übrigen interessirt mich an allen jenen Urtheilen über ihn vornehmlich die Bestätigung, die ich daraus für meine Geringschätzung der augenblicklich unter Theologen in so hohem Ansehen stehenden sogenannten ‚Werturtheile' schöpfe". – Der von Bernoulli mißbrauchte Satz über Overbecks „Sympathie für das Tröpfchen Schwärmerei, das bei Weiße sein Wesen treibt", zeigt durch die Parteinahme *für* Bruno Bauer und *gegen* „Gfrörer und Consorten", daß Overbeck keineswegs mit Intellektfeindschaft im Sinne Bernoullis sympathisiert.

12 Siehe dazu Alb. Schweitzer, Geschichte der Leben-Jesu-Forschung, 6. Aufl. 1951, 124ff.; W. G. Kümmel, Das Neue Testament. Geschichte der Erforschung seiner Probleme, 1958 (2. Aufl. 1970), 182ff.

13 Siehe dazu K. Leese, Philosophie und Theologie im Spätidealismus, 1929; A. Hartmann, Der Spätidealismus und die Hegelsche Dialektik, 1937 (Nachdruck 1968). – „Es ist beachtenswert, daß Weiße die Vernunft als solche zu den Elementen göttlicher Offenbarung rechnet, daß sie neben dem Offenbarungswort der heiligen Schrift nicht als profan erscheint" (Leese a.a.O. 57).

Schwarz rühmt an Rothe „Kraft und Selbständigkeit des Denkens" (279). Im „Geist einheitlicher, systematischer Erkenntniß" sei Rothe „seinem großen Meister Schleiermacher vollkommen ebenbürtig" (280), und seit Schleiermachers Glaubenslehre sei kein Werk erschienen, „das der ‚Ethik' Rothe's an Tiefe, Ursprünglichkeit und Geschlossenheit des Denkens vergleichbar wäre" (281). Schwarz kennzeichnet Rothes Theologie als Theosophie und weist auf Zusammenhänge mit *Oetinger* hin, mit dem Rothe den „christlichen Realismus" im Sinne des Wortes „Leiblichkeit ist das Ende der Wege Gottes" gemeinsam habe (283).

Die Gedanken Rothes, denen *Overbeck* seine besondere kritische Aufmerksamkeit schenkt, beziehen sich auf die Entwicklungsfähigkeit des Christentums. 1864 hat Overbeck Exzerpte aus Rothes Aufsatz „Zur Debatte über den Protestantenverein" angefertigt[14]. Daß sich das Christentum entwickeln müsse, wird dort damit begründet, daß Christus fortwährend geschichtliche Wirkungen auf die Welt ausübe. Das moderne, *sittliche* Christentum stehe, obwohl dies schwer zu erkennen sei, in Kontinuität zu dem alten, *kirchlichen* Christentum. — Was daran Overbecks Widerspruch hervorrief, den er trotz seiner bleibenden Sympathie für Rothe im Alter scharf formulierte, war die „Annahme . . . , daß Christenthum und Kirche in geschichtlicher Betrachtung nur ein zufälliges, nicht nothwendiges und darum auch lösliches Verhältniß zu einander" hätten, daß es „ein Christenthum auch ohne Kirche in der Welt" geben könne und geben werde[15].

Bemerkenswert ist aber, daß Overbeck gegen Rothe *nicht,* wie Paul Mezger[16], den Vorwurf erhebt, er habe den „für die Religion charakteristischen Zug der Abkehr von der Welt . . . zu wenig gewürdigt". Vielmehr meint der späte Overbeck, Rothe habe sich über seine Isoliertheit „in dieser Welt" keine Illusionen gemacht und gewußt, „bei der Auseinandersetzung seiner selbst und der Welt" besser als *Ritschl* „ ‚jedem das Seine' zu theil werden zu lassen"[17]. Wenn Overbeck gerade im Zusammenhang mit *Rothe* äußert, „die pietistische Form des Christenthums" sei „noch die einzige", zu der er sich selbst „in eine persönliche Beziehung gestellt denken könnte"[18], so wohl darum, weil in einem aufgeklärten Pietismus die Möglichkeit (freilich für Overbeck nur wie von ferne) angedeutet schien, Jenseitsglauben und Menschenliebe zusammenzunehmen. Man wird hier daran denken müssen, daß *Schopenhauer*s atheistische Lehre von der Selbsterlösung durch Verneinung des Willens, die für Overbeck so bedeutsam war, in eine Ethik des Mitleids auslief.

Zu den wesentlichen Ergebnissen der *Schwarz*-Lektüre für Overbeck gehört die Einweisung in die Arbeiten *F. C. Baurs* und der Tübinger Schule. Wie wir bereits sahen, hält Schwarz Baur für den größten Theologen seit Schleiermacher. Daß bei Baur „mit der philosophischen Behandlung der Geschichte Ernst gemacht" ist (167), hebt Schwarz durchaus lobend hervor, er tadelt aber, daß „das Allgemeine

---

14 ONB A 219 Christenthum (Entwickelung); Schenkels Allgemeine kirchliche Zeitschrift 1864, 298f.
15 ONB A 239 Theologie (moderne) Rothe, S. 1f., vgl. CK 171.
16 Richard Rothe, 1899, 57.
17 ONB A 235 Rothe und Ritschl, S. 22f.
18 ONB A 235 Rothe und Pietismus, S. 3f.

öfter wol eine von vornherein fertige logische Kategorie ist, in welche das Einzelne wie in eine Schlinge gefangen wird". Für Overbecks künftige Arbeit war es wichtig, daß Schwarz bemerkte, es fehle in Baurs „Behandlung der Dogmengeschichte gerade Das, was wir an einem andern Werke sonst verwandter Richtung, an der berühmten Literaturgeschichte von Gervinus vorzugsweise zu bewundern haben; ich meine die enge und nothwendige Beziehung zwischen der Geschichte der *Cultur* und der *Literatur*, vermöge welcher die Literatur nur als die reife Frucht von dem Baume der wirklichen Lebensverhältnisse, der sittlichen Zustände und Vorstellungen abgepflückt wird" (168). Dieser Hinweis auf den inneren Zusammenhang zwischen allgemeinem Kulturleben und literarischer Produktion wirkt sich auf Overbecks Arbeit so aus, daß er die Geschichte der christlichen Literatur als Geschichte innerhalb der Formenwelt der Kultur verstand.

Daß sich demnach das Christentum im Bereich der Kultur ausspricht, sich der Formen der Welt bedient, wird, sobald die Frage nach der christlichen Welthaltung grundsätzlich gestellt ist, für Overbeck einen Grundwiderspruch des Christentums enthüllen. Daß nämlich das Christentum „von den unmittelbaren Mächten des Lebens . . . seine Impulse empfängt", daß es aus ihnen „wie die Pflanze aus dem mütterlichen Boden der Erde hervorwächst" (Schwarz ebd.), dies wird Overbeck nicht wie Schwarz in der Antithetik von abstrakter Logik und lebendiger Wirklichkeit als Indiz geschichtlicher Lebendigkeit ansehen, er stellt es vielmehr mit unerhörter Vehemenz in den Gegensatz nicht nur zum Supranaturalismus (hier würde er sich noch mit Schwarz treffen), sondern zum Gottesglauben überhaupt. Zwischen Antaios und Christus gibt es für Overbeck später keinerlei Vermittlung, und die christlich-heidnische Symphonie der Kirchengeschichte hat für ihn einen kakophonischen Klang.

Versuchen wir hier den Gegensatz zwischen Schwarz und Overbeck, wie er sich auf Overbecks Seite mit zunehmender Deutlichkeit herausstellte, zu fixieren, so können wir sagen: Schwarz plädiert für einen spekulativen Theismus, wie er ihn bei *Weiße* und *Immanuel Hermann Fichte* ausgesprochen findet. Der junge Overbeck empfindet zunächst die Anziehungskraft des spekulativen Denkens. Doch da ein entscheidender Einfluß weder von *Weiße* noch von *Rothe* auf ihn statthat, entfernt sich Overbeck von der Spekulation, noch ehe sie bei ihm Wellen geschlagen hat, und die „Grenzen einer rein verständigen Weltbetrachtung" (SB 125) beginnen sich für ihn zu schließen. Wenn es daher bei Overbeck zu einer Theologie kommt, so dezidiertermaßen zu einer rationalistischen (CK 290). „Im praktischen Amte", sagt C. A. Bernoulli, „wäre er einfach ein Nachzügler des alten Rationalismus geworden und hätte, wie er gelegentlich versicherte, seine Bauern gelehrt, wie sie am besten ihren Kohl pflanzen und ihren Acker bauen sollten."[19]

Doch ist der spezifische Charakter der „Parteinahme für den rationalen Menschen"[20] noch zu bestimmen. „Dem Rationalismus ist es", wie Schwarz ausführt, „eigen, *nicht speculativ* zu sein, die sana ratio an die Stelle der Speculation zu setzen, den

---

19 Bernoulli I, 2; siehe auch BJB 1906, 139.
20 C. A. Bernoulli, CK XIV.

Gegensatz von Gott und Welt dualistisch zu fixiren, mit Einem Wort sich in der Sphäre der Endlichkeit zu bewegen" (434f.). Außerdem tendiert der Rationalismus zu einer Verdrängung der Religion durch die Sittlichkeit (435). In diesem Betracht ist Overbecks Weg ein rationalistischer Weg. Die Betonung der Grenze zwischen Gott und Welt wird schließlich so stark werden, daß es Overbeck nicht mit Gott, sondern lediglich mit dem Phänomen des Gottesglaubens als einem Selbstmißverständnis der Endlichkeit zu tun hat. Aber nun hat der Rationalismus noch eine andere Seite. Ihm ist es nämlich „wesentlich, sich *nicht* in die Geschichte zu vertiefen, die subjective Vernunft über die objective zu erheben, den Maßstab der Gegenwart an die Vergangenheit anzulegen, einen äußerlichen und kleinlichen Pragmatismus der innern Nothwendigkeit des Geschehens zu substituiren" (435).

An dieser Stelle türmen sich für Overbeck die Probleme auf, denn eben in der *geschichtlichen* Betrachtung des Christentums erkennt er seine Aufgabe. Aber er will den Anspruch der subjektiven Vernunft nicht aufgeben, so energisch er sich gegen die Hypothesenkritik in der Wissenschaft wehrt. Die objektive Vernunft, an die er die subjektive vermitteln will, fällt für ihn nicht mit dem Geist des Christentums zusammen, sondern mit der Summe der Weltvernunft. Auf diese hin und solchermaßen sub specie aeternitatis gesehen, ist aber für Overbeck das Christentum ein welthistorischer Zwischenfall, bei dem die Vernunft außer sich war. Sie kann nicht etwa in jenem Anderssein zu sich selbst kommen, — es ist nicht von der Notwendigkeit, sondern von der Kontingenz der christlichen Geschichte und dementsprechend von der Widervernünftigkeit ihrer Geschehnisse zu handeln. Die Unlogik der Kirchengeschichte mißt Overbeck an einem antichristlichen Logos: die ratio der Geschichte, die der christlichen Irrationalität gegenübersteht, liegt in dem Kontinuum der Welt selber, in dem die Christen als Menschen leben und weben. Wie der Mensch zurück muß zur Erde, aus der er genommen wurde, so fordert in der Selbstauflösung des christlichen Glaubens die Welt das Ihre zusehends zurück.

Wir behaupten nicht, daß dieser ganze Vorstellungskreis sich bei Overbeck bereits bei der Lektüre des Schwarzschen Buches gebildet habe, doch war in der Behandlung *Strauß*ens, *Feuerbach*s und der *Linkshegelianer* in Schwarzens Buch ein starker Hinweis auf jenseits des Christentums liegende geistige Landschaften enthalten. So wird die Aufmerksamkeit des Lesers auf *Strauß*ens „Christliche Glaubenslehre" (1840/41) gelenkt, in der Strauß bei dem Dogma „die Zeichen seines innern Verfalls, die an seinem Kerne nagenden Widersprüche zu erspähen und den Auflösungsproceß durch alle Stadien seiner abwärtseilenden Entwickelung hindurchzuführen" weiß (Schwarz 211). Wenn Schwarz an Strauß moniert, daß „seine Kritik eine nur auflösende, das Resultat ein nur negatives" sei, dann konnte das Overbecks Sympathie für Strauß sicherlich ebenso wenig aufhalten wie der zweifelhafte Hinweis auf *Lessing*, der sich im Gegensatz zu Strauß „eines unzerstörbaren, innerlichen Christenthums" erfreut habe (212). Solche Einwände konnten die Suggestion eines Straußschen Satzes wie des folgenden nicht aufheben: „Die subjective Kritik des Einzelnen ist ein Brunnenrohr, das jeder Knabe eine Weile zuhalten kann; die Kritik, wie sie im Laufe der Jahrhunderte sich objektiv vollzieht, stürzt als ein brausender Strom heran, gegen den alle Schleußen und Dämme nichts vermögen" (bei Schwarz 211). Das Pathos der Overbeckschen Kritik bestand, ganz entsprechend dem hier Gesagten, darin, daß er sie als Teil jenes mächtigen Stromes verstand, der nicht aufzuhalten ist.

Hinzu kommt, daß nach Strauß der Unterschied „von altem Dogma und moderner Weltanschauung ein unversöhnlicher ist, ja, ein solcher, der sich letztlich zuspitzt in *den* von Religion und Philosophie, von Glauben und Wissen" (212f.). Mag es auch Schwarz trostlos erscheinen, daß nach Strauß „eine Kluft befestigt sei zwischen den Glaubenden und Wissenden" (213), für den Leser Overbeck ist das Bild eindrücklich genug.

Auch die Art, wie Strauß sich mit dieser Lage abzufinden rät, wird Overbeck nicht so leicht von der Hand gewiesen haben wie Schwarz. „Es bleibt" nach Strauß „nichts übrig, als daß beide Theile sich gegenseitig tolerieren, daß die Glaubenden die Wissenden und ebenso die Wissenden die Glaubenden ruhig ihre Straße ziehen lassen" (213). Auf diesem Schiedlich-Friedlich beruht im Grunde auch der modus vivendi, den Overbeck bald für die religiösen Angelegenheiten anstreben und in der „Christlichkeit" programmatisch ausführen wird. — Anders allerdings Schwarz: „Es ist dies ein an die alte Gnosis erinnernder Dualismus, ein ebenso unausführbarer als trostloser Rath!" (ebd.) Mit dieser Ansicht nimmt Schwarz das Ergebnis vorweg, zu dem am Ende auch Overbeck kommen wird, indem er, wie Strauß nach Schwarzens Darstellung, „die Glaubenden keineswegs ruhig ihre Straße ziehen läßt, sie vielmehr angreift, wo er nur immer kann". Auch das Weitere kann von Overbeck gelten, obgleich er seine Haltung vor der Öffentlichkeit verborgen hält, daß er nämlich „nicht seine philosophische Weltanschauung ruhig und geräuschlos entwickelt, sondern gerade die Polemik gegen die Vorstellungen des Glaubens zum Hauptinhalte seines Werkes macht" — wobei allerdings in Overbecks Fall das „Werk" nie eine abgerundete, für die Öffentlichkeit bestimmte Form erhält, sondern in einer Fülle einzelner, durchweg von polemischer Intention erfüllter Notizen besteht, während in Kollegheften die exoterische Form von Overbecks akademischem Unterricht erhalten blieb. Die Trennung zwischen privater und öffentlicher Existenz hat es Overbeck ermöglicht, in seiner öffentlichen Wirksamkeit dem irenischen Programm der „Christlichkeit" nachzuleben; die Schwarzsche Denunziation Straußens trifft dennoch auch ihn, da er in dem Bereich, wo er frei sprach, genau so sprach, wie Schwarz es von Strauß sagte.

Schwarz hielt *Feuerbach* in bezug auf seine Darstellung des Christentums entgegen[21], daß er „auf ganz unhistorische und wahrhaft tumultuarische Art einen Gegenstand behandelte, der nur historisch behandelt werden kann" (229). Hier lag der Ansatzpunkt für Overbecks Arbeit, hier war über Feuerbach hinauszugehen. Zwar daß nach Schwarzens Auskunft die Geschichte den „Beweis" führe, „daß das Neue, das Eigenthümliche des Christenthums allerdings das Princip der *Immanenz* ist" (230), war für Overbeck keineswegs der hermeneutische Kanon für seine

---

21 Eine detaillierte Darstellung der Feuerbach-Kritik von K. Schwarz bietet E. Schneider, Die Theologie und Feuerbachs Religionskritik, 1972, 151ff.

geschichtliche Untersuchung. Vielmehr wurde die Schwarzsche Ansicht von ihm ungefähr auf den Kopf gestellt. Aber die Notwendigkeit *geschichtlicher* Untersuchung leuchtete Overbeck in dem Maße ein, daß er, ganz anders als scheinbar *Karl Marx*[22], nie davon ausging, daß die Arbeit der Religionskritik durch Feuerbach grundsätzlich schon besorgt sei.

Seltsam ist freilich, daß es Overbeck nicht gelungen zu sein scheint, den Gefahren wirklich auszuweichen, denen nach Schwarz Feuerbach erlegen war, nämlich das Christentum zu sehr einzuebnen, „Stufen" und „Metamorphosen" zu übersehen und insbesondere den Protestantismus nicht angemessen zu würdigen (232).

Auf klare Zustimmung von seiten Overbecks konnte die Abweisung des Neuluthertums und „Hyperluthertums" (353ff.) rechnen. Wie stand es mit dem „religiösen wie politischen Radicalismus" (233), dem Schwarz ebenfalls entgegentrat? Einen „geistlosen Materialismus, der nirgends über die Erscheinung und die einzelnen Thatsachen, wie sie sich mit dem Secirmesser, dem Mikroskop oder der Wage ergeben, hinauskommt" (242), hat Overbeck gewiß mit Schwarz abgelehnt, doch stellt Schwarz selbst fest, daß bei den Radikalen auch eine Art Idealismus zu finden sei, nur daß es sich um einen „ganz abstracten Idealismus" handle. Die Abneigung gegen wilde Bewegung hat Overbeck sicher mit Schwarz gemeinsam, und es ist anzunehmen, daß er mit Schwarz überhaupt in der Antipathie gegen die Linkshegelianer einig war, obwohl ihm der Blick für die wissenschaftliche Bedeutung *Bruno Bauer*s später aufging.

Für die konkreten Aufgaben, die in der kirchengeschichtlichen Forschung auf Overbeck warteten, war Schwarzens Darstellung der Arbeiten *Ferdinand Christian Baur*s von Bedeutung. Ein Hinweis auf die *Apostelgeschichte* war darin enthalten, daß Schwarz die „Untersuchungen über die Apostelgeschichte" als „die reifste Frucht der Baur'schen Kritik, das gediegenste Werk der ganzen Schule" bezeichnete (173). In der Apostelgeschichte liegt ja ein Schlüsselpunkt von Baurs Auffassung des apostolischen Zeitalters. Schwarz macht auch darauf aufmerksam, welche Bedeutung der Galaterbrief und besonders der Bericht vom Streit zwischen Paulus und Petrus in Kap. 2 für Baur hat (177). Wenn Schwarz von diesem letzteren Vorfall „ein helles Licht auf das ursprüngliche Verhältniß zwischen Judenchristenthum und Paulinismus" fallen sieht, so meint Overbeck von der späteren Auffassung dieses Streits her die Denkweise der Kirchenväter bloßstellen zu können.

Unter den Kritikern Baurs wird *Thiersch* zwar abgelehnt, aber doch respektvoll behandelt (196f.). Auch Overbeck hat für Thiersch, der wie er seine Laufbahn in Basel abschloß, wo er seit 1875 als „Hirte" irvingianischer Gemeinden tätig war[23], stets neben wissenschaftlicher Gegnerschaft persönliche Achtung empfunden. In sein Exemplar der Baurschen Streitschaft „Der Kritiker und der Fanatiker in der Person des Herrn Heinrich W. J. Thiersch" (1846) trug Overbeck ein,

---

22 Zur Kritik der Hegelschen Rechtsphilosophie, Einleitung, in: Karl Marx-Friedrich Engels, Werke, Bd. 1, 7. Aufl. 1970, 378. Vgl. jedoch K. Marx, Thesen über Feuerbach, ebd. Bd. 3, 4. Aufl. 1969, 5ff.

23 Siehe O. Zöckler, RE 3. Aufl. XIX, 684ff.

es sei „das *Baur* von seinem Schwager Rob. von Mohl . . . ausgestellte Zeugniß nicht zu übersehen, daß er ‚alles schwer nahm und sehr heftig werden konnte‘, und ‚Urtheilsfähigkeit‘ über Menschen und Dinge, ungeachtet aller Höhe seiner Gelehrtenbegabung, nicht seine starke Seite war“. Baurs Angriff bleibe „vielleicht das Unbilligste, was er geschrieben“. Thierschs Erwiderung „Einige Worte über die Aechtheit der neutestamentlichen Schriften und ihre Erweisbarkeit aus der ältesten Kirchengeschichte gegenüber den Hypothesen der neuesten Kritiker“ (1846), die Overbeck sich 1868 mit dem Baurschen Buch zusammenbinden ließ, bestätige „nur den von Baur aufgefaßten Gegensatz an ihrem Theile, wie viel Geist auch an ihr anzuerkennen sein mag“[24]. Overbeck anerkennt den vielseitigen Geist bei Thiersch, der in mancher Hinsicht an *Rothe* erinnert.

Hinsichtlich der entscheidenden Differenz zwischen Rothe und Thiersch in der Ekklesiologie ist es beachtlich, daß Overbeck in den Exzerpten aus der Schrift von Thiersch „Über christliches Familienleben“ (1854), die er sich in frühen Jahren anfertigt[25], die Stellen hervorhebt, in denen Thiersch die Einflußnahme des Staates auf die Erziehung der Jugend beklagt und Erziehung im Familienkreis fordert. Nicht zu wenig, zu viel Religion werde in den Schulen gelehrt, so daß alle Welt „in dem Wahne befestigt“ sei, „die Religion lasse sich lernen wie das Schreiben und Rechnen. So sehr hat man sie zum Schulgegenstand gemacht, daß der heilige Name Gottes und die Geheimnisse des christlichen Glaubens auf gleiche Stufe mit dem Einmaleins gesunken und zum kraftlosen Geplapper für Lebenszeit geworden sind.“ Die religiöse Unterweisung gehöre in die Hand der Mutter, dann des Vaters, dann des Geistlichen, so daß, wenn diese ihre Pflicht täten, für den Schullehrer kein Anteil übrig bleibe.

In dieser Wendung gegen ein Gewohnheitschristentum, das der Staat vor innerlich Unbeteiligten zelebriert, kommt eine Respektierung des Eigenlebens der Religion zum Ausdruck, die für Overbeck in der Konsequenz der Gedanken *Schleiermacher*s über die Religion liegen mochte.

Durch das Buch von *Schwarz* war Overbeck so in die Theologie eingewiesen, daß er seinen Platz in einer von dem Jahre 1835 her datierenden und durch die Leistungen der *Tübinger Schule* bestimmten Forschung hat, die sich historisch den Anfängen des Christentums zuwendet. Stellt sich die Aufgabe der Theologie somit für Overbeck primär als eine historische dar, so liegt für ihn die Beschäftigung mit der Kirchengeschichte nahe. Daneben aber strebt er damals mit Schwarz (431) noch nach der „consequenten Durchführung einer wahrhaft speculativen, einheitlichen und zusammenhängenden Weltanschauung“, wie sie nach Schwarz bei *Rothe* und *Weiße* in Ansatz genommen ist.

---

24 Universitätsbibliothek Basel, F. g. III 36. Über Thiersch vgl. Zöckler a.a.O. (s. Anm. 23); R. F. Edel, H. Thiersch als ökumenische Gestalt (Diss. Marburg), 1962. Overbeck hat auch den „Versuch zur Herstellung des historischen Standpunkts für die Kritik der neutestamentlichen Schriften“ (1845) von Thiersch etwa 1868 angeschafft (siehe den Accessions-Katalog zu Overbecks Bibliothek, ONB A 334, wo das Buch die Nr. 683 hat). – Leider ist in dem Buch von P. C. Hodgson über Baur (The Formation of Historical Theology, 1966) Thiersch nicht berücksichtigt.   25 ONB A 271.

In einem sehr wesentlichen Punkt teilt Overbeck ganz die Emotionen von Schwarz, wenn dieser nämlich gegen eine wissenschaftsferne Betriebsamkeit in der Kirche protestiert: „Alles eilet der Praxis zu ... Welch eine Verachtung der gesammten Wissenschaft ist zugleich mit dieser unruhigen Hast des praktischen Treibens bei uns eingezogen!" (425) Die Unbesonnenheit, mit der vielgeschäftige Organisatoren in der Kirche zu Werke gehen, empfindet Overbeck als unangemessen; Besonnenheit aber, so meint er mit Schwarz, ist an wissenschaftliche Vertiefung gebunden.

Daß der Ermattung der Zeit idealer Schwung, den reaktionären Mystifikationen kritische Vernunft und dem Praktizismus behutsame Reflexion entgegenzusetzen sei, darin war Overbeck bereit, Schwarz zu folgen. –

Über seine Göttinger Zeit bemerkt Overbeck: „Von Göttingen, wie es nun einmal zu meiner Zeit war" (nämlich bevor *Ritschl,* „das große Licht ..., das gegenwärtig die ‚moderne Theologie' Deutschlands erhellt", dort erschien) „bin ich als Theologe ungefähr so klug wie zuvor wieder abgezogen" (SB 96). Von *Dorner* war oben bereits die Rede. Bei *Ewald,* dessen nach dem Tübinger Exil (1838–48) wieder in Göttingen ausgeübter Meisterschaft er die „klare Art und Verständigkeit" des Leipzigers *Tuch* vorzog (SB 97), rechnete er das „Prophetenpathos" zu den „Lächerlichkeiten" (SB 98). In die Geheimnisse der „Ewaldschen Orakelhöhle" drang er nicht ein, und er fand bestätigt, was bereits bei Schwarz zu lesen war, daß Ewald „künstlich, ... verworren und verschroben" (Schwarz 199) sei. Die Betätigung des Affekts von seiten Ewalds fand Overbeck wie schon Schwarz unsympathisch (SB 98f.)[26].

Sieht man Overbecks Theologiestudium im ganzen, so stellt sich als negatives Ergebnis dies heraus, daß Overbeck keinen persönlichen Lehrer gefunden hat und einer sukzessiven „Entfremdung von theologischen Interessen" (SB 100) unterlag. Schon in Leipzig hatte er als „verlorener Sohn der Theologie" (SB 91) neben der Theologie „Philologisches und Philosophisches" gehört. Seine Erkenntnisintention war von Anfang an nicht spezifisch theologischer Art, auch wenn sich die Grenzüberschreitung zunächst von einer spekulativ ausgeweiteten Theologie her noch hätte einholen lassen.

Aus Overbecks Studienzeit sind im Nachlaß 4 Predigten erhalten, die Overbeck in den Jahren 1859 und 1860 gehalten hat. In der Göttinger Predigt über 1 Joh 2,1–5 und besonders in den Leipziger Predigten über 2 Kor 4,16–18 und Joh 2,13–17 kommt es zu bedeutsamen Aussagen über das Weltverhältnis des Christen.

„Wer ... aus Gott geboren ist", heißt es zu 1 Joh 2,1–5, „der ist der Welt gestorben, und wie er aus Gott geboren, so lebt er auch aus Gott, und im täglichen

---

26 Über Ewald vgl. E. Bertheau-C. Bertheau, RE 3. Aufl. V, 682ff.; H.-J. Kraus, Geschichte der historisch-kritischen Erforschung des Alten Testaments, 1956, 182ff. (2. Aufl. 1969, 199ff.) sowie die ausgewogene Kurzdarstellung von Alfr. Bertholet, RGG 2. Aufl. II, 453ff. Overbeck differiert mit Ewald auch scharf in der Sache, wie etwa aus Ewalds „Haßtiraden" gegen *Baur* (M. Tetz, RGG 3. Aufl. I, 938) klar wird. Doch handelt es sich für Overbeck in erster Linie um den furor theologicus, den er bei Ewald zu spüren glaubt.

Verkehr mit ihm, und nicht mehr der Welt. Wiewohl noch in ihr, ist er ihr doch schon halb entrückt, und inmitten des Kampfes mit ihr fühlt er im Innern den himmlischen Frieden."[27] „Dem schwachen Menschen, ja dem Christen" sieht Overbeck die Versuchung folgen: „nur zu oft unterliegt er ihren Reizungen". In der Schlußparänese stellt er „Weltliebe" und „Trachten nach dem Reiche Gottes" gegeneinander. Im Rahmen des weltbejahenden „Realismus", in dem sich der frühe Overbeck bewegte, klingen diese Sätze, deren Abstraktheit bemerkenswert ist, seltsam. Wirkten auf Overbeck damals schon indirekt *Schopenhauer*sche Gedanken ein?

Eine Predigt über 2 Kor 4,16–18 verfaßte Overbeck im Juni 1859 für das praktisch-theologische Seminar in Leipzig. Er wendet sich hier einer Analyse dessen zu, was „Welt" sei. Welt wird hier ausgelegt als das Sichtbare, und „das Sichtbare ist unendlich Vieles, daher vergänglich". „Das Ewige" dagegen „ist das unendlich Eine", wie Overbeck in neuplatonischer Sprache sagt. „Indem es aber das Eine ist, kann ich mich mit meinem ganzen Wesen darein versenken". Der Gang von der Welt zu Gott ist also der Gang von der Vielheit zur Einheit. Gnostischem Selbstverständnis entsprechend wird behauptet, daß „der Mensch in dieser zeitlichen Welt nur ein Fremdling ist".

Charakteristisch ist, wie Overbeck die Antaios-Sage verwendet. Er nennt sie eine „sinnvolle Sage . . . von jenem riesenhaften Sohn der Erde, der unbesiegbar ist, so lange er, die Erde berührend, von seiner Mutter Kraft empfängt". Sollte jenes „Eine" nun nicht der immanente Weltgrund sein, so daß wir, wie es später *Nietzsche* sagen wird, der Erde treu bleiben müssen, um an ihm teilzuhaben? Overbeck lenkt den Gedanken in die kirchlichen Bahnen zurück: „Nun, freilich nicht die Erde ist der Boden, aus dem wir Christen unsere Stärke schöpfen. Ihr sind wir nicht entstammt, und sie vermag uns eben nicht das zu verleihen, wessen wir bedürfen. Aber unsere wahre Heimath, das Ewige, das ist der unerschöpfliche Born, von dem wir uns nicht dürfen losreißen lassen, um unüberwindlich zu sein, gleich jenem Riesen." Das „Sinnvolle" der antiken Sage soll also festgehalten werden, nur soll ihre Logik völlig auf den Kopf gestellt werden: der Mensch erhält seine Kraft statt von der Erde vielmehr vom Himmel. Aber hier versagt das Bild, dessen Lebendigkeit daran hängt, daß eine wirkliche Berührung mit dem Kraftquell stattfindet. Das Gefühl, daß solche Berührung mit einem jenseitigen Himmel unmöglich ist, könnte sich hier leicht einstellen.

Doch dürfen wir trotz der Brüchigkeit in Overbecks Ausführungen annehmen, daß er damals noch Antaios und Christus versöhnen zu können glaubte. Christus wäre dann etwa ein idealer Repräsentant der Menschheit. Es kommt bei Overbeck nur ganz beiläufig zu einer Erwähnung Christi, und in seinen Darlegungen ist ein Mittler in der Tat entbehrlich. Das Ewige ist im Gemüt des Menschen gegenwärtig: „Mag es auf der Oberfläche des Gemüthes anscheinend brausen und gähren. Im

---

27 ONB A 13a–c. – Diese Predigten, die in der Erstfassung dieser Arbeit (1971) erstmalig
   ausgewertet wurden, dienen J. E. Wilson (s. u. S. 220) als Hauptstütze für seine These
   von einem fortwirkenden Platonismus bei Overbeck.

tiefsten Inneren des Gemüthes, da muß Stille sein. Und der Blick auf das Ewige, dieses Versenktsein in dasselbe, diese innigste Gemeinschaft mit Gott, das schafft uns eben diesen tief innerlichen Frieden …" „Hier im tiefsten Inneren haben wir dann ein Heiligthum seligen Gottesfriedens …" In der Erklärung, die Overbeck zu 2 Kor 5,1 gibt, wird der gnostische, unpaulinische Charakter dieser Gemütsreligion deutlich: „Was aber jedem gegeben ist, das ist, diesen Bau ‚von Gott gebauet, nicht mit Händen gemacht, der ewig ist, im Himmel', in seinem eigenen Herzen zu haben." Hier wird die paulinische Intention geradezu in ihr Gegenteil verkehrt. Der Idealist hat es mit dem Tode nicht zu tun. Von dem Lebenskampf, der zu bestehen ist, wissen *alle* zu sagen, dieser Kampf aber ist, wie Overbeck schließt, dem Christen „nur Mittel, sich wahrhaft sittlich zu bewähren und den Schatz, den er im Inneren birgt, selbstthätig sich zu bewahren, bis es Gott gefällt, ihn abzurufen zum ewigen Frieden!" Die jenseitseschatologische Schlußwendung kann nicht davon ablenken, daß nach Overbeck der Christ bereits jetzt Besitzer des Heils ist, das er wie einen Schatz auf dem Seelengrund verwaltet. An die Stelle der paulinischen Rechtfertigungslehre tritt ein Ethos der Selbsttätigkeit.

Solcher Art, wie es hier entwickelt wird, muß die Vorstellung gewesen sein, die Overbeck sich von einem philosophisch erneuerten Christentum machte. Es scheint sicher, daß die Spuren von spekulativem Theismus und Gefühlsreligiosität, die sich hier finden, genuine Motive Overbeckschen Denkens aus dieser Zeit ausdrücken. Doch verrät sich in der Bezugnahme auf Antaios eine viel entschiedenere Weltbejahung, als sie der christliche Kontext der Predigt verträgt. Eine „Welt" im Sinne des Vielen, der Pragmata des Tages, erscheint freilich als der zu lichtende Vordergrund. „Es fehlt aber dem zeitlich Gesinnten Wahrhaftigkeit sowohl wie Freiheit. Denn wir wissen ja alle, wie ein solcher der Knecht des Sichtbaren ist." Hier spricht durchaus der klassische deutsche Idealismus, auf dessen Höhe Overbeck die dem Praktizismus der Zeit Ergebenen heraufführen will. Von dem Gott der Offenbarung redet Overbeck nicht.

Gegenüber der Blässe der ersten Predigt hat die zweite an Farbe und Kontur erheblich zugenommen. Overbeck spricht hier offenbar seine Vorstellung darüber aus, wie die christliche Weltverneinung, zu der er sich in der ersten Predigt abstrakt bekannt hatte, in philosophischer Auslegung vom Denkenden rezipiert und in die Geisteslage der Zeit eingeführt werden könnte. Eine idealistische Grundüberzeugung hat Overbeck auch später festgehalten, als ihm dieser philosophische Glaube, insofern er sich als Sublimierung christlicher Kruditäten darstellte, unannehmbar geworden war.

Die Predigt über Joh 2,13ff. gibt Overbeck wieder Gelegenheit, sich zum Weltverhältnis des Christen zu äußern. Er faßt den Vorgang der Tempelreinigung als Gleichnis der im Christenleben zu vollziehenden „Scheidung von allem Weltlichen und Ungöttlichen" auf. Zu beginnen ist mit dieser Scheidung „in dem Mittelpunkte unseres inneren Seins, im Herzen". Overbeck artikuliert wieder die Gemütsreligion, die wir schon bei ihm fanden. „Im innersten Herzen reißen wir uns von allem Unheiligen los, auf daß es offen sei für das Heilige Gottes; denn das ist die Stätte, von der aus allein dieses Heilige auch uns heiligen kann." Das Heil erscheint auch hier als gegenwärtige Größe. Die christologische Aussage tritt charakteristischerweise da auf, wo die „Reinigung" als bereits vollendet angesprochen wird. Christus ist eine Chiffre für die friedvolle Gemütsverfassung, die dadurch zustandekommt, daß das fromme Ich sich von der Welt in die Innerlichkeit zurückzieht. Es bezeichnet den Mangel der Jetztzeit, daß man sich „dem Großen und Göttlichen" entfremdet, „das den Einzelnen über sich selbst erhebt und aus der Macht der Welt mit ihrem zersplittertem und zersplitterndem Treiben erlöst". Gegen den Materialismus der Zeit setzt Overbeck den Idealismus der klassischen Periode.

Hier freilich setzt bei Overbeck überraschend eine genuin christliche Wendung ein. Er sagt, wir dürften uns gegenüber dem offenkundigen Verfall nicht „als die allein Reinen und zum Richten Berechtigten" aufwerfen. Denn der Christ sei „mit seiner Zeit nie, immer aber mit sich selbst unzufrieden", und er könne sich kaum, wenn er es mit der Selbstprüfung ernst nehme („und ernst ist es hiermit zu nehmen"), für rein erfinden. Kommt hier die Sünde des Menschen einigermaßen in Sicht, so erscheint sie doch nicht in ihrer Tiefe, denn das „Wirken Jesu Christi", zu dem die Tempelreinigung hinzugerechnet wird, kann ungescheut in Parallele gesetzt werden zum Tun des Christen, der den Widerspruch der Zeit ebenso wenig fürchten soll, wie Christus ihn fürchtete. Die erstrebte Gemütsverfassung kann der Mensch von selbst erreichen, sie ist potentiell im Innern bereits gegenwärtig. „So strebe denn jeder ernst nach der Wahrheit und Klarheit im Innern; und reinige es von aller Schlacke der Welt, die das göttliche Licht, das nichts äußerlich an uns Gebrachtes sein will, sondern, seit Christus auf Erden gewandelt, innerstes selbsterlebtes Eigenthum eines jeden Einzelnen, es reinige also, sage ich, jeder das Innere von aller Schlacke der Welt, die jenes Licht hell zu leuchten hindert". So kann im Gegensatz zu Joh 16,33 gesagt werden, daß *wir* „die Welt überwunden" haben, so daß sie unser geworden ist. Mit dem Satz, daß dann „die ganze Welt der Gottestempel" sei, „den Christus für uns gereinigt hat", schließt sich Overbeck an die kirchliche Überlieferung an, ohne zu erklären, inwiefern in dem von ihm aufgezeigten Vorstellungskreis von einer reinigenden Tätigkeit Christi die Rede sein kann.

In Wirklichkeit liefert ihm der Vorgang der Tempelreinigung nur ein Bild für das, was im Innenleben des Menschen, ohne Beteiligung eines Christus außer uns, sich zuträgt. Besitzt der Mensch in seinem Herzen die Mittel, die Welt zu überwinden, so hat er sie eben nur anzuwenden, um frei zu werden.

Wie in der oben angeführten Predigt ergibt sich auch hier ein logischer Bruch, wenn Overbeck gegen den Höhenflug des Idealismus die bleibende Unzufriedenheit des Christen mit sich selbst geltend macht, die etwas anderes ist als bloße Unzufriedenheit mit der Zeit. Gerade die Unzufriedenheit mit der Zeit, der gegenwärtigen Welt der Diversität und der Distraktion, macht aber das idealistische Pathos bei Overbeck aus. Er redet (in der ursprünglichen Fassung) von dem Weltlichen, „welches das Göttliche in uns übertäubt". Da er fühlen mag, daß der Glaube an „das Göttliche in uns" nicht der Glaube der Kirche sei, sagt er: „die heilige Stimme Gottes in uns" – und an der vorhin zitierten Stelle: „das göttliche Licht". Das Selbstgefühl, mit dem sich der Denker des Idealismus von der bewegten Zeit abkehrt, steht in Spannung zu der christlichen Sündenerkenntnis, die es dem Glaubenden verwehrt, im Bewußtsein eigener Integrität als Richter der Zeit und damit der andern aufzutreten.

In seiner Predigt sucht Overbeck diese Spannung zu verdecken; das mit ihr gegebene Problem wird für ihn aber zunehmend einer christlichen Lösung widerstreben. Daß Overbeck auf die Seite des idealistischen Selbstgefühls trat, war ein Ausdruck der Tatsache, daß die wirkliche Sündenerkenntnis, die ein Korrelat der Erfahrung von Gottes heilender Liebe ist, sich ihm nicht erschloß.

In der Art, wie er in seinen Predigten die Religion als gefühlsmäßiges Erleben begriff, stand Overbeck in der Nachfolge *Schleiermacher*s. Da aber Overbecks Reden über Religion nicht in eigener Religiosität begründet war, war die auf Gefühl bezogene Konzeption der Religion dafür offen, durch *Feuerbach* aufgeklärt und anthropologisch gedeutet zu werden. Feuerbach meinte ja, „seitdem man das Gefühl zur Hauptsache der Religion gemacht" habe, sei „der sonst so heilige Glaubensinhalt des Christentums gleichgültig geworden"[28].

Daß es bei Overbeck zu keiner oberflächlichen Feuerbach-Rezeption kam, können wir an seiner Beschäftigung mit *Rudolf Haym*s Buch „Feuerbach und die Philosophie" (1847) sehen, von dem uns Overbecks Handexemplar mit seinen Anstreichungen erhalten ist[29]. Zwischen Haym und Overbeck war Mitte der 60er Jahre eine persönliche Verbindung entstanden, als Overbeck für Haym biographisches Material über Friedrich Schlegel beschaffte, das in Hayms Buch „Die Romantische Schule" (1870) Verwendung fand[30].

Für die Kritik der Philosophie ist nach Hayms Ansicht Feuerbachs Denken grundlegend: „Daß der Weg der Geschichte der Philosophie von *Hegel* aus nirgends anders als durch die drängende und jedem Feigen unbequeme Pforte der *Feuerbach*'schen Kritik der Religion und Spekulation hindurchgeht, dies erkennen wir mit aller Klarheit, deren wir fähig sind und wissen es als ein völlig Gewisses." (101)[31] Doch ist, nach Haym, auch diese Kritik auf ihre Voraussetzungen hin kritisch zu befragen. Dabei fällt auf, daß Feuerbach zuerst das Wesen der Religion als das Wesen des Menschen identifiziert, später aber als das Wesen der Natur, wobei der Naturbegriff unklar bleibt (2ff.). Gegen Feuerbach weist Haym darauf hin, daß dem Bereich der Phantasie und überhaupt des „Herzens" die Religion unentbehrlich sei, nur der „Verstand" opponiere (50). „Aber mit der gleichen Gewalt und Gewißheit überwölbt sie" (die Religion) „dieser Himmel ihres Herzens, wie den Dichter der seinige und" (von Overbeck angestrichen:) „keine Reflexion über die subjektive Entstehung desselben vermag ihn weder zu durchlöchern, noch einzustürzen. Oder Epochen giebt es freilich, in denen der poetische Sinn bis zum Verschwinden geschwächt ist, Epochen freilich, in denen der Verstand dem Erstarken idealer Neigungen, der Geburt poetischer Schöpfungen hemmend in den Weg tritt, Epochen ebenso, in denen der Andacht jene Ruhe nicht mehr gegönnt ist, in der allein

---

28 Das Wesen des Christentums, ed. W. Schuffenhauer, 1956, I, 47.
29 ONB A 384.   30 Siehe Overbeckiana I, 90.
31 Haym spricht hier als Kritiker des Rechtshegelianismus.

sie ihre Phantasiewelt erbauen mag, oder in denen der Verstand dem Gemüthe so viel abgedungen hat, daß es nur noch bruchstückweise, nur mühsam, nur in den Stunden der Nacht und der verlöschenden Reflexion seine Träume sich zu Gewißheiten, seine Hoffnungen sich zu Wirklichkeiten zu machen vermag."

An dieser von Overbeck angestrichenen Stelle haben wir den für Overbeck charakteristischen Gegensatz von Glauben und Wissen in der Form des Gegensatzes von Gefühl und Verstand. Wird der Glaube ganz der Sphäre des Gefühls zugerechnet, so kann, – so ist die Meinung, – der Verstand ihm nichts anhaben, wenn er nur der natürlichen Beschränkung seiner Aufgabe bewußt ist. Indem Feuerbach dieses Bewußtsein fehlt, läßt er sich nach Hayms Ansicht in einen unnützen Kampf ein, statt in souveräner Überlegenheit zur Religion Abstand zu halten. „Er vergißt, daß jener Punkt, auf welchem er hoch und frei die Welt im Thale erblickt, nur seinem helleren Auge, nur seiner gewölbten Brust, nur seinem bedürfnißlosen Schauen den Genuß gewährt, den die Andern betriebsam, harmlos, lebensgeschäftig im Thale, in beschränktem Sinnen, in begränztem Gesichtskreise finden." (Von Overbeck hervorgehoben:) „Statt jene aus dem Thale zu vertreiben, sollte er sich ihres Treibens und der glücklichen Beschränktheit freuen, die dem Höherstehenden das stets neue Schauspiel und die beständige Probe seiner Einsicht gestattet." (56)

Feuerbach habe als *Einzelner* das Wesen des Christentums durchschaut, aber nicht bedacht, daß für die *Vielen* immer *Bedingtes, Vermitteltes* (scil. Religion!) nötig sei: „Aber genial ist allemal nur das Individuum, wie das Geniale stets individuell ist. Die Menschheit aber im Ganzen ist nicht genial; der Genius der Menschheit ist besonnene Vernunft und stille Nothwendigkeit." (59; von Overbeck angestrichen.)[32] Mit dieser Vorstellung vom Genie, das über die Masse gestellt ist, ist eine Verbindung zu der Denkweise hergestellt, die durch *Shaftesbury* und *Schopenhauer* und später durch *Nietzsche* für Overbeck bestimmend wird. Worauf es in unserem Zusammenhang ankommt, ist, daß der traditionellen Religion ihr Recht und ihre Dauer durchaus zugestanden wird.

Die „armen Herzen", sagt *Haym*, seien nach derjenigen Theorie begierig, die von der *Phantasie* geliefert wird, „und statt Brodes wird ihnen ein Stein geboten, wenn sie auf die theoretische Erforschung der Natur oder sonstige wissenschaftliche Thätigkeit verwiesen werden. Der Grund aber, weshalb dies übersehen wird, liegt darin, daß das Bewußtsein des Philosophen dem der Menge, der Nichtphilosophierenden, untergeschoben wird". (67) Religion ist also Angelegenheit der Masse, Wissenschaft Angelegenheit von wenigen. „Was in den Adern die unbewußte Poesie des Herzens aufbaut, das legt sich vor ihm" (dem Philosophen) „als vor dem bewußten Auge des Dichters auseinander und er genießt mit höchstem Sinn und Verständniß

---

32 Unter den Exzerpten Overbecks, ONB A 271, findet sich ein Gespräch mit Eckermann, in dem Goethe von zwei Standpunkten der Religion gegenüber spricht: Nur für „Auserwählte" gelte der Standpunkt „einer Art Ur-religion", während der „Standpunkt der Kirche" „mehr menschlicher Art" sei. „Das Licht ungetrübter göttlicher Offenbarung ist viel zu rein und glänzend, als daß es den armen, gar schwachen Menschen gemäß und erträglich wäre. Die Kirche aber tritt als wohlthätige Vermittlerin ein, um zu dämpfen und zu ermäßigen, damit Allen geholfen und damit vielen wohl werde."

was die Menge nur in dunklem Genusse ergreift" (67f.). In solchen Erwägungen
spricht sich eine prinzipielle Unterscheidung von Individuum und Menge aus, wie
sie in Overbecks späterer Kritik des massenhaften Illusionschristentums der modernen Theologie in aller Schärfe vollzogen wird.

Der Philosoph im Sinne *Hayms* ist aber nicht der wissende Religionslose, wie es
sich für Overbeck auf Grund einer Klärung dessen, was Wissenschaft heißen soll,
darstellt, sondern gerade der homo religiosus: „Jene Genialität nun", sagt Haym
an einer von Overbeck angestrichenen Stelle, „jene bewußte, schöpferische poetische Kraft, welche sich einen Himmel über dem Himmel des Volksglaubens wölbt,
sie ist das innerste, angeborenste Eigenthum des Individuum, sie läßt sich nicht
lehren, nicht unter die Menge verflößen . . . Philosophie ist ein für allemal Religion
nur einzelnen Individuen und unaufhebbar ist diese Aristokratie des Geistes." (69)

Haym steht es fern, die Religion etwa mit Offenbarung zusammenzubringen.
Religion ist ihm kein „Urphänomen". Haym weist auf die „Dunkelheit dieser
Regionen" hin: „Das Menschliche offenbar ist hier in zu mächtiger, übervoller
Kraft gegenwärtig." (74) Daß also Feuerbachs anthropologische Erklärung der
Religion einen Sachverhalt ausspricht, der in der Religion wirklich gegeben ist,
wird von Haym anerkannt.

Die Unterscheidung zwischen der unaufgeklärten Religiosität des allgemeinen Pu-
blikums und der aufgeklärten, originären Religiosität philosophisch denkender
Individuen, der Hinweis auf die Beständigkeit der Religion im Volke und schließlich die Bejahung der prinzipiellen Berechtigung der *Feuerbach* schen Religionskritik in ihrem Versuch, die Religion als Tatsache menschlichen Bewußtseins zu
begreifen, das sind für Overbeck die Hauptresultate der *Haym* schen Feuerbach-
Behandlung. Overbeck verstand mit Haym das Feuerbach-Problem als eines der
vielen Probleme, die von der neueren Philosophiegeschichte gestellt und nicht zu
umgehen waren. Feuerbach verrichtete an Overbeck aber nicht den Dienst eines
Befreiers, der ihn aus philosophischem oder gar religiösem Dunkel ins Freie geführt hätte. Der pathetische Ausruf, es gebe keinen anderen Weg „zur *Wahrheit*
und *Freiheit,* als *durch* den *Feuer-bach*", der Feuerbach sei „das *Purgatorium*
der Gegenwart"[33], lag Overbeck völlig fern, da für ihn dem kritischen Denken
generell purgatorische Kraft innewohnte. Indem er Aufklärung als zusammenhängenden geschichtlichen Prozeß auffaßte, konnte er das Werk eines einzelnen Auf-
klärers nicht so hochschätzen wie diejenigen der Zeitgenossen Feuerbachs, die
„momentan Feuerbachianer" wurden, weil sie an Feuerbach eine „befreiende Wirkung" erlebten[34]. Es trennte ihn von der Feuerbach-Rezeption des *Marxismus*[35]

---

33 In dem Marx zugeschriebenen Artikel: „Luther als Schiedsrichter zwischen Strauß und
   Feuerbach" von 1842; vgl. A. Cornu, Karl Marx und Friedrich Engels. Leben und Werk,
   Bd. I, 1954, 258ff.; W. Schuffenhauer in seiner Ausgabe von Feuerbachs „Wesen des Christentums", 1956, I, CV f., II, 703ff.; J. Wallmann, Ludwig Feuerbach und die theologische Tradition (ZThK 67, 1970), 81f., Anm. 112.
34 So Friedrich Engels, Ludwig Feuerbach und der Ausgang der klassischen deutschen Philosophie, 1886; in: Marx-Engels, Werke, Bd. 21, 2. Aufl. 1969, 272. Für Engels selbst traf
   diese Schilderung übrigens wohl nicht zu; vgl. Schuffenhauer, (s. Anm. 33), II, 704f.
35 Siehe etwa die soeben (Anm. 34) angeführte Schrift von Engels.

aber vor allem die mit Haym geteilte Einsicht, daß mit der Religion auf intellek-
tuellem Wege nicht so leicht fertigzuwerden sei; das Problem der Dauerhaftigkeit
der Religion sollte für Overbecks künftige Arbeit eine Schlüsselstellung einnehmen.

Für Overbecks Frühzeit charakteristisch ist seine Auseinandersetzung mit *Schleiermacher*. Overbeck schätzt, *Schwarz* folgend, Schleiermacher als Gegengewicht gegen
die Philosophie des Begriffs. „Die Begriffsphilosophie", notiert er früh[36], „hat eine
Seite, nach welcher sie, weit entfernt, uns durch das Begreifen die Natur der Dinge
zu erschließen, sich und uns vielmehr dagegen verschließt. Niemand war geeigneter,
gegen diese Gefahr einzuschreiten, als der so vielseitige, für so viele Dinge offene
Schleiermacher."

Hatte Overbeck hier mit Schwarz für Schleiermacher und gegen Hegel optiert, so
mußte er sich mit dem entgegengesetzten Urteil *Baurs* auseinandersetzen, der in
der „Christlichen Gnosis" (1835) seinen Übergang von der Schleiermacherschen
Subjektivität zur Hegelschen Objektivität vollzogen hatte. Baurs Ansicht über
Schleiermacher, so notiert Overbeck verwundert, kontrastiere „seltsam mit der
Baur'schen Auffassung des Philo, den er doch so objectiv würdigt und so scharf-
sinnig Dähne gegenüber vertheidigt gegen den Vorwurf der Heuchelei"[37]. Hier ist
Schleiermachersche Hermeneutik noch als geistreich empfunden, und ihre theologische Möglichkeit ist offen gelassen. Charakteristisch ist, daß sich Overbeck
nicht etwa schließlich doch, was die Hegelsche Philosophie angeht, auf Baurs Seite
schlägt. Vielmehr setzt er zu einer selbständigen Kritik sowohl an Schleiermacher
wie an Baur an.

Als *Franz Steinmeyer*[38], den Overbeck 1860/61 in Berlin zu hören Gelegenheit
hatte, 1866 seine „Apologetischen Beiträge" mit den „Wunderthaten des Herrn"
begann, zitiert Overbeck daraus beifällig die Stelle, an der Schleiermachers Art
und Weise der Bestreitung dessen, daß Wunder den Glauben wirkten, einer Kritik
unterzogen wird: „Der Hauptgrund, aus welchem Vielen die Integrität des Characters Schleiermachers als Theologen zweifelhaft erscheint, ist gewiß der, daß derselbe, obwohl Jedermann weiß, er habe ganz andere Gründe im Bewußtsein, es
nicht leicht versäumt, sich auf Scheingründe aus der Schrift zu stützen. Er beruft
sich im gegenwärtigen Falle darauf, daß der Herr wiederholt das Verbot ertheilt
habe, man solle seine Wunder nicht weiter bekannt machen. Der schriftkundige
Mann wußte es doch, daß Christus eben so oft das Verbot ausspricht, man solle
es Niemandem sagen, daß er der Christus sei. Aus dem letzteren hätte Schleiermacher schwerlich die Consequenzen ziehen mögen, zu welchen das erstere ihm
dienen mußte."[39]

Für Overbeck steht die Gestalt Schleiermachers, sittlich betrachtet, im Zwielicht.
„Wie kann man einen solchen Menschen, wie Dilthey es thut, ein sittliches Genie

---

36 ONB A 236 Schleiermacher (Allgemeines).
37 ONB A 236 Schleiermacher (Baurs Ansicht). – Baurs Rezension zu Dähne, Geschichtliche
   Darstellung der jüdisch-alexandrinischen Religionsphilosophie, 2 Teile, 1834, erschien in den
   Jahrbüchern für wissenschaftliche Kritik, 1835, 2. Hälfte, Sp. 737–792.
38 Über ihn siehe G. Kawerau, RE 3. Aufl. XVIII, 794ff.
39 ONB A 236 Schleiermacher (Characteristik).

nennen. – Soweit Genialität dazu gehört, um sich in einer schiefen Lage mit Anstand zu behaupten, hat sie Schleiermacher, das wahre Genie aber wird sich in solche Lage gar nicht begeben."[40] „Schleiermacher ist ein genialer Ethiker, aber kein sittliches Genie."[41]

Die schiefe Lage, in der Schleiermacher sich befindet, tritt für Overbeck am *Wunderproblem* deutlich zutage, so in der Christologie, wo er, wie Overbeck sagt[42], sich schwer tut, „sich zu einem Wunder zu bequemen". Overbeck nimmt bezug auf den Satz in § 93,3 der Glaubenslehre: „Da wir nun aber doch den Anfang des Lebens nie eigentlich begreifen: so geschieht auch der Forderung einer vollkommnen Geschichtlichkeit dieses vollkommen Urbildlichen vollkommen Genüge, wenn er" (der „Mensch Jesus") „nur von da ab auf dieselbe Weise wie alle anderen sich entwickelt hat". „Was ist damit anders geschehen", fragt Overbeck, „als daß das für die Person Christi schon zugegebene Wunder doch wieder zurückgenommen wird durch die Bemerkung, daß eigentlich für uns jeder (also auch gar kein) Lebensanfang ein Wunder sei?"

Overbeck ist nicht bereit, einer Anschauung, nach der, wie es in Schleiermachers 2. Rede über die Religion heißt, Wunder „nur der religiöse Name für Begebenheit" sein soll, die Christlichkeit zu vindizieren[43]. Vielmehr tritt für ihn von der Wunderfrage her die ganze Schleiermachersche Dogmatik in ein kritisches Licht, und er findet, daß Schleiermachers philosophische Theologie unhaltbar sei.

Charakteristisch für das Verhältnis der Schleiermacherschen Dogmatik zur Philosophie und für das, was darin christliches Selbstbewußtsein sei, sei der Abschnitt der Glaubenslehre über die Erbsünde (§ 72,3)[44]. Die Kritik an der kirchlichen Erbsündenlehre, deren Scharfsinn Overbeck durchaus bewundert, sei eben eine *rein philosophische* Kritik, und auf *diese* Kritik, also ganz und gar auf Philosophie stütze

---

40 ONB A 236 Schleiermacher (Allgemeines).

41 Am ersten Teil dieses Satzes hielt Overbeck später nicht fest; siehe ONB A 236 Schleiermacher (Ethiker). Er zitiert Nietzsche: „Es giebt keine Ethiker. Man denke nur an Schleiermacher." – Eine Beurteilung Schleiermachers, wie sie sich Menschliches, Allzumenschliches I, Nr. 132 (TA 3, 135f. = Schlechta I, 531f.) findet, dürfte Nietzsche gerade durch Overbeck zugekommen sein.

42 ONB A 236 Schleiermacher (Glaubenslehre) Christologie, Kritik.

43 Auf den Satz eines konservativen Theologen wie Franz Delitzsch: „Das Wesentliche des Wunders ist nicht die Naturgesetzwidrigkeit des Gewirkten, sondern die in den Naturzusammenhang eingreifende übernatürliche Verursachung" erwidert Overbeck: „Das läuft streng genommen auf den das Wunder läugnenden Satz hinaus, daß alles Wunder ist." (ONB A 241 Wunder [Neueste Apologetik] Vermischtes, S. 9.) Ähnlich scharf setzt sich Overbeck mit Otto Zöckler, dem Mitherausgeber der Zeitschrift „Beweis des Glaubens" (vgl. V. Schultze, RE 3. Aufl. XXI, 704ff.) auseinander, der das menschliche Fassungsvermögen gegenüber dem Wunder mit dem beschränkten Verständnis von Südseeinsulanern für technische Erfindungen verglichen hatte. „Sollen wir", fragt Overbeck, „Gott zumuthen, daß er durch sein Handeln für uns Menschen unverständlich, ja mißverständlich wird, uns(er) ‚Staunen erregt' durch etwas höchst Natürliches?" (ONB A 241 Wunder [Neueste Apologeten] Zöckler, S. 13f.) Auch unter Menschen werde man es doch bei dem Mißverständnis nicht belassen, sondern das „Staunen zu zerstören und in Begreifen zu verwandeln suchen" (ebd. S. 14).

44 ONB A 236 Schleiermacher (Glaubenslehre) Kritische Bemerkungen.

sich Schleiermacher, wenn er sage, „daß die Vorstellung von einer durch die erste Sünde der ersten Menschen entstandenen Veränderung der menschlichen Natur nicht in die Reihe derjenigen Sätze gehört, welche Ausdrücke unseres christlichen Selbstbewußtseins sind".

Zu dieser prinzipiellen Kritik der Schleiermacherschen Verbindung von Glauben und Wissen tritt noch die Analyse der Doppelgleisigkeit in Schleiermachers exegetischer Arbeit hinzu, für die Overbeck in dem 1864 posthum erschienenen Schleiermacherschen Leben Jesu ein Beispiel findet.

An der Frage des Wunders spitzte sich für Overbeck die Auseinandersetzung mit der Theologie zu. Er hält es für eine Unredlichkeit, nicht zuzugestehen, daß der Wunderglaube des Neuen Testaments für uns nicht mehr in Frage komme. „Die Bibel", schreibt er in den Sechzigerjahren, „hat den gesunden Glauben an das Wunderbare, d. h. den Glauben daran, der anfängt, wo unser Wissen aufhört. Die Theologen wollen aber nicht erkennen, daß, seit die Bibel geschrieben wurde, die Grenzen unseres Wissens verschoben worden sind, und vertheidigen gerade das Vergänglichste vom biblischen Wunderglauben, seinen historischen Theil."[45]

Zu *Gerhard Uhlhorn*[46], der 1869 in einem Vortrag über „Die Auferstehung Christi als heilsgeschichtliche Thatsache" die geschichtliche Betrachtung des Wunders damit rechtfertigen wollte, daß die Geschichte nicht im Stande sei, „überall ihre Objecte bis in die letzten Gründe und Anfänge zu verfolgen, überall eine geschlossene Kette von natürlichen Ursachen und Wirkungen aufzuzeigen", bemerkt Overbeck: „Als ob nicht eben darin die Ursache läge, daß die Geschichte Wunder nicht in ihren Bereich ziehen kann!"[47] Die geschichtliche Betrachtung muß streng auf den Bereich beschränkt werden, in dem sich Kausalketten aufzeigen lassen. So hat denn, wie Overbeck sagt, *Strauß* mit Recht die Voraussetzung des Wunders fallen lassen, denn die „Läugnung des Wunders" hält sich „streng innerhalb des dem Historiker eigenthümlichen Gebiets". Man kann nämlich die von den biblischen Quellen angegebene Vorstellung von Kausalitäten nicht einfach übernehmen. Vielmehr müssen die entsprechenden Aussagen kritisch geprüft werden. Dabei zeigt sich, daß es „unzweifelhafte historische Zeugnisse hier gar nicht giebt. Mithin bleibt gerade auf streng historischem Boden nichts anderes übrig, als die Wunder als *historisch* unerweislich und mithin für die Geschichte gar nicht vorhandene Thatsachen zu betrachten. Das einzige, was über sie historisch feststeht, weil es historisch überliefert ist, ist der *Glaube* gewisser Kreise vom wunderbaren Charakter gewisser Thatsachen."[48]

Hier kommt Overbeck auf die Bedingungen des geschichtlichen Verstehens zu sprechen. Es ist „nicht zu vergessen, daß wir in der Geschichte der Thatsachen

45 ONB A 241 Wunder (Vermischtes), S. 8.
46 Über Gerhard Uhlhorn vgl. Fr. Uhlhorn, RE 3. Aufl. XX, 197ff., wo darauf hingewiesen wird, daß ihm wegen seiner vermittelnden Stellung zwischen Kirche und Wissenschaft der Vorwurf der Diplomatie gemacht wurde (199).
47 ONB A 241 Wunder (Erkennbarkeit) Neue Apologetik, S. 1f.
48 ONB A 241 Wunder (Neueste Apologetik) Vermischtes, S. 11.

nie unmittelbar gewiß werden, sondern immer nur durch das Medium der Überlieferung, und von keiner historisch überlieferten Thatsache steht an sich mehr fest, als daß ihr Überlieferer des Glaubens gewesen ist, sie sei geschehen. Das Recht zu diesem Glauben zweifeln wir aber so lange nicht an, als die von ihm behauptete Thatsache sich in den Zusammenhang sonst überlieferter Dinge und innerhalb der durch die Grundlage alles historischen Geschehens gezogenen Schranken einreihen läßt. Wir können daher sonst wohl zeitweise die Unsicherheit alles historischen Wissens vergessen. Sobald uns aber ein Wunder entgegentritt, muß sie uns nothwendig wieder vor die Erinnerung treten, und das Wunder fällt vor der bloßen Thatsache seiner Unbeweisbarkeit."[49]

So ist denn *Hermann Schmidt*[50] zu widersprechen, wenn er aus 1 Kor 15 die Erscheinungen des Auferstandenen als Tatsachen erweisen will. Wäre schon die Bezeugung an sich ein Beweis, so ließe sich auch „die Thatsächlichkeit des albernsten mittelalterlichen Märchens vertheidigen"[51]. Über die bona fides des Zeugnisses und die äußere Bezeugung hinaus muß vielmehr nach der inneren Möglichkeit und Wahrscheinlichkeit der betreffenden Tatsache gefragt werden[52].

Wenn das Wunder, wie Schmidt gegen *Strauß* geltend macht, unerklärlich ist, so scheidet es aus dem Bereich der Historie aus, denn „was unerklärlich ist, kann man eben nicht wissen"[53]. Eben weil sich die Auferstehung Jesu nicht kausal erklären läßt, ist sie unhistorisch. Die „Classicität" des paulinischen Auferstehungszeugnisses hält sich in den Grenzen, „die dem vollbewußten Denken und Thun eines jeden Menschen gesetzt sind in seiner körperlichen Organisation". Nur eine „beschränkte Glaubwürdigkeit des Paulus" ist daher anzuerkennen (19), und nur die *„Meinung"* des *Paulus* kann „eruirt werden" (21). Für die Historizität der Auferstehung ist auch nicht die auf die Auferstehung gegründete Existenz der christlichen Kirche ins Feld zu führen, denn es ist der Auferstehungs*glaube,* auf den, nach Overbeck, die Kirche gegründet ist. „Warum soll also, was durch solchen *Glauben* besteht, nicht auch durch ihn entstanden sein?" (20)

Die historische Kritik wird bei Overbeck zu theologischer Sachkritik, wenn er dem Argument *Schmidts*, ohne das greifbare Faktum der Auferstehung Jesu werde die Lehre der Apostel „zum traurigsten Wahn", entgegenhält: „Dies ist der Fall, wenn Paulus und den Aposteln ihr Glaube das Ding war, das das Christenthum unsern Theologen ist, wie solche Geständnisse sehr naiv verrathen: ohne Auferstehung

---

49 Ebd., S. 12f.

50 H. Schmidt, Der paulinische Christus, 1867.

51 Ebenso bemerkt Overbeck zu Albrecht *Ritschls* Wundertheorie (Über geschichtliche Methode in der Erforschung des Urchristenthums, JDTh 6, 1861, 429–59), die Ritschl gegen Zeller (Die Kritik und das Wunder, HZ 6, 1861, 356–73) verteidigte in der Abhandlung „Einige Erläuterungen zu dem Sendschreiben: ,Die historische Kritik und das Wunder'" (HZ 8, 1862, Heft 3, 85–99, dazu Zeller ebd. 100–116), sie beweise zu viel: „Sie läßt sich unmittelbar auch auf die Wundergeschichten des Mittelalters übertragen." (ONB A 241 Wunder [Neueste Apologeten] Ritschl, S. 1–3.) Es ist bedeutsam, daß bei dieser frühen Begegnung mit der Theologie Ritschls Overbeck diese Theologie in der Frontstellung zur Tübinger Schule begriffen sieht.

52 ONB (s. Anm. 48), S. 14f.   53 Ebd., S. 16. Dort auch die folgenden Stellen.

ein ‚trauriger Wahn'. Paulus freilich neigt schon zu solcher theologischer Verkehrung des Evangeliums, doch wird den Uraposteln auch der lebende Christus noch etwas gewesen sein." (20f.) Die Art und Weise, wie Overbeck hier die Reinheit des Evangeliums und des Glaubens gegen historische Absicherungen zu Felde führt, zeigt, daß er in seiner historischen Arbeit ein theologisches Urteil nicht entbehren kann. Overbecks Hauptanliegen besteht darin, die Kompetenzüberschreitung der Theologen zu rügen und strikt die korrekte historische Methode einzuschärfen.

Overbeck sträubt sich lebhaft gegen eine Konzeption wie die von *Schmidt*, der daran festhalten will, daß die „Auferstehungsthatsache" „in den Bereich unseres Wissens" gehöre und der gegen Ansichten polemisiert, die in ihr eine Tatsache des *Glaubens* sehen[54]. Gegenüber dem Pragmatismus von Schmidt, der erst die Tatsächlichkeit der Auferstehung historisch nachweisen und sie dann als Demonstration Gottes verständlich machen will (Jesus sei durch die Auferstehung „als der Sohn Gottes erwiesen und zum Herrn über Todte und Lebende erklärt worden", denn welchem Zwecke solle sonst die Auferweckung dienen?), verteidigt Overbeck die Rechte des menschlichen Denkens: Wo sei gegenwärtig noch ein denkender Mensch, der, nach Gottes allfälligen Absichten befragt, nicht sein *Nichtwissen* bekennen müsse?

Die Zielrichtung der Overbeckschen Kritik an der Verteidigung des Wunders wird deutlich, wenn er sich gegen die Behauptung wehrt, „die Zeit des Urchristenthums sei eine zu kritische gewesen, um religiöse Mythen zu erfinden"[55]. Denn, so sagt er, wären die Wunder damals kritisch auf ihre Herkunft geprüft worden, so hätte man sie nicht ohne weiteres glauben können. „Allerdings werden sich Apologeten auf die Behauptung zurückziehen, daß der Glaube, den die göttlichen Wunder des Christenthums damals fanden, selbst ein Wunder sei. Das kann man sich gefallen lassen, nur mögen dann die Apologeten der Ansicht der Kritiker nicht Undenkbarkeit vorwerfen. Denn etwas Unbegreifliches statuiren die Apologeten zur Erklärung der Sache auch." (3) Overbeck widerspricht hier dem Versuch, vom Wunder so zu reden, als könne man das Wunderbare ausschalten. Den göttlichen Ursprung der Wunder kann man auf keinen Fall so nachweisen, daß dadurch der Glaube überflüssig würde. Wie schon zur Auferstehungsfrage scheint Overbeck auch hier, wo es allgemein um das Wunder geht, bereit zu sein, einem Ansatz beim *Glauben* zuzustimmen, wenn nur das Verbleiben eines *unbegreiflichen* Elements von den Verteidigern des Wunders anerkannt wird.

In etwas späterer Zeit sagt es Overbeck auf spöttische Art und Weise: „Das Wunder (ist) des Glaubens liebstes Kind, aber zu allen Zeiten das Stiefkind der Theologie. Und sie hat ihm noch lange nicht so empfindliche Schläge versetzt, wenn sie kritisch war, als wenn sie apologetisch sein wollte." (11) Der spöttische Ton, der hier angeschlagen wird, darf die heutige Besinnung nicht daran hindern, sich mit Overbecks Vorwürfen gegen eine bestimmte Apologetik auseinanderzusetzen, die mit ihren Argumenten *zuviel* beweist und die eigentlich allen Glauben, den das Christentum in der ältesten Zeit gefunden hat, als *Glauben* negieren müßte[56].

---

54 Ebd., S. 25f.
55 ONB A 241 Wunder (Vermischtes), S. 2. Dort auch die folgenden Stellen.
56 Ebd., S. 2.

Das Buch von *F. W. Schultz*, Die Schöpfungsgeschichte nach Naturwissenschaft und Bibel, 1865, gibt Overbeck Anlaß zu kritischen Reflexionen über die Leistungsfähigkeit moderner Apologetik. „Der große Unterschied, wenn Kirchenväter und Scholastiker mit theologischen Geheimnissen sich abgeben und unsere heutigen Theologen es thun, ist der: in der Art, wie es jene thaten, lag eine große Förderung des menschlichen Geistes; sie vertieften die Probleme, und indem sie sich in allen ihren Tiefsinn einließen, reinigten sie immer mehr die Begriffe von göttlichen Dingen. Ganz anders heute, wo wir ein Bewußtsein darüber haben, daß der menschliche Geist in diese Dinge nicht eindringen kann. Wir vertiefen nicht mehr die Begriffe, indem wir uns damit abgeben, sondern ziehen sie herab und verflachen sie. Wir gehen nicht vorwärts, sondern zurück. Wir legen nicht Tiefsinn und Geistesfreiheit, sondern Wahnwitz und Beschränktheit an den Tag."[57]

Schon in den 60er Jahren erkennt Overbeck in der Theologie den Satan der Religion. „Eben habe ich", notiert er auf einem Zettel, „die Histoire d'un Amour Chrétien gelesen, welche Montégut, Revue des deux mondes, 15 avril 1866, bespricht. Wie schön, denke ich auf dem Nachhausewege, diese tiefe, reine, feste Frömmigkeit, die keinen Anlaß hat, über den Bereich des Gefühls hinauszugehen und nie mit den Forderungen des Verstandes in Zwiespalt geräth. Und doch sind es in jeder Beziehung bedeutende Menschen, die so glauben. Wie selten solcher Glaube unter Theologen, die durch die Verhältnisse kaum jenem Zwiespalt entgehen können. Während bei jenen Menschen ihr Glaube ihren Seelenadel offenbart, beweist uns der Glaube der letzteren nur ihre Beschränktheit, und was jene hebt und adelt, drückt diese herab und verdummt sie."[58]

Die Konzession, die hier an eine gefühlsmäßig orientierte Religiosität gemacht wird, erledigt den Zwiespalt zwischen Verstand und Gefühl für Overbeck schon deswegen nicht, weil er von seinem Berufsweg her sich mit den „Verhältnissen" auseinandersetzen muß, die für den Theologen bestimmend sind.

Overbeck ist ein unbestechlicher Fürsprecher der Vernunft. Er nennt die Mystik „tiefsinnig genug, um zu erkennen, daß die tiefsten Probleme sich mit den (gewöhnlichen) Mitteln des menschlichen Denkens nicht lösen lassen, beschränkt genug, um die Lösung mit anderen Mitteln überhaupt für möglich zu halten"[59]. Dies kann Overbeck sagen, obwohl er zugibt, daß es „keinen schlechteren Boden wahrer Einigung als den reinen Rationalismus" gebe, da die Vernunftgesetze nicht von allen anerkannt und außerdem verschieden angewandt würden[60].

Overbecks Lage als Theologe ist diese: An einer apologetischen Theologie kann er sich nicht beteiligen; bei der spekulativen Theologie wird ihm die Diskrepanz ihrer Elemente unleidlich. Wie die kritische Aufgabe der Darstellung der Geschichte des Christentums, in der Art, wie Overbeck sie in der Auseinandersetzung mit *Baur* erfaßt, in die Theologie eingebracht werden könnte, ist für ihn ein Problem, dessen

---

57 ONB A 272. Es handelt sich um Einzelzettel.
58 ONB A 272.
59 Ebd.
60 Ebd.

Verwickeltheit ihm zunehmend deutlich wird. Es geht für ihn dabei keineswegs um eine abstrakte Angelegenheit: sein Berufsweg steht auf dem Spiel.

An zwei Punkten tritt dies besonders deutlich in Erscheinung. 1867 erhält er die Anfrage, ob er „einem Rufe nach Gießen als außerordentlicher Professor und Universitätsprediger folgen würde". „Ich wollte", schreibt Overbeck, der seit 1864 als Privatdozent in Jena wirkt, dazu an *Treitschke*[61], „alle Lebensfragen lösten sich mir so einfach wie diese. Ich schrieb umgehend und mit abschließender Motivierung mein Nein zurück. Das Predigen habe ich zu lange unterlassen und dazu zu gründlich aufgegeben, als daß ich an Annahme denken könnte." Overbecks Arbeit im Bereich der Theologie soll unter keinen Umständen eine solche sein, die ihn an der kirchlichen Verantwortung beteiligt. Doch redet Overbeck nicht von einem zeitlich genau bestimmbaren Bruch, den er vollzogen habe, sondern von einer bei ihm eingetretenen Entwicklung, die ihn von der Predigt entfernte.

Wie sehr er in der Theologie seine Isolierung fühlte, zeigt ein anderes Bekenntnis, das *Bernoulli* unterdrückt hat. Am 15.6.1869 schrieb Overbeck an Treitschke[62], er habe daran gedacht, die Stelle eines Bibliothekars anzunehmen. „Immerhin, bei der großen Dunkelheit der Aussichten, welche mir meine Theologie bietet, meinte ich mir die Sache überlegen zu müssen, mit so bedeutenden Opfern für mich auch diese Umsattelung – denn eine solche hätte es werden müssen – verbunden gewesen wäre." (Inzwischen war die Stelle anderweitig besetzt worden.)

Gewiß bezieht sich Overbeck, wenn er von den „Aussichten" seiner Theologie spricht, zunächst auf die Aussichten beruflichen Fortkommens – wie denn ja auch außer in Jena nur in der traditionellen Toleranz Basels sich eine Wirkungsstätte für ihn fand. Aber darüber hinaus handelte es sich für ihn darum, was er überhaupt in der Theologie verloren habe, oder anders ausgedrückt, ob seine „Theologie" überhaupt ihren Namen verdiene.

Für die Verankerung Overbecks im Denken der Aufklärung ist besonders wichtig seine Beschäftigung mit *Shaftesbury,* von dem er sich eingehende Exzerpte anfertigt[63]. In seinem Notizbuch[64] und nochmals in seinem „Kirchenlexikon"[65] hält er Shaftesburys das Vertrauen zur ratio ausdrückende Losung fest: „For my own part I thoroughly confide in the good powers of Reason, 'That Liberty and Freedom shall never, by any artifice or delusion, be made to pass with me as frightful sounds, or as reproachful or invidious, in any sense.' "[66]

---

61 Overbeck an Treitschke, 18.6.1867; Bernoulli I, 25.   62 ONB Briefe.

63 Er war wohl durch Charles de Rémusats Artikel über Shaftesbury in der Revue des deux mondes (15. Nov. 1862, T. XLII, 449–84) auf Shaftesbury aufmerksam geworden; vgl. die Auszüge aus diesem Artikel ONB A 237 Shaftesbury (Characteristik) und ebd. Shaftesbury (Leben). – Leider scheint Overbecks philosophische Dissertation (Epicuri de voluptate sententia cum Aristippea comparata, Diss. phil. Leipzig 1860) nicht erhalten zu sein. Das Thema ließe weitere Aufschlüsse über die frühe Einstellung Overbecks zu denjenigen Problemen erwarten, die ihn unter der Fragestellung der Weltverneinung des Christentums später so anhaltend beschäftigt haben.

64 ONB A 270.   65 ONB A 237 Shaftesbury (Miscellaneous Reflections), S. 7.

66 Characteristics of Men, Manners, Opinions, Times, Basel 1790, Vol. III, 258.

An zwei verschiedenen Stellen[67] notiert Overbeck den Satz Shaftesburys, mit dem dieser freidenkerische Pragmatik gegen metaphysischen Tiefsinn verteidigt: „Profound thinking is many times the cause of shallow thought."[68]

Anthony Ashley Cooper Graf von Shaftesbury (1671–1713)[69] setzt sich, besonders in „A Letter Concerning Enthusiasm" (1708) mit dem Schwärmertum (enthusiasm) auseinander, das im Wirken nach England emigrierter französischer Camisards[70] ihm anschaulich vor Augen stand.

Shaftesbury unterscheidet einen wahren Enthusiasmus, den er als Triebkraft der Kultur hochschätzt, von dem falschen Enthusiasmus der religiösen Schwärmer. Diesen letzteren Enthusiasmus findet Shaftesbury nicht nur in der Camisarden-Bewegung, sondern auch sonst öfter in der Religionsgeschichte vor. Irregeleiteter Enthusiasmus bekundet sich in den Offenbarungsansprüchen der verschiedenen Religionen, die sich übrigens gegenseitig ausschließen.

Shaftesburys von einem optimistischen Lebensgefühl geprägte Weltanschauung kehrt sich entschieden gegen das, was im Christentum als asketischer Dualismus erscheint.

Der „gesunde Theismus", den Shaftesbury einem dogmatischen Christentum gegenüberstellt, ist der Glaube an eine Weltordnung, die im letzten gerecht und gut ist[71]. Ein Glaube, der auf Wunder oder Menschenzeugnis bauen will, ist nach Shaftesbury eitel. Gott muß sich der *Vernunft* offenbaren, wenn er rechten Glauben wecken will. Die Anschauung des Universums kann einen vernünftigen Glauben befördern, wenn die Gesetze des Kosmos erkannt werden. Ein Wunder würde nur zum Rätselraten Anlaß geben: *welche* Macht steht dahinter? ist es eine Macht oder sind es mehrere Mächte, ist es eine gerechte oder eine ungerechte, eine gute oder eine böse Macht? „This would still remain a mystery; as would the true intention, the infallibility or certainty of whatever these Powers asserted"[72]. – Die Weltordnung, die von der Vernunft wahrgenommen wird, wird von Shaftesbury so auf „Gott" bezogen, daß „Gott" als *Weltseele* erscheinen kann.

Gegen den religiösen Umgang mit der Religion, der im Schwärmertum so verwirrende Folgen zeitigt, stellt Shaftesbury, darin für Overbeck vorbildlich, den *humanen*

---

67 ONB A 270 und ONB A 237 Shaftesbury (Miscellaneous Reflections), S. 8. Vgl. auch de Wette-Overbeck, Kurze Erklärung der Apostelgeschichte, 1870, IV.
68 Characteristics (s. Anm. 66), III, 187.
69 Über ihn vgl. H. Hoffmann, RGG 2. Aufl. V, 459ff.; E. Wolff, RGG 3. Aufl. VI, 1f.; Karl Wollf in der Einleitung zu seiner Übersetzung von Shaftesburys „Moralisten", Jena 1910, IIIff.; P. Hazard, Die Krise des europäischen Geistes, 1948, Teil 3, Kap. 5; Alb. Schweitzer, Kultur und Ethik, 1960, 179ff.; E. Hirsch, Geschichte der neuern evangelischen Theologie, Bd. I, 3. Aufl. 1964, 360ff. – Chr. F. Weiser, Shaftesbury und das deutsche Geistesleben, 1916, der Shaftesbury als „germanische Denkerpersönlichkeit" (208) begreifen möchte, bringt ihn mit den „Meistern der deutschen Mystik" in Verbindung (526). Bedeutsam ist der Hinweis auf Shaftesburys Kritik am Alten Testament, dessen Gott der unsere nicht sein könne, und auf seine Ablehnung des „Judaismus in der christlichen Religion" (539ff.).
70 Vgl. Th. Schott, RE 3. Aufl. III, 693ff.; R. A. Knox, Christliches Schwärmertum, 1957, 320ff.
71 ONB A 237 Shaftesbury (An Inquiry concerning Virtue), S. 4.
72 ONB A 237 Shaftesbury (The Moralists), S. 6; Characteristics (s. Anm. 66), II, 276f.

Umgang mit ihr. Die Religion darf einem nicht die gute Laune verderben, man muß ihr ausgeglichenen Sinnes gegenübertreten. Das Trachten nach dem, was droben ist, das Ideal eines auf das Jenseits gerichteten Lebens ist aufzugeben zugunsten irdischer Glückseligkeit, die durch Vernunft und Selbstbeschränkung zustandekommt. Die so gewonnene innere Gemessenheit liefert das Maß für die Religion.

„Gerade Religion", so resümiert Overbeck, „ist ein Gegenstand, der mit so guter Laune als möglich behandelt werden muß. Es gilt nicht, die Religion auf diesem Wege ganz los zu werden, aber in der richtigen Laune von ihr zu denken: dieß ist aber mehr als halb so viel wie überhaupt richtig über sie denken." [73] Nur üble Laune könne den Menschen dazu bringen, sich die Welt als vom Bösen beherrscht vorzustellen. So sei auch Atheismus nur die Folge von schlechter Laune [74]. „Nur die übellaunige Art, die Religion zu betrachten, hat sie so tragisch gemacht, hat sie so trübe Tragödien aufführen lassen, während man die Religion nie gut gelaunt genug betrachten kann." [75]

Der ausgeglichene Mensch nimmt die Harmonie der Weltordnung [76] wahr; man soll das Böse in der Welt nicht größer darstellen, als es wirklich ist.

Bei dem harmonischen Menschen, wie ihn Shaftesbury vor Augen hat, sind sowohl egoistische wie altruistische Eigenschaften vorhanden, die sich miteinander ausgleichen und sich gegenseitig ergänzen. In Aufnahme stoischer Gedanken wird das sittliche Leben als „naturgemäßes" Leben angesehen. Das moralische Gefühl (moral sense) steuert die Affekte.

Ein „good-humored man" leistet sich auch nicht die Extravaganz der Häresie oder des Schismas, er trennt sich nicht ohne guten Grund und ohne starken Anstoß von außen von der Landesreligion. Die Erregung von religiösem Fanatismus durch Verfolgungen ist zu vermeiden. In ihren Anfängen neigen alle Religionen zur Heiterkeit, auch die christliche im Munde des Heilands [77]. Shaftesbury scheint in diesem Zusammenhang mit einer ursprünglichen Vernünftigkeit der Religion zu rechnen.

Von Einfluß auf Overbeck war der aufklärerische Grundgehalt des Denkens Shaftesburys, das Vertrauen auf die in einer Weltvernunft ruhende Vernunft des einzelnen und die Vorstellung, daß man zu einem so irrlichternden Phänomen wie der Religion dann die rechte Stellung einnähme, wenn man ihrer konkreten Form gegenüber Gleichmut und philosophische Zurückhaltung bewahrt.

Dadurch, daß die Philosophie *Schopenhauers* auf Overbeck einwirkte, erfährt der radikale Optimismus Shaftesburys [78] bei Overbeck von vornherein eine Brechung.

---

73 ONB A 237 Shaftesbury (Letter concerning Enthusiasm), S. 9.
74 Ebd., S. 10; Characteristics (s. Anm. 66), I, 18f.
75 ONB ebd., S. 13.
76 Harmonie ist der „Zentralbegriff ..., der Shaftesburys ganze Weltanschauung trägt und erleuchtet" (Karl Wolff, s. Anm. 69, XXI).
77 ONB A 237 Shaftesbury (Miscellaneous Reflections), S. 3f. Über die ursprüngliche Heiterkeit der Religion vgl. Shaftesbury, Characteristics (s. Anm. 66), III, 95ff.
78 Dieser Optimismus wurde von Alexander Pope auf die Formel gebracht: „Whatever is, is right." (Siehe Karl Wolff, s. Anm. 69, XXV.)

Der humane Sinn und die Abwehr einer religiösen Überschreitung der Grenzen der Humanität bei *Shaftesbury* waren für Overbeck ein Vorbild. –

Overbecks Publikationen der 60er Jahre zeigen seine kritische Haltung. So distanziert er sich entschieden von konservativen Publikationen wie „Die Wahrheit der evangelischen Geschichte . . .“ von F. W. *Krummacher* und „Die Aechtheit der Heiligen Schriften . . .“ von L. *Gaussen*. Krummachers Werk gehöre zu den „vielen anderen Duodezbüchlein, mit welchen das Lesepublicum zu beschenken auch unter unseren Zionswächtern heute Mode zu werden scheint"[79]. Wenn den Kritikern „entgegengestellt wird, daß die ältesten nachapostolischen Zeugen, namentlich die apostolischen Väter Kunde von jener" (den evangelischen) „Geschichte und Glauben daran hatten und daraus einfach die Thatsächlichkeit der evangelischen Geschichte, wie sie die vier kanonischen Evangelien berichten, folgen soll, so möchte mancher den Beweis ungefähr ebenso stringent finden, wie wenn Jemand die Behauptung, daß die modernen Kritiker der evangelischen Geschichte Kinder des Satans wären, damit genügend zu begründen meinte, daß es etwa Herr Krummacher gesagt habe".[80]

Gaussens Werk, 1864 in deutscher Übersetzung in Basel erschienen, ist nach Overbecks Ansicht in Deutschland neben „dem weit geistvolleren, gelehrteren und so ungleich besser geschriebenen Versuch von Heinrich Thiersch" unnötig[81]. Das Bemühen des Verfassers, durch „rein geschichtliche Beweise" den Ungläubigen die Echtheit aller Schriften des Neuen Testaments darzutun, ist gescheitert. So will Gaussen z. B. die Anagnosis, die gottesdienstliche Verlesung des Neuen Testaments in der frühen christlichen Gemeinde mit 2 Petr 3,16 beweisen. „Auf diese Worte also, aus welchen sich die Anagnosis im günstigsten Falle nur herausinterpretieren läßt mit Schlüssen, die mehr auf die Gutmüthigkeit als auf die logische Schärfe des zu Überzeugenden bauen, soll ein Hauptbeweis gegründet werden? ganz besonders aus diesen Worten, die ein heutzutage nur seltener Heroismus für petrinisch zu halten sich entschließen kann, jene Anagnosis für die apostolische Zeit bewiesen werden?"[82] Der Verfasser hat „nur sehr dunkle und unheimliche Kunde . . . von kritischer Behandlung des christlichen Alterthums". Und da der Verfasser schließlich selbst den „Weg des Glaubens" als den vortrefflicheren Weg des Echtheitsbeweises bezeichnet, wäre, wie Overbeck meint, zu wünschen, „es möchte doch der weniger vortreffliche Weg der Geschichte in diesem Theile überhaupt nicht beschritten worden sein. Denn, man wird es uns wohl glauben, es ist keine geringe Langeweile mit der Lectüre von 395 Seiten verbunden, welche mit dem Bekenntniß schließen, daß sie eigentlich überflüssig sind."[83] Für Overbeck ist die kritische Erforschung des Urchristentums selbstverständlich, und er wehrt sich dagegen, daß zwischen Glauben und Geschichte auf unkontrollierbare Weise hin- und herlaviert wird.

---

79 LC 1864, Sp. 650.
80 Ebd., Sp. 650f.
81 Ebd., Sp. 721.
82 Ebd., Sp. 722.
83 Ebd., Sp. 723.

Wer einmal auf die geschichtliche Aufgabe sich einläßt, muß sich an der faktisch bisher geleisteten Arbeit orientieren. Es ist darum die entscheidende Schwäche Krummachers, daß er es unterläßt, eine „scharfe Bestimmung darüber" zu geben, „in welchem Umfange, in welcher Beziehung denn heutzutage die Kritik die That-sächlichkeit der evangelischen Geschichte bezweifelt"[84]. Ebenso versagt Gaussen, indem er nur in dunklen Andeutungen von „den verworrenen und trügerischen Klängen, welche aus den Schulen der Wissenschaft ins Volk hinabdringen"[85], redet.

Bedenklich erscheint nach Overbecks Ansicht auch die Vermittlungstheologie[86].

Vermittelnde Elemente nimmt Overbeck bei *Renan* und *Schenkel* wahr. Renans Jesus-Buch ist „als historische Darstellung der evangelischen Geschichte ein Rück-schritt"[87]. Rückschrittlich ist die Heranziehung des 4. Evangeliums als gleichbe-rechtigter Quelle für die Darstellung des Lebens Jesu. Auch ist ein Rückfall in die altrationalistische Betrachtungsweise zu konstatieren: „Mit Lazarus sehen wir hier auch Paulus und Venturini eine sehr unerwartete Auferstehung vom Scheintode feiern" (1058f.). Den „genannten alten Herrn" folgt Renan auch in der Hinsicht, daß er sich mit psychologisch bestimmten Einzelhypothesen aufhält und „Zusam-menhang und Eigenart des Gegenstandes" nicht versteht.

Renan übersieht, daß man nach der Beschaffenheit der Überlieferung gar kein Leben Jesu schreiben kann. „Eine Biographie Jesu zu schreiben ist eine Verirrung schon aus dem einfachen Grunde, weil man die Biographie eines Lebens nicht schreiben kann, dessen Überlieferung, von ganz wenigen Notizen abgesehen, aller Wahrschein-lichkeit nach nur ein Jahr umfaßt." (1059) Der Biograph wird rasch zum bloßen Nacherzähler der Evangelien.

So ist *Renan* fast zwangsläufig in die Bahnen eines unbefriedigenden Vermittlungs-unternehmens gedrängt worden. Daß er ein geistvolles Buch geschrieben hat, ist kein besonders Ruhmesblatt. Dadurch zeigt sich vielmehr eine „unklare Vermi-schung der Aufgabe des Dichters und des Geschichtschreibers, welche aus unse-rem Buche einen Zwitter zwischen Roman und Geschichte gemacht hat".

Bei *Schenkel*s „Charakterbild Jesu" (1864) erkennt Overbeck immerhin an, daß das Buch „seinen eigenthümlichen Beruf" habe „zur Erkämpfung des Bodens für eine freiere Theologie"[88]. Auch hier erhebe jedoch der alte Rationalismus wieder sein Haupt. Schenkel wolle sich von Renan distanzieren, bleibe aber selber bei der „natürlichen" Wundererklärung stehen. Schenkel folgt zwar grundsätzlich der Kritik am 4. Evangelium, scheidet es aber als Quelle für die Darstellung der evan-gelischen Geschichte trotzdem nicht aus, mit der Begründung: „Jesus war ‚nicht immer so *in Wirklichkeit*', wie ihn das 4. Evangelium darstellt, ‚aber er war doch

---

84 Ebd., Sp. 650.
85 Von Overbeck zitiert, ebd., Sp. 723.
86 Zum Selbstverständnis der „Vermittlungstheologie" siehe Karl Rudolf Hagenbach, Encyklo-pädie und Methodologie der Theologischen Wissenschaften, 11. Aufl. hg. von E. Kautzsch, 1884, 89f. Dort auch (90, Anm. 11) ein Hinweis auf das ungünstige Urteil von K. Schwarz über die Vermittlungstheologie.
87 LC 1863, Sp. 1057. Dort auch die folgenden Stellen.
88 LC 1865, Sp. 35. Dort auch die folgenden Stellen.

so in Wahrheit' ". Gegenüber einer solchen Verquickung von Tradition und Kritik wäre, so meint Overbeck, die traditionelle Auffassung, „so geistlos sie ist", noch vorzuziehen.

Den verfehlten vermittlungstheologischen Versuchen von Renan und Schenkel steht *Strauß*ens „Leben Jesu für das deutsche Volk" überlegen gegenüber. „Nur mit einer Accomodation an den Sprachgebrauch"[89] kann es überhaupt ein „Leben Jesu" heißen, denn Strauß kennt sehr wohl die Grenzen, die dem geschichtlichen Erkennen gesetzt sind. Overbecks Rezension ist von dankbarer Anerkennung der Straußschen Leistung durchdrungen. Auch gegen die populäre Bestimmung des Werkes werden keine Einwände erhoben, im Gegenteil: Overbeck findet, Strauß habe in seiner Vorrede „die Spannung der Gegensätze in einer Weite erscheinen" lassen, „wie sie nicht zugeben kann wer nicht ganz daran verzweifelt, daß auch der Theologie ein Antheil an der stetigen Lösung der religiösen Probleme der Zeit beschieden ist" (493).

Gerade hinsichtlich dieser Probleme hält Overbeck es für einen Vorzug des Werkes, daß es kompromißlos die Sprache der Kritik redet. „Noch werden nicht Alle dem Verfasser die rücksichtslose Schärfe danken, mit welcher er von Voraussetzungen aus, welche die der heutigen Bildung sind, diesen ersten im Einzelnen durchgeführten Versuch gemacht hat, uns durch die evangelische Geschichte hindurch ohne Vorbehalt einen rein menschlichen, aus seiner Zeit hervorgegangenen Jesus erblicken zu lassen. Die männliche Offenheit, mit der es geschehen, muß aber jeder schätzen, der nicht ohne alle Empfindung der tiefen Verwickelung unserer kirchlichen Verhältnisse und doch nicht der Ansicht ist, daß sie mit einigen fanatischen Weherufen zu lösen ist. Auch der theologische Gegner muß von diesem Buche den Segen erwarten, der in der Wissenschaft auf immer schon an die bloße Consequenz geknüpft ist." (492)

Hier meint Overbeck eine Theologie vor Augen zu haben, deren kritische Wahrhaftigkeit die religiösen Wirren lösen helfen könnte, im Unterschied zur Vermittlungstheologie, welche die Gegensätze verkleistert und an den kritischen Punkten die Lage durch Konzessionen an die Tradition vernebelt.

Auch Strauß, der als „Pfaffen"-Feind auftritt, kannte „Theologen, die über den Vorurtheilen und Interessen der Zunft stehen"[90]. Overbeck meint deren Rolle optimistischer sehen zu können als Strauß. Strauß, der von den trüben Erfahrungen seines theologischen Lehramts herkommt, „weiß ... zum Voraus", wie die Theologen der konservativen Richtung sein Buch aufnehmen werden; er ist „auf Alles, vom hochmüthigen Schweigen und verächtlichen Reden bis zur Anklage auf Schändung des Heiligen gefaßt"[91]. Demgegenüber möchte Overbeck mit einem „Segen"

---

89 Ebd., Sp. 492. Dort auch die folgenden Stellen.
90 D. F. Strauß, Das Leben Jesu für das deutsche Volk bearbeitet, Kröner-Ausgabe, 19. Aufl. o. J., I, S. iii. – Über dieses Buch von Strauß vgl. K. Barth, Die protestantische Theologie im 19. Jahrhundert, 3. Aufl. 1960, 499ff.
91 Strauß, ebd., S. V.

rechnen, den das Buch auch für „theologische Gegner" haben könnte[92]; er beurteilt die Aussichten einer Verständigung auf religiösem Gebiet also viel positiver
als Strauß.

Der Hintergrund der Differenz zwischen Strauß und Overbeck besteht darin, daß
für Strauß mit der theoretischen Revolution auch eine praktische verbunden ist
– oder in Straußens eigener Sprache: es sei eine „Fortsetzung der Reformation"[93]
an der Zeit, welche durch ihren Vollzug „die Pfaffen aus der Kirche schaffen" wird
(VII). Die „Scheidung des Wesentlichen vom Unwesentlichen" im Christentum
(VI) denkt er sich nicht nur als Implikation der theologischen Arbeit, sondern er
steht nicht an, den Deutschkatholizismus und die „Genossenschaft der Lichtfreun-
de" als „beachtenswerthe praktische Versuche" in der ihm vorschwebenden Richtung der Verwirklichung seiner Ideen zu bezeichnen (VII). Für Overbeck ist dagegen „die Verwickelung unserer kirchlichen Verhältnisse"[94] so tief, daß er einen
solchen, von der Theologie und der Kirche gänzlich abführenden Weg nicht als
Ausweg aus der Krise anerkennen kann.

Overbeck kommt wieder auf Strauß zu sprechen anläßlich von dessen Kritik des
posthum edierten Schleiermacherschen Leben Jesu. Diese Kritik ist unter dem
Titel „Der Christus des Glaubens und der Jesus der Geschichte" 1865 erschienen.

Die Jesusforschung bildete damals den Ausgangspunkt nicht nur theologischer,
sondern auch kirchlicher Auseinandersetzungen. Die kritische Stellung, die Schenkel in seinem „Charakterbild Jesu" zu Teilen der Jesusüberlieferung einnahm, war
der Grund dafür, daß 117 Geistliche einen Protest unterzeichneten, in dem sie
Schenkel zur Bekleidung eines theologischen Lehramts in der badischen Landes-
kirche für unfähig erklärten. Schenkel sei aus seiner Heidelberger Stellung als Direk-
tor des badischen Predigerseminars zu entfernen. Dagegen wiederum wandten sich
auf der Durlacher Konferenz 700 Teilnehmer unter Führung von Bluntschli und
H. J. Holtzmann.

Strauß lehnt die Vermittlungstheologie Schenkels und den Versuch von Schenkels
Freunden ab, die Situation zu verschleiern: „ ‚Die Freiheit und das Himmelreich',
singt der alte Ernst Moritz Arndt, ‚gewinnen keine Halben'. Aber das Erdreich
besitzen sie, und wer, vor Allem in religiösen Dingen, halb und für die Halben
schreibt, der ist sicher, zahlreiche Anhänger zu finden, die, falls ihm die Ganzen
von der einen oder andern Seite etwas anhaben wollen, sich wohl auch als be-
geisterte Kämpfer um ihn scharen."[95] In der Verurteilung Schenkels stimmt Strauß
mit Hengstenberg überein.

---

92 LC 1865, Sp. 492.
93 Strauß, (s. Anm. 90), I, S. V. Dort auch die folgenden Stellen.
94 LC 1865, Sp. 492. Dort auch die folgenden Stellen.
95 D. F. Strauß, Der Christus des Glaubens und der Jesus der Geschichte, 1865, 240. (Eine
   Neuausgabe erschien 1971.) – Das Quellenmaterial zum „Schenkelstreit" bietet Johannes
   Bauer, Zur Geschichte des Bekenntnisstandes der vereinigten ev.-prot. Kirche im Großherzogtum Baden, 1915, 118ff. Siehe dort (121) Richard Rothes Gutachten vom Juli
   1864, in dem er ausführt: „Das Werk des Herrn in der Geschichte der Gegenwart ist für
   sie" (die Schenkel-Gegner) „nicht da, und seine hoffnungsvollsten Schöpfungen erschrecken

Strauß schließt sein Buch mit einigen Bemerkungen, die, so meint Overbeck[96], „der ruhigen und ernsthaften Erwägung jedes Theologen nicht dringend genug empfohlen werden" könnten. Es handelt sich für Strauß darum, die streng geschichtliche Auffassung des Lebens Jesu, die er in Gestalt der „mythischen" Auffassung der Evangelienberichte schon 1835 vertreten hatte, als zwingend zu erweisen. *Schleiermacher* bietet, so sagt Strauß, ein kunstvolles Gemisch. Er ist „in der Christologie Supranaturalist, in der Kritik und Exegese Rationalist"[97]. Aus dem Mißlingen des Schleiermacherschen Versuchs hat die Theologie eine Lehre zu ziehen: entweder sie muß aufhören, Jesus als übernatürliches Wesen anzusehen, oder sie muß es aufgeben, „die Evangelien als im strengen Sinn geschichtliche Urkunden anzusehen" (211). Beides aber führt zum gleichen Ergebnis: das biblische Christusbild ist unhaltbar. Die religiöse Schätzung Jesu darf nicht darüber hinausgehen, ihn „als Mensch wie andere" zu betrachten. Damit treten wir zu den Evangelien allerdings in Widerspruch, doch braucht man sich nur „das Abenteuerliche ihres ganzen Standpunktes", nämlich die „mythische" Grundauffassung, „zum Bewußtsein zu bringen" (212), um einzusehen, daß man sich von den Evangelien wirklich trennen muß.

„Es handelt sich mit Einem Worte für die christliche Welt jetzt darum, sich mit dem Kirchenglauben und seiner Grundlage, der evangelischen Geschichte, *auseinanderzusetzen*. Die Schleiermacher'sche Theologie, insbesondere auch das Schleiermacher'sche Leben Jesu, war ein letzter Versuch, uns umgekehrt mit denselben *ineinszusetzen*. Wir haben gefunden: auch dieser letzte Versuch, wie alle früheren, ist mißlungen. Es geht ein für allemal nicht mehr. Wir sehen heutzutage alle Dinge im Himmel und auf Erden anders an, als die neutestamentlichen Schriftsteller und die Begründer der christlichen Glaubenslehre. Was die Evangelisten uns erzählen, können wir so, wie sie es erzählen, nicht mehr für wahr, was die Apostel glaubten, nicht mehr für nothwendig zur Seligkeit halten. Unser Gott ist ein anderer, unsere Welt eine andere, auch Christus kann uns nicht mehr der sein, der er ihnen war. Dies zuzugestehen, ist Pflicht der Wahrhaftigkeit; es läugnen oder bemänteln zu wollen, führt zu nichts als Lügen, zur Schriftverdrehung und Glaubensheuchelei. Aufdringliche Vermittlungsversuche, wo Zwei einmal nicht mehr zusammengehen können, führen nur zu tieferer Erbitterung; ist die Auseinandersetzung vollzogen, daß sie einander frei gegenüber stehen, so ist fortan gar wohl ein freundliches Verhältniß möglich. Sobald wir uns nicht mehr zumuthen, die Schrift anders als wie ein menschliches Buch zu behandeln, werden wir sie in allen Ehren halten können; sobald wir uns das Herz fassen, Jesum wirklich in die Reihen der Menschheit zu stellen, wird ihm unmöglich unsere Verehrung, unmöglich unsere Liebe fehlen können." (212f.)

---

sie. Daß die unvergleichliche Wahrheit und Größe Christi sich gerade darin ganz augenscheinlich bezeugt, daß er, an sich selbst ewig derselbe, jeder neuen Zeit immer wieder in einem neuen Lichte sich zeigt, je nach Maßgabe des Fortschritts der unter seiner Leitung sich entwickelnden Geschichte: das ist ihnen verborgen."

96 LC 1865, Sp. 1129.

97 Strauß, (s. Anm. 95), 1865, 210. Dort auch die folgenden Stellen.

Es sind wohl wesentlich diese Sätze (Strauß ergänzt sie noch durch Ausführungen über die Entbehrlichkeit des Christusindividuums gegenüber dem allgemeinen Menschheitsideal), die Overbecks Beifall gefunden haben. Scheint doch Strauß hier das getan zu haben, was er nach Overbecks Ansicht in seinem „Leben Jesu für das deutsche Volk" vermissen ließ, nämlich der Theologie eine positive Aufgabenstellung zu geben. Die kritische Erforschung des Lebens Jesu wird hier nicht in einen Gegensatz zur Theologie gebracht, sondern ihr vor- und eingeordnet.

Das in religiösen Dingen erforderliche Selbstbewußtsein ergibt sich, wie Overbeck im Anschluß an den Strauß-Verteidiger *Dollfus* sagt, daraus, daß man mit Natur und Gott und dem „Bewußtsein der am höchsten stehenden Zeitgenossen" sich im Einklang befindet und so ein Unterpfand dafür besitzt, daß man die Zukunft für sich hat[98].

Im Erscheinungsjahr von Straußens Buch hatte Overbeck schon selber zu Schleiermachers „Leben Jesu" Stellung genommen[99]. Overbeck will den „sittlichen Charakter" Schleiermachers nicht antasten[100]. Er freut sich des „edlen Geistes", der dem Buche „überall sein Gepräge aufgedrückt hat". Aber er findet zu nicht wenigen Dingen, „man kann fast sagen, zwei Ansichten" (1107) im Buche. Die eine ist die Dogmatik des Verfassers, die überall sich geltend macht, die andere die Kritik der Quellen, die freilich als „ein fast beständiger Krieg mit diesen Quellen" herauskommt. Schleiermacher ist es nicht gelungen, aus dem Bannkreis der Rationalisten sich zu lösen. Der Schleiermachersche Christus ist „ein durchaus doketisches nur den Schein eines Menschen an sich tragendes Wesen" (1106). Seine höheren Kräfte kann er nicht betätigen, weil er auf das Verstehensvermögen der Menschen Rücksicht nehmen muß. So gleicht er „jenem, Zweck und Mittel beständig abwägenden, sich ‚accomodirenden' Planmacher der Rationalisten" (1107).

Dabei hat Schleiermacher in der Quellenfrage durchaus kritisch gesehen und die Alternative (Johannes oder Synoptiker) erkannt, sich allerdings für Johannes entschieden. Hier hat „die Dogmatik am sichtbarsten den Anlauf seiner Kritik gebrochen" (1108). Schleiermacher vermag nicht glaubhaft zu machen, daß „sein Vorurtheil für Johannes auf historischem Wege entstanden ist".

Bei der Exegese zeigt sich Schleiermachers „unermüdlicher Scharfsinn" bei der Suche nach Auskünften. Dabei greift er zu allegorischer Interpretation und zu den „Einfällen der Rationalisten". „Das Schicksal, welches über diesem Leben Jesu waltet, hat es . . . gewollt, daß auch die Kritik der Quellen nur in die Reihe der Mittel gesunken ist, aus ihnen ein Zeugniß für die Dogmatik des Verfassers zu erlangen." (1107) „Nicht ohne ein Gefühl von Wehmuth", schließt Overbeck, „sieht

---

98 LC 1865, Sp. 1161.
99 Ebd., Sp. 1105ff.
100 Die in jener Zeit sich entfaltende und in seinen persönlichen Aufzeichnungen sich niederschlagende Auffassung Overbecks ist freilich diese, daß man vor Schleiermachers Charakter zwar „allen Respect haben" müsse, „ja er ist ein Musterknabe, aber eben dieses viel zu sehr; auch seiner Moralität fehlt die Tiefe der Ursprünglichkeit. Es ist, als hätte er vom Diamanten nur den Schliff, so glänzt und schillert er nach allen Seiten." (ONB A 236 Schleiermacher, Allgemeines.)

man eine solche Fülle von Geist und Scharfsinn an eine so handgreiflich unlösbare Aufgabe verschwendet" (1108). –

Sehr wesentlich für Overbecks eigene Position war die in jenen Jahren sich vollziehende Auseinandersetzung mit Ferdinand Christian *Baur*. Zum ersten Mal kommt er öffentlich auf ihn zu sprechen in seiner Rezension des Mani-Buches von Gustav *Flügel*[101], wo er feststellt, daß durch den Beitrag der Orientalistik die Kenntnis des Manichäismus gegenüber der Darstellung von Baur verbessert worden sei. In der Rezension von *Baur*s Kirchengeschichte des 19. Jahrhunderts, die posthum 1862 erschienen war, macht Overbeck Vorbehalte gegenüber Baur geltend. Baurs Kritik an Schleiermachers Glaubenslehre führe „zu Consequenzen über Schleiermacher's Person, welche nur wenige unterschreiben werden; auch mag sie überhaupt zu starr sein, um dem merkwürdigen und so subtilen Buche ganz gerecht sein zu können"[102]. Allerdings wird hervorgehoben, daß „schärfer . . . und vollständiger der Nachweis seines Zwitterwesens nicht gegeben werden" könne. – Im ganzen ist Overbecks Urteil überaus anerkennend. Gerade hinsichtlich der kirchengeschichtlichen *Methode* möchte Overbeck jedoch gewissen Einwänden *Hases* gegen Baur zustimmen (170).

Die Bedeutung Baurs würdigt Overbeck anläßlich des Erscheinens der Aufsatzsammlung von *A. Stap*. Stap hat die Ergebnisse der deutschen Forschung für Belgien bekannt gemacht. „Soweit hat er sich um so mehr den warmen Dank Aller unter uns verdient, die in Baur den ersten Geschichtschreiber des Urchristenthums sehen, je geringeren Beifall man augenblicklich bei uns den Arbeiten jenes großen Gelehrten zollt in den Kreisen, die vor allem dazu berufen sind sie reiflich zu erwägen, je größer in diesen Kreisen heutzutage die Anzahl derer scheint, welche meinen, Baur sei ‚widerlegt' und man könne von Allem, was er und das Häuflein, welches man seine ‚Schule' nennt, über das Urchristenthum zu Tage gefördert, wie von Verirrungen einiger hyperkritischer Querköpfe getrost zur Tagesordnung übergehen."[103]

Ein Jahr später sagt er von den Schriften Baurs, daß sie „der am nächsten liegende und reichste Born wahrhaft befreienden Wissens" seien, „der heutzutage dem Theologen geboten ist"[104]. Gleichzeitig nimmt Overbeck jedoch Anlaß, Baur an einem wichtigen Punkt zu widersprechen. Baur geht davon aus[105], daß die biblische Theologie „im Unterschied von der Dogmatik . . . eine rein geschichtliche Wissenschaft sein" solle, daß „das Geschichtliche . . . ihr wesentliches Element ist". Hat aber, so fragt Overbeck, Baur auch die Konsequenzen dieser Anschauung gezogen? Zwar behandelt er durchaus nicht mehr das Neue Testament dogmatisch als eine Einheit: hier „erhalten wir, was Jedermann von Baur erwartet"[106]: „die Anschauung der neutestamentlichen Schriften als der Producte einer streng historischen Entwicklung,

---

101 ZDMG 16, 1862, 765–770.
102 LC 1863, Sp. 171. Dort auch die folgenden Stellen.
103 LC 1865, Sp. 198.
104 LC 1866, Sp. 163.
105 Vorlesungen über neutestamentliche Theologie, herausgegeben von F. F. Baur, 1864, 1. (Ein Nachdruck erschien 1973.)
106 LC 1866, Sp. 162. Dort auch die folgenden Stellen.

welche etwa die ersten 120 Jahre der Kirche umfaßt, ist . . . soweit es auf die scharfe Abgrenzung der einzelnen Lehrbegriffe gegeneinander ankommt, bis in alle ihre Consequenzen durchgeführt" (163). Aber indem Baur den Rahmen seiner Darstellung mit den Grenzen des überlieferten Kanons zusammenfallen läßt, gibt er dem Dogma statt der Geschichte Folge. „Die Beschränkung einer theologischen Disciplin auf die Ermittelung der Lehre der Schriften des Neuen Testaments, d. h. die Form der neutestamentlichen Theologie, läßt sich nur begründen durch die Grundvoraussetzung und das Hauptinteresse, aus welchen allein diese ganze Disziplin, wie ihre älteste Literatur zur Genüge beweist, geschichtlich begriffen werden kann oder ohne welche sie nie entstanden wäre. Diese Grundvoraussetzung aber und dieses Hauptinteresse gehören der Dogmatik an und sind in der dogmatischen (und zwar in der protestantischen) Lehre vom Kanon gegeben. Ist dem so, so ergiebt sich, daß das Geschichtliche mindestens nicht mehr als das Dogmatische das ‚wesentliche Element' der biblischen Theologie ist, daß also ihr Zwittercharakter kein zufälliger, sondern ein in ihrem Wesen begründeter Fehler, und das im Laufe ihrer Entwicklung allerdings immer schärfere Hervortreten ihrer geschichtlichen Seite keine Rückkehr zum Wesen, sondern eine Selbstauflösung dieser Disciplin ist. Anders ausgedrückt: Wo die dogmatische Voraussetzung der biblischen Theologie, die orthodoxe Lehre vom Kanon, aufgelöst ist, und die Auflösung ist ja auf dem historischen Standpunkte Baur's vollendet, da ist nicht bloß der Inhalt dieser Disciplin modificiert, sondern auch ihre Form zerschlagen. Gründe anderer Art mögen noch eine abgesonderte Behandlung der neutestamentlichen Lehrbegriffe empfehlenswerth erscheinen lassen, im Organismus der gesammten Theologie mag sie immer noch ihre besondere Bedeutung haben, gerade wenn man die biblische Theologie als eine rein historische Wissenschaft betrachtet, läßt sich ihr Recht zu sein nicht mehr erweisen. So angesehen, erscheint sie vielmehr aufgelöst in Dogmengeschichte, wie dies ja auch in den Worten Baur's selbst, nur mit sonderbarer Unsicherheit des Ausdrucks durchbricht, daß ‚die neutestamentliche Theologie auch schon Dogmengeschichte sei, die christliche Dogmengeschichte in ihrem Verlaufe innerhalb des Neuen Testaments' (S. 33)." (162)

Die Betonung, mit der Overbeck hier vom anerkannten Meister abweicht, wird verständlich, wenn man sieht, daß hier der Nerv dessen getroffen wird, was für Overbeck in Zukunft *Kritik* sein wird, nämlich Trennung vom Dogma oder, wie es bei *Strauß* hieß, „Auseinandersetzung" mit dem dogmatischen Gehalt des Christentums. Der Zwittercharakter der auf dogmatischen Voraussetzungen beruhenden Theologie muß entlarvt werden. Mit dem Sieg der Kritik ist die Selbstauflösung des dogmatischen Glaubens gegeben. Dabei ist für Overbeck wichtig, daß die Kritik dem Christentum nicht äußerlich bleibt, sondern ihm zum Schicksal wird, indem die geschichtliche Fragestellung sich als Fragestellung der Theologie selber durchsetzt.

Allerdings scheint Overbeck nun seinerseits davor zurückzuschrecken, seinen Erkenntnissen rigoros Folge zu geben: daß es grundsätzlich wissenschaftlich keine neutestamentliche Theologie mehr geben kann, muß nicht bedeuten, daß diese, bedingt durch „Gründe anderer Art", nicht weiterhin im theologischen Lehrbetrieb gepflegt werden könnte, ja überhaupt im Organismus der „gesammten Theologie" „ihre besondere Bedeutung" behalten könnte. Hier ist offenbar Theologie in einem Sinne angesprochen, der nicht Overbecks eigene Konzeption wiedergibt, sondern einfach vom Effektivbestand ausgeht: Theologie, nicht wie sie sein soll, sondern wie sie (jetzt) ist.

Beachtlich ist, daß auch hier Overbeck sich nicht von der Theologie überhaupt öffentlich distanziert, im Unterschied zu *Strauß*ens Attitüde im „Leben Jesu für das deutsche Volk". Overbeck hält die Übereinstimmung mit *Baur* darin fest, daß die biblische Theologie „als eine rein historische Wissenschaft" betrieben werden kann. Das bedeutet aber: Theologie, die nicht im strengen Sinne Wissenschaft sein will, ist eine erledigte Sache. Andererseits wird sich, wie Overbeck erkennt, das dogmatische Element der Theologie immer gegen den Anspruch historischer Wissenschaft sperren.

Mit der *Form* der „neutestamentlichen Theologie" bestreitet Overbeck eine Form, die, wie er wohl weiß, mit den Formen der „biblischen Theologie" und der „dogmatischen Theologie" so zusammenhängt, daß die Zerschlagung der einen Form die anderen Formen nicht unberührt lassen kann. Wenn die spätere liberale Theologie (von Overbeck als „moderne Theologie" bekämpft) die Form der „neutestamentlichen Theologie" erhalten wollte, dann konnte sie das mit umso schlechterem Gewissen tun, je näher sie in ihren Bemühungen dem von Overbeck verkündeten Ideal „rein historischer Wissenschaft" kam.

Gustav Krüger äußerte 1896, „die Existenz einer ‚neutestamentlichen' Wissenschaft oder einer ‚Wissenschaft vom Neuen Testament' als einer besonderen theologisch-geschichtlichen Disziplin" sei „ein Haupthinderniß 1) einer fruchtbaren, zu gesicherten und allgemein anerkannten Ergebnissen führenden Erforschung des Urchristentums, also auch des Neuen Testamentes selbst und 2) eines gesunden theologisch-wissenschaftlichen Unterrichtsbetriebes"[107]. Daraufhin gab *H. J. Holtzmann* in der Vorrede seines „Lehrbuchs der neutestamentlichen Theologie"[108] zu, „daß eine ‚Geschichte der urchristlichen Literatur' eine vollkommenere Leistung sein würde, als eine ‚neutestamentliche Theologie'". In der von *Krüger* angegebenen Richtung sei auch „der Weg beschrieben, auf welchem die ausgereiften Früchte unserer Zunftgelehrsamkeit dem allgemeinen Weltmarkt zugeführt werden können".

Wenn *Overbeck* dem Krügerschen Protest gegen das „Dogma vom Neuen Testament" nicht viel Erfolgsaussichten gab, dann deshalb, weil er 1896 längst davon überzeugt war, daß es um die Destruktion der Theologie als ganzer gehen müsse. „Kartenhäuser" wie die neutestamentliche Wissenschaft, schrieb er an Krüger, „pflegen sich doch nicht schon vor einem so lediglich äußerlich-formell begründeten Vorschlag zum Umbau zu legen"[109].

---

107 G. Krüger, Das Dogma vom Neuen Testament, 1896, 4.
108 Bd. I, 1897, VI und VII.
109 Overbeck an G. Krüger, 19.8.1896; ThBl 15, 1936, Sp. 102.

Der junge Overbeck tritt in einen charakteristischen Gegensatz zur Baur. Baur, der die Geschichte als „immanente Bewegung der Idee" begriff[110], hatte seine Kritik der christlichen Überlieferung in die Bewegung einbezogen gedacht, in der der endliche Geist vom unendlichen Geist ergriffen wird. Ist „die Geschichte als Prozeß ... der Entwicklungsprozeß Gottes selber"[111], so gibt „der Glaube, wenn er mit Hülfe der Wissenschaft ächtes und unächtes zu unterscheiden weiß, dadurch einen Beweis seiner Kraft und Erleuchtung, seines Eindringens in den innern Geist der Schrift", wie Baur gegen *Hengstenberg* sagt[112].

Während der Jahre zwischen 1826 und 1835 hatte Baur sich in die *Hegel*sche Philosophie hineingearbeitet. Obwohl Baur erst bei Hegel die ihm angemessen erscheinende philosophische Grundlage für seine historische Arbeit findet[113], handelt es sich für ihn bereits in der Zeit, als er von *Schleiermacher* beeinflußt ist[114], darum, eine christliche *Gnosis*, eine Religionsphilosophie des Christentums, zu finden, die das Wesen des Christentums in seiner Erscheinung erkennen lehrt. „Ich kenne keine Darstellung des Christentums", lobt er denn auch 1823 Schleiermachers Glaubenslehre, „in welcher das eigentümliche Wesen desselben so scharf aufgefaßt und so durchgängig zum Mittelpunkt des ganzen Systems gemacht wäre"[115]. In derselben Zeit fällt in Baurs erstem Buch der Satz: „Ohne Philosophie bleibt mir die Geschichte ewig tot und stumm."[116]

Um die „Einsicht in den objektiven Zusammenhang der Geschichte"[117] handelt es sich für Baur; es geht ihm um die geschichtliche Bewegung in ihrer Totalität. Diesem Interesse Baurs kommt die neue Gnosis entgegen, wie sie über *Böhme*, *Schelling* und *Schleiermacher* hinweg bei *Hegel* aufgetreten ist. „Es war erst der neuern Zeit vorbehalten, mit einer ihrer speculativen Aufgabe sich bewußten Philo-

---

110 Die christliche Lehre von der Dreieinigkeit und Menschwerdung Gottes in ihrer geschichtlichen Entwicklung, Bd. I, 1841, 119. Vgl. ebd., Vorrede, S. XIX (= Ausgewählte Werke in Einzelausgaben, 2. Bd., 1963, S. 298): Es sei die Aufgabe, „die ewigen Gedanken des ewigen Geistes, dessen Werk die Geschichte ist, in sich nachzudenken".

111 W. Geiger, Spekulation und Kritik. Die Geschichtstheologie Ferdinand Christian Baurs, 1964, 45.

112 Abgenöthigte Erklärung gegen einen Artikel der Evangelischen Kirchenzeitung ..., in: Tübinger Zeitschrift für Theologie, 1836, 3. Heft, 179–232, Zitat S. 217. (= Ausgewählte Werke in Einzelausgaben, 1. Bd., 1963, 267–320, Zitat S. 305).

113 Nachdem der „Hegelianismus" Baurs von der früheren Forschung stark betont worden war, wird in der Gegenwart oft Baurs Selbständigkeit gegenüber Hegel hervorgehoben; vgl. K. Barth, Die protestantische Theologie im 19. Jahrhundert, 3. Aufl. 1960, 450; K. Scholder, Ferdinand Christian Baur als Historiker (EvTh 21, 1961), 443f.; W. Geiger, (s. Anm. 111), 43f. Zum Problem vgl. jetzt vor allem P. C. Hodgson, The Formation of Historical Theology, 1966, 54ff.

114 Später stellt sich ihm die Sache so dar, daß Schleiermachers subjektivistischer Monismus die Antithese zu Schellings objektivem Dualismus sei, während Hegel die Synthesis bringe. Vgl. H. Liebing, Ferdinand Christian Baurs Kritik an Schleiermachers Glaubenslehre (ZThK 54, 1957), 228.

115 Bei Liebing, ZThK 54, 1957, 240 und Barnikol, WZ Halle/Wittenberg X, 1961, 317.

116 Symbolik und Mythologie oder die Naturreligion des Alterthums, Bd. I, 1824, S. XI.

117 Die Epochen der kirchlichen Geschichtsschreibung, 1852, 149.

sophie auch einen reinern und lebendigern Begriff der Religionsphilosophie, und der mit ihr wesentlich verbundenen Religionsgeschichte zu gewinnen." [118]

Wenn *Overbeck* „in einem so zu sagen nur allegorischen Sinne" sich einen „Tübinger" meint nennen zu können (C. 3), so darum, weil er in der Gesamtbeurteilung der *Baur*schen Theologie mit *Albert Réville* zusammentrifft, wenn dieser sagt, so eindrucksvoll die Logik sei, die Baurs Theorie bei der Entstehung der Kirche erkennbar mache, vielleicht werde die Sache aber eben *zu* logisch dargestellt. „L'école de Tubingue, à force de régulariser les commencements du christianisme, n'a-t-elle pas méconnu ce qu'il y a de chaotique, de simultané, en quelque sorte de torrentueux, dans les premières manifestations d'un esprit nouveau qui souffle sur le monde?" [119] Das chaotische und wilde, stürmische Element im frühen Christentum, von dem hier die Rede ist, ist für *Overbeck* das *diastatische* Element, das in der *Eschatologie* zum Vorschein kommt. Während Réville später die Apokalyptik als eliminierbaren Fremdkörper in der Lehre Jesu auffaßte und schließlich an der Organisation des französischen Protestantismus aktives Interesse nahm [120], entwickelte sich aus Overbecks Kritik an Baur eine radikale Kritik der historischen Erscheinung des Christentums, für die es entscheidend ist, daß Overbeck (mit Réville) ein System des absoluten Geistes bei *Baur* so wenig wie bei *Hegel* anerkennen wollte. So gilt nach Réville von der tübingischen Theorie: „Comme système absolu, elle ne pourrait longtemps se maintenir dans sa rigueur; mais, comme perspective générale des origines de l'église, elle restera debout." [121]

Weit entfernt davon, in der christlichen Geschichte den Entwicklungsprozeß Gottes zu sehen, findet Overbeck, daß in dieser Geschichte ein geschichtswidriges Element aufgekommen sei, das, obwohl mit allen Fasern an Welt und Geschichte gebunden, diesen Zusammenhang verleugnet. Mit Baur sieht Overbeck die Geschichtswissenschaft zur „Erforschung des geschichtlichen Zusammenhangs aller Erscheinungen" berufen, „die als gegebenes Objekt vor ihr liegen" [122]. Kann aber der Baurs Verfahren bestimmende Satz *Hegels*, wer die Welt vernünftig ansehe, den sehe sie auch vernünftig an [123], von Overbeck nur so akzeptiert werden, daß er seinerseits von dem am Eingang von *Baur*s wie von *Schleiermacher*s Theologie stehenden Satz *Anselms* „credo ut intelligam" [124] nichts wissen will, — kann der Historiker also im Geist des Christentums durchaus *nicht* Geist von seinem Geiste sehen, dann werden die „höhern leitenden Gesichtspunkte", auf die Overbecks Geschichtsschreibung nicht verzichten kann, ganz anders aussehen als diejenigen von *Baur*.

---

118 Die christliche Gnosis, 1835, 556.
119 Les origines du christianisme d'après l'école de Tubingue: Le Dr. Baur et ses écrits, Revue des deux mondes, T. XLV, 1863, 104–141, Zitat S. 140; ONB A 218 Baur (seine Bedeutung), S. 5.
120 Vgl. Alb. Schweitzer, Geschichte der Leben-Jesu-Forschung, 6. Aufl. 1951, 243; E. Lachenmann, RGG 2. Aufl. IV, 2004.
121 Réville, (s. Anm. 119), 141; ONB (s. ebd.), S. 6.
122 Die Epochen der kirchlichen Geschichtsschreibung, 1852, 263.
123 Siehe dazu W. Geiger, (s. Anm. 111), 46f.
124 Siehe bei H. Liebing, ZThK 54, 1957, 241 sowie bei Barnikol a.a.O. (s. Anm. 115).

Dies hat Overbeck mit Baur gemeinsam, daß die Geschichtswissenschaft in das ein-dringen soll, „was noch als feste geschlossene Masse vor ihr steht, um es aufzu-lösen und flüssig zu machen, und in den Fluß des geschichtlichen Werdens herein-zuziehen, in welchem, in der unendlichen Verkettung der Ursachen und Wirkungen, das Eine immer die Voraussetzung des Andern ist"[125]. Overbeck will aber über der faktischen Homogenität des Christentums zur Geschichte die vom Christentum rekla-mierte Heterogenität nicht vergessen. Den Anspruch des Christentums, nicht von dieser Welt zu sein, gilt es an der geschichtlichen Wirklichkeit zu messen. Die *Baur*-sche Voraussetzung, daß im geschichtlich entfalteten Christentum „alles zusammen sich selbst trägt und hält", wird für Overbeck an einer Geschichte zuschanden, die ihm untragbar und unhaltbar erscheint.

Overbecks Einstellung zu der durch *Ritschl* später inaugurierten Theologie ist da-durch vorweg entschieden, daß er angesichts des Streits zwischen Eduard *Zeller* und *Ritschl* über die Tübinger Schule Gelegenheit hat, die ihm schief dünkende Stellung Ritschls zur Historie zu erkennen[126]. In Ritschls Artikel von 1861 be-merkt Overbeck die apologetische Methode Ritschls, der Baur durch die Setzung der doppelten Alternative: 1) Spekulation oder Historie und 2) christlich-religiös oder nichtreligiös in die Enge treiben möchte. *Baur* hatte[127] zu der „Hauptfrage", „ob der Gegensatz zwischen dem Glauben und Wissen ein absoluter oder relativer ist", darauf hingewiesen, daß eine Entscheidung der Frage im letzteren Sinne be-deute, daß ein „Unterschied der Form und des Inhalts anerkannt" werde und so die Möglichkeit bestehe, das Wissen in seiner Gegensätzlichkeit zu der überlieferten Glaubensform deutlich herauszustellen. Daß nun *Baur* im Anschluß an *Hegel* diesen Weg gehen will, bedeutet nach *Ritschl*, daß er „eine unumgängliche, wenn auch nicht näher bezeichnete Sympathie mit der Religion" besitzt und nicht etwa „mit der Religion für sich fertig" ist, wie es der Fall wäre, wenn er den Gegensatz zwi-schen Glauben und Wissen absolut faßte und als Philosoph den Gläubigen seine Straße ziehen ließe[128]. Hierzu bemerkt Overbeck, Ritschl denke nicht an den Unter-schied zwischen „historischer Religion" und „der Religion überhaupt"[129]. Unzu-lässig sei es, Religion von vornherein mit christlicher Religion gleichzusetzen. Um Religionsphilosophie treiben zu können, müsse man nicht Christ sein.

Overbeck ist nicht bereit, der These Ritschls zuzustimmen, nur die geschichts-widrige Spekulation habe Baur daran gehindert, die christliche Lehre von der Offen-barung Gottes im *geschichtlichen* Christus festzuhalten. Es sei genau umgekehrt: in-sofern Baur die Geschichte auf Hegelsche Weise metaphysiere, insofern er meint,

125 F. C. Baur, Die Epochen (s. Anm. 122), 263.
126 Siehe (Zeller), Die Tübinger historische Schule (HZ 4, 1860, 90–173); Ritschl, Über ge-schichtliche Methode in der Erforschung des Urchristenthums (JDTh 6, 1861, 429–59); (Zeller), Die historische Kritik und das Wunder (HZ 6, 1861, 356–73); Ritschl, Einige Erläuterungen zu dem Sendschreiben: „Die historische Kritik und das Wunder" (HZ 8, 1862, 85–99); Zeller, Zur Würdigung der Ritschl'schen „Erläuterungen" (ebd. 100–116).
127 Die christliche Gnosis, 1835, 720.
128 JDTh 6, 1861, 437.
129 ONB A 218 Baur (seine Bedeutung) Ritschl, S. 3.

daß sich im Leben Christi „das Wesen und Leben des Geistes selbst darstellt"[130], komme seine Geschichtsschreibung nicht zu voller Freiheit. „Warum soll denn nicht geschlossen werden, daß Baur zu viel auf die Hegel'sche Philosophie gegeben, und ihre Vorurtheile getheilt."[131]

Baur hatte seine Stellung zur Geschichte und seine Fähigkeit zur Kritik der Überlieferung dadurch gewonnen, daß er gegen die Vorstellung den Begriff setzte und die Geschichte zur „an sich seyenden Wahrheit" hin transparent sah. Overbeck ist dagegen der Meinung, daß in der Unterscheidung von Vorstellung und Begriff, von Erscheinung und Wesen nur Theologenunart liege[132]. Er kann mit Hegels Philosophie nichts anfangen. Nur das höchst Generelle, daß Hegel die Lebendigkeit des Geistes befördert habe, vermag Overbeck anzuerkennen.

Wenn Overbeck nicht ohne wichtigen Vorbehalt auf seiten *Baurs* steht, so meint er doch mit *Baur,* daß auf rein historischem oder empirischem Wege die Wahrheit des Christentums nicht zu erkennen sei. Mit Abscheu registriert er, daß *Ritschl* an dieser Einsicht vorbeilavieren will. Ritschl, der Baur die Kompetenz zum Historiker bestreitet, besitzt nach Overbecks Meinung diese Kompetenz selber durchaus nicht.

2. Teil: Overbecks kritische Deutung des Christentums in ihrer Entstehung und Entwicklung

Die Aufzeichnungen Overbecks aus seiner Frühzeit, die uns in seinem Nachlaß erhalten sind, zeigen uns, wie er die kritische Linie kräftig durchzieht; er übt von einem außerchristlichen, „humanen" Standpunkt aus, für dessen Ausbildung seine Freundschaft mit *Treitschke* wichtig war[1], Kritik an jeder „übernatürlichen" Kon-

---

130 F. C. Baur, (s. Anm. 127), 715.
131 ONB A 218 Baur (seine Bedeutung) Ritschl, S. 4. — In dieser Aufzeichnung scheinen die weiteren Seiten leider nicht mehr erhalten zu sein.
132 In der Charakteristik Baurs durch W. Dilthey, die unter dem Pseudonym W. Hoffner in Westermanns Monatsheften (September 1865) erschienen war (siehe jetzt Gesammelte Schriften IV, 2. Aufl. 1959, 403ff.) und die Overbeck „sehr gut" fand (ONB A 218 Baur, Literatur über ihn), standen die Sätze: „Was die kühnste Forschung ihm gewiß machte, das legte er sich, in einer Art von conservativem kirchlichem Geist, unter seinem theologischen Gesichtspunkt zurecht. Es ist wie eine Bahn seiner Gedanken, aus welcher er nicht weichen kann." (ONB A 218 Baur [Characteristik], S. 3.) Hier ist der Gegensatz zwischen Overbeck und Baur deutlich bezeichnet.
 1 Siehe dazu Bernoulli I, 1ff. Treitschke huldigte damals einem Ideal der unbedingten Freiheit des Glaubens, des Wissens und des Verkehrs, für das er sich auf *Milton* berief. Die Verscheuchung des Geistes der Unwahrhaftigkeit bedeutete für Treitschke die Verscheuchung des theologischen Geistes. „Was mich selbst anbetrifft", schreibt Overbeck über Treitschke (ONB A 239 Treitschke [Characteristik] Christenthum; vgl. CK 190), „so kann ich ihn nur zu meinen Erziehern im Unchristenthum, zu den Bestätigern meiner selbst in der im Verhältniß zum Christenthum empfundenen Fremdheit rechnen." Overbeck hatte, wie er sagt, „in Berlin im Sommer 1860 *mit größer Begeisterung* und *Hingerissenheit Schopenhauers*

zeption der Anfänge und der Geschichte des Christentums. Zugleich enthüllt sich
ihm mit wachsender Deutlichkeit das *diastatische* Element im Christentum, das
er vor allem in der Entwicklung des *Mönchtums* analysiert.

„Man sieht", notiert Overbeck, „im Christenthum gewöhnlich ein von oben und
außen in die Menschenwelt getretenes Wunder. Wer ihren Zustand kennt zur Zeit
der Entstehung des Christenthums, ihren Glauben, ihren Nothstand, wird vielmehr
erkennen, daß die Bedingungen zum Wunder durchaus in der Menschenwelt selbst
lagen, daß das Christenthum ein Wunder ist, aber nur kein solches, das sich im
Himmel gebildet hat, sondern eines, das aus der Menschenwelt entsprungen ist."[2]
Daß Overbeck in rein immanentem Sinn das Christentum ein Wunder nennt, resul-
tiert aus der Wunderlichkeit seiner Erscheinung. „Die Unbegreiflichkeit des Christenthums, seiner ältesten Wirkungen, seiner ältesten Ausbreitung ist kein Argument für das Ansehen, das es nach kirchlicher Anschauung beanspruchen muß.
Denn es ist völlig ungedeckt gegen den Einwand, daß alle diese Dinge nicht so
unbegreiflich wären, wenn wir historisch besser unterrichtet wären, als es der Fall
war. Und so schlecht wir es sind, wie sehr begreifen wir doch allerdings das Christenthum als ein Product der historischen Situation der Zeit seiner Entstehung!"
Dies allerdings mag im Sinne Overbecks immerhin wunderlich genug sein, daß das
Christentum in der Geschichte überhaupt „möglich" geworden ist.

Stellen wir die Frage nach dem Christentum konsequent historisch, so bleibt nach
Overbeck nicht aus, daß wir die Gottesvorstellung des Christentums einer Kritik
unterziehen. Diese Kritik ist aber, so sagt Overbeck, nicht etwa die Entfaltung
eines auf spekulativer Basis gewonnenen positiven Begriffs des Christentums.

Die geschichtliche Kritik des Christentums verbindet sich vielmehr mit der natur-
wissenschaftlichen Kritik, die das christliche Weltbild unmöglich macht und den
Anspruch der Theologie auf weltanschauliche Führung der Massen widerlegt. „Schon
der gegenwärtige Umfang der Wissenschaften macht es der Theologie unmöglich,
sich in bisheriger Weise zu halten. Sie bedarf im bisherigen Sinne der Unterstützung
aller Wissenschaften, und zwar in ihren höchsten Resultaten. Diese können sie
jetzt nicht mehr geben. Die Theologie muß im Ernst eine praktische Wissenschaft
werden, auf eine bestimmte Aufgabe gehen."

Parerga und Paralipomena gelesen" (Hervorhebungen von Overbeck). „Dann gerieth ich aber,
nach Leipzig im Frühjahr 1861 zurückgekehrt, in die politischen Kreise Treitschkes und
Genossen . . . , fiel jammervoll (vgl. Hebr. 6,4ff.) ab und vergaß für ein paar Jahre gewisser-
maaßen, wovon ich mich eben erst vollgesogen." (ONB A 239 Treitschke [Heinrich von]
und Fichte.) Während Overbeck, in Verbindung mit der profanen Bestimmung, die er seiner
Arbeit innerhalb der Theologie gab, das „Weltkind" auch später geblieben ist, das er damals
genau so wie Treitschke war (ONB A 239 Treitschke [Characteristik] Weltlichkeit, S. 1), ging
Treitschke später mit einer ostentativen Christlichkeit einher, die, als Treitschke sie den Juden
gegenüber in aggressiver Weise geltend machte (siehe dazu die Dokumentation: Der Berliner
Antisemitismusstreit, hg. von Walter Boehlich, 1965), sich in Overbecks Augen „wie ein poli-
tisches Expediens neben anderen" ausnahm (Overbeck an Treitschke, 19.12.1880; Bernoulli
I, 366).
2 ONB A 272. Aus dieser Sammlung von Einzelzetteln auch die folgenden Stellen.

Das Monopol der Theologen ist gebrochen. „Das copernikanische Weltsystem stellt die kirchliche Weltanschauung mindestens in Frage. Auf rein naturwissenschaftlichem Boden sich darüber zu entscheiden, erlauben dem Theologen seine Kenntnisse in der Regel nicht; er hat sich auf dem Boden der Geschichte die Entscheidung zu holen, durch Untersuchung, wie die Anschauung der Absolutheit des Christenthums entstanden ist." Diese Untersuchung aber fällt zu Ungunsten der christlichen Überlieferung aus. „Die Absolutheit der kirchlichen Anschauung vom Christenthum ist gebrochen a) durch die Naturwissenschaft (copernikanisches Weltsystem u. A.), b) durch die Geschichte — nämlich schon durch die Eintheilung der Geschichte in alte, mittlere und neue, welche es schon streng genommen ausschließt, daß Christus im kirchlichen Sinn ein ‚Wendepunkt der Zeiten' war. Darum ist in der That die Reformation ein so tiefer Bruch mit der vorhergehenden Geschichte, weil sie uns eine neue Periode beginnen zu lassen zwingt, die Periode der verfallenden Kirche oder der abnehmenden Absolutheit des Christenthums."

Die Geschichte widerlegt den Absolutheitsanspruch des Christentums also schon durch ihren bloßen Fortgang, dadurch, daß sie sich beim Christentum nicht aufhält. Wenn sich das Christentum aber, indem es politisch wird, in der Geschichte festzukrallen sucht, fälscht es sich selbst. „Nichts fälscht das Christenthum gründlicher als seine Hereinziehung *in seiner unmittelbar religiösen Form* in staatliche Aufgaben und Zwecke. Haben die alten Christen bisweilen dem Staat selbst ihre Dienste angeboten (vgl. z. B. *Justin. Mart.* Ap. I, 12), so ist es doch immer unter dem Vorbehalt einer der christlichen Denkweise entsprechenden Auffassung der Zwecke des Staats geschehen. Wohl will das Christenthum unter allen Unterthanen eines Staats Frieden schaffen, es fällt ihm nicht ein, sich anzubieten, um tüchtige Kriegsleute daraus zu machen."

Soweit Overbeck auf dem „*religiösen*" Charakter des Christentums besteht und seiner Verfälschung wehrt, könnte es sich um die Wahrung der eigentlichen Intentionen des Christentums zu handeln scheinen. Aber man darf sich nicht darüber hinwegtäuschen, daß Overbeck beabsichtigte, die Geschichte des Christentums statt zu seiner Rechtfertigung vielmehr zu seiner Kritik zu benützen, ohne Rücksicht darauf, was das Christentum als Folge solcher Kritik vielleicht noch mit sich selber anfangen könnte.

Daß dabei noch etwas Positives herauskommen könnte, scheint Overbeck durchaus einzuräumen: „Geben wir eine unhaltbare Absolutheit des Christenthums auf, so werden wir seine relative Kraft steigern. Geben wir die Ansicht auf, daß das Christenthum eine theoretisch befriedigende Lösung des Welträthsels ist, und es wird für unser Menschenleben weit größere praktische Bedeutung erlangen, als es heute hat, wo wir über das Christenthum große Worte brauchen, uns aber ganz unabhängig davon zu handeln vorbehalten."

Was Overbeck hier im Sinne hat, ist dies, daß das Christentum schon bisher alles andere als Alleinherrscher auf dem Gebiet der Kultur und der Moral war. Dieser Zustand soll offen zugegeben werden. Die Menschen selbst sollen sich schlüssig werden, was vom Christentum noch zu brauchen ist und was nicht.

Overbeck setzt gegen das Absurde und Irrationale der überlieferten christlichen Theologie die *Vernunft*, die uns unsere Lage erleichtern könne. „Es handelt sich bei der Frage um die Haltbarkeit oder Unhaltbarkeit der Theologie im bisherigen Sinne gar nicht um Fragen wie um Erkennbarkeit göttlicher Dinge usw. Vielmehr entscheidet hier alles die rein praktische Frage: Sind nicht die Menschen ihrer Mehrzahl nach absolut unfähig, die theologischen Fragen in ihrer bisherigen Fassung in Erwägung zu ziehen, gehen sie nicht weit über ihren Horizont hinaus. Nun aber wird ein bestimmtes Quantum Theologen noch lange ein Bedürfnis sein. Warum diese sich abquälen und scheitern lassen an Fragen, denen sie nicht gewachsen sind? Stellen wir vielmehr die ganze Wissenschaft auf einfachere Grundlagen."

Indem die Kirche den Anschein erweckt, als lebten wir noch in den dogmatischen Begriffen, während diese doch längst für uns tot sind, überfordert sie vor allem den *Pfarrer*. Es wäre schon viel, wenn uns die Bedingungen klar würden, unter denen man überhaupt solche *Fragen* stellen kann, als deren *Beantwortung* sich die dogmatischen Formeln präsentieren.

Damit erkannt werden kann, wo in der kirchlichen Arbeit der Realitätswert liegt, fordert Overbeck eine ehrliche Bilanz, die sich über den geschichtlichen Lauf des Christentums keine Illusionen macht.

Overbeck meint zeigen zu können, daß das Urchristentum durch *Diastase* bestimmt war. Diese sei gekennzeichnet durch die Naherwartung des Weltendes und durch Weltfeindschaft. Im *Mönchtum* schien sich urchristliche Weltfeindschaft über das Urchristentum hinaus erhalten zu haben, freilich in anachronistischer Weise, denn nach Overbecks Überzeugung war das Christentum durch die Parusieverzögerung längst ad absurdum geführt, als sich das Mönchtum zu entwickeln begann.

Overbecks Studien über das Möchtum fallen in die Mitte der 60er Jahre und gruppieren sich um die Habilitationsvorlesung „Über die Anfänge des Mönchthums" vom 21. Oktober 1864[3] und um den gleichnamigen öffentlichen Vortrag, den er am 6. Februar 1867 in der „Rose" in Jena hielt[4].

„Mit dem ältesten Christenthum und der ältesten Kirche", so notiert Overbeck 1864[5], „theilen die Mönche jedenfalls, daß auch sie ein ausschließlich von religiösen Motiven geleitetes Leben führen." Nach dem politischen Sieg der Kirche und bei der gleichzeitigen Demoralisation mußte „gerade ein Rückblick auf das Urchristenthum . . . ernstere Christen bewegen, gerade jetzt die Welt zu fliehen"[6]. „Dazu schien es zum Wesen der Kirche zu gehören, daß sie von der Welt verfolgt würde. Die Mönche setzen die Märtyrer fort." „Das Mönchthum gehört in die Kategorie der pietistischen Bewegungen, die allemal auftreten, wo Dogma und Leben auseinandertreten." Freilich: „Alles, was die protestantische Kirche an pie-

---

3 ONB A 76.
4 ONB A 77. Das in Overbeckiana I, 10 (wohl nach Bernoulli, BJB 1906, 140) dazu angegebene Datum ist zu berichtigen; vgl. Overbeckiana II, 181.
5 ONB A 76.
6 ONB A 76, Anfänge des Mönchthums. Dort auch die folgenden Stellen.

tistischen Bewegungen hat, macht neben dem Mönchthum den Eindruck des Kleinlichen und Dürftigen."[7]

Overbeck möchte im Mönchtum, gegen *Neander* und in Übereinstimmung mit *Wilhelm Gaß*[8], keine dem Christentum fremde, ihm von außen zugeflossene Strömung sehen, sondern eine Bewegung, die das echte Christentum repräsentiert. „Wollte man auch", so sagt er, „zugeben, daß einer normalen Entwicklung der Kirche das Mönchthum immer fremd geblieben wäre, ein Gedanke, der sich übrigens schon bei den ältesten Apologeten des Mönchthums findet, so würde sich immer noch fragen, ob das Mönchthum, weit entfernt, selbst eine der Kirche von außen angewachsene Abnormität zu sein, nicht vielmehr ein Zeugniß von gegen andere Abnormitäten der eingetretenen Entwicklung reagirender Gesundheit sei."[9] Das Mönchtum sei aus „der der Kirche immanenten Entwickelung" entsprungen, und es werde „mit Unrecht abgeleitet vom Eindringen des Dualismus in die Kirche, mit nicht ganz treffender Betonung von Ägypten".

Wir folgen nun den Ausführungen Overbecks in seinem „Rosenvortrag". Overbeck ist bemüht, zu zeigen, „wie tief" das Mönchtum „in der ursprünglichen christlichen Predigt der Weltentsagung, ja einzelnen geradezu asketischen Elementen des N. T's begründet ist"[10]. Die Diastase, so Overbecks These, ist nicht erst mit dem Heidentum und seinem „Dualismus zwischen Geist und Materie" (2) in die Kirche gekommen, sie war dort von vornherein zuhause. Freilich möchte Overbeck nicht behaupten, daß das Mönchtum mit dem Christentum absolut zusammenfalle (3). Es handelt sich beim Mönchtum nach Overbeck um die besondere Art und Weise, in der unter bestimmten Bedingungen die für das Christentum charakteristische Diastase sich ausdrückte.

Overbeck weist darauf hin, daß das Mönchtum durch das Märtyrertum vorbereitet wurde und zitiert *Tertullian* (ad mart. c. 2): „Es sei gleichgültig, ob der Christ sich im Kerker befinde oder in Freiheit, denn an welchem Orte dieser Welt er auch sei, stehe er doch außerhalb der Welt, und dasselbe sei für den Christen der Kerker, was die Wüste einst den Propheten gewesen sei" (4). „Wenn also", fährt Overbeck fort, „Tertullian so spricht, so sind seine Worte ein sehr bezeichnender Ausdruck für den Antagonismus des Christenthums gegen die Culturverhältnisse, unter denen es aufwuchs, der auch zum Mönchthum geführt hat. Die Stelle klingt fast wie eine Prophezeiung dessen, was etwa 100 Jahre später geschah, daß nämlich, als dem Christen als solchem der Kerker versagt zu werden begann, er sich fragte, ob nun nicht die Wüste der Ort sei, wo er allein noch ein seiner würdiges Leben führen könne." (4f.) Das Mönchtum versteht sich selbst als „tägliches Märtyrerthum" (5).

Das Mönchtum ist nach Overbeck „im Wesentlichen eine Frucht des Kampfes der christlichen Kirche mit der antiken Cultur", und „die Behauptung, daß die ersten katholischen Christen die ersten Mönche gewesen sind, ist nur *darum* falsch, weil

7 Notiz Overbecks aus den 60er Jahren, ONB A 255.
8 RE 1. Aufl. IX, 672ff.; ONB A 255 Mönchthum (Allgemeine Urtheile), S. 7ff.
9 ONB A 76 Anfänge des Mönchthums. Dort auch die folgenden Stellen.
10 ONB A 77, S. 3. Dort auch die folgenden Stellen.

sich historische Erscheinungen überhaupt nicht wiederholen noch gleich bleiben"
(5f.). Die zugrundeliegende *Idee* ist dieselbe, nämlich die *Diastase*, nur hat sie eine
andere Ausprägung bekommen. Denn das Christentum erfährt, als es zum Mönchtum kommt, schon sein eigenes *Alter*. Es ist „bedeckt . . . mit den Wunden eines
jahrhundertelangen, sich immer schärfenden und, was die Hauptsache ist, damals,
als das Mönchtum entstand, allem Anschein nach vergeblichen Kampfes mit dem
heidnischen Gegner. Das Christenthum hatte seine ersten Bekenner freilich auch
abgesondert von der Welt, aber in dem kühnen und schönen Glauben, die Welt
neu zu machen. Das Mönchthum empfindet bei seiner Entstehung richtig und tief,
wie wenig dies dem Christenthum in dem absoluten Sinne, den es der Theorie nach
immer mehr erstrebte, gelungen war. Wenn es aber nun, an der Welt verzweifelnd
seinerseits wiederum den wahren Christen aus der Welt heraus und in die Einsamkeit treibt, so begreift sich leicht, daß und warum die Weltflucht des Mönchthums
nun einen Zug finsteren Welt- und Menschen*hasses* erhält, der der Weltentsagung
des jungen Christenthums durchaus fremd ist." (6f.)

Der kühne Glaube der Urchristen war für Overbeck in deren Naherwartung des
Weltendes begründet. Die Diastase trotz der durch die Parusieverzögerung eingetretenen Desavouierung dieses Glaubens aufrechtzuerhalten, hieß, sich einer fort-
gehenden Menschheitsgeschichte entgegenzustellen: die Enttäuschung schlägt in
den Haß gegen die Mitwelt um.

In der Zeit *Konstantins* ist die Kirche erheblich in ihrer Selbständigkeit bedroht.
Sie ist „so tief in die Voraussetzungen der antiken Cultur verwickelt", daß sie
ohne das Mönchtum wohl zum Stillstand gekommen wäre (9). Denn von einer
Christianisierung der Staatsgrundsätze kann unter Konstantin nicht die Rede
sein. Die Verwickelung des Christentums mit der Welt zeigt sich auch an seiner
Abhängigkeit von der heidnischen Wissenschaft. Julian Apostata traf die Kirche
damit schwer, daß er ihren Lehrern verbot, sich mit heidnischer Literatur zu be-
fassen. Der geistliche Stand war verweltlicht. Overbeck erinnert an „das traurige
Schauspiel der Würdelosigkeit, mit der sich so viele der christlichen Bischöfe einem
genialen, aber durchaus gewissenlosen Despoten wie Constantin in die Arme geworfen haben" (11) und ihm in einer von heidnischer Apotheose schwer zu unter-
scheidenden Art und Weise huldigten. Auch auf die bereits in Nicäa sich zeigende
„Zank- und Verfolgungssucht" und auf die Oberflächlichkeit der Massenbekeh-
rungen weist Overbeck hin.

So hatte die Kirche allen Grund, das zu retten, „was noch von dem ihr eigenthümlichen idealen Streben zu retten war" (12). Aber wie ist der Versuch, mittels
des Möchtums das diastatische Element des Christentums zu retten, zu beurteilen?
„Läugnen läßt es sich nicht", führt Overbeck aus, „daß die tiefsten Schäden der
mittelalterlichen Cultur an der nun entstandenen Unterscheidung von Kloster- und
Weltchristen hängen, daß der Dualismus dieser Cultur, der uns beständig das Er-
habenste und das Gemeinste in widriger Nachbarschaft schauen läßt, namentlich
dem Makel zur Last gelegt werden muß, den vor allem das Mönchtum auf alle
Weltlichkeit geworfen hat, daß es moralisch von den verhängnißvollsten Folgen
gewesen ist, wenn der Mönch für *sich* die Vollkommenheit des Christen bean-

sprucht und den Weltchristen im Glauben gelassen hat, *ihm* komme nur die fromme Phrase zu." (13f.)

Aber es handelt sich ja bei dem Mönchtum um eine Notmaßnahme. Das Mönchtum ist „eine Selbstbehauptung des Christenthums in einem Moment, da es sonst besorgt, verschlungen zu werden" (14). Von *seinem* Standpunkt aus hat das Christentum mit der Einführung des Mönchtums also rechtgetan. „Denn wenn man vom Christenthum sagen muß, daß es im Orient nie etwas anderes als der Sarg für eine alte und untergegangene Cultur geworden ist und hieran auch das Mönchthum nichts hat ändern können, so ist doch im Abendlande das Christenthum die Wiege für eine junge und neu aufgehende Cultur gewesen, und hieran hat das Mönchthum einen sehr wesentlichen Antheil gehabt." (15) So hat sich die Aufrechterhaltung der Diastase zwischen Christentum und Kultur nur als Vorbereitung zu einer Synthese erwiesen, und das Mönchtum bleibt „wohl die Erscheinung der Kirche, welche uns am unmittelbarsten daran erinnert, welche gewundenen Wege die Geschichte des Christenthums gegangen ist" (15f.)[11].

Die *Anachoreten* huldigten „dem traurigen Wahne, nur fern vom Anblick der Menschen und bis zu vollkommener Selbsttödtung könne ein Christenmensch leben" (22f.). In der Tierliebe erkennen wir bei ihnen den „letzten Rest menschlichen Gemüthsbedürfnisses" (23). Die Phantasie ließ den „Kampf gegen alle Natur" zum „Kampf gegen den Teufel und sein Heer" werden (24). „Für teuflische Tücke galt alles, was den Anachoreten abzog von dem höchsten Ziele seines Trachtens." Dieses höchste Ziel war „beständige betende Contemplation" (24f.).

Auch die Bitte eines verunglückten Knaben um Hilfeleistung konnte eine dämonische Versuchung sein. Der Anachoret Nathanael verwies den Knaben (der sich anschließend als Dämon herausstellte) auf die Allmacht Gottes und blieb in seiner Zelle[12].

Overbeck hebt hervor, in welchem Sinne das Mönchtum als *Alterserscheinung* des Christentums verstanden werden müsse: „Das anachoretische Ideal, das die ägyptischen Christen in die Wüste getrieben hat, ist ja keineswegs der ganz allgemein und nicht weiter bestimmte Trieb, der Welt und den Menschen zu entfliehen. Vielmehr erhält dieser Trieb eine ganz individuelle Bestimmtheit, wenn wir uns darauf besinnen, daß die Anachoreten sich der Welt entziehen, um dem Vorbilde Christi und der ersten Christen zu folgen. Sie sind ergriffen von dem Contraste der Worte und Thaten der Vergangenheit und der Gegenwart der Kirche in einem bestimmten historischen Moment, verzweifeln daran, als Christen in der Welt zu leben und beschließen, es in absoluter weltflüchtiger Einsamkeit zu thun."[13]

M. a. W., die Mönche sind die Vertreter dessen, was man „*Primitivismus*" nennen könnte[14]. Sie blicken *zurück* und nehmen die Urzeit zum Maßstab. Damit geht ihnen

---

11 Im Manuskript gestrichen.
12 So nach Palladius, Historia Lausiaca, ONB A 255 Mönchthum (Abgeschlossenheit von der Welt, Menschenfeindlichkeit), S. 9f.
13 ONB A 77, S. 32f.
14 Vgl. F. H. Littell, WKL (1960), 1182ff.; ders., Das Selbstverständnis der Täufer, 1966, 82ff.

das auf, was nach Overbeck allen Christen aufgehen müßte, daß nämlich die Geschichte des Christentums eine Geschichte der Verweltlichung und damit eine *Verfalls*geschichte ist. Das Mönchtum ist „entsprungen aus der Empfindung des Contrastes der damaligen Gegenwart mit den Verhältnissen des Urchristenthums"[15].

Nur ist es eben der Irrtum der Mönche (wie später der Pietisten und ähnlicher Bewegungen), daß sie meinen, die Diastase aufrechterhalten und der Welt entgehen zu können. Ist also nicht überhaupt die Meinung, man könne unter den Bedingungen, die unserem Menschsein gesetzt sind, christlich leben, ein Irrtum? Die Mönche erfahren, „daß sie in der Wüste doch *auch* nicht ihrem Ideal nachleben könnten und die tiefsinnigeren und von dem Grundgedanken, der sie in die Wüste getrieben hatte, Ergriffeneren haben hier in eine ähnliche Verzweiflung gerathen müssen, wie die war, die sie aus der Welt getrieben hat"[16].

Aber war denn das Leben Christi überhaupt ein Mönchsleben? Es tritt ein Widerspruch zwischen dem wirklichen Vorbild Christi und der mönchischen Wirklichkeit auf. „Es ist ein besonders merkwürdiges Beispiel der tyrannischen Macht der Ideen in der Geschichte, daß diesem so einfachen Widerspruch doch die Generationen von Jahrhunderten zum Opfer gefallen sind." (34)

Die Arbeit kann für die Mönche nur in der Rolle eines „höchst lästigen Übels" (36) in Betracht kommen. Das Ideal vollkommener Beschaulichkeit war durch bloßes Nichtstun nicht zu erreichen. Vielmehr kam es im Verfolg dieses Ideals zu Selbstmorden und Wahnsinnsfällen. Aus dieser Verlegenheit möchte Overbeck auch das „ora et labora" erklären. „Nun konnte", sagt er, „sich freilich der christliche Anachoret nicht (ver)bergen, daß ein solcher Geist der Trägheit es nicht gewesen sein könne, der die ersten Verbreiter des Christenthums beseelte, und es hat auch unter den ägyptischen Mönchen nicht an Berufungen auf neutestamentliche Vorbilder für Empfehlung der Arbeit gefehlt." (38)

Ein weiterer Punkt, an dem die Praxis des Mönchtums mit der neutestamentlichen Verkündigung in Spannung steht, ist der Hochmut. „Die Weltabsonderung des Anachoreten ist in sich selbst die maßloseste Überhebung, und es ist nur natürlich, daß die entwickeltsten Formen des geistlichen Hochmuths im Mönchthum vorkommen" (39f.). Overbeck gibt Beispiele, wie Mönche dazu neigten, Gott auf die Probe zu stellen, und er fährt fort, die Mönche und Anachoreten empfänden es schmerzlich und müßten es so empfinden, „wie schwer ihnen die evangelische Vorschrift der Demuth wird, wie leicht sie in Hochmuth verfallen" (41). So warnen, wie Overbeck berichtet, denn auch die Mönchsväter vor Hochmut. Durch forcierte Demutsübungen war, so meint Overbeck, der Hochmut freilich nicht auszutreiben.

Auch Menschenliebe und Wohltätigkeit waren durch die Selbstbezogenheit des asketischen Ideals bedroht. So preist der hl. Makarius sich glücklich[17], einen Mord begangen zu haben, weil er dadurch veranlaßt wurde, Mönch zu werden. Der Ge-

---

15 ONB A 255.
16 ONB A 77, S. 33. Dort auch die folgenden Stellen.
17 Nach Palladius, Historia Lausiaca, ONB A 255 Mönchthum (Abgeschlossenheit von der Welt, Menschenfeindlichkeit), S. 8.

horsam und die Bereitschaft eines ins Kloster eintretenden Vaters, sich von der Welt zu trennen, wird [18] dadurch geprüft, daß dessen Sohn von den Mönchen willkürlichen Mißhandlungen unterworfen wird. Der Vater muß sogar bereit sein, auf Befehl seinen Sohn in einen Fluß zu werfen. Trotz solcher Beispiele kann man nach Overbeck *nicht* behaupten, „daß das Mönchthum der evangelischen Predigt der Menschenliebe, der Sorge für den Armen und den Leidenden sein Gehör versagt habe"[19]. Dennoch müsse man sagen: „Menschenscheu, wo nicht Menschenhaß, empfindet das Mönchthum als Neigung, Menschenliebe als Pflicht und nur als das". So erklärt ein Anachoret vom Sinai, wen Menschen besuchten, den könnten Engel nicht besuchen[20].

Der mönchischen Wohltätigkeit fehle alle Unmittelbarkeit. „Auch die Wohlthätigkeit ist für das Mönchthum ein Gegenstand der Askese, etwas, wozu es sich zwingen muß. Daher diese Wohlthätigkeit in der Regel etwas Affectirtes hat, sich gern aushängt, einen besonderen Anstrich sich zu geben liebt. Ja, sie will selbst nicht auf einfältiger Liebe des Nächsten beruhen, sondern beruft sich, wie um sich zu entschuldigen, auf den Himmelslohn, den sie erwartet. Sie scheut sich daher unter Umständen auch nicht, dem Subject, dem die Wohlthat erwiesen wird, Gewalt anzuthun, denn dieses ist Mittel zum Zweck geworden."[21]

Wie verhält sich ein der Nächstenliebe gewidmetes, aber in der „Welt" verbrachtes Leben zu einem Leben in der Weltferne? Diese Frage führte auf „ein für das Mönchthum unlösbares Dilemma". Nach einer von *Palladius*[22] erzählten Geschichte gibt eine Vision die Auskunft, daß auch das Leben in der „Welt", das der Nächstenliebe dient, zur Seligkeit führt. Das hier auftretende Dilemma rührt nach Overbeck daher, daß das innerste Streben des Mönchtums „thatenlose anachoretische Weltflucht" sei, während das Mönchtum andererseits doch die „Lehre thätiger Menschenliebe" vertreten möchte, ohne dies mit jenem Streben vereinbaren zu können[23]. So scheint nach Overbeck „das christliche Anchoretenideal ein Ding der Unmöglichkeit zu sein (49). Das Gebot der Liebe weist den Mönch in die Welt zurück, aus der er doch fliehen will.

Das *Coenobitentum* oder Klostermönchtum sucht von dem „Geiste der anachoretischen Weltflucht möglichst viel zu retten" (51) und verweist das Anchoretentum auf eine höhere Stufe des Menschseins, die nur wenigen zu erreichen beschieden sei. Die nitrische Regel, nach der einzeln lebende Mönche in einem Verein zusammengefaßt sind, möchte „möglichst viel vom Schein des Einsiedlerthums ... retten neben dem nothwendigen Übel eines Lebens in Gemeinschaft" (54f.). So ist die nitrische Regel „der organisirte Widerspruch des Mönchsideals und seiner möglichen

---

18 Nach einer Erzählung des Cassian (De institutis IV; 27).
19 ONB A 77, S. 45. Dort S. 46 die folgende Stelle.
20 Nach Postumianus bei Sulpicius Severus, Dial. I, c. 17, ONB A 255 Mönchthum (Abgeschlossenheit von der Welt, Menschenfeindlichkeit), S. 16.
21 ONB A 77, S. 46f. Dort S. 48 die folgende Stelle.
22 Historia Lausiaca, ONB A 255 Mönchthum (Abgeschlossenheit von der Welt, Menschenfeindlichkeit), S. 4ff.
23 ONB A 77, S. 48f. Dort auch die folgenden Stellen.

Durchführung" (55). Das später aufkommende System der gemeinsamen Mönchs-wohnung und der strengen Regel will, während der „Schein des Einsiedlerlebens" preisgegeben wird, vom „ursprünglichen weltflüchtigen Geiste" noch *mehr* retten, indem die persönliche Freiheit unter Kontrolle gestellt wird. Die Regel des hl. *Pachomius* löst „ein gewisses Erstaunen" aus „über den Contrast des öden, miß-trauischen, polizeilichen Geistes dieser Regel mit dem alle Formen sprengenden Schwärmergeist des Anachoretenthums" (57). Jedoch, indem Pachomius im Klein-lichen groß war, hat er „manche Außenwerke seines Ideals preisgegeben, aber um so sicherer einen Hauptposten zu nehmen und zu behaupten gewußt, die mensch-liche Persönlichkeit des Mönchs" (59). Seine Regel „vernichtet im Mönch allen Eigenwillen"; „nirgends darf das menschliche Individuum hervortreten". „Wir können", fährt Overbeck fort, „nicht zweifelhaft sein, was der tiefere Sinn dieses Fanatismus der Menschenvernichtung ist. *Ein* Stück Welt war es, das der Anachoret auch in der tiefsten Einsamkeit hatte mit sich dulden müssen, und daran hatte sich doch schließlich alles anachoretische Streben gestoßen. Dieses Stück Welt war er selbst. Diesen Stein des Anstoßes will nun das streng geregelte Coenobiten-thum beseitigen, und wir begreifen nun auch, warum der Gehorsam die oberste Mönchstugend wurde." (60) Die Befehle beziehen sich vielfach auf Sisyphusarbeiten, so daß der Gehorsam gänzlich formal bestimmt ist.

„Bewundern", so meint Overbeck, „können wir bei dieser Entwickelung nur die zähe Consequenz, mit welcher sich das christliche Anachoretenideal trotz seiner eigenen inneren Widersprüche, trotz des Widerstandes der Natur eine Form zu schaffen gewußt hat, die ihm eine jahrhundertelange Geschichte sicherte." (61) Overbeck bestreitet also nicht, daß das Mönchtum eine Sache von *Dauer* gewor-den ist, aber er weist darauf hin, daß seine Dauer *beschränkt* gewesen sei. Das Christentum, in dem im Mönchtum eine *Alters*erscheinung sich regte, hat vor-läufig weiterleben können, aber doch nur mühsam: „Das Mönchthum ist ein Chri-stenthum, aber ein Christenthum, das bedeckt mit Wunden hervorgegangen ist aus dem zum großen Theile vergeblichen Kampfe mit der Cultur, die es vernichten oder doch durchdringen wollte." [24]

Overbecks Kritik wendet sich der moralischen Seite des Vorgangs zu: Das Mönch-tum hat mit dem Übergang zur Regel „eine verhängnißvolle Schuld auf sich ge-laden. Sofern die Regel ein Pact des ursprünglichen Anachoretenthums mit der Welt ist und eine nothgedrungene Selbstbeschränkung des Anachoretenthums, ent-hält sie eine innere Unwahrheit. Sofern sich in ihr das innerste, die Welt fliehende Streben des Anachoretenthums behaupten will und hierzu den Menschen moralisch tödtet, ist sie eine Frevelthat." [25]

Wir „mögen ... das gerechte Gericht der Geschichte darin erkennen, daß mit der Regel das Mönchthum den Keim seines eigenen Todes in sich aufgenommen hat". Denn die Regel bindet das Mönchtum schließlich an die Hierarchie. Indem, so

---

24 ONB A 255. – Hier sind Zettel gesammelt, die Aufzeichnungen Overbecks über das Mönch-tum aus den 60er Jahren enthalten. Die meisten davon sind nach Stichworten geordnet; einige Zettel sind jedoch ohne Überschrift.

25 ONB A 77, S. 62. Dort auch die folgenden Stellen.

schließt Overbeck, die Regel des *Jesuiten*ordens „die Verweltlichung des Mönchthums zur Vollendung bringt, und zugleich die Kunst der moralischen Tödtung
der ihr unterworfenen Ordensglieder in einer auf der Erfahrung von Jahrhunderten beruhenden Meisterschaft offenbart, verbindet sie so wahrhaft unheimliche
Widersprüche in sich, daß man sagen kann: hier ist das Mönchthum selbst nur noch
zu dem lebendigen Leichnam geworden, zu welchem diese Regel, wie sie selbst
sagt, die Glieder des Ordens machen will" (63).

Overbecks Absicht war es, „dem Mönchthum historische Gerechtigkeit zu Theil
werden zu lassen" (2). Mit *Burckhardt*[26] lehnt er es, gegen *Baur*[27], ab, das Mönchtum von der „Voraussetzung einer Verdienstlichkeit" her zu erklären, „durch die
sich der eine über den Andern erhebt". So stellt er sich in seinem Vortrag zwischen eine katholische Ansicht, die das Mönchtum mit dem Christentum entstanden sein läßt, und eine protestantische Ansicht, nach der das Mönchtum nichts
mit dem Christentum gemein hat[28]. Das Mönchtum ist ein Versuch des Christentums, seiner Assimilation durch die Welt zu entgehen. Dieser Versuch ist nach
Overbecks Ansicht gescheitert. Overbecks historisches Bewußtsein registriert die
Stufen in der Entwicklung des Mönchtums als Schritte auf dem Wege einer un-
aufhaltsamen Verweltlichung. Wie man es auch anstellt, der Welt zu entgehen,
sie läßt keinen Menschen los.

Immerhin scheint sich am Horizont des Overbeckschen Vortrags eine Alternative
zum Mönchtum, ein mögliches Christentum anderer Art abzuzeichnen. Wenn die
Nächstenliebe die Verbundenheit mit Menschen, nicht die Trennung von ihnen
fordert und wenn das Gebot der Nächstenliebe mit den Ursprüngen des Christentums unlösbar verbunden ist, könnte dann nicht die Antwort der Mönche auf die
Schlechtigkeit der Welt, auch *christlich* gesehen, in ihrem Anspruch zweifelhaft
sein?

Overbeck weiß, daß diese Frage schon bei den Zeitgenossen der frühen Mönche
aufkam. Er notiert (14f.) eine Stelle aus den Predigten des *Chrysostomus* (in
I. Cor. Homil. VI, 4), wo die getadelt werden, die die Stadt verlassen und die Berge
aufsuchen. Der Grund, den solche Leute für ihren Rückzug von der Welt angeben,
ist nicht stichhaltig. Sie sagen, sie fürchteten, die Fähigkeit zur Tugend zu verlieren. Sollte man es, fragt Chrysostomus, nicht lieber auf den Niedergang der eigenen Tugend ankommen lassen und den andern Bedrohten beistehen, statt von den
Bergen herab dem Untergang seiner Brüder ruhig zuzusehen[29]?

---

26 Die Zeit Constantins des Großen, Ausgabe 1962, 314.
27 Siehe ONB A 255 Mönchthum (Wesen), S. 2.
28 ONB A 77, S. 1f. Dort auch die folgenden Stellen.
29 Obwohl Chrysostomus das Mönchtum lobt, sagt er an einer andern von Overbeck exzer-
pierten Stelle (Homil. in Epist. I ad Timotheum XIV, 6): Neben den Mönchen solle man
die Frommen innerhalb der Gemeinden nicht gering achten. „Zahlreich und häufig sind
solche Menschen auch mitten in den Gemeinden, aber verborgen. Laßt uns also auch solche,
die in den Häusern herumgehen oder die Volksversammlung besuchen oder Vorsteher
sind, nicht gering achten. Auch dies hat Gott verordnet." (ONB A 255 Mönchthum [Ab-
geschlossenheit von der Welt, Menschenfeindlichkeit], S. 14f.)

Aber die hier sich ankündigende Alternative kommt in Overbecks historischer Perspektive nur als verdeutlichende Folie der mönchischen Diastase zu stehen.

Overbeck meint: Indem die Christen die Idee der Diastase im Mönchtum objektivierten, haben sie ein Doppeltes offenbar gemacht: einmal, daß das Wesen des Christentums tatsächlich in der Diastase besteht (denn das, was sie vor der Welt retten wollen, ist ja ihr Christentum), und zum andern, daß die Idee sich ihrer selbst entäußern muß, um bestehen zu können. Sie tut das, sie schafft *Formen* ihres Bestandes, und so akkommodiert sie sich eo ipso *der* Welt, die sie doch verleugnet.

Denn, so die These Overbecks, „der religiöse Glaube ist seinem Wesen nach formlos"[30].

Das ist freilich eine These, die sich religionsphänomenologisch wohl schwerlich aufrechterhalten läßt. Nimmt man diese These zum Maßstab der Beurteilung der Kirchengeschichte, so läßt sich der Beweis dafür, das Christentum sei kaum je recht religiös gewesen, leicht führen.

Man kann hier die petitio principii erkennen, unter der die ganze Arbeit Overbecks steht. Statt die Form zum Leben zu rechnen und „Kirchenfrömmigkeit" und „Mystik", „statische" und „dynamische" Religion[31] polar aufeinander zu beziehen, wertet er die Form von vornherein als Verfallsform. Dabei vergißt er, daß beim ekstatischen Lebensgefühl selber zwei Pole, nämlich die des „schweifenden Orgiasmus" und des „haftenden Chthonismus", unterschieden werden können, unter denen gerade der erstere darauf hinwirkt, „aus dem unablässig Zerfallenden unablässig neue Formen hervorzutreiben"[32].

Während freilich *Nietzsche* sein Zutrauen in das Leben nur auf krampfhafte Weise zu gewinnen weiß, war *Jacob Burckhardt* sowohl gegenüber Nietzsche wie gegenüber Overbeck der überlegene Geist. Er wußte zuviel über die Formenfülle des Lebens, als daß er, auch gegenüber dem Christentum, „zu früh abzuurteilen" geneigt gewesen wäre[33].

Der Protestantismus, zu dem Overbeck sich bekannte, wurde in Jena durch *Karl Hase*[34] repräsentiert. Overbeck hat seine persönliche „Verehrung und Dankbarkeit" Hase gegenüber in der Widmung seiner Studien „Zur Geschichte des Kanons" (1880) zum Ausdruck gebracht. Er rühmt dort Hases Hang zur „schönen und weisen Gelassenheit". Nur auf Grund von Illusion sei es möglich, daß „die Theologie" solche Gelassenheit nicht als „die beste Stimmung, die wir uns in allen menschlichen Dingen erhalten können", schätze. Hier klingen die Gedanken *Shaftesbury*s wieder an.

---

30 ONB A 272.
31 H. Bergson, Die beiden Quellen der Moral und der Religion, 1933.
32 L. Klages, Die psychologischen Errungenschaften Nietzsches, 1926, 168ff.
33 Vgl. A. v. Martin, Die Religion Jacob Burckhardts, 2. Aufl. 1947, 154f.
34 Vgl. Gustav Krüger, RE 3. Aufl. VII, 453ff.

Hase habe durch seine „ermunternde Gütigkeit" und dadurch, daß er Overbecks Skrupel bei der Wahl einer Wirkungsstätte freundlich aufnahm, dazu mitgewirkt, daß er nach Jena ging.

Overbeck hat in seinen privaten Aufzeichnungen *Hase* neben *Baur* gestellt, sie ergänzten einander bestens, nur daß *Baur* wesentlich Kritiker, *Hase* aber Detailmaler sei. „Daher ersterer am bedeutendsten (letzterer am unbedeutendsten) in der alten Kirchengeschichte, wo das Detail spärlich und nur durch massenhafte, ins Große gehende Gruppirung uns ein Bild gewährt. Ebenso sehr aber übertrifft Hase Baur in der neuesten Kirchengeschichte . . ."[35]

Das protestantische Selbstbewußtsein und die Anschauung, daß der Protestantismus die Geistesfreiheit verkörpere, waren die Dinge, in denen Overbeck mit Hase zusammentraf. So konnte er hinsichtlich des Mönchtums für Hases Einschätzung Verständnis haben, wenn dieser sagte: „Klostergelübde enthalten das gerade Gegentheil dessen, was naturgemäß dem freigebornen Menschen ziemt: er soll, wenn er's mit Ehren kann, so viel erwerben oder erben, um Niemand zur Last fallend die Mittel zu der seiner Fähigkeit gemäßen Wirksamkeit zu besitzen; er soll, wenn kein unverschuldetes Geschick dem entgegensteht, sich durch die Ehe ergänzen und fortleben in seinem Geschlechte; und er soll, nur Gott in seinem Gewissen und dem Staatsgesetze unterthan, auch in pflichtmäßigem Dienste frei und mündig werden (sui iuris). Das Klostergelübde fordert von dem allem das Gegentheil."[36]

Daß Overbeck ein solches protestantisches Selbstbewußtsein aber doch nicht ungebrochen annehmen konnte und daß er kein liberaler Kulturprotestant geworden ist, das ist auf Gedanken zurückzuführen, wie sie ihm bei *Jacob Burckhardt* und besonders bei *Schopenhauer* entgegentraten. Burckhardts Buch „Die Zeit Constantins des Großen" (1853) war für Overbeck von fachlichem Interesse. Overbeck hat später lange Zeit neben Burckhardt in Basel gewirkt, aber die Ausschließlichkeit, welche das *kritische* Element in Overbecks Arbeit immer mehr erlangte, ließ es zu einem näheren Verhältnis der beiden Gelehrten nicht kommen. Burckhardts Urteil über Overbeck drückte sich konzis und unmißverständlich in dem Scherzwort aus, mit dem er es aufnahm, daß Overbeck eine kleine Reparatur an seinem Wohnhaus anbringen ließ. Dies, sagte Burckhardt, sei „das erste Grundlegende, was Overbeck geleistet habe"[37].

---

35 ONB A 272.
36 Das Klosterleben und die Heiligen (PrJ 9, 1862, 16); zitiert von Overbeck ONB A 255 Mönchthum (Allgemeine Urtheile), S. 1.
37 C. A. Bernoulli, BJB 1906, 153. — Overbeck hat Burckhardt bei der Vorbereitung der 2. Aufl. des Konstantin-Buches, die 1880 erschien, mit Literatur ausgeholfen (vgl. Overbeckiana I, 129; J. Burckhardt, Briefe, 7. Bd. 1969, 137). Zu einer weiteren Berührung kam es anläßlich des Ausbruchs von Nietzsches Wahnsinn. In polemisch übertriebener Weise, aber wohl doch nicht ganz ohne Anhaltspunkt an der Wirklichkeit berichtet Elisabeth Förster-Nietzsche über Burckhardts Abneigung gegen Overbeck (Der einsame Nietzsche, 1914, 59f.). — Es macht den Gegensatz zwischen Overbeck und Burckhardt aus, daß Overbeck, wie er selber sagt (SB 138), einer „falschen Tendenz" folgte, indem er von Berufs wegen Theologe blieb, während Burckhardt seinerseits der Theologie den Rücken kehrte und auf anderem Gebiet zu einer fruchtbaren Wirksamkeit kam. (Vgl. dazu Otto Markwart, Jacob Burckhardt. Persönlichkeit und Jugendjahre, 1920, 215f.)

Auf Overbeck wirkten in den 60er Jahren besonders Burckhardts Vorbehalte gegenüber einer fortschrittsgläubigen Zeit. Von diesen Vorbehalten her mußte die Diastase,
wie sie im Mönchtum sich niederschlug, eine andere Beurteilung erfahren, als dies
etwa bei *Hase* der Fall war. Overbeck hat einige Stellen aus Burckhardts Buch
exzerpiert, in denen diese andere „Taxation" zum Ausdruck kam[38].

Das Einsiedlerleben, hieß es da, gehört „in Zeiten der Krisis, da viele gebrochene
Gemüther die Stille suchen, während zugleich viele starke Herzen irre werden an
dem ganzen Erdenleben und ihren Kampf mit Gott fern von der Welt durchkämpfen müssen. Wer aber dem modernen geschäftigen Treiben und der allersubjec-
tivsten Lebensauffassung anheimgefallen ist und von diesem Gesichtspunkt aus jene
Einsiedler gerne in eine Zwangsarbeitsanstalt stecken möchte, der halte sich nur
selber nicht für sonderlich gesund ... Unsere Zeit ..., in der Annehmlichkeit
der freien geistigen Arbeit und Bewegung, vergißt es gar zu gerne, daß sie dabei
noch von dem Schimmer des Überweltlichen zehrt, welchen die Kirche im Mittelalter der Wissenschaft mitgetheilt hat."[39] Das ist ein Gedanke, der später von
Nietzsche radikalisiert wird: die Wissenschaft setzt einen Glauben an die Wahrheit voraus, den sie nicht selbst erzeugt. Darum kann die Wissenschaft nicht auf
eigenen Füßen stehen. Um nicht ganz und gar materialistisch zu werden, müssen
wir dem Leben den Bezug auf eine ideale Welt, die mit der vorfindlichen kontrastiert,
erhalten oder zurückgeben.

Vollends kann der christliche Standpunkt nicht mit einem modern-protestantischen
identifiziert werden. „Wer ... vom christlichen Standpunkt aus mit jenen alten
Helden der Wüste rechten will, der sehe wohl zu, daß er nicht als der inconse-
quentere Theil erfunden werde" (447)[40]. Und die Konsequenz, die immer dann
sich einstellt, „sobald man gewisse Worte des neuen Testaments ernstlich nimmt
und sich nicht mit Accomodationen durchhilft", besteht darin, daß es für den
Gläubigen „überhaupt kein Verhältniß zur äußern Welt mehr giebt". „Es wird
aber, so lange es ein Christenthum giebt, auch Gemeinschaften, Sekten und einzelne Menschen geben, die sich dieser ernstlichen Auslegung gar nicht entziehen
können."

Das Problem der Diastase ist auch dem Kulturmenschen gestellt, insofern er seine
persönliche Kultur nur durch den Abstand vom „geschäftigen Treiben" der Menge
bewahren kann. Es bedürfe nicht nur der Poesie, sondern betontermaßen auch der
Religion, denn, so drückt es Burckhardt später aus: „Ohne ein überweltliches Wollen, das den ganzen Macht- und Geldtaumel aufwiegt, geht es nicht"[41].

Nach Burckhardt muß man dem Anachoretentum, „der damaligen Welt gegenüber,
eine hohe Berechtigung zugestehen"[42]. Burckhardt stellt, was die aufgetretenen

---

38 ONB A 255 Mönchthum (Allgemeine Urtheile), S. 12ff.
39 Ausgabe 1962, 303.
40 Ausgabe 1962, 314.
41 An F. v. Preen, 3.7.1870; J. Burckhardt, Briefe, 5. Bd., 1963, 97.
42 Die Zeit Constantins des Großen, Ausgabe 1962, 311. In dieser Ausgabe auch die folgenden Stellen.

Extreme angeht, die besondere Lage in Ägypten in Rechnung (309f.), geht im übrigen aber von der positiven Seite der mönchischen Bewegung aus. Es handle sich beim Christentum um „ein ganz neues Verhältnis zu den irdischen Dingen", das gerade „die ernstern Menschen" zur Entsagung veranlaßt habe (298)[43].

Burckhardt hat seine „Weltanschauung", die sich in seiner Beurteilung der christlichen Diastase ausdrückte, späterhin brieflich so ausgesprochen: „Das große Unheil ist im vorigen Jahrhundert angezettelt worden, hauptsächlich durch Rousseau mit seiner Lehre von der Güte der menschlichen Natur. Plebs und Gebildete destillirten hieraus die Doctrin eines goldenen Zeitalters, welches ganz unfehlbar kommen müßte, wenn man das edle Menschenthum nur gewähren ließe. Die Folge war, wie jedes Kind weiß, die völlige Auflösung des Begriffes Autorität[44] in den Köpfen der Sterblichen, worauf man freilich periodisch der bloßen Gewalt anheimfiel. In den intelligenten Schichten der abendländischen Nationen war inzwischen die Idee von der Naturgüte umgeschlagen in die des Fortschritts, d. h. des unbedingten Geldverdienens und Comforts, mit Gewissensbeschwichtigung durch Philanthropie ... Die einzige denkbare Heilung wäre: daß endlich der verrückte Optimismus bei Groß und Klein wieder aus den Gehirnen verschwände. Auch unser jetziges Christenthum genügt hiezu nicht, da es sich seit 100 Jahren viel zu stark mit diesem Optimismus eingelassen und verquickt hat. Kommen wird und muß die Veränderung, aber nach Gott weiß wie vielen Leiden."[45]

Die Vorstellung, daß die eigene Zeit als die Zeit der Auflösung einer ganzen Epoche zu begreifen sei[46], erweitert sich zu der Idee einer geistesgeschichtlichen und weltpolitischen Parallele zwischen der Gegenwart und dem Übergang von der antiken zur christlichen Ära, eine Parallele, in der sich für verschiedene Unzeitgemäße des 19. Jahrhunderts der Ernst der Lage abzeichnet[47].

In Anwendung dieser Parallele sagt Burckhardt in seinen Vorlesungen, es sei „denkbar, daß ein Umschlag jenes Optimismus in Pessimismus erfolge, wie dies am Ende der antiken Welt schon vorgekommen". „Einzelne Anzeichen" seien da, aber „das Ob? und das Wiebald?" blieben „zweifelhaft"[48].

Burckhardt hat Verständnis für einen „mäßig überwiegenden Optimismus", meint aber, daß in den Tatsachen der neusten Geschichte ein „praktischer Pessimismus"

43 Vgl. auch ebd. 304 Burckhardts Übereinstimmung mit Theodor Zahn in dieser Frage.
44 Vgl. Burckhardts Brief an Gottfried Kinkel vom 11.6.1845: „Ich habe die Volkssouveränetät bis hierher ...", wobei am Rand ein Brustbild gezeichnet ist, durch dessen Hals eine punktierte Linie geht (Briefe Jakob Burckhardts an Gottfried [und Johanna] Kinkel, hg. von R. Meyer-Kraemer, 1921, 103 = Briefe, 2. Bd., 1952, 167).
45 Burckhardt an F. v. Preen, 2.7.1871; Briefe, 5. Bd., 1963, 130.
46 Vgl. K. Löwith, Jacob Burckhardt. Der Mensch inmitten der Geschichte (1936), 1966, 152ff.
47 Vgl. Carl Schmitt, Donoso Cortés in gesamteuropäischer Interpretation, 1950, 92ff.; U. Asendorf, Die europäische Krise und das Amt der Kirche, 1967, 14f.
48 Jacob Burckhardt, Historische Fragmente. Aus dem Nachlaß gesammelt von Emil Dürr, Neudruck mit einem Vorwort von Werner Kaegi, 1942, 206 = Gesamtausgabe, 7. Bd., 1929, 432.

zu finden sei[49]. Es ist die Weisheit des *Predigers Salomo,* auf die Burckhardt auch im Alter zurückkommt: „Wenn . . . doch nur unsern Socialisten etwas von der Denkweise des Predigers beizubringen wäre, denn diese sind so furchtbar gefährlich durch ihren Optimismus, durch das enge Hirn und den weiten Schlund etc. Da heißt es nicht: vanitas vanitatum! – sondern der Himmel wird behängt mit lauter Baßgeigen."[50]

Daß man sich nicht nur krudem Materialismus, sondern auch dessen Triebkraft, dem bürgerlichen Fortschrittsglauben, der seine Fortsetzung im Sozialismus finde[51], entgegenstellen müsse, damit die anscheinend unaufhaltsame Entchristlichung nicht im Chaos ende, darin konnte Overbeck Burckhardt folgen.

Der Gedanke, daß das landläufige, „moderne" Christentum seine Aufgabe, die am Vergänglichen hängenden Menschen ans Ewige zu erinnern, weithin versäume, wird für Overbeck zu einem Hauptmotiv seiner Kritik des bestehenden Christentums. *Treitschke*[52] und *Harnack* waren darin einig, daß die Anpassungsfähigkeit des Christentums seine „Größe" darstelle und seinen geschichtlichen Bestand verbürge, während für Overbeck die Tatsache, daß das Christentum sein von Burckhardt mißbilligtes Bündnis mit dem aufklärerischen Optimismus nicht, wie Overbeck anfangs noch erwartete, aufkündigte und darum nicht zu sich selber kam, zu der Konsequenz sich fügte, daß die neue, nachchristliche Zeit, auch in der Dämmerung des Fortschrittsglaubens, unchristlich werde sein müssen.

Nach *Löwith* hätte *Burckhardt,* trotz seiner Sympathie für eine auch unter Christen mögliche „maßvoll entsagende Lebenshaltung", sich doch gewissen Heiden näher gefühlt, die auf einem für den Fortgang der Geschichte verlorenen Posten „spätantike Mäßigung und Besonnenheit" vertraten[53]. Aber es bezeichnet den Vorbehalt geschichtlicher Einlinigkeit gegenüber, von dem *Burckhardt* im Unterschied zu *Overbeck* nie abgewichen ist, wenn Burckhardt, unfähig, das Christentum als Theologe zu vertreten und selbst im Bewußtsein, es sei „so evident als daß 2 mal 2 vier ist", „daß das Christenthum seine großartigen Stadien hinter sich" habe, dennoch erwartet, die Geschichte werde „zu seiner Zeit schon lehren", „wie sich sein ewiger Gehalt in neue Formen retten soll"[54]. Dieser Vorbehalt war für Burckhardt ein notwendiges Stück seiner „Unbefangenheit" dem Christentum gegenüber[55].

---

49 Burckhardt an F. v. Preen, 1.1.1889; Briefe, ausgewählt und herausgegeben von Max Burckhardt, 1965, 448.

50 Burckhardt an F. v. Preen, 10.9.1891; ebd., 461.

51 J. Oeri berichtet, die Sozialdemokratie habe, auch als sie stärker wurde, Burckhardts Gedanken „nicht sehr in Anspruch genommen" (Vorwort zu den Weltgeschichtlichen Betrachtungen, 3. Aufl. 1918, VII). Auch Overbeck wahrte seine „bürgerliche" Zurückhaltung gegenüber dem Sozialismus.

52 Vgl. seinen Brief an Overbeck vom 28.10.1873, ONB; bei Cornicelius III, 2, 374–79.

53 Karl Löwith, Jacob Burckhardt, Neudruck 1966, 163f.

54 Burckhardt an Gottfr. Kinkel, 29.6.1845; Briefe Jakob Burckhardts an Gottfried (und Johanna) Kinkel, 1921, 105 = Briefe, 2. Bd., 1952, 172.

55 Vgl. ONB A 218 Burckhardt (Jacob) Christenthum. Overbeck stimmt hier C. Neumann, HZ 85, 1900, 426 zu.

Die Trennung von der Theologie, ein wichtiger Einschnitt im Leben des jungen Burckhardt, ließ Burckhardt nicht verkennen, daß, wie er an seinen Jugendfreund, den Theologen *Willibald Beyschlag*, schrieb, „der kirchliche Standpunkt überhaupt noch jetzt ein tief berechtigter" sei und „wol noch eine Zeitlang bleiben" werde. „Solche Leute" wie *Bruno Bauer* „sollten so ehrlich sein, der sancta theologia vom Leibe zu bleiben"[56].

Anläßlich des Zürcher „Straußenputsches" schrieb Burckhardt an *Heinrich Schreiber* (8. Sept. 1839): „Die vorgestrigen Ereignisse haben von neuem mich darauf aufmerksam gemacht, wie gefährlich und sündhaft es sein würde, ohne den stärksten innern Beruf in kirchlich dermaßen aufgeregten Zeiten sich der Theologie zu widmen."[57] Nach einer Formulierung von *Werner Kaegi* konnte Burckhardt „nie seinen Abschied von der Theologie mit einem solchen von der Religion verwechseln"[58]. Man wird begründetermaßen urteilen können, daß die Anti-Theologie des Theologieprofessors, wie sie *Overbeck* entwickelt, *Burckhardts* Nicht-Theologie an Redlichkeit nichts voraushaben dürfte.

In den Vorlesungen über das Studium der Geschichte, die von *J. Oeri* als „Weltgeschichtliche Betrachtungen" herausgegeben wurden — Friedrich *Nietzsche* hörte sie im Winter 1870/71 —, schließt Burckhardt seine Ausführungen über das neuere Verhältnis des Christentums zur Kultur mit dem die Offenheit der Zukunft und die Relevanz des Christentums gleichermaßen respektierenden Satz: „Irgendwie aber wird sich das Christentum zurückziehen auf seine Grundidee vom Leiden dieser Welt; wie sich damit das Leben- und Schaffenwollen in derselben auf die Länge ausgleichen wird, ahnen wir noch nicht."[59]

Der „Malismus", dem Burckhardts Neigungen gehören[60], trifft, obwohl er im Grundansatz von Burckhardt unabhängig von *Schopenhauer* konzipiert wurde[61], in der Stimmung mit Schopenhauers Weltanschauung zusammen. Aber Burckhardt verhielt sich nicht erst *Nietzsche* gegenüber zur Philosophie reserviert. Bei allem „Malismus" bewahrte er den Sinn für den Reichtum der Welt.

Neben dem Einfluß Burckhardts auf Overbeck steht der Einfluß *Schopenhauer*s. Es ist hier freilich nicht an ein Erleuchtungserlebnis zu denken, wie es *Nietzsche* von seiner ersten Begegnung mit Schopenhauers Werk bezeugt[62]. Neben Schopenhauer stehen für Overbeck solche Autoren wie *Hebbel, Grillparzer*[63] und *Leopardi*.

---

56 Burckhardt an W. Beyschlag, 14.1.1844; Briefe, 2. Bd., 1952, 60f.
57 J. Burckhardt, Briefe, 1. Bd., 1949, 122f. — Es handelte sich um Unruhen, die durch die Berufung von David Friedrich Strauß auf eine Zürcher Theologie-Professur entstanden waren.
58 W. Kaegi, Jacob Burckhardt, Bd. I, 1947, 487.
59 Weltgeschichtliche Betrachtungen, herausgegeben von J. Oeri, 3. Aufl. 1918, 156 = J. Burckhardt, Gesamtausgabe, 7. Bd., 1929, 119.
60 Vgl. Burckhardt an F. v. Preen, 19.9.1875; Briefe, 6. Bd., 1966, 55.
61 Man kann darum fragen, ob Overbeck mit Recht von Schopenhauer als von „*der* Quelle der Burckhardtschen Erfassung des griechischen Pessimismus" redet, ONB A 218 Burckhardt (Jacob) Christenthum (Hervorhebung von uns), vgl. CK 184.
62 Siehe: Der werdende Nietzsche. Autobiographische Aufzeichnungen, herausgegeben von E. Förster-Nietzsche, 1924, 317f. — Über Nietzsches Verhältnis zu Schopenhauer vgl.

Overbeck schreibt am 14. November 1873 an Treitschke[64], sein eigenes Urteil über Schopenhauer habe seit der ersten flüchtigen Berührung mit Schopenhauers Schriften, die vor 13 Jahren, also 1860, stattgefunden habe, „genug geschwankt".

Wichtig ist Overbecks Feststellung in einer Nachlaßnotiz, er habe im Sommer 1860 „mit *größter Begeisterung* und *Hingerissenheit Schopenhauers* Parerga und Paralipomena gelesen"[65].

Daß es an der *Person* Schopenhauers „häßliche Dinge zu überwinden" gebe, ist Overbeck in dem genannten Brief an Treitschke bereit zu konzedieren. Schopenhauer sei aber in seinen Fehlern wie in seinen Tugenden „ein großer Mensch" und keineswegs, wie *Treitschke* meinte, „durchaus klein" zu nennen. Durch seine Wahrhaftigkeit sei er wie ein Spiegel für die Menschheit. Er sei von dem Holze, „aus dem sonst auch wohl Geißeln der Menschheit geschnitten worden sind". Den „Adel seiner Begabung" erkennt Overbeck darin, daß er zum Wohltäter der Menschheit geworden sei. „Daß er keinen Sinn für Staat und Geschichte hatte, theilt er nur mit einigen der Größten seiner Zunft, und auch den Staat kann man ja jedenfalls zu ernst nehmen. Daß seine Philosophie in ihren Bekennern nie etwas Anderes erzeugt als unfruchtbaren Hochmuth und ruchlosen Pessimismus, dagegen habe ich meine unzweifelhafteste Erfahrung." Overbeck will durchaus nicht alle „Schopenhauerianer" gegen Treitschke verteidigen, aber er kennt, so sagt er, „Menschen von ungewöhnlicher Herzensgüte und von seltener Kindlichkeit und Treuherzigkeit der Gesinnung, welche sich unbedingt zu Sch(openhauer) bekennen und sich nicht zu fassen wüßten, wenn sie hörten, daß seine Philosophie ‚das Göttliche im Menschen ertödte'[66], oder daß ihr ‚die ganze Welt der Liebe' verschlossen sei". „Was mich selbst insbesondere betrifft, so habe ich die zwei Grundgedanken meiner Schrift" (gemeint ist die „Christlichkeit") „– Verhältniß von Glauben und Wissen und Wesen des Christenthums – nicht aus Sch(openhauer), wohl aber, Dank seiner Darstellung, die leuchtende Evidenz, die sie für mich haben."

Es ist auffällig, daß Overbeck im Oktober 1900 anläßlich der Lektüre des Schopenhauer-Buches von *Johannes Volkelt*[67] wieder auf die *Person* Schopenhauers zu sprechen kommt. „Daß Schopenhauers Leben sich mit seinem Philosophenwahlspruch *Vitam impendere vero überhaupt* in Widerspruch gesetzt hätte, wird kein sehender Mensch behaupten mögen". Zwar gibt es in *Einzelheiten* bei Schopenhauer einen Widerspruch zwischen Leben und Lehre, nicht aber im allgemeinen[68]. Übrigens ist die Wirkung der Philosophie gar nicht so sehr von der „unbedingten

---

K. Schlechta, Der junge Nietzsche und Schopenhauer (Schopenhauer-Jahrbuch XXVI, 1939, 289–300); E. Benz, Nietzsches Ideen zur Geschichte des Christentums und der Kirche, 1956, 62ff.

63 Über diesen „Weltflüchtling" vgl. Burckhardts Brief an F. v. Preen, Sylvester 1872; Briefe, 5. Bd., 1963, 182.

64 ONB; vgl. Bernoulli I, 90f.

65 ONB A 239 Treitschke (Heinrich von) und Fichte. S. o. Anm. 1.

66 Bei Bernoulli I, 91 fälschlich: „erstickte".

67 Volkelt war von 1883–89 als Ordinarius für Philosophie in Basel tätig gewesen; s. O. Rühle, RGG 2. Aufl. V, 1632f.

68 ONB A 236 Schopenhauer (Vermischtes).

und vollständigen Herrschaft" abhängig, „die sie auf das eigene Leben des Philosophen übt", als vielmehr von dem „Reichthum des Antheils, den der Philosoph persönlich am Leben hat"[69].

Durch Schopenhauer ist klargestellt, daß die Philosophie wesentlich *Weltweisheit* ist und es mit der *Welt, nicht* aber mit den *Göttern* zu tun hat[70]. So ist *Volkelt* auf dem falschen Weg, wenn er ein „Interesse für die religiösen Reformbestrebungen der modernen Theologie" bekundet[71].

Volkelt fragt nach der „Bedeutung Schopenhauers für die religiöse Entwicklung", statt nach seiner Stellung zur Religion. Auch verwirrt er die Fragen nach Schopenhauers *Vorstellung von* der Religion und nach seiner *Schätzung* der Religion. Er findet Widersprüche, wo keine bestehen; produktive Widersprüche sind freilich einzuräumen. „Beim echten Schopenhauer prallen in der That nicht diese ‚Seiten' " (nämlich positive und negative Schätzung der Religion), „sondern Religion und Philosophie aneinander, und erst damit befindet man sich im Bereich jener großartigen inneren Widersprüche bei Schopenhauer, von denen er am wenigsten einen Hehl macht, weil er mit Recht *als Philosoph* ein Majestätsrecht darauf zu haben meint."[72] Overbeck rühmt Schopenhauers „Demarcationslinie" zwischen Religion und Philosophie wegen ihrer „Ehrlichkeit und Klarheit" „unter allen Philosophien, die sich mit der Religion auseinandergesetzt und sich nicht rein negativ dazu gestellt haben" (19f.). Für Overbeck ist es wichtig, daß Schopenhauer das *Ende* der Religion vorausgesehen hat (21).

Schopenhauer „ist wirklich der Kenner des Lebens, das er schildert", und er hatte einen „unvergleichlichen Schlüssel zum Weltverständniß, das er darstellt, an sich selbst"[73]. Es kommt auf eben dieses Weltverständnis an, das von der persönlichen Existenz unabtrennbar ist. Für die philosophische Lebensweise ist die religiöse Frage eine bereits erledigte Frage. „Schopenhauer hat sehr ernstlich gemeint, die Philosophie habe die Religion sich selbst zu überlassen."[74]

Der späte Overbeck legt alles Gewicht auf das kommende *Ende der Religion*. Eine Unterscheidung zwischen empirischer Kirche und der Religion an sich kommt ihm jetzt nicht mehr in den Sinn. Man darf aber wohl annehmen, daß sich der jüngere Overbeck der differenzierteren Sicht Schopenhauers anschloß, nach der das in der Religion eigentlich Gemeinte in der Philosophie zum Begriff erhoben und bewahrt werden soll. So gesehen, wäre nur zu fragen, „ob die Religiosität der *Durchschnittstypen* die Wendung von der Substanz des Götterhimmels und der transzendenten ‚Tatsachen' vollziehen kann; die Wendung zu der religiösen Gestaltung des Lebens selbst und zu der inneren Tatsächlichkeit, die man, in philosophischer Ausdrucks-

---

69 ONB A 234 Philosophie und Leben, S. 1.
70 ONB A 235 Religion und Philosophie (Allgemeines), S. 3f.
71 ONB A 236 Schopenhauer (Religion), S. 1. Overbeck bezieht sich auf Joh. Volkelt, Arthur Schopenhauer, 1900, 353ff.
72 ONB A 235 Religion und Philosophie (Allgemeines), S. 17f. Dort auch die folgenden Stellen.
73 ONB A 234 Philosophie und Leben, S. 2f.
74 ONB A 235 Religion und Philosophie (Allgemeines), S. 24, Fußnote.

weise, als das Selbstbewußtsein der metaphysischen Bedeutung unserer Existenz
bezeichnen kann; die Wendung, mit der alle überweltliche Sehnsucht und Hingabe,
Seligkeit und Verworfensein, Gerechtigkeit und Gnade nicht mehr gleichsam in
der Höhendimension über dem Leben, sondern in der Tiefendimension innerhalb
seiner selbst gefunden wird"[75]. Dies etwa könnte die Denkbahn des jungen Overbeck gewesen sein.

Overbeck geht *nicht* den Weg *Deussens,* dem es darum ging, die Lehre des Meisters
systematisch zu erfassen und philosophisch weiterzuentwickeln[76]. Overbeck hat
Deussen kennengelernt, als dieser während der Zeit, als Nietzsche und Overbeck
unter demselben Dach wohnten, bei Nietzsche einen Besuch machte. Er nennt
ihn in später Erinnerung (1904) einen „geistreichen Bajazzo und Comödianten".
„Man hörte, wenn der Mann seiner Suada die Freiheit gab und von seinen Invo-
cationen des Geistes der Brahmanen und Schopenhauers nicht lassen konnte, nicht
ohne Beifall zu, doch zugleich nicht ohne Staunen über die possenhafte Manier,
mit welcher der sonderbare Heilige, dem man zuhörte, sich vernehmen ließ."[77]

In solchen Wendungen spricht sich Overbecks Reserve gegenüber einer Schopen-
hauer-Jüngerschaft aus. Overbeck fand es darüber hinaus unangemessen, daß Philosophieprofessoren, Schopenhauers Invektiven gegen die Professorenphilosophie zum
Trotz, als Schopenhauerverehrer sich gerierten. Solche Leute schließen sich nach
Overbecks Meinung nur „an den Triumphwagen, den er sich selbst unter den Massen gesichert hat, an und zeigen eben damit am besten, daß bei ihnen in ihrem
Verhältniß zu Schopenhauer Alles beim Alten geblieben". Schopenhauer hat mit
seiner Attacke gegen die Professorenphilosophie wenig erreicht, außer für sich
selbst, indem er *sich* ein Recht „erobert und allerdings behalten hat"[78].

Solche Abgrenzungen lassen einen Schluß zu, wie Overbeck sein eigenes Verhältnis
zu Schopenhauer verstanden hat. Schon 1873 lehnt er einen Schopenhauer-Kultus
für sich ab. Die philosophische Lebensweise ist nicht Standesattribut der Philosophieprofessoren, sondern sie ist Sache jener Einzelnen, die im Denken zu einem
solchen Verständnis der Welt gekommen sind, wie es aristokratischer Haltung entspricht.

------

75 So G. Simmel, Das Problem der religiösen Lage (in: Weltanschauung, 1911), 339. − Als
   Hintergrund wird man solche Gedanken durchaus auch beim älteren Overbeck vermuten
   dürfen. Den *Vordergrund* bildet bei diesem jedoch die Auseinandersetzung mit der „modernen Theologie", die sich, wie Overbeck meint: aus unehrlichen Motiven, von der „Deisidämonie" nicht trennen will. Die Opposition gegen diese Haltung der Theologie drängt
   ihn in immer stärkerem Maße zur Bestreitung der Religion; siehe ONB A 238 Theologie
   (meine), S. 4; CK 291f. Man kann daher fragen, ob Overbeck nicht die philosophische
   Haltung, die sich um das *Verständnis* der Religion bemüht (ONB A 236 Schopenhauer
   [Religion], S. 2), später durch eine streitbare „Theologen"-Haltung ersetzt hat.
76 Vgl. P. Deussen, Die Elemente der Metaphysik, 1877, 2. Aufl. 1890. Vgl. auch Nietzsches
   Urteil über Deussens Interpretation der Vedantalehre im Brief an Deussen vom 16.3.1883;
   Nietzsches Briefe, ed. R. Oehler, 6.−10. Tsd. 1911, 256f. = Schlechta III, 1203.
77 ONB A 221 Deussen (Paul) Erinnerungen an Indien, S. 1f.
78 ONB A 236 Schopenhauer (Professoren der Philosophie).

Die Bejahung Schopenhauers, zu der Overbeck sich 1873 und ebenso 1900 bekennt, bezieht sich nicht auf Einzelsätze in Schopenhauers Philosophie. Sie bezieht sich vielmehr auf Schopenhauers philosophische Existenz. Schopenhauer hat in der Diastase gelebt, die er predigte. Er hat die Geschäftigkeit der dem Willen verfallenen Welt nicht nur geschmäht, sondern er ist ihr auch entflohen. So unabhängig, wie Schopenhauer von den Mächten der Zeit war, so müßte man es auch sein. Das ist Overbecks Überzeugung, und diese Überzeugung führt zum Scheitern seiner Freundschaft mit *Treitschke*.

Es ist Sache des Weisen, sich mit der Welt dadurch abzufinden, daß er sich innerlich von ihr lossagt und die Unzeitgemäßheit auf sich nimmt. Dies bedeutet konkret, daß der Weise sein Leben nicht dem Beruf zu opfern, sondern die Interessen des Berufs der Wahrung der Belange der eigenen philosophischen Existenz unterzuordnen hat. Die Mitwelt hat kein Recht auf mich, weil sie als Welt immer jenen Willen repräsentiert, dem ich die Gefolgschaft versage.

In dieser Fassung des Weltproblems ist das christliche Gebot, sich einer *bösen* Welt zu entziehen, radikalisiert und (im Doppelsinn) aufgehoben. Denn die Verneinung gilt jetzt nicht der *Sünde* als dem der Welt ursprünglich wesens*fremden* Widerspruch zum Willen Gottes, sondern sie gilt der Welt schlechthin, *insofern* in ihr der Wille als anonyme Macht sich dem Menschen auferlegt und so dem Menschen eine Lebensmöglichkeit verschließt, die in idealistischer Sprache als die Freiheit des Individuums bezeichnet werden könnte.

Wir haben in diesen Formulierungen nicht Schopenhauers Philosophie, sondern die Art ihrer Rezeption durch Overbeck wiedergegeben.

Von Schopenhauer ist auch Overbecks Verständnis der Geschichte beeinflußt. Schopenhauer versteht die Geschichte als „das vernünftige Selbstbewußtseyn des menschlichen Geschlechts"[79]. Die Geschichte ist für die Menschheit im ganzen das, „was dem Einzelnen das durch die Vernunft bedingte, besonnene und zusammenhängende Bewußtseyn ist" (522f.). „Was die Vernunft dem Individuo, das ist die Geschichte dem menschlichen Geschlechte." (522) Wenn der Besitz der geschichtlichen Kunde bedeutet, nicht, wie die Tiere, „in der engen anschaulichen Gegenwart befangen" zu bleiben (523), so gehört zu dieser Gegenwart für Overbeck auch und besonders die Gegenwart der *Kirche*. Als Historiker erhebt er sich über diese Gegenwart, und indem er „das vernünftige Selbstbewußtseyn des menschlichen Geschlechts" aktualisiert, weist er der christlichen Geschichte ihre relative Dimension zu. Was vom Christentum zu halten ist, ist nicht vom Standpunkt der Kirche, sondern mittels einer die Weltgeschichte als eine Geschichte von Menschen überschauenden Vernunft her auszumachen. Diese Vernunft läßt die Besonderheit eines ἐφ' ἅπαξ nicht zu[80].

---

79 Die Welt als Wille und Vorstellung, II. Bd., 3. Buch, Kap. 38; SW II, 522. Nach dieser Ausgabe auch die folgenden Stellen.
80 Vgl. Schopenhauer, Über Religion, Parerga und Paralipomena, II Bd., Kap. 15, § 181 bis; SW V, 413f., Fußn.

Für den späten Overbeck ist die Klarheit entscheidend, mit der Schopenhauer die Überlegenheit der Philosophie über die Religion, bei scheinbarer Gleichheit ihres Gegenstandes, betont. Die Stelle, auf die Overbeck dabei besonders verwiesen hat[81], findet sich im 17. Kapitel des II. Bandes von Schopenhauers Hauptwerk „Die Welt als Wille und Vorstellung". Das Kapitel gehört zu den Ergänzungen, die Schopenhauer seinem Werk in der 2. Auflage 1844 beigab[82]. Schopenhauer handelt hier über „das metaphysische Bedürfniß des Menschen". Der metaphysische Sinn ist eine Besonderheit des Menschen. Den Anlaß zur Metaphysik gibt die Tatsache des *Todes*. Die Götter werden nur geglaubt, weil der Glaube an die Unsterblichkeit an ihr Dasein geknüpft wird. Könnte man die Fortdauer nach dem Tode als unverträglich mit dem Dasein von Göttern erweisen, so würde sich der Atheismus ausbreiten. Die Priester sind „Monopolisten" und „Generalpächter" in bezug auf das metaphysische Bedürfnis des Menschen[83]. In dieselbe Gesellschaft gehören die Philosophieprofessoren, die Schopenhauer mit den antiken Sophisten zusammenstellt.

„Unter *Metaphysik*", sagt Schopenhauer, „verstehe ich jede angebliche Erkenntniß, welche über die Möglichkeit der Erfahrung, also über die Natur, oder die gegebene Erscheinung der Dinge, hinausgeht, um Aufschluß zu ertheilen über Das, wodurch jene, in einem oder dem andern Sinne, bedingt wäre" (189). Die Metaphysik kann nun entweder die Gestalt der „Überzeugungslehre" (also eine *philosophische* Gestalt) oder die der „Glaubenslehre" (also eine *religiöse* Gestalt) annehmen. Die erstere erfordert, „zur Rekognition ihrer Beglaubigung, Nachdenken, Bildung, Muße und Urtheil", sie ist darum nur wenigen zugänglich, während die Religion, als „Volksmetaphysik", für „die große Anzahl der Menschen" bestimmt ist, „welche nicht zu denken, sondern nur zu glauben befähigt und nicht für Gründe, sondern nur für Autorität empfänglich ist" (189f.)[84].

Aus solchen Gedanken konnte sich für den jungen Overbeck der Schluß ergeben, daß zwischen dem religiösen Bewußtsein des einfachen Volkes und dem der philosophisch Gebildeten zu unterscheiden sei. Overbeck dachte sich damals den Theologen als einen philosophisch Gebildeten, der um den immanenten Sinn der Reli-

---

81 ONB A 235 Religion und Philosophie (Allgemeines), S. 3f.
82 Overbeck hat, nach dem Accessions-Katalog seiner Bibliothek (ONB A 334), den auf Schopenhauer bezüglichen Teil seiner Bibliothek nach und nach, besonders in den 70er Jahren erworben. „Die Welt als Wille und Vorstellung" in der 3. Aufl. 1859 trägt die Nr. 816 (Hausraths Neutestamentliche Zeitgeschichte, 2. Theil, 1872 trägt die Nr. 821), später folgen: Über die vierfache Wurzel des Satzes vom zureichenden Grunde, 3. Aufl. 1864 (Nr. 865); Aus Arthur Schopenhauers handschriftlichem Nachlaß, ed. Frauenstädt (Nr. 866). Bei Erscheinen kam die Ausgabe der Sämmtlichen Werke, ed. J. Frauenstädt, 1873–74 hinzu, 1875 das Buch von H. Frommann, Arthur Schopenhauer, 1872 (Nr. 981), 1876 Lindner-Frauenstädt, Arthur Schopenhauer. Von ihm. Über ihn, 1863 (Nr. 995), 1878 A. Gwinner, Arthur Schopenhauers Leben, 2. Aufl. 1878 (Nr. 1043). Das Werk von J. Volkelt, Arthur Schopenhauer, 1900, führte Overbeck zu den oben angegebenen Reflexionen über Schopenhauer. – Durch diese Anschaffungen wird Overbecks anhaltendes Interesse an Schopenhauer bezeugt.
83 SW II, 187. Dort auch die folgenden Stellen.
84 Schopenhauer beruft sich auf Plato, Politeia 494a.

gion weiß, sich aber „im Amt" den Bedürfnissen der Gemeindeglieder zu akkommodieren hat.

Während die Philosophie sensu stricto et proprio wahr zu sein beansprucht, sagt die Religion nach Schopenhauers Ansicht nur sensu allegorico die Wahrheit. Immerhin hätten Augustin und Luther mit Recht „die Mysterien des Christenthums festgehalten", während der Pelagianismus „alles zur platten Verständlichkeit herabziehen möchte" (192).

Die Supranaturalisten und die Rationalisten[85] irren beide darin, daß sie das Christentum sensu proprio gelten lassen möchten, wobei die ersteren „den Kenntnissen und der allgemeinen Bildung des Zeitalters gegenüber, einen schweren Stand haben", während die letzteren, indem sie „alles eigenthümlich Christliche hinauszuexegesiren suchen", „etwas übrig behalten, was weder sensu proprio noch sensu allegorico wahr ist, vielmehr eine bloße Platitüde, beinahe nur Judenthum, oder höchstens seichter Pelagianismus, und, was das Schlimmste, niederträchtiger Optimismus, der dem eigentlichen Christenthum durchaus fremd ist"[86].

Die Frage nach dem *Wesen des Christentums* beantwortet sich für Schopenhauer dahin, wie er im 4. Buch der „Welt als Wille und Vorstellung", § 70, ausführt, daß „die Lehre von der Erbsünde (Bejahung des Willens) und von der Erlösung (Verneinung des Willens)" den „Kern des Christenthums" ausmache, während „das Übrige meistens nur Einkleidung und Hülle, oder Beiwerk" sei[87]. Schopenhauers Überzeugung, „daß in neuerer Zeit das Christenthum seine wahre Bedeutung vergessen hat und in platten Optimismus ausgeartet ist"[88], ist für *Overbecks* Auffassung von der neuzeitlichen Entwicklung des Christentums bestimmend.

Ein synthetisches, der Welt sich anpassendes Christentum war von Schopenhauer her als Abfall vom „*Wesen*" des Christentums zu beurteilen, wenn denn das Wesen des Christentums in der *Diastase,* der Verneinung des die *Welt* charakterisierenden Willens besteht.

Die negative Einstellung zu *Luther,* die Overbeck mit *Burckhardt* und *Nietzsche* teilt, mag durch Schopenhauer angeregt sein. Luther habe, so sagt Schopenhauer, „vom Christenthum selbst möglichst viel abdingen" wollen und habe im „asketischen Princip" das „Herz" des Christentums angegriffen. „Nach dem Austreten des asketischen Princips trat nothwendig bald das optimistische an seine Stelle. Aber Optimismus ist, in den Religionen, wie in der Philosophie, ein Grundirrthum, der aller Wahrheit den Weg vertritt." Der Protestantismus sei „ein ausgearbeitetes Christenthum", der Katholizismus „ein schmählich mißbrauchtes", und so habe

---

85 „Da mag nun das Christenthum sehn, wie es zwischen Skylla und Charybdis durchkomme. " (Parerga und Paralipomena, II, § 181; SW V, 409.)
86 SW II, 193.
87 SW I, 519. Overbeck hat diese Stelle beachtet, ONB A 227 Jesus (Leben Jesu) Unternehmen, S. 1.
88 SW I, 519.

das Christentum „überhaupt also das Schicksal gehabt . . . , dem alles Edele, Erhabene und Große anheimfällt, sobald es unter Menschen bestehen soll"[89].

Von Schopenhauer her gesehen, haftet der Theologie eine Zweideutigkeit an: indem sie argumentierend verfährt, nähert sie sich der Philosophie – verrät sie damit nicht die Religion? Die Aufgabe, das eigentlich Gemeinte der Religion zu explizieren, kommt nach Schopenhauers Auffassung der *Philosophie* zu. Schopenhauers eigenes Selbstbewußtsein gründete auf der Überzeugung, die Idee der Verneinung des Willens philosophisch einleuchtend gemacht zu haben. Während so die Theologie schlechthin als Unternehmen fragwürdig wird, erweist sich die *Eschatologie* als Schlüssel zum Wesen der Religion. *Die* Eschatologie, die nach Schopenhauer dem diastatischen Grundmotiv in der Religion angemessen ist, ist die *Jenseitseschatologie.* Wo Diesseitigkeit in der Religion bejaht wird und an die Stelle der Jenseitseschatologie das Motiv tritt, „daß der κύριος, der die Welt geschaffen hat, verehrt seyn will"[90], da ist die Religion „roh". Im Fortschreiten der Diesseitigkeit in der Neuzeit ist ein Optimismus am Werke, der dem Gebildeten verrucht erscheinen muß.

Durch Schopenhauer wird Overbeck von Widerwillen gegen jenen „seltsamen Zwitter oder Kentauren", die sogenannte Religionsphilosophie[91], erfüllt. Von daher kommt die Linie *Hegels* und auch *Baurs* für Overbeck nicht in Frage.

Auch den Schlüsselpunkt für Overbecks Kritik der christlichen Diastase, nämlich den geschichtlichen Zusammenhang der futurischen Eschatologie in der Form der *Naherwartung* mit der urchristlichen Weltverneinung, kann man bei Schopenhauer angedeutet finden. In den „Parerga und Paralipomena"[92], die auf Overbeck so stark einwirkten, möchte Schopenhauer „gerade aus der so anstößigen Prophezeiung des Weltendes und der glorreichen Wiederkehr des Herrn in den Wolken, welche Statt haben soll, noch bei Lebzeiten Einiger, die bei der Verheißung gegenwärtig waren", den Schluß ziehen, „daß überhaupt unsern Evangelien irgend ein Orginal, oder wenigstens Fragment aus der Zeit und Umgebung Jesu selbst zum Grunde liege". Freilich bleibe „das von *Strauß* aufgestellte mythische Princip, zur Erklärung der evangelischen Geschichte, wenigstens für die Einzelheiten derselben, gewiß das richtige", während die Auffassung des *Reimarus*, daß Jesus ursprünglich „ein weltlicher Befreier der Juden" gewesen sei, sehr viel gegen sich habe. Die Authentizität der auf die Naherwartung sich beziehenden Passagen folgert Schopenhauer aus der Verlegenheit, die sie Späteren bereiten mußten. Die historische Problematik der evangelischen Geschichte zeigt im übrigen für Schopenhauer, wie wenig man sich auf Geschichte verlassen könne.

„Wenn es überhaupt mit aller Geschichte viel auf sich haben sollte, müßte unser Geschlecht nicht ein so erzlügenhaftes seyn, wie es leider ist."[93] Overbeck hat der Lügenhaftigkeit der Christen historisch auf die Spur zu kommen versucht: dem

---

89 Die Welt als Wille und Vorstellung, II. Bd., 4. Buch, Kap. 48; SW II, 737.
90 SW IV, 152, Fußn.
91 Die Welt als Wille und Vorstellung, Bd. II, Kap. 17; SW II, 194.
92 II, § 179; SW V, 403f. Dort auch die folgende Stelle.
93 Ebd., 406.

prinzipiellen Mißtrauen Schopenhauers gegenüber der Geschichte ist er aber als Historiker nicht gefolgt. Daß Schopenhauers Insistenz auf der Erlösung durch den Gedanken die Eklipse des historischen Bewußtseins antizipierte, konnte, als vollends ruinös für seinen Ansatz der „kritischen Theologie", Overbeck nicht einleuchten.

Schopenhauers Einfluß ließ Overbeck seinen Abstand gegenüber der sich ausbreitenden liberalen Theologie empfinden. Schopenhauer hatte den Rationalisten unter den Theologen „geradezu Unrecht" gegeben. „Wer ein Rationalist seyn will, muß ein Philosoph seyn und als solcher sich von aller Auktorität emancipiren, vorwärts gehn und vor nichts zurückbeben. Will man aber ein Theolog seyn; so sei man konsequent und verlasse nicht das Fundament der Auktorität, auch nicht wenn sie das Unbegreifliche zu glauben gebietet. Man kann nicht zweien Herren dienen: also entweder der Vernunft oder der Schrift."[94]

Für Overbeck war klar, daß er in *diesem* Sinn *kein* Theolog sein könnte. Solange er sich imstande sah, einen Sinn der Theologie zu bejahen und sich selbst als Theologen zu verstehen, konnte dies nur in der Erwartung geschehen, daß die Herrschaft in der Theologie von der Dogmatik an Philosophie und Historie übergehen würde.

Freilich wäre ein solcher Wechsel nur im Zusammenhang eines Prozesses denkbar, in dem die Inhalte der Dogmatik durch rationale Metaphysik ersetzt würden. Genau das aber lehrte Schopenhauer erwarten. „Religionen sind Kinder der Unwissenheit, die ihre Mutter nicht lange überleben."[95] „So ist es denn augenscheinlich, daß nachgerade die Völker schon damit umgehn, das Joch des Glaubens abzuschütteln . . . Die Ursache ist das zu viele Wissen, welches unter sie gekommen ist."[96] „Die Menschheit wächst die Religion aus, wie ein Kinderkleid; und da ist kein Halten; es platzt."

Die „leuchtende Evidenz", die nach Overbecks Aussage[97] der Gedanke des Gegensatzes von Glauben und Wissen für Overbeck hat, ist nicht zum wenigsten in dieser geschichtlichen Perspektive begründet, in der *(in deutlicher Spannung zu anderen Gedanken Schopenhauers!)* die Geschichte der Menschheit als ein Wachstum von der Kindheit zum Mannesalter sich darstellt.

In der Zeit der ersten Begegnung des jungen Overbeck mit Schopenhauer dürfte der Gegensatz von Glauben und Wissen freilich noch nicht der Angelpunkt von Overbecks Denken gewesen sein. Ein religiöses Bewußtsein in der Art, wie es dem Menschen Schopenhauer zu eigen war[98], dürfte auch dem jungen Overbeck nicht ferngestanden haben.

In welcher Weise er an einer Frömmigkeit, wie sie von Schopenhauer ausgehen mochte, zu partizipieren nicht unfähig war, zeigen die Verszeilen von *Hebbel* über

---

94 Parerga und Paralipomena, II, § 181; SW V, 410.
95 Ebd., 411.
96 Ebd., 412 (vgl. dazu CK 300). Ebd. die folgende Stelle.
97 Overbeck an Treitschke, 14.11.1873; vgl. Bernoulli I, 91.
98 Siehe dazu H. Zint, Das Religiöse bei Schopenhauer, in: Schopenhauer als Erlebnis, 1954, 49ff.

„Das Urgeheimniß", die Overbeck anfangs der 70er Jahre in seine Zitatensammlung aufnahm:

> „Wie der Schmerz entsteht?
>   nicht anders, mein Freund, als das Leben:
> That der Finger dir weh,
>   schied er vom Leibe sich ab,
> Und die Säfte beginnen
>   im Gliede gesondert zu kreisen;
> Aber so ist auch der Mensch, fürcht' ich,
>   ein Schmerz nur in Gott."[99]

3. Teil: Die Basler Anfänge

Im November 1869[1] erhält Overbeck den Ruf nach *Basel.* Er findet sich dadurch in seiner Jenenser Ruhe gestört und möchte eigentlich lieber weiter Privatdozent bleiben. Wäre es nach seinem Herzenswunsch gegangen, so bekennt er im Alter, dann wäre er in *Jena* geblieben als ein „privater Akademiker, der sich sein Pensum selber vorschreibt und nur dem Dienste eines aufzurichtenden Monumentes lebt"[2]. Aber mit Rücksicht auf seine Eltern und darauf, daß er in Deutschland kaum Aussicht auf Beförderung zu haben glaubt — „die Pfaffen in- und außerhalb des Protestantenvereins" würden durch seinen Kommentar zur Apostelgeschichte so aufgebracht werden, daß ihm, so vermutet er, die deutschen theologischen Fakultäten „zunächst ziemlich alle hermetisch verschlossen sein" würden[3] —, gedenkt er den Ruf anzunehmen. *Treitschke* bestärkt ihn darin.

Allerdings macht es Overbeck Bedenken, daß er die Basler Situation gar nicht kennt. Er weiß nur, daß es sich darum handelt, eine neu errichtete Professur für „kritische Theologie" zu besetzen, eine Professur, die der sonst an der Fakultät herrschenden kirchlichen Gläubigkeit als Gegengewicht gegenübergestellt werden soll. Und es ist ihm auch „ganz recht", mit seinem theologischen Radikalismus „unter Gegner versetzt zu werden". „Denn bin ich auch theoretisch in diesen Dingen für scharfe und rücksichtslos klare Gegensätze, so doch auch practisch für guten Frieden, und je schwerer diese Dinge beisammen zu halten sind, um so froher nehme ich an jedem Versuch theil."[4]

Empfand er immerhin, daß es sich um eine „heikle Stellung" drehe, so war ihm doch der Hintergrund des Ganzen damals noch nicht bekannt. Erst später erfuhr

---

99 ONB A 270, Nr. 38.
  1 „Am Tage nach meinem 32. Geburtstage", C. 1, also am 17. November 1869.
  2 C. A. Bernoulli, BJB 1906, 143.
  3 Overbeck an Treitschke, 1.12.1869; Bernoulli I, 29. Vgl. dazu Walter Benjamin, Deutsche Menschen, 1965, 104f.
  4 Overbeck an Treitschke, 1.12.1869, ONB; vgl. Bernoulli I, 28.

er, daß 7 Jahre lang nach einer Besetzung des geplanten Lehrstuhls gesucht worden war und daß es gegen seine Berufung Bedenken gegeben hatte[5]. So sind ihm auch gewisse Skrupel erspart geblieben.

Der liberale „Reformverein" hatte in letzter Stunde der Berufung Overbecks widersprochen, da diesem die philosophische und spekulative Theologie, die der Verein für entscheidend wichtig hielt, ferner liege. Auch habe Overbeck noch durch keine namhafte literarische Arbeit seine Tüchtigkeit unter Beweis gestellt[6]. Overbecks Vortrag sei „wenig ansprechend" und „seine Sinnesart eine zu ruhige und gefügige ..., um ein selbständiges, kräftiges Auftreten gegenüber einer kompakten und entschiedenen Gegenpartei erwarten zu lassen"[7]. Sehr plastisch formulierte der „Volksfreund", das Organ der Liberalen, am 11.12.1869: „Etwas Halbes nützt nichts; es muß ein Hecht unter die Karpfen, nicht aber ein fünftes Rad an den Wagen. Eine geringere, unbedeutendere Persönlichkeit kann unmöglich genügen; denn viele Hunde sind des Hasen Tod, und man hüte sich wohl, den Schein auf sich zu laden, als wolle man geradezu absichtlich nur eine Scheinvertretung, welche geeignet wäre, die freisinnige Richtung bei den Schülern selbst in Mißachtung zu bringen."[8]

Overbeck wußte von alledem nichts, empfand aber die Komik der Situation, als eine Delegation des „Reformvereins" ihn nach seiner Ankunft begrüßte und er ihren trotz früherer Bedenken gehegten Erwartungen mit seiner Person wenig entsprach[9]. Overbeck, der nicht einmal dem deutschen Protestantenverein angehörte[10], stand allen offenen Auseinandersetzungen kirchenpolitischer Art distanziert gegenüber und gedachte diese Haltung auch in Basel nicht zu ändern. In der Antwort an *Hermann Schultz*[11], der bei Overbecks Berufung vermittelnde Dienste getan hatte — weiterhin war Overbeck ein günstiges Urteil von *R. A. Lipsius*[12] zugetegekommen —, schrieb er am 21. November 1869, er finde den „besondern Reiz" der Basler Situation darin, daß sie ihm Gelegenheit geben würde, als „herzlicher Freund praktischen Friedens auf kirchlichem Gebiet" „mit dem Bewußtsein der Anerkennung" seines „wissenschaftlichen Standpunkts neben Männern zu wirken, die einem abweichenden anhängen"[13].

---

5 C. 10.
6 Der Acta-Kommentar kam erst Ende Juni heraus, als Overbeck schon in Basel war; siehe Overbeck an Treitschke, 20.7.1870, ONB und C. 4 mit Anm.
7 Bei Eb. Vischer, Die Lehrstühle und der Unterricht an der theolog(ischen) Fakultät der Universität Basels seit der Reformation, in: Festschrift zur Feier des 450jährigen Bestehens der Universität Basel, 1910, 109 (nach Separatzählung).
8 Zitiert ebd., 109f.
9 BJB 1906, 144.
10 C. 8.
11 Über ihn vgl. P. Glaue, RGG 2. Aufl. V, 309 und vor allem Eberhard Vischer, RE 3. Aufl. XVII, 799–804. Schultz unterschied sich von seinem Freund Ritschl durch sein Interesse an der Apologetik. Vgl. Overbecks Auseinandersetzung mit Schultz am Anfang der „Christlichkeit", C. 22ff.
12 Über Richard Adelbert Lipsius vgl. F. R. Lipsius, RE 3. Aufl. XI, 520ff.
13 Overbeckiana I, 87.

So mußte es ihn angenehm berühren, daß die Leute vom „Reformverein" seine Person, wie sie nun einmal war, doch schließlich akzeptierten und ihn in der Führung seines Amtes weithin gewähren ließen[14].

Schon in Jena beginnt Overbeck mit der Ausarbeitung seiner Antrittsvorlesung[15]. Die Vorlesung, die am 7. Juni 1870 in der Basler Aula gehalten wird und 1871 im Druck erscheint, hat nach Overbecks Willen die Aufgabe, seine „Stellung in den hiesigen theologischen und kirchlichen Wirren deutlich zu bezeichnen"[16]. Dabei ist ihm vor allem an der „Verständigung" gelegen[17].

Zwar würden, so führt er aus, die Aussichten einer solchen Verständigung zwischen den in der Gegenwart heftig sich befehdenden theologischen Parteien oft skeptisch beurteilt. Es fehle vor allem „Einsicht in die Natur des Streits" (4), nämlich die Einsicht, daß niemand den Streit willkürlich vom Zaun gebrochen habe, sondern daß die historische Kritik der Theologie als Aufgabe „durch die Jahrhunderte hinab gleichsam zugerollt" sei.

Overbeck zeigt in einem kurzen historischen Abriß, welches Verhältnis man während der verschiedenen Epochen der Kirchengeschichte zu den Anfängen des Christentums fand. Er schickt dabei voraus, daß die historische Sicht, wie sie der Gegenwart eigen sei, zwar wirklich neu, aber auch durchaus legitim sei. Man dürfe sich den kritischen Resultaten der Forschung gegenüber nicht auf das Zeugnis der Tradition berufen.

Die Herrschaft der *Allegorese* sieht Overbeck als bannende Macht gegenüber aller geschichtlichen Erinnerung innerhalb der Kirche. „Auf diesem Standpunkt", so führt er aus, „schwindet die Grundbedingung eines historischen Verständnisses des Christenthums immer mehr", daß man nämlich zwischen der eigenen Gegenwart und den Anfängen des Christentums streng zu unterscheiden habe. „Vielmehr je weiter sich Lehre und Verfassung der Kirche von ihren Anfängen entfernen, um so mehr tritt das Wissen von dieser Entwickelung zurück, um so weniger weiß man davon, daß was ist geworden und ursprünglich nicht gewesen ist." (12)

Erst mit *Baur* hat sich die Theologie „auf eine historische Behandlung der ältesten Urkunden des Christenthums eingelassen" (24), hinter die man nun nicht mehr zurückgehen kann.

Die neue Lage zeigt sich darin, daß die kritische und die konservative Partei sich anders gegenüberstehen als früher. Nicht mehr handelt es sich jetzt um die Wunderfrage für sich genommen, vielmehr haben sich nun in den biblischen Berichten

---

14 C. 11. – Beachtlich ist daneben freilich Overbecks briefliche Äußerung an Hilgenfeld vom 5.8.1870: „Wie ich mich mit den hiesigen Radicalen stellen werde, ist mir noch sehr dunkel, zur Zeit wohl gar nicht, denn sie bestehen aus Leuten, die von Theologie nicht das Geringste verstehen und meist auch reine politische Wühler sind ohne alles wirkliche Interesse für religiöse Fragen" (bei H. M. Pölcher, Overbeckiana, ZRGG 6, 1954, 52).

15 Overbeck an Treitschke, 8.3.1870, ONB.

16 Overbeck an Treitschke, 23.5.1870, ONB; vgl. Bernoulli I, 30. Vgl. auch Overbeck an Treitschke, 31. Mai 1870, ONB; bei Bernoulli I, 30f. irrtümlich „13. März 1870".

17 Über Entstehung und Recht einer rein historischen Betrachtung der neutestamentlichen Schriften in der Theologie, 1871, 3. Dort auch die folgenden Stellen.

so viele „Eigenthümlichkeiten" herausgestellt, daß es nachgerade unmöglich ist, in diesen Berichten „geschehene Thatsachen in der unmittelbarsten Einfachheit" wiedergegeben zu finden (25). „Der Streit dreht sich ... *gegenwärtig* nicht um fundamental verschiedene, über das Wunder auseinandergehende Anschauungen von den biblischen Büchern, sondern um den *Grad* des die Thatsachen modificirenden Einflusses, den man dem Medium der Erzähler zugestehen will." (25f.)

Dies gilt auch „in den Verhandlungen über die beiden kanonischen Schriften, welchen die Kritik mit der größten Entschiedenheit die historische Glaubwürdigkeit absprechen muß, das johanneische Evangelium und die Apostelgeschichte" (26). Denn nicht die johanneischen Wunder sind Grund der Kritik am Johannesevangelium, sondern dessen Verhältnis zu den Synoptikern und „die Planmäßigkeit seiner Erzählung". Entsprechend handelt es sich bei der Kritik der Apostelgeschichte um ihr Verhältnis zu den Paulusbriefen und um ihre Komposition, nicht um ihre Wundererzählungen.

Neu ist die Lage gegenüber der deistischen und rationalistischen Bibelkritik. Damals wurde die Situationsangemessenheit der biblischen Schilderungen bestritten oder (von den Verteidigern der Tradition) behauptet. Jetzt aber kann die Kritik z. B. durchaus anerkennen, daß der vom Prozeß des Paulus in der Apostelgeschichte gegebene Bericht formal dem entspricht, was wir nach unserer Kenntnis des damaligen Prozeßverfahrens zu erwarten haben; Grund zum Zweifel an der Historizität der Darstellung gibt vielmehr die Schilderung des *Verhaltens des Paulus*[18].

Neu ist die Lage aber auch gegenüber der Zeit der Orthodoxie. Denn die Orthodoxen hatten sich gar nicht mit Einzelfragen der neutestamentlichen Einleitung befaßt, das war damals Angelegenheit der Socinianer und Arminianer. Heute müssen sich dagegen die Konservativen auf die historische Fragestellung genau so einlassen wie die Kritiker.

Auch gegenüber der Reformationszeit stehen wir vor einer neuen Situation. Denn die kühne Bibelkritik *Luthers* ist nicht die heutige Bibelkritik. „Zwischen uns Theologen der Gegenwart allen, die wir uns mit den Anfängen des Christenthums und seinen ältesten Urkunden zu thun machen, und den Reformatoren herrscht der auf alle Fälle inhaltschwere Unterschied, daß ... uns die älteste Geschichte des Christenthums in einem gewissen Sinn, der nicht der der Reformatoren ist, Vergangenheit geworden ist." (30)

Aus der ganzen Erörterung zieht Overbeck den Schluß, daß „wir uns mit unseren wissenschaftlichen Anschauungen in einem neuen Hause einzurichten haben" (31). Diesen Sachverhalt wertet Overbeck in konziliantem Sinne aus: die beiden einander entgegenstehenden theologischen Richtungen leben hier in einem Miteinander, sie kontrollieren sich gegenseitig, und, was mehr ist, sie haben ihre Probleme gemeinsam.

Allerdings: die Theologie ist *als Theologie* problematisch, denn sie ist „eben keine reine Wissenschaft" (32). Deshalb hat sie „an solcher Gemeinschaft der Probleme

---

18 Dies ist in Overbecks Acta-Kommentar näher ausgeführt.

nicht das Genügen . . . , bei welchem jede andere Wissenschaft sich vollkommen beruhigt". Die Mischung von religiösen und wissenschaftlichen Interessen, die für die Theologie kennzeichnend ist, läßt ihr die Aufgabe zufallen, „die innere Harmonie zwischen unserem Glauben und unserem wissenschaftlichen Bewußtsein herzustellen".

Bei einem derart hochgesteckten Ziel muß sich der wissenschaftliche Betrieb allerhand Störungen gefallen lassen. „Es liegt nun einmal im Wesen dieser höchst wandelbaren vom Reichthum des Lebens in der mannigfachsten Weise bestimmten Aufgabe, daß die Theologie ebenso geneigt sein wird sich schon über bloße Resultate der wissenschaftlichen Untersuchung zu entzweien, als daß solche Entzweiung, wo sie ernstlich eintritt, nur dem Eingeständniß gleich kommt, daß die Theologie an ihrer Aufgabe gescheitert ist." „So lange an der Aufgabe der Theologie nicht verzweifelt werden soll", sofern also ihr Scheitern noch aufgehalten werden zu können scheint, wäre Anlaß, mit großer Sorgfalt der Gemeinsamkeit der Probleme nachzugehen.

Overbeck schließt mit einer Erinnerung an den *Katholizismus,* der sich infolge seiner Ablehnung des protestantischen Schriftprinzips schon durch das Tridentinum isoliert hatte und seitdem „nur von seiner eigenen starren, dogmatischen Consequenz" lebt, „um schließlich in einer Reihe von Dogmen zu verdorren, dergleichen Eines heute unter unsern Augen in die Welt gesetzt wird" (34).[19] Dieses Schreckbild des Katholizismus entwirft Overbeck, um zu zeigen, daß trotz der Schwierigkeiten, die die Bibelkritik mit sich gebracht hat, die kritische Forschung immer ein Heimatrecht im Protestantismus habe. Overbeck will bewußt *nicht* die Ansicht vertreten, *nur* die kritische Position sei im Protestantismus möglich (33). Aber der Protestantismus braucht das Bewußtsein, sich auf eine völlig freie Forschung stützen zu können, und diese ist die Garantie dafür, daß dem Protestantismus („noch", sagt Overbeck) das Schicksal des Katholizismus erspart bleibt (34).

Overbeck will hier nicht erörtern, ob nicht Recht und Notwendigkeit der Bibelkritik auch aus anderen Motiven zu begründen wären. Der Protestantismus kann ihr jedenfalls nicht hindernd im Wege stehen, und so wird, „wer in ihrem Sinne arbeitet, . . . am wenigsten in seiner Arbeit irre zu machen sein, so lange er zum Protestantismus noch ein moralisches Verhältniß hat, so lange in ihm noch lebendig ist die Erinnerung an die unschätzbaren Güter reineren Glaubens und tieferer Erkenntniß, die wir ihm und seinen ersten streitbaren Bekennern verdanken".

Mit dieser Formulierung ist, besonders in der Frontstellung gegen den Katholizismus, versucht, ein protestantisches Ideal als Schutz für die kritische Arbeit in Anspruch zu nehmen. Zu beachten ist aber die Reserve, mit der dies geschieht. Overbeck redet von den Reformatoren mit dem Abstand der *„Erinnerung".*

Der Duktus des Ganzen ist unverkennbar. Overbeck legt ein Plädoyer für die kritische Forschung vor. Der erste, alles entscheidende Grund für das Recht dieser For-

---

19 Overbeck trug die Vorlesung am 6. Juni 1870 vor. Am selben Tag begann in Rom die kapitelweise Prüfung des Schemas zur Konstitution Pastor Aeternus, mit der die päpstliche Unfehlbarkeit dogmatisiert wurde. Vgl. R. Aubert, Vaticanum I, 1965, 247ff.

schung im Rahmen der Theologie ist nach Overbeck, daß diese Aufgabe auf die Theologie „zugerollt" ist, m. a. W., es handelt sich um einen Auftrag der Geschichte, dem man sich auf keine Weise entziehen kann. Das ewige Dilemma der Theologie, das in der Vermittlerrolle zwischen *Wissen* und *Glauben* begründet ist, wird jetzt verschärft durch die Unausweichlichkeit der historischen Betrachtungsweise.

Overbeck handelt vom „historischen Wesen des Christenthums" (4 und 5) und bemüht sich um „die Aufgabe eines historischen Verständnisses des Christenthums" (4). Er steht dem Christentum „objektiv" als einem Gegenstand wissenschaftlicher Erkenntnis gegenüber — der *Offenbarungs*anspruch wird nicht einmal als *Problem* artikuliert. Das Christentum kommt bei Overbeck nirgends als Anspruch auf uns zu, sondern liegt als Tatsache vergangener Geschichte *hinter* uns. So kann es nicht zu einer Problematisierung jener Objektivierung kommen, die mit dem Begriff „Christentum" gegeben ist[20].

Overbeck will nur das Unterworfensein des Christentums unter die Geschichte darlegen, und wenn das paulinische Evangelium von der Theologie der Väterzeit getrennt wird[21], so nur in dem Sinne, daß demonstriert wird, die Geschichte des Christentums beruhe auf Mißverständnissen. Den Satz, daß den Ursprüngen des Christentums eine „bleibende, normative, absolute Bedeutung" zukomme[22], kann Overbeck sich nicht zu eigen machen. -

Overbeck gedenkt der *Reformation* fast nur der Feststellung halber, daß es „dem Reformationszeitalter nicht gelungen" ist, „die rechte Harmonie des wissenschaftlichen und des religiösen Elements seiner Theologie herzustellen" (17). Wenn er die Reformation als Befreierin der Exegese würdigt und auch „manch kühnes Wort" (16f.) in Luthers Auslegung des Galaterbriefes findet, so hat diese Darlegung nur den Sinn, die protestantische Legitimität der historischen Kritik sicherzustellen.

Recht und Notwendigkeit der historisch-kritischen Methode lassen sich nach Overbecks Ansicht *außer*theologisch begründen (vgl. 34). Overbeck bemerkt zu der „Aufgabe eines rein historischen Verständnisses der Anfänge des Christenthums und seiner ältesten Urkunden, welche die Theologie neuerdings so eifrig betreibt", daß „die scharfen Spitzen der Aufgabe in ihr" (der Theologie) „selbst liegen" (4), weil die Theologie, zwei Herren dienend, keinem recht dient, nämlich „weder rein religiösen noch rein wissenschaftlichen Interessen" (32), und so in ein Dilemma gerät. Overbeck sieht das Scheitern der Theologie überhaupt voraus, wenn infolge der Differenz der wissenschaftlichen Ansichten die wissenschaftliche, historische Aufgabe nicht gelöst wird, und er empfiehlt die Arbeit an den historischen Problemen, um wenigstens den äußeren Frieden des theologischen Lagers aufrecht-

---

20 Vgl. dazu Gerh. Ebeling, Die Bedeutung der historisch-kritischen Methode für die protestantische Theologie und Kirche, in: Wort und Glaube (I), 2. Aufl. 1962, 13, Anm. 2. Zum Ansatz des Ebelingschen Aufsatzes vgl. jedoch E. Reisner, Der begegnungslose Mensch, 1964.

21 Vgl. F. Overbeck, Über die Auffassung des Streits des Paulus mit Petrus in Antiochien (Gal.2,11ff.) bei den Kirchenvätern (Rektoratsprogramm), Basel 1877, 67.

22 Gerh. Ebeling, (s. Anm. 20), 14.

zuerhalten, dessen Bestand doch gerade durch die Konsequenzen dieser Arbeit gefährdet ist.

Overbeck sucht die historisch-kritische Arbeit mit dem „protestantischen Princip der freien Schriftforschung" (33) historisch zu verknüpfen, aber doch nur, um der Kritik innerhalb des Protestantismus ein *formales* Bürgerrecht zu erwirken, während er ihr Verhältnis zur *Sache* der Reformation offenläßt. Sein Verhältnis zum Protestantismus der Reformatoren ist wesentlich das der *Erinnerung.* Mochte er auch diese Erinnerung als Wertschätzung artikulieren können, so doch nur in einem geistesgeschichtlichen Bezug, indem er an „die unschätzbaren Güter reineren Glaubens und tieferer Erkenntniß", die der Reformation verdankt würden, dachte (34) – eine Formulierung, die in ihrer Unverbindlichkeit gerade das *nicht* nennt, was die *Sache* der Reformation war, das Evangelium.

Overbecks Bearbeitung des Kommentars zur *Apostelgeschichte* von *de Wette* erschien 1870[23]. Den Auftrag zur Bearbeitung hatte er schon im Herbst 1865 angenommen[24], so daß sich die Abfassung, bedingt durch mancherlei Verzögerungen, über mehrere Jahre hin ausdehnte. Vor allem machte ihm die Frage zu schaffen, inwieweit der Text *de Wettes* stehenbleiben könne. Gegenüber dieser Unerquicklichkeit hoffte er, wie er am 13. September 1868 an *Treitschke* schrieb, es werde ihn die Arbeit „theilweise wenigstens hintennach schadlos halten durch den Spaß", den ihm „die Angriffe gewisser Leute machen" würden, „deren Übermuth gerade jetzt wieder nicht wenig gewachsen ist, Dank der kräftigen Gunst, welche ihnen die verblendete Leitung dieser Angelegenheiten in Preußen zuwendet"[25].

Overbeck hat den Rahmen seiner Arbeit klar bestimmt. Sein Kommentar, sagt er in der Vorrede, sei nicht „um einer theologischen These willen gearbeitet", sondern suche „nur mit allgemein geltenden Methoden der Exegese den historischen d. h. heutzutage den einzigen Sinn der AG aus ihrem Text möglichst genau zu eruiren"[26]. Damit steht das hermeneutische Prinzip fest: es gibt nur jene Auslegung, die Overbeck die historische nennt; alle theologische Auslegung, die etwas anderes im Sinne hätte als historische Klärung, ist desavouiert.

Freilich bleibt in der Schwebe, ob Overbeck seine Arbeit als Teil einer theologischen Aufgabe versteht oder nicht. Er möchte Theologe sein und es doch zugleich nicht

---

23 Für alle Fragen der Acta-Auslegung Overbecks ist heute grundlegend die Dissertation von J.-C. Emmelius, Tendenzkritik und Formengeschichte, a.a.O., die nachweist, daß die *Auslegung* von Acta 1–20 im Kommentar selbst noch nicht von der erst später in der *Einleitung* dazu formulierten Auffassung bestimmt ist, nach der der Verfasser der Apostelgeschichte den Gegensätzen des Urchristentums innerlich bereits entfremdet gewesen sei. Mit dieser Ansicht geht Overbeck über die Aufstellungen der Tübinger Schule hinaus. – Zur Stellung Overbecks in der Geschichte der Acta-Forschung vgl. jetzt auch W. Gasque, A History of the Criticism of the Acts of the Apostles, Tübingen 1975.

24 Overbeck an Treitschke, 23.10.1865, ONB.

25 Overbeck an Treitschke, 13.9.1868, ONB; vgl. Bernoulli I, 26, wo das Datum „13. September" (statt 15. September) lauten muß.

26 W. M. L. de Wette, Kurze Erklärung der Apostelgeschichte, 4. Aufl. bearbeitet und stark erweitert von Franz Overbeck, 1870, XVIII. Dort auch die folgenden Stellen.

sein. „Die theologischen Anschauungen", sagt er, „welche meine Arbeit verräth", sind „nicht die der Apologetik, und daß sie mir nichts weniger als gleichgültig sind, brauche ich als Theolog nicht zu versichern" (XVIII). Hier stellt sich Overbeck offenbar auf den Boden dessen, was in der „Christlichkeit" von 1873 „kritische Theologie" heißt: eine Theologie, die der üblichen, „apologetischen" Theologie sich zu widersetzen hat.

Aber Overbecks Vorwort schließt: „Am Streit der Theologie habe ich für meine Person nur Interesse als an einem unvermeidlichen Durchgangspunkt zum Glaubensfrieden." Also scheint der Theologie die Aufgabe zuzukommen, sich selbst überflüssig zu machen.

Overbecks „kritische Theologie" ist keineswegs als theologische Position gedacht. „Theologische Consequenzen", sagt Overbeck, „mögen ihm" (dem Kommentar) „ . . . zufallen, um dieser willen ist nicht eine Zeile darin ursprünglich geschrieben." (XVIII) Geschichtliche Forschung will hier nicht der Verkündigung dienen, indem der kritische Maßstab des ursprünglichen Wortes an die heutige Verkündigung angelegt würde, sondern die Schrift wird hier *grundsätzlich außerhalb der Kirche* gelesen, sie wird ohne die Erwartung gelesen, daß in ihr Gottes Wort zu finden ist. Das versteht Overbeck als die logische Konsequenz seiner Entgegensetzung von dogmatischer und historischer Arbeit, für die er auch *de Wette* meint in Anspruch nehmen zu können.

„Es möchte", sagt er, „bei den Zuständen, welche gegenwärtig überhaupt in der Theologie herrschen, leichtfertige Voreiligkeit sein, schon jetzt auch eine schwächere Arbeit de Wette's[27], wie die vorliegende, ohne Weiteres zum alten Eisen zu werfen, da doch auch sie in heilsamer Weise an eine Zeit erinnert, in welcher man noch nicht so ganz vergessen hatte, wie heutzutage die dominirende Masse unserer theologischen Literatur, daß die Theologie eine Wissenschaft ist, die ungeachtet ihres praktischen Charakters nicht ein System zu vertheidigen, sondern an ihrem allerdings bescheidenen Theile die Wahrheit zu erforschen hat." (Xf).

Kann Overbeck sich für eine Sicht, in der „die Wahrheit" mit der Wirklichkeit, wie sie dem historischen Zugriff unterliegt, identisch ist, auf *de Wette* berufen?

Zunächst: es ist klar, daß Overbeck es so, wie soeben beschrieben, meint. Denn wenn die Theologie nur zu einem „bescheidenen Theile" die Wahrheit zu erforschen berufen ist, dann ist „Wahrheit" offenbar die Wirklichkeit der Welt, *ausschließlich* diese, und die Rede von der Wirklichkeit *Gottes* hat in der Theologie nur Raum, insofern diese ihres „praktischen Charakters" nicht durchaus sich entledigen kann.

Wenn man mit *Hagenbach* über *de Wette* sagen wollte, er sei „mit dem Verstand ein Rationalist, mit dem Gemüt ein Mystiker oder Pietist" gewesen[28], so dürfte man nicht vergessen, daß sich de Wette selbst ebenso ausdrücklich gegen den Rationalismus wie gegen den Supranaturalismus gewandt hat.

---

27 Overbeck nennt sie „die schwächste Arbeit seines exegetischen Handbuches" (X).
28 Siehe K. Barth, Die protestantische Theologie im 19. Jahrhundert, 3. Aufl. 1960, 433.

In seiner Bildungsgeschichte „Theodor oder des Zweiflers Weihe"[29] sagte er von
Theodor: „Er überzeugte sich, daß es überall im Denken und Handeln auf etwas
Erstes ankomme, auf welches sich alles Andere gründe. Dieses Erste läßt sich nicht
beweisen und rechtfertigen, ja nicht einmal in einen bestimmten Begriff fassen;
es ist ein Gefühl, ein Trieb, eine Richtung ... Streiten läßt sich nur da, wo man
sich über jenes Erste vereinigt hat, wo man dasselbe Grundgefühl, dieselbe Grund-
ansicht theilt." Mit diesem Grundgefühl, dieser Grundrichtung in einem religiösen
Sinne aber stimmte *Overbeck* nun gerade *nicht* überein.

Gewiß, „der Scholasticismus oder das Begriffswesen" findet in de Wette keinen
Freund (188). „Die lebendige geschichtliche Auslegung der Schrift ist der einzige
Weg, auf welchem man zur Wahrheit gelangt." (189) Aber solche „lebendige geschichtliche Auslegung" hat ganz andere Prämissen, als es bei Overbeck der Fall
ist. De Wette hält es für eine *ungesunde* Entwicklung, „daß die Wissenschaft und
die übrige Geistesbildung sich von aller Religion los zu sagen, und die Theologie
sich in Weltweisheit aufzulösen den Versuch machte"[30].

„Es ist freylich eine falsche Verstandes-Bildung, welche dergleichen heillose Früchte
trägt; der gesunde, richtige Verstand unterstützt eher den Glauben, als daß er ihn
wankend macht" (92). „Wer das Christenthum in seiner geschichtlichen Erscheinung als bloße Verstandes-Sache mit dem bloßen Verstande betrachtet, der kann in
ihm wenig Erfreuliches finden, und muß Vieles als Unsinn und Verkehrtheit betrachten." (91f.) War nicht dies die Lage, in die Overbeck hineingeriet, indem er
die „Theologie" von der „Religion" trennte?

De Wette fährt fort: „Wer aber mit empfänglichem Gefühl, mit dem stillen Sinne
der Andacht, das unter der oft wunderlichen und abstoßenden Gestalt des Aberglaubens und der Schwärmerey still wirkende Leben des frommen Glaubens und
der begeisterten Liebe ins Auge zu fassen vermag, der wird in ihm zu keiner Zeit
die göttliche Kraft verkennen, deren er an seinem eigenen Herzen zu seinem Heil
inne wird." (92)

Hier liegt der Grund dafür, warum die Acta-Erklärungen von *de Wette* und *Overbeck* Verschiedenes im Sinne hatten. Der Unterschied liegt nicht so sehr im historischen Instrumentarium.

Es handelt sich vielmehr um jenes Movens in der Theologie, von dem oben die
Rede war. Was tut die Religion für den, der ihr folgt? fragt de Wette, und er antwortet: „Er wird ihr allerdings auch die Erleuchtung seines Verstandes und die
richtige Ansicht von den wichtigsten Aufgaben des menschlichen Wissens verdanken; aber diese Erleuchtung wird eben darin bestehen, daß er diese Aufgaben
für den menschlichen Geist unlösbar findet, und in Demuth seine Unwissenheit
anerkennt: hingegen wird er die wohlthuendsten und segensreichsten Wirkungen
der Religion in seinem Herzen spüren"[31].

29 Bd. II, 2. Ausgabe Berlin 1828, 70. Dort auch die folgenden Stellen.
30 Über die Religion, ihr Wesen, ihre Erscheinungsformen und ihren Einfluß auf das Leben,
   Berlin 1827, 91. Dort auch die folgenden Stellen. – De Wette steht hier auf Schleiermachers, nicht auf Overbecks Seite.
31 Über die Religion (s. Anm. 30), 94.

De Wette sieht die Aufgabenstellung der Theologie ganz anders als *Overbeck*. De Wette sagt: „Die Theologie hat den Zweck, die Menschen zur Religion zu führen und zu bilden."[32]

Overbeck meint „als Theolog" reden zu können, obwohl er die Wahrheit längst auf anderen Wegen als denen der Theologie sucht. Von der Wahrheit redet Overbeck unter der Voraussetzung, daß es sich *nicht*, wie *de Wette* meinte, um einen mißlichen Versuch, sondern um eine unaufhaltsame und mitzuvollziehende Tendenz handle, wenn „die Wissenschaft und die übrige Geistesbildung sich von aller Religion los zu sagen, und die Theologie sich in Weltweisheit aufzulösen" anschickt[33].

---

32 Über Religion und Theologie, 2. Aufl. Berlin 1821, 159.
33 De Wette am Anm. 30 angegebenen Ort.

V. KAPITEL

Overbecks „Streit- und Friedensschrift"
„Über die Christlichkeit unserer heutigen Theologie"

Bei Overbecks „Streit- und Friedensschrift" „Über die Christlichkeit unserer heutigen Theologie" (1873) handelt es sich in erster Linie um den Versuch einer Abklärung des Verhältnisses Overbecks zur *freisinnigen* Theologie. Die Polemik, die der im engeren Sinne *„apologetischen"*, also der konservativen Theologie gilt, erfolgt nur beiläufig, als einer längst abgetanen Sache gegenüber. *Harnack*, der damals von Overbeck zu lernen meinte, hat dies völlig verkannt, wenn er Overbeck in der „Christlichkeit" „die totale Impotenz der gläubigen Theologie" nachweisen[1] läßt.

Overbeck erklärt in seiner Schrift, warum er das nicht sein kann, als was er 1870 nach Basel berufen wurde, nämlich liberaler Theologe.

Die Liberalen von Basel erwarteten von Overbeck, wie der Basler Jurist Carl *Brenner* am 2. Mai 1870 an ihn schrieb, „mit der Fackel der freien Forschung in die dunkeln Irrgänge des Autoritätsglaubens hinein zu zünden und die Rechte der Vernunft auf dem religiösen Gebiete zur Geltung zu bringen"[2]. In bezug auf die Frage nach der Art und Weise aber, wie das religiöse Gebiet von der Vernunft zu erobern sei, traten die Spannungen zwischen den Liberalen und Overbeck immer deutlicher heraus.

Äußerlich zeigte sich das an dem Projekt der „Protestantenbibel", einer populären Auslegung des Neuen Testaments, die unter der Leitung von *P. W. Schmidt* und *H. J. Holtzmann* die führenden liberalen Neutestamentler in Angriff nahmen. Overbeck hatte Schmidt zuerst eine Erklärung der Apostelgeschichte für dieses Werk zugesagt. Er erklärte eine klare und bestimmte Angabe der Hauptresultate der neueren Kritik für die Hauptaufgabe des Werkes.

Als er dann die Leitlinien erhielt, die der Bearbeitung zugrundeliegen sollten, entschloß er sich, von der Mitarbeit zurückzutreten. „Ich kann", schreibt er am 15. Januar 1872 an Schmidt[3], „nun einmal nicht zugeben, daß ein exegetisches Werk, wie Ihre Volksbibel sein soll, überhaupt das ‚Mittel', geschweige denn das ‚einzige Mittel' sein könne zur ‚Befreundung des modernen Menschen mit dem wesentlichen Gehalt der Bibel', d. h. doch wohl zu seiner religiösen Versöhnung damit, weil es einer ganz andersartigen Betrachtungsweise der Bibel angehört. Ich kann

---

1 Harnack an M. v. Engelhardt, Sept. 1873; zitiert bei Agnes v. Zahn-Harnack, Adolf von Harnack, 2. Aufl. 1951, 63.
2 Overbeckiana I, 89.
3 ONB, vgl. Overbeckiana I, 97f.

daher auch nicht mit dem Vorwurf, den Sie der herrschenden Theologie machen, übereinstimmen, daß sie durch ‚unvernünftige Auslegung' das Volk der Bibel entfremdet habe. Welche Exegese könnte denn ‚Unvernünftiges' aus der Bibel entfernen? Überhaupt scheint mir der Streit der gegenwärtigen theologischen Parteien weniger auf religiösem als auf rein wissenschaftlichem Boden sich zu bewegen und wird mir nicht unter dem Gegensatz von ‚vernünftiger' und ‚unvernünftiger Exegese' deutlich, sondern unter dem von vernünftiger und scheinbar vernünftiger. Ob aber dieser Gegensatz ein außertheologisches, populäres Interesse verdient, ist zweifelhaft, und es ist mir bei dieser Gelegenheit überhaupt wieder recht klar geworden, daß wir Theologen untereinander uns noch über viel zu wesentliche Fragen zu verständigen haben, als daß sich zur Zeit von einem aus einer theologischen Vereinigung hervorgegangenen Werk dieser Art ersprießliche Resultate für das Volk erwarten ließen. Auf jeden Fall kann ich die Hoffnungen, die Sie an die Volksbibel knüpfen, nicht theilen und besorge, daß die Thatsachen sie nur zu bald widerlegen werden. Ich meine, daß die schon vorliegenden Erfahrungen mit der in die Massen gedrungenen ‚Vernunft' über die Bibel reichlich genügen, um meine geringen Erwartungen zu rechtfertigen."

Mit diesen Ausführungen kündigt Overbeck das an, was sich durch sein späteres Leben hindurchzieht, sein sukzessives Ausscheiden aus dem Betrieb der Theologie. Das hat *P. W. Schmidt* nicht so verstanden und auch schwerlich (die „Christlichkeit" war noch nicht erschienen!) so verstehen können. Schmidt[4] meinte im Ernst in dem Brief, auf den Overbecks Antwort sich bezog[5], „daß *innerlich* ein wesentlicher Dissensus *nicht* bestehe": „Auch ich bin durchaus der Meinung, daß der Ertrag unserer Arbeit einer *vernünftigen* Anschauung der Bibel in erster Linie zukommen soll, daß aber eben dieses das *Mittel* zu einer Verständigung des modernen Menschen mit der Bibel, zur Befreundung desselben mit ihrem wesentlichen Gehalt und dadurch — wie Sie richtig sagen: ‚indirekt' aber auch mit Sicherheit — zur Belebung, zur Befruchtung, zur Vertiefung (und) Ausbreitung christlich-religiösen Sinnes sein kann und muß, und zwar das *einzige* Mittel, auf das wir uns dauernd verlassen können." Die Bibel sei „*unvernünftig* ausgelegt und die Empfehlung ihres Lektüre an das Volk mit unerträglichen Zumuthungen an den Verstand begleitet" gewesen. „Brechen wir öffentlich mit diesen Zumuthungen an die außertheologische Welt, nachdem wir selbst dieselben längst ad acta gelegt; machen wir wirklich auch die außertheologische Welt zu Theilnehmern der biblisch-kritischen Arbeit und Freude — und der ‚indirekte' Erfolg für das religiöse Leben wird ein reichlicher sein. Die Bibel wird wieder *gelesen* werden; und nicht mehr mit Kopfschütteln, sondern mit Fröhlichkeit und Dankbarkeit."

Overbeck hat über Schmidt, als dieser ihn 1903 (bei der 2. Auflage der „Christlichkeit") immer noch mißzuverstehen schien, recht hart geurteilt[6]. Die unver-

---

4 Über ihn vgl. Bo Reicke, in: A. Staehelin (Hg.), Professoren der Universität Basel, 1960, 220.
5 P. W. Schmidt an Overbeck, 10.1.1872, ONB.
6 Notiz Overbecks auf dem Brief von P. W. Schmidt vom 3.5.1903, ONB; vgl. Overbeckiana I, 207, Anm. 4.

wüstliche Neigung Schmidts, Overbeck quand même zu den Treuhändern eines aufrechten Liberalismus zu zählen, wäre Overbeck wohl noch verwunderlicher erschienen, hätte er die Rechtfertigung erlebt, die Schmidt seinem (Overbecks) Acta-Kommentar ausgerechnet gegen *Harnack* zuteilwerden ließ[7] — mit der ausdrücklichen Beteuerung, daß durch die zwischen Overbeck und Harnack stattgehabte Verwendung „unsanfterer Tonart" die „edle Verwandtschaft" zwischen Basel und Berlin „natürlich" nicht habe „getrübt werden" sollen (245f. bzw. 3f.), eine Sorge, die *Overbeck* zuallerletzt hätte bewegen können.

So wie es für Overbeck später *Harnack* gegenüber in zunehmendem Maße *ums Ganze* ging und nicht um exegetische oder historische Einzelfragen, so durfte Schmidt 1872 nicht hoffen, mit dem Zugeständnis, daß der erbauliche Gesichtspunkt in der Apostelgeschichte ,am weitesten zurücktrete, ja im Hintergrund fast verschwinde', Overbeck zur „definitiven Zusage" zu bewegen. Denn schon da ging es um das Prinzip. Das Ziel, den modernen Menschen mit der Bibel zu befreunden, ist *nicht* Overbecks Ziel. Wenn Theologie diese Aufgabe hat, so kann er nicht Theologe sein. Jedenfalls sollen sich die Theologen erst untereinander verständigen, worum es ihnen im letzten geht, ehe sie sich ans größere Publikum wenden.

Während *Schmidt* es für selbstverständlich hält, daß Overbeck als Theologe sich darüber freuen müsse, wenn die Bibel „mit Fröhlichkeit und Dankbarkeit" gelesen werde, setzt Overbeck ihm auseinander, daß die Theologie sich mit sich selber zu beschäftigen habe: sie ist nicht eine kirchliche Wissenschaft, sondern eine Wissenschaft von der Kirche, die es (endlich, meint Overbeck) wagen muß, über die Kirche die für diese ruinöse Wahrheit zu sagen. Faktisch bewegt sich die Theologie schon „auf rein wissenschaftlichem", „weniger auf religiösem . . . Boden", — eine praktische Schrifterklärung, wie *Schmidt* und *Holtzmann* sie anstreben, hält nur den Prozeß auf, den es zu fördern gilt, nämlich den Fortschritt wirklich „vernünftiger" Bibelexegese und wirklich „vernünftiger" Analyse des Christentums. Daß die Theologen, wie Schmidt zugibt, gewisse „Zumuthungen" „selbst . . . längst ad acta gelegt" haben, ist eine Erkenntnis, die, so meint Overbeck, erst noch in ihrer wahren Bedeutung erfaßt werden muß. Statt das reduzierte Christentum der Theologen als das „wahre" Christentum auszugeben, hätte man als Theologe sich vielmehr seinen *Unglauben* einzugestehen, wenn das Neue Testament als Kriterium des Glaubens genommen wird. Erst von da aus kann ins Auge gefaßt werden, wie mit dem Glauben und dem Halbglauben in den Gemeinden zurechtzukommen ist. Exegese und überhaupt Theologie gehört einer „ganz andersartigen Betrachtungsweise" an, als die gläubige Würdigung der Bibel. Das ist der Grund-Satz, der die Voraussetzung von Overbecks Unzeitgemäßer Betrachtung bildet.

Overbecks Handexemplar der „Christlichkeit" war mit *Nietzsches* Betrachtung „David Strauß, der Bekenner und der Schriftsteller" zusammengebunden und enthielt Nietzsches Verse über das „Zwei-Väter-Werk", das als „Zwillingspaar" ausge-

---

7 P. W. Schmidt, De Wette-Overbecks Werk zur Apostelgeschichte und dessen jüngste Bestreitung, in: Festschrift zur Feier des 450jährigen Bestehens der Universität Basel, 1910.

zogen sei, „Welt-Drachen zu zerreißen"[8]. Nietzsche wußte sich hinsichtlich seiner
Unzeitgemäßheit mit einigen Gesinnungsgenossen, zu denen er insbesondere die
Mitbewohner der „Baumannshöhle" in Basel, die „Mit-gift-höhlen-bären"[9] rechnete,
nämlich *Overbeck* und *Romundt*[10], einig. Overbeck hat Nietzsches „Sommationen",
bei den Unzeitgemäßen Betrachtungen „gewissermaßen mitzuthun"[11], zu den Ent-
stehungsursachen seines Buches gerechnet (C. 16)[12].

Overbecks Schrift gibt sich im Gegensatz zu der von Nietzsche sogleich als theologisch interessiert zu erkennen. Overbeck stellt die Frage, „ob die Theologie *jemals*
auf das Prädicat einer christlichen Anspruch gehabt hat"[13]. Von „unserer heutigen"
Theologie ist also in *dem* Sinne die Rede, daß an ihr exemplifiziert werden soll, was
für die Theologie überhaupt Gültigkeit habe. Und nun folgt sogleich die These:
„der Antagonismus des Glaubens und des Wissens ist ein beständiger und durchaus
unversöhnlicher" (22). Wenn diese These gilt, ist es freilich ein Leichtes, der Theologie Unsachgemäßheit nachzuweisen, denn Theologie hat es immer sowohl mit
dem Glauben wie mit dem Wissen zu tun. Wir müssen zusehen, welche Belege
Overbeck für diese seine These vom unversöhnlichen Antagonismus, von der bleibenden Diastase von „Glauben" und „Wissen" im Christentum vorbringt.

Man muß sich klarmachen, daß die genannte These für Overbeck zu den *Prämissen*
gehört, von denen er ausgeht; eine andere Prämisse ist, daß „die Wissenschaft" der
anerkannte Schiedsrichter über Fragen des Christentums sei. Von diesen beiden
Prämissen her kann der Ausgang des Verfahrens nicht zweifelhaft sein.

Overbeck argumentiert zuerst allgemein religionsgeschichtlich: *jede* Religion habe
„die unzweideutigste Abneigung *gegen* die Wissenschaft" (22). Aber nun könne
sich eben dem Wissen „in dieser Welt kein wirklich existirender Glaube entziehen,
der es nicht selbst will; das Wissen aber stellt sich, sobald es angerufen ist, neben

---

8 Elisabeth Förster-Nietzsche, Das Leben Friedrich Nietzsche's, II, 1, 1897, 127f.; Bernoulli
   I, 129. – Der gemeinsame Wiederspruch von Nietzsche und Overbeck richtet sich gegen
   Straußens Alterswerk „Der alte und der neue Glaube", 1872. Der Strauß-Biograph Th.
   Ziegler vermutete, daß Overbecks „theologisches Ressentiment" zu Nietzsches Angriff geführt habe (D. F. Strauß, 2. Teil, 1908, 735, Anm. 1).
9 Nietzsche an Overbeck, August 1874; BWNO 14.
10 Heinrich Romundt war von 1872–1875 Privatdozent für Philosophie in Basel. Zuerst war
   er Schopenhauerianer. Dann entwickelte er katholisierende Neigungen, die ihn von seinen
   Freunden Nietzsche und Overbeck entfernten (vgl. dazu Nietzsches Brief an Erwin Rohde
   vom 28.2.1875; Friedrich Nietzsches Briefwechsel mit Erwin Rohde, 3. Aufl. 1923, 356f.
   = Schlechta III, 1104f.). Später war er Gymnasiallehrer in Deutschland und versuchte
   philosophisch die Lehre Kants zu erneuern (vgl. Nietzsche an Overbeck, Sept. 1881; BWNO
   152). – Bei C. G. Naumann in Leipzig, dem Verleger von Nietzsches Werken und der
   2. Aufl. von Overbecks „Christlichkeit" (1903), erschienen auch Schriften Romundts.
11 Vgl. auch den angeblichen frühen Plan eines Bildungsklosters mit Rohde, Gersdorff, Deussen
   und Overbeck bei Elisabeth Förster-Nietzsche, (s. Anm. 8), 118.
12 Über das Zweideutige an Nietzsches Unzeitgemäßheit siehe K. Löwith, Gesammelte Abhandlungen. Zur Kritik der geschichtlichen Existenz, 1960, 127ff.
13 Über die Christlichkeit unserer heutigen Theologie, fotomechanischer Nachdruck der 2.,
   um eine Einleitung und ein Nachwort vermehrten Auflage von 1903, Darmstadt 1963,
   21. Nach dieser Ausgabe ist im folgenden zitiert. Der Text des „Schriftchens" selber
   (C. 21ff.) ist gegenüber der 1. Aufl. unverändert.

den Glauben und bleibt in alle Ewigkeit etwas Anderes, als dieser" (24). Hier wird
die anfängliche These wiederholt. Aus dieser These folgt, daß „das Thun jeder
Theologie, sofern sie den Glauben mit dem Wissen in Berührung bringt, an sich
selbst und seiner Zusammensetzung nach ein *irreligiöses*" ist (25).

Zu Overbecks religionsgeschichtlichen Argumenten wäre darauf hinzuweisen, daß
die Polarität von Priester und Prophet etwas anderes ist als die Diastase von Glauben und Wissen. Ist, wie Overbeck vorauszusetzen nicht zögert, im Wissen Welterfahrung verdichtet, so wäre im Sinne Overbecks die Religion immer schon in
schroffer Diastase zur Welt zu denken. Religionsphänomenologisch wird aber nicht
zu verkennen sein, daß der religiöse Mensch ohne Beziehungen zur Umwelt nicht
leben kann, und man wird schwerlich diese Beziehungen nur als diastatische ansehen können, gerade wenn, wie die Religionsphänomenologie zeigt, „die Religion
Kennzeichen eines Lebensgefühles ist, welches sich an der Tatsache eines Lebens-
bruches entzündet"[14]. Denn es ist eben die *Religion*, die dem Menschen sagt: „Das
Heraustreten . . . aus der Einheit und aus der Verwobenheit mit Welt und Ordnung
derselben ist nicht in Ordnung, ist . . . der große Sündenfall"[15].

Was die Geschichte des Christentums angeht, so argumentiert Overbeck mit der
eschatologischen *Naherwartung* des Urchristentums: es liege „ebensowenig wie
überhaupt eine irdische Geschichte, so auch eine Theologie in den ursprünglichen
Erwartungen des Christenthums, welches ja in diese Welt trat mit der Ankündi-
gung ihres demnächst geschehenden Unterganges" (27). Von da aus kommt es zu
der Annahme, „daß sich das Christenthum mit einer Theologie ausgestattet hat,
erst als es sich in einer Welt, die von ihm eigentlich verneint wird, selbst möglich
machen wollte" (33). Daß es Theologie gibt, ist also Ergebnis jener Grundverlegen-
heit des Christentums, die mit der Parusieverzögerung gegeben ist.

Overbecks Äußerungen sind in bezug auf die Frage der Naherwartung im Urchristentum recht sparsam; es ist auffällig, daß er diese Basis seiner gesamten Argumentation nicht exegetisch sicherzustellen sucht. Er erklärt ausdrücklich, er wolle
„die Frage . . . bei Seite lassen, ob und in welchem Sinne Jesus seine baldige Wiederkunft zum Weltgericht vorausgesagt hat" (89).

Die Welt sei, so meint Overbeck, von vornherein stärker gewesen als das Christentum, weshalb die Welteroberung des Christentums vielmehr eine Eroberung des
Christentums durch die Welt gewesen sei. Theologie aber sei „nicht(s) anderes als
ein Stück der Verweltlichung des Christenthums, ein Luxus, den es sich gestattete,
der aber, wie jeder Luxus, nicht umsonst zu haben ist" (34). Overbeck meint aber
nicht ernstlich, daß das Christentum etwa auf Theologie hätte verzichten können,
er ist im Gegenteil überzeugt, daß dem Christentum, sofern es am Leben bleiben
wollte, die „Verweltlichung" nicht erspart bleiben konnte.

Die Art, wie die Theologie als Wissenschaft aufzutreten hat, bestimmt sich nach
Overbeck nicht etwa von ihrem Gegenstand her, sondern sie wird von außen dik-

14 C. H. Ratschow, Magie und Religion, 1947, 111f.
15 C. H. Ratschow, ebd. 112. – Zum Problem vgl. auch C. H. Ratschow, Die Religionen und
   das Christentum, in: Der christliche Glaube und die Religionen, 1967, 93.

tiert, nämlich durch den neuzeitlichen, profanen Wissenschaftsbegriff. „Die Wissenschaft hat sich von der Kirche völlig emancipirt, ihre Beweismethoden schafft sie sich selbst" (34). „Da nun die Theologie, sofern sie Wissenschaft ist, eigene Erkenntnißprincipien nicht hat, sondern ... sie nur" (nämlich von den anderen Wissenschaften) „empfangen kann, so ist ihr nicht einmal der Wahn mehr möglich, sie sei christliche Wissenschaft." So kann sie auch nicht etwa, wie *Augustinus* in „de doctrina christiana", eine ihrem Gegenstand adäquate Hermeneutik entwickeln.

Nur von einer „freidenkenden Theologie" (145) kann noch die Rede sein. Der Pfarrer empfängt „die gründlichste und freieste theologische Bildung" (144). Der theologische Lehrer hat sich nicht etwa der doctrina evangelii zu befleißigen, sondern „die neue Wahrheit, die er gefunden hat und die er beweisen zu können der Überzeugung ist, bekannt zu machen" (125). Die Wahrheitsnorm liegt also außer in der subjektiven „Überzeugung" nur in der Radikalität, mit der der profanwissenschaftliche Aspekt durchgehalten wird.

Overbeck steht in seinem Buch vor der Aufgabe, seine „kritische" oder „freidenkende" Theologie mit den faktisch in Übung befindlichen Theologien ins Verhältnis zu setzen. Das Selbstbewußtsein, das er dabei an den Tag legt, gleicht durchaus dem *Nietzsche*s, dessen Philosophie an die *Zukunft* appellierte. Als Vertreter einer kritischen Theologie in Overbecks Sinne erscheint nämlich vorderhand nur *Strauß*. Daß Strauß aus dem Betrieb der Theologie ausschied, wird nicht eigens gewürdigt, obwohl von dem Vorschlag *Eduard Zeller*s, der selber 1849 von der theologischen in die philosophische Fakultät überzuwechseln hatte, die Rede ist, die theologischen Fakultäten „als rein wissenschaftliche Anstalten in die philosophischen Facultäten übergehen zu lassen" (128). Dieser Vorschlag ist wie Overbecks Alternativvorschlag ein Stück Autobiographie des Urhebers: man meint jeweils, im eigenen modus vivendi den modus vivendi für die Allgemeinheit erblicken zu können.

Es handelt sich für Overbeck darum, zu zeigen, welchen Stellenwert die „kritische" Theologie unter der Voraussetzung haben kann, daß sie sich in der theologischen Fakultät in der Weise einrichtet, wie er selber es an der Basler theologischen Fakultät getan hat.

Wie das Urteil über die bestehenden theologischen Richtungen, nämlich die „apologetische" und die „liberale", ausfallen muß, ist klar, wenn die „freidenkende" Theologie das Kriterium liefert: die konservative Theologie ist überhaupt keine Wissenschaft, und die liberale Theologie ist nur eine halbe.

Hätte Overbeck es hinsichtlich der offenbarungsgläubigen Theologie mit solchen Gestalten wie *Vilmar* oder *Beck* zu tun, so träte eine Lage ein, die Overbecks Buch nicht vorsieht: sie würden zugeben, in Overbecks Sinn keine Wissenschaft zu treiben, aber sie würden darauf bestehen, daß Theologie von ihrer Aufgabe her eine Wissenschaft in Overbecks Sinn auch gar nicht sein *könne*.

Nun beschäftigt sich Overbeck aber nicht mit Beck und Vilmar, sondern er beschäftigt sich mit Leuten wie *Luthardt* und *Zöckler*, die für das Christentum „wissenschaftliche" Beweise führen zu können meinen. Solchen Apologeten hält Overbeck vor, daß sie das Niveau *Pascals* nicht erreichen, der es für das Fundament der

Moral erklärte, gut zu denken (46). Sie verstiegen sich vielmehr bis zur „nackten Frechheit" (47), so wenn *Luthardt* behauptet, die Erde sei der „geistige Mittelpunkt" unseres Sonnensystems und unter den Planeten der einzig bewohnte. Hier führt Overbeck, indem er durch Exzerpte die Absurdität solchen apologetischen Verfahrens ins Licht treten läßt, das öffentlich weiter, was er für sich bereits in seinen Kollektaneen getan hat. Overbeck hat sich bis ans Ende seines Lebens Mühe gegeben, solche Wunderlichkeiten zusammenzutragen.

Theologie, so meinte er, könne das Christentum nicht „als Religion . . . vertreten" (41), es sei vielmehr „Aufgabe jder Theologie, Weltbildung und Religion gegen einander abzugrenzen". Seine „kritische" Theologie dient erklärtermaßen „dem Bedürfnisse . . ., der Weltbildung eine Stätte neben dem Christenthume möglich zu machen" (109). Die „Erfahrung", die Overbeck vom Theologen fordert, wäre eine Erfahrung in der „*Weltbildung*", m. a. W., dem Theologen muß eine Aufklärung widerfahren sein, die ihn „ungläubig lediglich mit dem Christenthum als Gegenstand wissenschaftlichen Verständnisses" zurückläßt, wie dies bei Overbeck selbst der Fall war (SB 139f.). Konkret wäre das eine bestimmte Erfahrung der *Studentenzeit* (SB 139). Wie aber kann der Theologe, dem das Christentum so existentiell abhandengekommen ist, Theologe sein? Overbeck selbst bekennt im Alter: „Ich habe ungefähr mein Leben dazu gebraucht, zu erkennen, daß meine ‚Tendenz zur Theologie' eine falsche war." (SB 138)

1873 will Overbeck noch auf eine Verdrängung der „apologetischen" und der „liberalen" durch eine „kritische" Theologie hinaus. In der „*apologetischen*" Theologie ist es die unerquickliche Vermischung von Glauben und Wissen, von naturwissenschaftlich erhebbaren Fakten und religiösen Deutungen, die ihn zum Widerspruch veranlaßt. Man kann, so meint er, nicht einfach vom Vorhandensein der Hölle reden und die Hölle so unter die Selbstverständlichkeiten rechnen. Hier fällt nicht nur die Anschauung, sondern — so meint es jedenfalls Overbeck — auch die religiöse Erfahrung und die innere Überzeugung aus, insofern man sich gar nicht bewußt ist, von was man redet.

Die Unbefangenheit, mit der man Christentum in der Gründerzeit in Weltanschauung umsetzte, war besonders im *politischen* Bereich wahrzunehmen. So wie *Nietzsche* stellte auch Overbeck eine ungerechtfertigte nationale Überhebung in Deutschland fest (61). Der Berliner Generalsuperintendent Wilhelm Hoffmann[16] hatte den „germanischen" Nationen „im Lichte des Reiches Gottes" eine Priorität vor den romanischen und slawischen zuerkannt. Overbeck bemerkt, „daß hier eine der ursprünglichsten Empfindungen des Christenthums todt ist" (62), weil das heilsgeschichtliche πρῶτον (Röm 1,16) hier einer willkürlichen Allegorisierung unterworfen worden ist.

„Des Gedächtnisses werth", fährt Overbeck fort, „ist ferner folgender Fall, der auf der kirchlichen Versammlung, welche im Oktober 1871 in Berlin die Spitzen des zur Zeit, in Preußen besonders, officiell herrschenden Christenthums unter allem schuldigen Pomp vereinigte, sich ereignet hat. Ein Pfarrverweser aus Wieden-

16 Vgl. R. Kögel, RE 3. Aufl. VIII, 227ff.

brück erlaubt sich einmal als Christ einige bedauernde Worte fallen zu lassen über den eben beendigten Krieg. Kriege würden nicht mehr möglich sein, sobald die Völker wahrhaft christlich wären. ‚Die steigende Unruhe der Versammlung, welche zuletzt stürmisch den Schluß verlangt, nöthigt den Redner abzubrechen', melden uns die vom Secretariat der Versammlung herausgegebenen Verhandlungen, und damit ist die Sache abgethan. Nur daß der nächste Redner, bevor er auf sein Thema kommt, gegen den Vorredner die Bemerkung hinwirft: ‚so lange es noch Sünde in der Welt gebe, würden auch Kriege geführt werden, daß aber auch Gott fortfahren werde, sich in den Kriegen als der Herr Zebaoth zu offenbaren' " (62).

Overbeck empfindet den „byzantinischen Beigeschmack der ganzen Scene", stellt aber vor allem fest, „wenn ... eine sich christlich nennende Versammlung auf solche Worte, wie die jenes Pfarrverwesers, keine andere Antwort hat als die mitgetheilte", so dürfe man wohl „ihr Christenthum so ziemlich einem Wortchristenthum gleichschätzen" (63).

Overbecks Kritik wirkt hier umso durchschlagender, weil sie zugesteht, daß für das Votum des Pfarrverwesers die Stunde ungünstig und die Form ungeschickt gewesen sein möchte. Daß jene kirchliche Oktoberversammlung im übrigen den Kulturkampf gegen die katholische Kirche initiierte[17], beleuchtet die Szenerie noch zusätzlich.

Overbecks Widerspruch gegen die „apologetische" Theologie gewinnt weitere kulturkritische Akzente, wenn er die Herrschaft des Journalismus (64) und das Literatenhafte in der Theologie (65) beklagt. Dabei richtet er einen speziellen Angriff gegen den liberalen Theologen *Adolf Hausrath*[18] und dessen „Neutestamentliche Zeitgeschichte". Es kam im November 1874 zu einem brieflichen Rencontre mit Hausrath, der seine populärwissenschaftliche Schriftstellerei gegen Overbeck zu rechtfertigen suchte und zu seinem Schutz den „innern und äußern Frieden der liberalen theol(ogischen) Partei" anrief, zu der er Overbeck offenbar trotz dessen „Christlichkeit" zählte[19]. Overbeck antwortet mit einem Schreiben, das *Nietzsche* so sehr gefiel, daß er es eigenhändig abschrieb[20], und das Overbeck selber „fabelhaft offen, insofern auch grob" nennt[21].

Wer sage Hausrath denn, fragt Overbeck, daß es ihm, Overbeck, um den Frieden der liberalen theologischen Partei zu tun sei, „oder vielmehr, habe ich denn nicht in einem Schriftchen" (der „Christlichkeit") „deutlich genug gesagt, daß ich für meine Person von keiner theologischen Partei etwas wissen will?"[22]

---

17 Vgl. J. B. Kißling, Der deutsche Protestantismus 1817–1917, Bd. II, 1918, 106f.
18 Über ihn vgl. K. Bauer, RGG 2. Aufl. II, 1661 und K. Hesselbacher, RE 3. Aufl. XXIII, 623ff.
19 Hausrath an Overbeck, 10.11.1874; Overbeckiana I, 113f.
20 Vgl. C. A. Bernoulli, BJB 1906, 185.
21 Overbeck an Treitschke, 19.12.1874; Overbeckiana I, 115.
22 Daß Hausraths literarische Neigung übrigens tatsächlich ihn auf die Romanschriftstellerei verwies, drückt sich in den drei Romanen aus, die er später unter dem Pseudonym George Taylor schrieb: Antinous, 1880; Klytia, 1883; Jetta, 1884. Vgl. darüber A. Hausrath, Zur Erinnerung an Heinrich von Treitschke, 1901, 73.

Overbeck beurteilte populärwissenschaftliche Schriftstellerei eines Gelehrten als etwas so Ehrenrühriges, daß er sich deshalb von einem Freunde, dem Leipziger Ägyptologen *Ebers*, zurückzog[23]. Was Overbeck gegen populärwissenschaftliche Veröffentlichungen aus dem Bereich der *Theologie* von vornherein einnimmt, ist seine Überzeugung, daß „in der Theologie . . . Arbeiten, wenn sie ihren Namen verdienen sollen, nothwendig Tendenz haben müssen" (C. 66). Diese Tendenz aber – und Overbeck hat natürlich die *kritische* Tendenz im Auge – würde durch die Popularisierung abgeschwächt. Den Liberalen hält er es genau so vor wie den Apologeten, daß „die Theologie ihren Streit unter die Laien geworfen hat" (94).

Was Overbeck aber vor allem gegen die apologetische Theologie einzuwenden hat, ist, daß sie „von der Sache, die sie vertritt, nur noch die Schale ohne den Kern in Händen" hat (72). Der *Kern* ist aber die *Weltverneinung*, die *Diastase* von Kirche und Welt. Die Betrachtungsweise des irdischen Lebens, die bei Anachoreten und Mönchen zu bewundern ist, ist „unseren Apologeten . . . abhanden gekommen" (70). Man weiß sich nur allzu gut in diese „sündige Welt" zu finden (ebd.) und will Dogmen festhalten, die aber ohne das diastatische „Ideal" wertlos sind (71). „Auf etwas Anderes als auf die Unseligkeit der Welt ist das Christenthum unter Menschen im Ernste nie begründet worden" (ebd.).

In dem Versuch, das Wesen des Christentums zu bestimmen, wendet sich Overbeck der *Lebensbetrachtung,* der *Weltbetrachtung* des Christentums zu. Daß im Christentum nicht seine Dogmen und Mythen das Wesentliche seien, sondern seine Stellung zur Welt, war ein Gedanke, der Overbeck von *Schopenhauer* her nahelag. Overbeck hat es stets mit dem Christentum als historischer Erscheinung zu tun; es ist Voraussetzung seiner Argumentation, daß mit dem Offenbarungsanspruch des Christentums für den Denkenden nichts anzufangen sei[24].

Die *liberale* Theologie, deren sich Overbeck intensiver zu erwehren hat als der „apologetischen", hat „mit dem Kern auch die Schalen des Christenthums von sich geworfen" (73), sie ist also weniger noch als die „apologetische" Theologie eine christliche Theologie zu nennen.

Das zeigt Overbeck zunächst am liberalen Interesse am „historischen Jesus". Hinter diesem steht, wie schon bei *Lessing,* die Unterscheidung zwischen Christentum und Religion Christi[25]. Schon Lessing habe gewußt, „daß wer von einer Religion Christi redet und sich an diese halten zu wollen des Sinnes ist, sich außerhalb der christlichen Religion stellt" (75). „Christenthum ist jedenfalls, was schon die Etymologie des Worts sagt, ein Glaube an Christus, mithin jedenfalls nicht sein eigener Glaube." (74)

---

23 Siehe C. A. Bernoulli, BJB 1906, 142. Es beleuchtet die Fragwürdigkeit der Rolle Bernoullis als Erben Overbecks, daß auch Bernoulli sowohl Gelehrter als Literat war.

24 Vgl. Schopenhauer, Parerga und Paralipomena, II, § 181, SW V, 415: „Den Herren von der *Offenbarung* möchte ich rathen, heut zu Tage nicht so viel von der Offenbarung zu reden; sonst ihnen leicht ein Mal offenbart werden könnte, was eigentlich die Offenbarung ist."

25 Es ist bedeutsam, daß die Sätze über „Die Religion Christi" (1780) Lessings *Nachlaß* angehören. Auch Overbeck hat seine schärfsten Formulierungen nie selber publiziert.

Nun steht es Overbeck völlig fern, hinter diese Unterscheidung zurückgehen zu wollen. Daß Jesus nicht Gott, sondern nur Mensch gewesen sei, sieht er vielmehr als *historische Entdeckung* an, von deren kritischer Bedeutung man sich nur eben nicht Rechenschaft gegeben habe (75). Die „Lust an einem menschlichen Jesus", wie sie etwa bei Theodor *Keim*[26] zu spüren ist (77), möchte Overbeck ihm mitnichten ausreden. Hat, nach Keims Formulierung, die Theologie „ ,die alten Vorstellungen von göttlicher Person hinter sich gelegt', so mag sie", meint Overbeck, „vollends nur gethan haben, was als Wissenschaft ihres Amtes ist, nur sollte sie das innere Band, welches diese Vorstellungen an das Christenthum knüpft und sie nicht, ohne daß man es überhaupt angreift, davon loslösen läßt, nicht übersehen" (77). M. a. W., die Theologie muß sich ihre Nichtchristlichkeit eingestehen; ihr „Amt" fordert von ihr den Bruch mit dem Christentum. Das will *Keim* nicht wahrhaben[27].

Was soll die Theologie tun? Sie soll sich konsequent als *„kritische Theologie"* verstehen und dann nicht mehr ein „Leben Jesu" entwerfen, sondern „eine genaue Bestimmung der Gebiete des vom Leben Jesu Bekannten und Unbekannten und eine Ermittelung des Sinnes der Grenzen beider im Zusammenhang mit der geschichtlichen Bedeutung der Person" vornehmen (79).

Overbeck hat später im Anschluß an *Nietzsche* die „relative Irrelevanz der Person Jesu im Christenthum als ‚Urheber' der Religion" und also die Entgegensetzung von Jesus und Paulus vertreten[28] und sich damit einer typisch „liberalen" These angeschlossen. Ja, er fand, *Nietzsche* habe „auf seiner Suche nach dem ‚psychologischen Typus des Erlösers' . . . noch den ernsthaftesten Versuch einer menschlichen Charakterisierung Jesu geliefert" (nämlich im *„Antichrist"*). Es gelte, „den individuellen Charakter des Menschen Jesu anschaulich zu machen"[29].

Das steht in Spannung zu Overbecks Einsicht in die Schwierigkeit der Quellenverhältnisse und zu jenem ceterum censeo, das er einmal niederschrieb, indem er *Goethe* zitierte (an Frau von Stein, 6. April 1782): „Die Geschichte des guten Jesus habe ich nun so satt, daß ich sie von keinem als allenfalls von ihm selbst hören möchte."[30]

In ähnlichem Sinne hatte sich an einer von Overbeck beachteten Stelle *Schopenhauer* geäußert: Man soll „Jesum Christum stets im Allgemeinen auffassen, als das Symbol, oder die Personifikation, der Verneinung des Willens zum Leben"[31].

---

26 Über Keim vgl. H. Ziegler, RE 3. Aufl. X, 198ff.

27 Overbeck nennt im übrigen Keims Jesus-Darstellung „eines der geziertesten Werke der Litteratur unserer Tage" (78). Dazu vgl. H. Ziegler, Theodor Keim. Sein Charakter und seine Bedeutung für die evangelische Kirche (PKZ 1879, 359—68), wieder abgedruckt in: Keim, Rom und das Christenthum, 1881, XVII-XXXIV, hier besonders S. XXVI.

28 ONB A 227 Jesus (Allgemeines), S. 7.

29 ONB A 227 Jesus (Characteristik), Allgemeines; vgl. CK 44.

30 ONB A 227 Jesus (Leben Jesu) Unternehmen, S. 1.

31 Die Welt als Wille und Vorstellung, Bd. I, 4. Buch, § 70; SW I, 519. Siehe ONB A 227 (s. Anm. 30). — Es ist bezeichnend, daß Bernoulli, der selber in sehr phantasievoller Form einen Beitrag zur Leben-Jesu-Literatur lieferte (Jesus, wie sie ihn sahen, 1928), diese Stellen in seine Overbeck-Anthologie CK nicht aufnimmt.

Die liberale Theologie, sagt Overbeck, „meint ein Christenthum entdeckt zu haben, dessen Versöhnung mit der Weltbildung kaum noch ein Problem ist, und mit ihr vollends gehen wir einem Zustand der Dinge entgegen, bei welchem man die christliche Religion vor allen anderen zu preisen haben wird, als die Religion, mit welcher man machen kann, was man will" (C. 80).

Freilich weiß Overbeck, daß schon früher Akkommodationstendenzen im Christentum aufgetreten sind. Er beschreibt das frühe Christentum als „Religion sterbender aber hochcultivirter Völker" (81) und bezweifelt, ob das Christentum gegenüber „einer jugendlicheren Cultur" und „Völkern von ungebrochener Lebenskraft" sich hätte behaupten können.

Overbeck möchte andererseits festhalten, daß „der weltverneinende Charakter dem Christenthum jedenfalls schon seit dem apostolischen Zeitalter eignet" (84). Zwar habe es „nie größere Fähigkeit gehabt in die Welt einzugehen" als in der „altkirchlichen Periode" (82), aber es sei dann auch der Vorbehalt des Mönchtums wirksam geworden, das nicht als heidnische Größe von außen ins Christentum eingedrungen sei (Overbeck greift hier die Thesen seines Jenenser „Rosenvortrags" von 1867 wieder auf). Das Mönchtum sei vielmehr die Institution, „mit welcher die Kirche, in dem Moment, da sie sich ganz in die Hände des heidnischen Staates hinzugeben scheint, sich doch seiner eisernen Umklammerung wieder zu entwinden" wisse (83).

Die Liberalen müssen das diastatische Element im Christentum bagatellisieren. Die historisch-kritischen „Vorträge und Broschüren der liberalen Theologie" sind nur „verflachende . . . Excerpte" (100). Man macht sich „das populärste Interesse, das sie giebt, das religiöse" (99f.) zu Nutze, in dem verwirrenden Streben, „mit wissenschaftlichen Mitteln das religiöse Interesse zu befriedigen" (101).

„Was den Menschen die Religion in der Noth des Lebens sein kann, wird durch Theologie nicht erhöht noch gestärkt, sondern geschmälert und geschwächt." (ebd.) So findet Overbeck, daß die liberale „Bewegung" mit der Reformation nicht zu vergleichen sei, obwohl die Liberalen mit „ungleich stärkeren Mitteln" (98) arbeiten als die Reformatoren. „*Wir* lassen uns vorerzählen, daß fast das ganze Neue Testament ein Gewebe von Fictionen ist, greifen nicht in die alte Kirche, sondern in's Urchristenthum zurück und rufen nicht Paulus, sondern Jesus selbst auf, und es geschieht gar nichts." (98f.) Dieser Mißerfolg hängt damit zusammen, „daß an sich keine Wissenschaft unpopulärer ist als die Theologie" (99).

Man „verwirrt" nur „die Grenzen zwischen Glauben und Wissen in den Köpfen": „das aber ist der Anfang zu aller Barbarei" (101). Hier liegt Overbecks Hauptvorwurf gegen die liberale Theologie.

Overbeck kommt hier auf die „Protestantenbibel" zu sprechen, an der nicht mitzuarbeiten er sich ja entschlossen hatte. Er nimmt das Scharmützel mit *P. W. Schmidt* öffentlich und in allgemeiner Form auf und fragt: „Ist der Zweck der Protestantenbibel ein religiöser oder ein rationalistischer?" (102) Overbeck weiß natürlich, daß *beide* Zwecke angestrebt werden, und er stellt genüßlich fest, daß „der historische Commentar zum vierten Evangelium und zur Apostelgeschichte" schwerlich „das religiöse Ansehen dieser Bücher zu erhöhen im Stande" sei (107), was *Schmidt* intern in bezug auf die Apostelgeschichte ja bereits zugegeben hatte.

Der Herausgeber der Protestantenbibel, *von Holtzendorff*, hatte geschrieben: „Was wir als Widersprüche in der Bibel offen zugestehen, bedeutet nicht mehr, als die Wellenschwingungen eines in seiner Tiefe unbewegten Oceans" (bei Overbeck C. 103). Dagegen erklärt Overbeck, die „Entdeckungen der neueren Wissenschaft" hätten „den biblischen ‚Ocean' bis in seine tiefsten Tiefen aufgewühlt" (104). Gegen den Satz Holtzendorffs: „Ehemals herrschte der Wortlaut der Bibel, heute suchen wir nach dem inne wohnenden Geiste" stellt Overbeck den Satz: „Früher suchte man nach dem in der Bibel innewohnenden Geist, heute herrscht unter uns der Buchstabe." (105) Wir „haben uns . . . aller wissenschaftlich-exegetischen Mittel begeben, um dessen, was die Vorzeit den ‚Geist der Bibel' nannte, habhaft zu werden" (106).

Hier tritt Overbeck nicht nur den zeitgenössischen Liberalen, er tritt implizit auch *Baur* entgegen. Denn für Baur hatte eine spekulative Schau das Neue Testament gerade in seiner Antithetik umfaßt, und der Fortgang des Christentums fiel mit dem Gang des Geistes in der Geschichte zusammen. Für Overbeck aber ist Baur der kritische Destruktor, von dem wir zwar die Analyse, aber nicht die Synthese übernehmen können.

Overbeck spricht von „wissenschaftlich-exegetischen" Mitteln. Hier kommt wieder dieselbe Überzeugung zum Ausdruck, wie sie Overbeck schon im Vorwort zum Acta-Kommentar 1870 geäußert hatte. Es wird also stets vorausgesetzt, daß es „heutzutage" *nur* um den „historischen" Sinn der biblischen Bücher gehen könne. Sieht man die Sache und die Implikationen von Wissenschaft so, und schließt man eine „spekulative" Betrachtung aus, so läuft der Satz, daß wir uns aller wissenschaftlich-exegetischen Mittel begeben hätten, um den „Geist" der Bibel aufzuspüren, fast auf eine Tautologie hinaus.

Zur rücksichtslos historischen Analyse des Christentums kommt für Overbeck ein *philosophischer* Aspekt hinzu. Er ist dadurch gegeben, daß Overbeck sich weigert, das Christentum als eine „Summe von historischen oder mythischen Thatsachen und Dogmen" (111) anzusehen. Er will vielmehr seine *„Lebensansicht"* erheben, die er als *Weltverneinung* sehen zu müssen meint. Hier ist er in seiner Grundkonzeption zweifellos von *Schopenhauer* abhängig.

Könnte nicht die Theologie, so meint Overbeck, dem Christentum Momente entnehmen, die in ein neuzeitliches Weltbild einzufügen wären? Dabei ist vorausgesetzt, daß nicht etwa die Diastase in der Form übernommen werden kann, wie sie das ursprüngliche Christentum (nach Overbecks Meinung) praktizierte. Vielmehr ist „das Excessive" unverkennbar, „das die christliche Weltverneinung für Menschen und menschliches Dasein hat, – ohne dessen thatsächliche Anerkennung es nie zu einer Theologie im Christenthum gekommen wäre" (110). Die Theologie war also in einem gewissen Sinne schon immer Anwalt der Welt gegen die Exzesse der Diastase. Aber die Theologie muß sich bewußt sein, daß in die „Noth der Gegenwart . . . die Lebensbetrachtung des Christenthums noch manche erlösende Idee hineinscheinen läßt" (118).

Das Überhandnehmen von Materialismus und Egoismus läßt es als „von unschätzbarem Werthe" erscheinen, „wenn über dieser ganzen unheilvollen Auflösung min-

destens der Christenname als eine Art kategorischen Imperativs, der sie verurtheilt,
schwebt" (119). Nicht also um *Abschaffung* des Christentums kann es sich handeln, sondern um seine *Auswertung*. Wie diese Auswertung geschehen kann, hat
die kritische Theologie zu lehren.

Overbeck ist froh, daß die Liberalen mit ihrer popularisierenden Propaganda nichts
erreichen, denn wie Schopenhauer ist auch Overbeck allen „pöbelhaften" Vorgängen abgeneigt. Er bemerkt das „Unheil", das in der Religionsgeschichte „von
der Erhabenheit ihrer Stürme immer unzertrennlich gewesen ist" und empfindet
deshalb „Scheu vor neuem Sturme" (99).

Auch wäre es für eine Kultur wie die deutsche „unweise genug . . ., in der That
sich zu gebärden, als ob es nie ein Christenthum auf der Welt gegeben hätte"
(115). Dies wird ausdrücklich dem *Strauß* des Jahres 1872 entgegengehalten. Das
Christentum ist „auf jeden Fall die tiefste Erfahrung des Theils der Menschheit
. . ., zu dem wir gehören". Diese Erfahrung gilt es nur eben kritisch zu interpretieren, d. h. die Theologie darf nicht etwa durch traditionelle Glaubenssätze daran
gehindert sein, herauszustellen, wie die Erfahrung des Christentums auf die andern
Erfahrungen zu beziehen ist, die die Menschheit gemacht hat und die sie dem
Christentum gegenüber in eine freie Stellung gebracht haben.

Gegen den „Bildungsphilister" *Strauß* betont Overbeck die Anforderungen, die an
eine naiver Gläubigkeit entwachsene Kultur zu stellen sind. Die Menschheit „wird
am Christenthum insbesondere den Antrieb haben nach einer Bildung zu trachten,
die edel und erhaben genug wäre, um daran denken zu können, gegen das Christenthum Recht zu behalten" (116). Sie muß „höher hinauf, als wo sie ungefähr
gestanden hat, damals als das Christenthum Herr über sie wurde". Diese Kultur-
aufgabe schließt die Frage nach der *Erziehung* ein. Overbeck weiß sich in dieser
Hinsicht mit *Nietzsche* einig. Gegenüber Nietzsches Konsequenz, den Menschen
durch den Übermenschen zu überwinden, verhielt sich später Overbeck kraft seiner Nüchternheit spröde. Die „Christlichkeit" ist Overbecks einziges Manifest geblieben, während Nietzsche in immer lauteren Formulierungen seine Forderung
neuer Kulturgestaltung vortrug.

Mit derjenigen Arbeit der kritischen Theologie, die wir wohl eine religionsphiloso-
phische zu nennen hätten, geht die historische Arbeit Hand in Hand. Wir brauchen,
sagt Overbeck, „eine zusammenhängende, der Geschichte der Kirche entnomme-
ne Darstellung der Betrachtung des Weltlebens in seinen Haupterscheinungen, wie
sie dem gegen die Weltbildung noch widerstandskräftigen Christenthum eigen ist"
(112). Eine solche profane oder kritische Kirchengeschichte hätte den Widerstreit
von Christentum und Welt, von Glauben und Wissen in allen seinen Erscheinungsformen aufzuzeichnen. Kirchengeschichte wäre die Geschichte der christlichen
Diastase.

Der Ausgangspunkt wäre die Naherwartung des Urchristentums. „Einen weltflüchti-
geren Glauben als den der ältesten Christen an die baldige Wiederkehr Christi und
den Untergang der gegenwärtigen Weltgestalt kann es doch nicht wohl geben",
meint Overbeck (85). *Weltflucht* sei „die Signatur des ursprünglichen Christen-

thums". Gegen *Richard Adelbert Lipsius* sei zu bestreiten, „daß mit dem weiten Aufthun ihrer Pforten seit dem zweiten Jahrhundert die Kirche die weltflüchtige Lebensbetrachtung des Urchristenthums aufgegeben haben soll".

Was bedeutete die *Parusieverzögerung?* Sie führte zum Formwandel des Christentums. In der „asketischen Betrachtung und Führung des Lebens" (86), konkret im Mönchtum, fand sich „eine Metamorphose des urchristlichen Glaubens an die Wiederkehr Christi" (87). „Die Erwartung der Wiederkunft Christi . . . verwandelt sich in den Todesgedanken". So gibt der Karthäusergruß „memento mori" „die Grundweisheit des Christenthums" wieder.

Es ist die Schwäche der liberalen Theologie, daß sie den Parusieglauben als „bloße Täuschung" versteht und ihn (wie bei *W. Brückner*) dahin umdeutet, „daß es dem Reiche Gottes, das Jesus durch sein Evangelium in die Welt gesetzt hat, eigenthümlich sei, ein stets werdendes und ein stets kommendes zu sein" (zitiert bei Overbeck C. 88). Nein, es ist die *Weltverneinung,* die sich im Parusieglauben Ausdruck verschafft.

Es ist unzweifelhaft der Grundgedanke *Schopenhauers,* dem Overbeck hier folgt. So wie *Baur* das Christentum religionsphilosophisch nach *Hegel* deuten wollte, so will Overbeck es nach *Schopenhauer* deuten. Baur und Overbeck entsprechen einander in dem Versuch, hinter der *Erscheinung* des Christentums auf seine *Idee* zurückzugehen. Ist die Idee des Christentums, wie Overbeck meint, die Weltverneinung, die radikale Diastase, so ist die Geschichte des Christentums die Geschichte dieser Idee.

Dabei hat Overbeck keinen Zweifel, daß der historische Ausgangspunkt dieser Idee, nämlich die Naherwartung des Urchristentums, die dogmatische Explikation der Idee von vornherein diskreditiert: das Dogma ist das Produkt der Verlegenheit, die mit der Parusieverzögerung entstand. Nicht was das Dogma explizit sagt, haben wir zu würdigen, wenn wir uns den Wert klarmachen wollen, den das Christentum für uns noch haben könnte, sondern die *Lebensansicht* des Christentums, eben das „memento mori".

Overbeck hat an seiner schopenhauerianischen Auffassung des Christentums in späten Jahren eine Art Selbstkritik geübt, als er seine Ansicht in dem Artikel „Christenthum (Asketischer Character) Allgemeines" seines privaten „Kirchenlexikons" zusammenfassend darstellte. Er setzt sich mit *Nietzsches* Thesen im „Willen zur Macht" (Ausgabe von 1901) auseinander und gibt zu, daß das Christentum „wirklich ein potenziertes Judenthum und aus der gedrückten Denkweise der jüdischen Diaspora", *nicht aber aus dem Buddhismus,* „zu erklären" sei[32]. „Das haben", fügt Overbeck hinzu[33], „als ich die ,Christlichkeit unserer heutigen Theologie' schrieb, weder ich noch Rohde (der mir . . . recht giebt) noch wahrscheinlich *Nietzsche* selbst (so sehr er schon 1873 in der Kritik Schopenhauer's sowohl mich als Rohde überholt haben mag) schon durchschaut."

---

32 ONB A 219 Christenthum (Asketischer Character) Allgemeines, S. 5.
33 Ebd., in CK 31 von Bernoulli ausgelassen.

Aber trotz dieses Zugeständnisses gibt Overbeck seine Grundauffassung nicht auf:
„Dem Christenthum der Kirche ist aber die Asketik trotz seiner bescheidenen
Herkunft doch eingeboren und der Unterschied, der zwischen ihm und (dem)
Buddhismus besteht, läuft in gewissem Sinne auf eine Art von Doctorfrage hin-
aus."[34] Man könne geradezu Nietzsche „Hyperprotestantismus" vorwerfen, wenn
er meint, „die Asketik" lasse sich vom Christentum ablösen, „während in Wahr-
heit eben diese von der Reformation angenommene Abtrennbarkeit asketischer
Weltbeurtheilung vom Christenthum nicht besteht"[35].

In welcher Weise Overbeck im Alter an seiner diastatischen Konzeption des Christentums festhielt, zeigt eine Aufzeichnung seiner letzten Jahre. Er war von *K.*
Federn in dessen Übersetzung von *E. Carpenters* „Wenn Menschen reif zur Liebe
werden" (1902) an „das Asketische des Christenthums als den ‚fatalen' Zug seines
Characters und die nicht mindere Fatalität der Gefahr, daß über diesen Zug weg-
gesehen wird", erinnert worden. Daran schließt er folgende Betrachtung an: „Das
Christenthum ist zweifellos in seinem Grundcharacter asketisch, und zwar *excessiv*
asketisch. Und nur darin ist seine Unverträglichkeit mit der Entwickelung des
menschlichen Geschlechts begründet, keineswegs in seinem asketischen Character
überhaupt. In diesem vielmehr liegen nur die Wurzeln seiner unter Menschen gewonnenen Macht, denn der asketische Trieb ist in der Menschheit gleich tief begründet wie der entgegengesetzte. Ohne Rücksicht auf diese Thatsache ist überhaupt unter Menschen keinerlei Cultur möglich. Asketischer und Lusttrieb müssen
sich in der Menschheit in gleicher Freiheit ausleben. Nur soweit das Christenthum
der Gefahr unterlegen ist, hyperasketisch zu werden, den asketischen Trieb in
der Menschheit allein anzuerkennen, dieser Menschheit daher hyperasketische, dem
menschlichen Leben in seinen Wurzeln widersprechende Forderungen zu stellen,
ist es mit der Menschheit, oder was das Christenthum selbst ‚die Welt' nennt, in
heillosen Conflict gerathen und wird unter Menschen vergehen. Der Unsinn der
modernen Theologen, welche die Aussichten des Christenthums auf dauernde Welt-
beherrschung zu verbessern meinen, indem sie seinen asketischen Character läugnen
und wahres Christenthum nur in der Confession anerkennen, in welcher die Bekenner des Christenthums ‚vom Banne der Askese befreit' sind (wie z. B. *Harnack,*
Wesen des Christenthums, Leipzig 1900, S. 175f.), können dieses Vergehen natürlich nur beschleunigen. Das nicht asketische Christenthum ist allerdings dasjenige,
das augenblicklich ‚die Welt beherrscht', welches nun aber thatsächlich kein anderes ist, als das Christenthum, das sie *nicht* beherrscht und nie beherrscht hat. Es
ist das Christenthum der Rhetoren des Christenthums, d. h. seiner Theologen."[36]

Wie die Geschichte der christlichen Diastase ausgehen könnte, hat Overbeck im
Alter in folgender Weise ins Auge gefaßt: „Das übertrieben asketische Christenthum wird sich die Menschheit auf die Dauer nie gefallen lassen, das ‚moderne',
nicht asketische hat überhaupt unter ihnen" (den Menschen) „nie Bedeutung gehabt, oder es ist in ihr" (der Menschheit) „wenigstens nie etwas anderes gewesen

---

34 Ebd., S. 7; vgl. CK 32.
35 Ebd., S. 9; vgl. CK 33.
36 Ebd., S. 10ff.; vgl. CK 33f.

als das ostensible oder Scheinchristenthum, das sogenannte historische, das mit den Menschen gespielt (hat) und dem die Menschen mitgespielt haben. Heutzutage ist das Verhältniß augenscheinlicher als je, wo man an das Christenthum die Forderung des Modernen stellt und das Christenthum auf diese Forderung eingeht. Wer kann glauben, daß dieser bis ins Mark falsche Friede die endgültige Beschließung der verhängnißvollen und langen Fehde zwischen Christenthum und Welt ist? Wahrscheinlicher ist, daß dieser falsche Friede den endgültigen und offenen Bruch einläutet, nach welchem das Schicksal der Menschheit nicht mehr am Christenthum und seinem Welturtheil" (später von Overbeck hinzugefügt: „allein") „hängen wird, sondern die Menschheit selbst ihr Verhältniß zur ‚Welt' wird regeln wollen und namentlich die Frage, was sie, die Menschheit, mit ihrem asketischen Triebe anfangen will, in ihre eigenen Hände nehmen wird. Das Christenthum hat sie mit seinem Schwerte nicht zu lösen vermocht. Es bedarf eines feineren Instrumentes zu ihrer Lösung. Ist sie gefunden, dann werden die Menschen in solche zerfallen, welche vielleicht noch am Scheinchristenthum hängen, aber ganz vergessen haben, daß es, das Christenthum, überhaupt einmal Verdienste um den asketischen Grundtrieb der Menschen gehabt, — die Nachkommen der jetzt sogenannten modernen Christen, — und in solche, welche zwar nichts mehr vom Christenthum wissen wollen, wohl aber noch etwas von den Verdiensten, die es einst um die Erziehung der Menschheit gehabt, indem es sich ihres asketischen Triebes, wenn auch in irreführender Weise, annahm. In den Kreisen *dieser* Menschenclasse wird freilich kaum noch verstanden werden, was mit der unter uns aufgetauchten Behauptung gemeint sein könnte, das Christenthum habe uns ‚vom Banne der Askese' befreit. Ein, menschlich betrachtet, vollkommen absurdes und unabsehbares Ziel, dem uns entgegengeführt zu haben das Christenthum selbst sich nur ewig vorwerfen könnte, das denn auch in der That nur das um seinen Verstand gebrachte Weltchristenthum verfolgt hat und zu verfolgen vielleicht fortfahren wird, doch ohne Aussicht darauf, die Menschheit auch nur scheinbar zu einen wie es das historische (Schein-)Christenthum zeitweise gethan, eher darauf, sie endgültig zu spalten, welchem das historische Christenthum freilich auch erheblich vorgearbeitet hat."[37]

Hier sehen wir deutlich die Konsequenzen, die Overbeck aus seiner diastatischen Auffassung des Christentums zieht. Seine besondere Antipathie gilt den „modernen" Christen, die das Christentum verwässern und verfälschen, und es empört ihn besonders, daß *Harnack* die Befreiung vom Banne der Askese als historische Leistung des Christentums ausgibt. Hier ist die Frontstellung dieselbe, wie sie schon 1873 gegen die liberale Theologie besteht.

Overbecks Vision wird 1873 schon dieselbe gewesen sein wie 30 Jahre später, daß nämlich der Prozeß der Emanzipation der Menschheit fortschreitet und daß das Beste, was man noch aus dem Christentum machen kann, darin besteht, sich den Verweis auf die Weltverneinung des echten Christentums als Erinnerung und als Korrektiv gefallen zu lassen.

---

37 ONB A 219 Christenthum (Asketischer Character) Allgemeines, S. 13—16.

Das zu erhellen, faßte er 1873 noch als Aufgabe einer kritischen *Theologie* auf. Später erwies es sich dann nicht nur, daß Overbeck als Vertreter einer solchen „Theologie", so sehr sich diese doch einem aufgeklärten Bürgertum hätte nahelegen müssen, isoliert blieb, sondern daß in Gestalt von *Ritschls* Theologie der theologische Liberalismus eine von Overbeck nicht erwartete Blütezeit erlebte. Hier sah Overbeck intellektuelle Unredlichkeit am Werke, und er setzte darum seine Hoffnungen auf die Zukunft. Nach Overbecks Urteil muß die Fehde zwischen Christentum und Welt einmal zu einer Entscheidung kommen.

Die praktischen Vorschläge, die Overbeck im Schlußkapitel seiner „Christlichkeit" über die „Möglichkeit einer kritischen Theologie in unseren protestantischen Kirchen" macht, sind in ihrer Bedeutung gelegentlich überschätzt worden[38].

Overbeck hat die Folgerungen aus dem Tatbestand zu ziehen, daß seine „kritische Theologie" etwas meint, was die Kirchen in dieser Form sich nicht zu eigen machen können. Der „kritische Theologe" im Sinne Overbecks hat einen starken Anstoß empfangen, Religion durch Philosophie zu ersetzen. Er bleibt „ungläubig lediglich mit dem Christenthum als Gegenstand wissenschaftlichen Verständnisses zurück" (SB 140). Was soll er mit diesem seinem Unglauben auf der Kanzel oder auf dem Katheder (Overbeck schreibt ja eine apologia pro vita sua!) anfangen?

Overbeck hat seine persönliche Stellung als ungläubiger Berufstheologe gründlich durchreflektiert und einen Teil dieser Reflexionen später schriftlich festgehalten. Eine Aufzeichnung vom 9. Januar 1898 beginnt mit den Worten: „Ich habe als Prof(essor) der Theologie meinen gründlichen *Unglauben* auf dem Katheder und in allen meinen Beziehungen zu den mir anvertrauten Schülern für mich behalten." (SB 105) Was auf dem Katheder galt, galt aber nicht notwendigerweise auch für die schriftstellerische Wirksamkeit; nur daß dort in anderer Form das Problem dann ebenfalls auftauchte.

Die „Unterscheidung eines esoterischen und eines exoterischen Standpunktes des wissenschaftlich gebildeten Theologen" (C. 139), die Overbeck vorschlägt, läuft darauf hinaus, daß der Theologe zwar über „die gründlichste und freieste theologische Bildung" (144) verfügt, sie aber andern „nicht ungefragt und auch nicht am unrechten Orte aufdrängen" soll. Der Gemeinde gegenüber ist der Pfarrer *Priester* (140) bzw. *Gemeindebeamter* (141), und es „steht nichts im Wege, ihn in sein Amt mit einer Verpflichtungsformel einzuführen, die seine persönliche Überzeugung ganz unzweideutig und vollständig freigiebt, ihn aber in der Ausübung seines Amts durchaus an das Bedürfniß seiner Gemeinde bindet, sei es daß die Formel einfach auf diese, oder auf gewisse in der Gemeinde anerkannte Symbole laute".

Wenn Overbeck so seine Reflexionen in einem Vorschlag zu künftiger Handhabung der Gelübdefrage gipfeln läßt, so wird man guttun, die Vorstellung fernzuhalten,

---

38 So von R. Kiefer, Die beiden Formen der Religion des Als-Ob, 1932, aber auch schon von C. A. Bernoulli, Die wissenschaftliche und die kirchliche Methode in der Theologie, 1897.

als erkenne sich Overbeck hier so etwas wie eine kirchenreformatorische Aufgabe zu. Overbeck bemerkt, daß er als Reformator der Theologie „*direct* zu verfahren . . . gar keinen Beruf" gehabt habe (SB 106). Es handelte sich auch weniger um einen allgemeinen Reformplan als um die Lösung von Overbecks persönlichem Problem.

Aber Overbeck weiß sich als Seitengänger *Nietzsches*, und er kann *Strauß* die Vernachlässigung einer Frage wie der der *Erziehung* vorhalten (C. 116). So läßt sich nicht ausschließen, daß Overbeck der „Möglichkeit einer kritischen Theologie in unseren protestantischen Kirchen" (120) damals noch ernsthafte Chancen gegeben hat.

Nietzsches Neigung und Interesse führte ihn über die Grenzen der Universität hinaus. *Adolf Schlatter,* der Nietzsche und später auch Overbeck hörte, schrieb über Nietzsche: „Seine Vorlesung hat dadurch eine bleibende Bedeutung für mich gewonnen, daß der verletzende Übermut, mit dem er seine Zuhörer als verächtlichen Pöbel behandelte, mir zu dem Satz verhalf, daß der, der die Liebe wegwerfe, auch das Lehrgeschäft verderbe, daß nur echte Liebe wirklich dozieren könne."[39]

Eine solche Liebe war zweifellos bei *Jacob Burckhardt* vorhanden, den Schlatter, der auch ihm zugehört hatte, als „Liebling der Studenten" beschreibt. Als *Nietzsches* zweite Unzeitgemäße Betrachtung „Vom Nutzen und Nachtheil der Historie für das Leben" (1874) erschien, deutete Burckhardt seinen Gegensatz zu Nietzsche in dem Satz an: „In meinen vorgerückten Jahren ist dem Himmel zu danken, wenn man nur für diejenige Anstalt, welcher man in concreto angehört, ungefähr eine Richtschnur des Unterrichtes gefunden hat."[40] Der Hinweis Burckhardts auf sein Alter signalisiert das Aufsetzen einer Maske[41], dennoch ist ein Strahl von Selbstbewußtsein unübersehbar, wenn Burckhardt sich jener „Anstalt" zurechnet, der er „in concreto angehört", nämlich der Basler Universität, und damit seinen Wurzelgrund offenbar macht.

Overbeck hat nicht die Kraft besessen, sich wie Nietzsche von der Universität unabhängig zu machen, aber er konnte auch das Selbstbewußtsein des Lehrers, das *Burckhardt* eigen war, nicht gewinnen. „Daß mir mein Beruf nur noch als Stätte gelte, um mir selbst ein wissenschaftliches Verständniß . . ." (von Kirche und Christentum) „zu verschaffen" (SB 115) – das meint Overbeck in der „Christlichkeit" erklärt zu haben. „Ich ertrug den falschen Schein, den mein Amt auf mich warf, nicht länger, vermochte jedenfalls nicht mehr auf dem Gebiet der Theologie wissenschaftlich zu arbeiten, ohne für mich und Andere die Bedingungen klar gestellt zu haben, unter denen ich es allein noch mochte. Die Grundbedingung war kurz gesagt die: Niemand sollte mich noch für das ansehen, wofür ich jedenfalls nicht angesehen sein wollte, nämlich für einen Vertreter des Christenthums."

---

39 A. Schlatter, Die Entstehung der Beiträge zur Förderung christlicher Theologie und ihr Zusammenhang mit meiner theologischen Arbeit, 1920, 38.
40 Burckhardt an Nietzsche, 25.2.1874; bei E. Salin, Jakob Burckhardt und Nietzsche, 2. Aufl. 1948, 208.
41 Vgl. E. Salin, ebd. 63.

Auf die naheliegende Frage, warum er, wenn er mit der Lehraufgabe der theologischen Fakultät so unvermeidlich in Kollision geriet, nicht sein Amt aufgegeben habe, gibt er die offene Antwort (im Nachwort zur 2. Auflage der „Christlichkeit", C. 163), er habe *niemals* „Liebe zur Theologie" empfunden, aber in ihr doch „allmählich eine Stätte gefunden", in der er „besser als sonstwo Kirchengeschichte lernen und damit einer Lebensaufgabe obliegen konnte"[42]. Das ist ebenso ehrlich wie unverfroren, und es bliebe nur zu fragen, welche Konsequenzen eine solche Haltung, einmal anerkannt, daß sie zumindest im Ansatz schon 1873 bei Overbeck bestand, für seine theoretische „Unterscheidung eines esoterischen und eines exoterischen Standpunktes des wissenschaftlich gebildeten Theologen" (C. 139) hatte.

Overbeck erklärt später, er habe sich für „verpflichtet" gehalten, nicht seinerseits die „Conflicte", denen er seine „Zöglinge" entgegengehen sah, „für sie unlösbar zu machen" — „was sie", so fügt Overbeck hinzu, „meiner Ansicht nach allerdings waren" (geschrieben 1898, SB 107). Versteht man diese letztere Wendung so, daß er *schon damals* von der Unlösbarkeit der betreffenden Konflikte überzeugt gewesen sei, dann hätten wir es im letzten Kapitel der „Christlichkeit" mit planmäßiger Camouflage zu tun. Aber welchen Grund sollte Overbeck zu einer solchen Camouflage gehabt haben, wenn man nicht, wie ein Rezensent es übrigens tatsächlich getan hat[43], ihm mit seiner Schrift geradezu das Bestreben unterstellen will, sich seine Professur und deren Emolumente zu erhalten? Daß er im „deutschen Vaterlande" mit seiner Schrift vielmehr „unmöglich werde für jedes theologische Katheder", diese „Ahnung" oder eher schon „Gewißheit" (C. 169) werden wir Overbeck nicht absprechen können.

So ist vorzuziehen, die genannte Wendung so auszulegen, daß Overbeck *später* zu der Ansicht gekommen ist, daß die berufsgebundenen Konflikte des Theologen in Wirklichkeit unlösbar seien, während er 1873 noch die Lösung dieser Konflikte für möglich hielt.

Overbecks Versuch einer Lösung schließt sich ganz eng an Überlegungen an, die *Immanuel Kant* in seinem Aufsatz „Beantwortung der Frage: Was ist Aufklärung?" bereits 1784 angestellt hatte[44].

Der Pfarrer kann zu seinem priesterlichen Amt ruhig sich verpflichten. Diejenigen Einsichten, zu denen die „ernste und freie wissenschaftliche Bildung" (C. 144) ihn geführt hat, sollen ja gerade in der Stille wirken. Wie Kant sagt, „kann ein Publikum nur langsam zur Aufklärung gelangen"[45]. Overbeck war darüber hinaus von dem Gedanken *Schopenhauer*s beeinflußt, daß das Volk über die Religion nicht hinauskomme. Auch Kant hatte ja in Aussicht genommen, daß es trotz des weitergehenden Aufklärungsprozesses einige geben werde, „die es beim Alten wollten bewenden lassen"[46].

---

42 Vgl. auch SB 135.
43 Siehe C. 153, Fußn.
44 Berlinische Monatsschrift 4, Dezember 1784; vgl. die Ausgabe: I. Kant, Was ist Aufklärung?, hrsg. von J. Zehbe, 1967, 55–61. Für die allgemeinen Zusammenhänge vgl. P. Hazard, Die Herrschaft der Vernunft, 1949, 66ff.
45 Kant, (s. Anm. 44), 56.   46 Ebd., 59.

Die Einsicht in den eigentlichen Sinn der Religion ist für Overbeck den theologisch Gebildeten, und zwar den in „freier" oder „kritischer" Theologie Gebildeten vorbehalten. Aber die kritische Überzeugung des Pfarrers soll nicht nur literarisch sich äußern, wie Kant es sich vorgestellt hatte, sie soll nicht „ein todter Eigenbesitz des Pfarrers sein . . ., so daß seine Gemeinde nichts davon hätte. Zu ihrer Verfügung soll vielmehr alles was der Pfarrer an Überzeugungen jeder Art hat stehen, nur soll er sie nicht ungefragt und auch nicht am unrechten Orte aufdrängen." (C. 144)

Damit könnte eine ganz gesunde pastorale Regel angegeben sein, wenn es sich nur darum handelte, bei der Vermittlung von theologischem Wissen das jeweilige Bedürfnis des Gemeindeglieds zu berücksichtigen. Aber es geht ja darum, daß ein „Theologe" nach Overbecks Art ein „Vertreter des Christenthums", wie Overbeck selber sagt, nicht mehr sein kann (SB 115). Hier wird die Frage akut, ob nicht ein solcher „Theologe" zum Amt sich untüchtig fühlen und deshalb aus Gewissensgründen zurücktreten müßte, oder ob er im Sinne der Gedanken Kants im Christentum doch noch so viel Wahrheitsmomente findet, daß er von Gewissens wegen sein Amt weiter ausüben kann.

Vor allem: Wie steht es mit der *Wahrhaftigkeit*? Gegen die Ausbildung einer Technik des Verschweigens, sagt Overbeck, „werden der beste Schutz sein die Aufrichtigkeit und die Wärme des Eifers, mit welchen dem Pfarrer das Wohl seiner Gemeinde angelegen ist, weil je mehr sie vorhanden ist, in umso reinerer Weise jene Zurückstellung in der Ausübung des Amtes stattfindet. Beruf zur Versorgung des Wohls einer Gemeinde, die Fähigkeit, eine solche zu lieben, ist aber natürlich hier vorausgesetzt" (C. 143).

Hier stoßen wir auf den Gedanken, den wir auch bei *Schlatter* antrafen, daß Liebe die Voraussetzung des Lehrgeschäftes sei. Aber hat Overbeck selbst solche Liebe empfunden? Diese Frage ist nicht unangemessen, denn Overbeck hat das, was er von der Existenz des Theologen sagte, an seiner eigenen Existenz abgelesen. Und da bekommen wir von Overbeck nur allzu deutlich Bericht. „Daß einmal mein Wissen und Glauben, zunächst eben dieses, *mein* Eigenthum sind, dafür kann ich nichts; denn ich habe die Welt nicht gemacht", notiert Overbeck 1898. „Auch dafür, daß ich, bevor ich daran denken kann, dieses *mein* Wissen und Glauben zum Eigenthum auch Anderer zu machen, zunächst dafür zu sorgen habe, daß es wirklich und in möglichst vollkommenem Sinne mein Eigenthum werde, mit einem Worte bevor ich Andere zu belehren und zu erziehen unternehme, mich selbst zu belehren und zu erziehen habe, auch das ist keine Überzeugung, die ich mit *allen* ihren Consequenzen — auch der des für mich Behaltens noch unvollkommenen Wissens und in meinem Fall selbst gar nicht vorhandenen Glaubens — als sündlich empfinden kann. So habe ich denn, mich als Lehrer meinen Zuhörern gewissermaßen entziehend, thatsächlich an mich sehr viel gedacht und an meine Zuhörer wenig" (SB 106f.).

Overbecks Absicht war im Grunde die, die innere Unlogik des Christentums, die sich seiner eigenen Erkenntnis erschloß, zugleich sichtbar und unsichtbar werden zu lassen: sichtbar für die Wissenden, unsichtbar für die Unwissenden. So mußte es ihn mit Freude erfüllen, daß er wenigstens für *Bernoulli* in gewisser Weise ein Führer zum Unglauben geworden war — Bernoulli verkörperte das Ideal des *wissenden* Zuhörers Overbecks.

Seine Aufgabe den Unwissenden gegenüber nimmt Overbeck nicht wichtig. Diese „Unwissenden" bilden aber das Gros der künftigen Pfarrer, deren Ausbildung Overbeck anvertraut war.

Wenn sich Overbecks Wille in der Theologie mit einer tendenziellen Ausschließlichkeit auf die Vermehrung der eigenen Kenntnisse richtet, so wird daran die Berechtigung des Satzes *Schleiermachers* deutlich, in der Theologie verhalte sich „die Mannigfaltigkeit der Kenntnisse zu dem Willen, bei der Leitung der Kirche wirksam zu sein, wie der Leib zur Seele"[47]. „Die Mannigfaltigkeit der Kenntnisse ist der Leib, der Trieb, zum Wohl der Kirche gesetzmäßig wirksam zu sein, ist die Seele."[48]

1873 sagte Overbeck selber, „die praktische Richtung" sei „die Seele der Theologie", und die Theologie könne „durch ihre Beziehung auf praktische Bedürfnisse des Lebens der Praxis nicht leicht sich völlig entfremden" (C. 131). Nimmt man diesen Satz ernst, kann dann der Wille, „bei der Leitung der Kirche wirksam zu sein", beim theologischen Lehrer fehlen, und kann der Wille, sich selber Kenntnisse über das Christentum zu verschaffen, an seine Stelle treten?

Die Kritik am Bestehenden, wie *Kant* sie dem Theologen in der Qualität des Gelehrten zugestand, faßte ins Auge, daß man nach „Begriffen der besseren Einsicht" „zu einer veränderten Religionseinrichtung" strebe[49]. Der kritische Theologe wäre dann ein potentieller Reformator und nähme in seiner Weise am Kirchenregiment teil. Bei Overbeck schob sich dagegen das destruktive Interesse, das als Kehrseite des konstruktiven Interesses von vornherein vorhanden war, so sehr in den Vordergrund, daß der Nachweis des finis Christianismi am modernen Christentum (vgl. CK 289) Overbeck als letztendliches Motiv seiner Arbeit erscheinen konnte.

Schleiermacher hatte richtig gesehen: „Eine ins einzelne gehende Beschäftigung mit dem gegenwärtigen Zustande des Christentums, welche, nicht vom kirchlichen Interesse ausgehend, auch keinen Bezug auf die Kirchenleitung nähme, könnte nur, wenn auch ohne wissenschaftlichen Geist betrieben, ein unkritisches Sammelwerk sein; je wissenschaftlicher aber, um desto mehr würde sie sich zum Skeptischen oder Polemischen neigen."[50] Und Schleiermacher fügte hinzu: „Der Impuls kann wegen Beschaffenheit der Gegenstände nicht von einem rein wissenschaftlichen Interesse herrühren. Fehlt also das für die Sache: so muß eines gegen die Sache wirksam sein. Ähnliches gilt von der Kirchengeschichte."

---

47 Kurze Darstellung des theologischen Studiums, 2. Aufl. 1830, § 7; Ausgabe von Heinr. Scholz, 3. Aufl. 1910, 3.
48 Aus der 1. Aufl.; bei H. Scholz, ebd. Vgl. auch die Ausführungen von J. F. Räbiger, Theologik oder Encyklopädie der Theologie, 1880, 201ff. gegen Lagarde und Overbeck.
49 Kant, (s. Anm. 44), 59.
50 Schleiermacher, (s. Anm. 47), § 247; Ausgabe von H. Scholz, 94.

Overbeck hat die Aporie der „kritischen Theologie" an sich selbst erfahren. Was kam heraus, wenn man wirklich die „Unterscheidung eines esoterischen und eines exoterischen Standpunktes des wissenschaftlich gebildeten Theologen" (C. 139) vorzunehmen versuchte? Daß die „halbherzige" Auffassung des Lehramts ihm als Schriftsteller Freiheit lassen werde, darin habe er sich „Illusionen gemacht", bekennt er im Alter (SB 109). Der Lehrer könne zwar schweigen, der Schriftsteller aber nicht: „was er anbringen will, *muß* an den Tag" (SB 110). „Denn einen beschränkten Kreis über sich im Unklaren zu erhalten, kann seinen guten Sinn haben, es mit der ganzen Welt zu thun, ist in sich selbst absurd, wenn es nicht eben einfach durch Schweigen geschieht".

Käme aber nun „an den Tag", was der kritische Theologe von den Aussichten des Christentums hält, so brächte er sich um seine Position. So, sagt Overbeck, habe er „nur immer weniger daran denken" können, der „Spannung" zur allgemein in Übung befindlichen Theologie „den dem Schriftsteller gebotenen unzweideutigen Ausdruck zu geben", ohne seine „Wirksamkeit als Lehrer zu compromittieren". Man kann offenbar nicht zugleich Lehrer des Glaubens und literarischer Verfechter des Unglaubens sein. „Für den Lehrer, dem es um seine Verborgenheit ernstlich zu thun ist", ist „die Schriftstellerei verschlossen".

Die Variante einer „Zweireichelehre", die *Kant* geboten hatte, war offenbar den Strapazen, denen Overbeck sie aussetzte, nicht gewachsen. Konnten aber diese Strapazen ihr erspart werden? Es war sicher nicht bloße Frivolität, wenn *Schopenhauer* Gott nicht mehr als Postulat der praktischen Vernunft gelten lassen wollte, sondern zum Atheismus fortschritt. Und es konnte scheinen, als wäre der „Kern" des Christentums (wenn anders man ihn in einer Idee sehen kann) in Schopenhauers Philosophie nicht nur erhalten, sondern deutlicher expliziert worden. So lag es nahe, „Theologie höchstens in dem Sinne noch gelten" zu lassen, „daß sie bei dem Auseinanderkommmen der Welt und des Christenthums, etwa als Vermittlerin zu guten Diensten berufen sei dazu, daß es dabei zu einer für das Christenthum leidlichen Auseinandersetzung komme" (SB 103).

War es nicht schon zuviel gesagt, daß es recht sei, wenn „der Christenname als eine Art kategorischen Imperativs" über der „ganzen unheilvollen Auflösung" der Societäten schwebe (C. 119)? Overbecks Schrift beabsichtigt den Nachweis, daß von einer „Christlichkeit unserer heutigen Theologie" höchstens sensu allegorico die Rede sein könne. Es wird also ein Mißbrauch des Christennamens gerügt. Gewiß, Overbeck will mit der Frage: „Sind wir noch Christen?" nicht so banal fertigwerden wie *David Friedrich Strauß*. Daß wir es nicht mehr sind, gibt ihm eher Anlaß zur Sorge, weil die säkulare Kultur der Zeit bedenklich flach erscheint. Es fehlt ihr das asketische Element. Hier wäre das Erbe des Christentums anzutreten.

Mit der Veröffentlichung der „Christlichkeit" hatte Overbeck sich nach allen Seiten hin isoliert. Der liberale Zürcher Systematiker *Alois Emanuel Biedermann* berichtet[51]

---

51 Biedermann an Overbeck, 18.9.1873, ONB. Vgl. Paul Burckhardt, Aus der Korrespondenz von Al. E. Biedermann, in: Aus fünf Jahrhunderten schweizerischer Kirchengeschichte, Festschrift für P. Wernle, 1932, 337–343.

vom Urteil solcher freisinniger Theologen wie *Heinrich Lang, Carl Holsten* und *Otto Pfleiderer*. Sie erkennen, wie *Treitschke*[52], Overbecks Zivilcourage an, lehnen aber seine Position ab. Biedermann meint, daß Overbeck der von ihm selbst im Vorwort der „Christlichkeit" artikulierten Gefahr, die gute Sache „durch unreife Behandlung zu gefährden", erlegen sei. Das πρῶτον ψεῦδος sei, daß Overbeck den *disparaten* Charakter des Verhältnisses zwischen Glauben und Wissen mit einem *disjunktiven* verwechsle. Von der Disparatheit beider Gebiete her ist Biedermann sogar bereit, eine Unterscheidung von Exoterischem und Esoterischem mitzuvollziehen.

Aber Biedermann spürt, daß Overbeck nicht nur das Verhältnis von Glauben und Wissen zum Thema hat, sondern in der Diastase im Weltverhältnis das Wesen des Christentums zu erblicken scheint. Zum Beleg dessen, daß das Christentum weltverneinend sei, führe Overbeck „einzelne praegnante Ausdrucksformen dieser Weltverneinung des Christenthums in der Geschichte" an. Neben die negative Seite der Stellung des Christentums zur Welt müsse man aber die positive setzen, die „gerade der Kern des Christenthums als Religion" sei. Wenn Overbeck diesen Kern kenne, aber nicht erwähne, habe er das Thema der „Christlichkeit unserer heutigen Theologie" unreif behandelt, — meine er aber, das Wesen des Christentums wirklich nur als Weltverneinung beschreiben zu können, so sei „mehr als nur die Behandlung unreif".

Biedermann treibt Overbeck in die Enge, indem er ihm vorhält, der Ratschlag des Schlußkapitels der „Christlichkeit" habe nur Sinn unter der Voraussetzung, daß die theologische Erkenntnis sich mit der Bestimmung des Amtes vertrage. „Soll . . . der Geistliche qua Theolog die esoterische Wissenschaft und qua Christ das exoterische Christenthum irgendwie so, daß das eine Conflictlösung heißen kann, ethisch in seiner Persönlichkeit vereinigen können, so muß doch in jener Weltverneinung, die das Wesen des Christenthums ausmachen soll, irgendwie ein positives, der Pflege würdiges, also auch vor der Wissenschaft sich rechtfertigendes Moment liegen."

Noch schärfer erfaßt Biedermann die Aporie der „theologischen" Position Overbecks in seinem Brief vom 2. Oktober 1873[53]. Wenn Overbeck sich auf die „Thatsachen der Geschichte" beruft, um das Verhältnis von Glauben und Wissen auszuleuchten, während das Wesen der Religion für ihn im Dunkel bleibt, so ist die Frage, ob er mit der Historie meint auskommen zu können oder ob er noch eine „speculative" Aufgabe der Theologie anerkennt. Im zweiten Fall hat Overbeck sich zu Unrecht auf das historisch-kritische Element der Theologie konzentriert, im ersten Fall sieht man bei Overbeck, „was herauskommt, wenn man auf dem Gebiete[54] des Geistes die Aufgabe der Wissenschaft bloß auf historische Kritik des Gegebenen glaubt einschränken zu sollen und das Eindringenwollen in das Wesen für einen von vornherein verfehlten Icarusversuch ansieht".

---

52 Treitschke an Overbeck, 28.10.1873, ONB; vgl. Cornicelius III, 2, 374—79.
53 ONB; vgl. Wernle-Festschrift (s. Anm. 51), 343—345.
54 Paul Burckhardt, Wernle-Festschrift (s. Anm. 51), 345 liest „auf den Gebieten . . .".

Hier war Overbeck veranlaßt, Farbe zu bekennen. Daß ein Bedürfnis systematischer und nicht bloß historischer Welterklärung bestehe, konnte er nicht wohl leugnen, und er hätte auf die Welterklärung *Schopenhauers* als eine ihm einleuchtende verweisen können. Aber Overbeck wußte nur zu genau, wie stark Schopenhauer das Eigenrecht der Philosophie betont hatte. Sollten Schopenhauers Gedanken konsequent zur Geltung kommen, so mußte die Philosophie an die Stelle der bisherigen Systematischen Theologie treten. Wie stand es dann aber mit der *theologischen* Aufgabe der „kritischen Theologie"? Biedermann fragt fast naiv und doch entlarvend, ob denn Overbecks „kritische Theologie" (als *Theologie*!) etwas anderes sein könne als eine „allseitig und vollständig sich durchführende liberale Theologie".

Im Grunde kommt es auf das Problem hinaus, wie man zugleich Theologe und doch kein Theologe sein könne. Biedermann muß schließlich gestehen[55]: „Ihre theologische Persönlichkeit ist mir ein psychologisches Problem". Biedermann rechnet freilich damit, daß „der positive Knotenpunkt", der Overbecks positives und negatives Verhältnis zum Christentum wirklich innerlich verknüpfe, vorhanden sei. Aber in Wirklichkeit konnte das Wie seiner theologischen Existenz für Overbeck als nur immer problematischer sich erweisen, und das Daß dieser Existenz hat sich nurmehr *gegen* seinen Willen bis ans Ende seines Lebens fortgesetzt.

Overbeck fand seinerseits, daß Biedermann die ganze Schwere des mit der Geschichte dem Christentum gestellten Problems nicht erfaßt habe. Er scheine „zu verkennen, daß sich die Kirche zur Geschichte eine falsche Stellung gegeben hat, daß sie auf einer Gewaltthat an der Geschichte beruht"[56]. Wenn Biedermann in seiner Dogmatik sagt, daß „die Erkenntniß des christlichen Princips auf geschichtlichem Weg" in erster Linie aus der Bibel als historischer Quelle gesucht werden müsse[57], dann ist unbegreiflich, wie die christliche Wahrheit nach demselben Autor „für's erste kein *äußerliches Factum,* sondern eine *innere, geistige* Thatsächlichkeit" (155) sein soll. Trifft dieses letztere zu, dann, so sagt Overbeck, „ist diese Wahrheit eben etwas Übergeschichtliches" und kann nicht erst aus historischer Forschung sich ergeben.

Ist, wie Biedermann meint, „jener reservirte Rest von Jenseitigkeit, die Jenseitigkeit der eigentlichen Heimat der Offenbarung, in die sich das Glauben, vom Denken bedrängt, im äußersten Nothfall wenn auch inhaltsleer so doch unerreichbar zurückflüchten möchte, in Wahrheit eine bloße Vorstellung, deren Entstehungsgrund das Denken . . . als natürlich nachweisen kann" (123), so ist zu fragen: „Warum offenbart sich Gott nicht gleich dem Denken, und erst dem Glauben, wo er mißverstanden wird"[58]?

---

55 Biedermann an Overbeck, 4.12.1874, ONB; vgl. Overbeckiana I, 116; Wernle-Festschrift (s. Anm. 51), 352.

56 ONB A 218 Biedermann (Christliche Dogmatik), S. 2. – Über Overbecks Verhältnis zu Biedermann vgl. auch seinen Brief an Hilgenfeld vom 5.8.1870 (bei H. M. Pölcher, Overbeckiana, ZRGG 6, 1954, 53).

57 Alois Emanuel Biedermann, Christliche Dogmatik, 1869, 154. Aus diesem Buch auch die folgenden Stellen.

58 ONB A 218 Biedermann.

Am 30. Oktober 1873 teilt Overbeck an Biedermann mit[59], ihm scheine wirklich „das Unternehmen einer speculativen Dogmatik . . . dem des Icarus vergleichbar" (347), denn da der Glaube „das Denken immer nur aus Noth und Schwäche anrufen" werde, „dieses aber als Reiniger eines dem Glauben etwa lästig gewordenen Aberglaubens nicht bei diesem Dienst stehen bleiben, sondern dem Glauben in allen seinen für das Denken faßbaren Formen den Nachweis liefern" werde „seiner wesentlichen Identität mit dem Aberglauben" (346), so könne auf dem Boden der Wissenschaft das Unternehmen einer Dogmatik nur in den „Grenzen des Wissens" (347) sich bewegen. Ob es der Historiker oder der Dogmatiker ist, der als Anwalt der Vernunft auftritt, es kommt auf dasselbe hinaus, wenn nur in der Alleinzuständigkeit der Vernunft das Kriterium von Wissenschaft gesehen wird.

Wenn nach Overbeck „jede lebendige Religion etwas für die Wissenschaft Unfaßbares hat" (346), dann stellt sie sich eben dadurch für die Wissenschaft als Aberglaube dar. *Biedermanns* Dogmatik, deren Resultat im letzten Paragraphen (§ 1000) zusammengefaßt ist, ist von daher entgegenzuhalten: „Das Wissen schüttelt auch zu dieser Mythologie den Kopf, der Glaube besitzt Überzeugungen der Art in unsäglich lebendigeren Formen." (346)

In seiner Antwort meint Biedermann[60], im Bestreben, Overbeck auf vermeintliche liberale Gemeinsamkeiten festzulegen, diesen belehren zu sollen, er dürfe „nicht den täuschenden Schein erwecken", als ob er in der „Frage nach der objectiven Wahrheit" mit dem „Aberglauben" einverstanden sei. Die größere Lebendigkeit des Glaubens gegenüber dem Denken erkläre sich doch einfach daraus, daß die Vorstellungen des Glaubens „irgendwie psychologische Projectionen eines geistigen Inhalts" seien. Biedermann äußert eine indirekte Warnung: es gebe „ein förmliches Kokettieren für ihre Person absolut Neutraler mit gläubigen Vorstellungen".

Hier ist, im Jahr des Erscheinens der „Christlichkeit" auf das Phänomen hingewiesen worden, das in anderer Formulierung so umschrieben wurde, „Overbeck stehe so weit links, daß er im Kreislauf der Dinge schon längst wieder auf eine neue Weise rechts stehe"[61].

Man wird die Frage, inwieweit dies *objektiv* zutreffen könne, auf jeden Fall von der Frage nach Overbecks subjektiver Stellungnahme trennen müssen. In der subjektiven Stellungnahme Overbecks aber wird sich nicht übersehen lassen, daß für ihn, insofern er den Ansprüchen des Wissens gegenüber eine moralische Verpflichtung empfindet, der christliche Glaube in die Linie des *Aberglaubens* rückt.

Von weitreichender Bedeutung ist der — den Aussagen des Neuen Testaments widersprechende — Satz, der Glaube werde „das Denken immer nur aus Noth oder aus Schwäche anrufen"[62]. Träfe dieser Satz zu, *dann* wäre die Bewegung der fides quaerens intellectum als illegitime Bewegung erwiesen, und *dann* könnte man allerdings Theologie *grundsätzlich* als „Satan der Religion" bezeichnen (vgl. CK 13).

---

59 Bei P. Burckhardt, Wernle-Festschrift (s. Anm. 51), 345–347. Dort die folgenden Stellen.
60 Biedermann an Overbeck, 6.11.1873, ONB; vgl. Wernle-Festschrift (s. Anm. 51), 347–349.
61 Zitiert von C. A. Bernoulli, BJB 1906, 191.
62 Bei P. Burckhardt, Wernle-Festschrift (s. Anm. 51), 346.

Overbeck hat sich im Nachwort zur 2. Auflage seiner „Christlichkeit" über die Nachwirkung der 1. Auflage ausführlich ausgesprochen (148ff.). Overbecks Schrift konnte nach Lage der Dinge bei den Theologen nur Verlegenheit hervorrufen. *Adolf Hilgenfeld,* der sich zu dem „theologischen Pessimismus" Overbecks nicht verstehen wollte, sprach den Wunsch aus, „daß der begabte und verdiente Verf(asser) sich zu einer innerlich befriedigenderen Ansicht durchkämpfen möge". „Praktisch fruchtbar" könne „nur eine Theologie werden, welche weder von dem unversöhnlichen Antagonismus des Glaubens und des Wissens ausgeht noch in einen unheilbaren Widerspruch von Theorie und Praxis ausläuft"[63].

Overbeck selber hat in der 2. Auflage sein Wort von einer besseren Theologie, die zu erstreben sei, als „lapsus calami" ausgegeben und bekundet, diese „bessere" oder „kritische" Theologie sei „die Theologie, die zur Schädlichkeit", deren sie von ihm angeklagt werde, „nur das richtige Bewußtsein von dieser Schädlichkeit" hinzubringe (C. 162f.). Overbeck mochte sich 1873 noch subjektive Hoffnungen auf eine Umgestaltung der Theologie in seinem Sinne machen — denn die Theologie, die er sich „anschaffte"[64], sah er, obwohl es in den Altersaussagen fast so klingt, damals nicht *nur* unter dem Gesichtspunkt persönlicher Opportunität. Dennoch ging die objektive Tendenz seiner Kritik in die negative Richtung. Hätte aber nicht Overbecks Kritik von der herrschenden Theologie stärker als ernste Anfrage empfunden werden müssen, als es faktisch der Fall war?

Overbecks konservativer Basler Kollege *Conrad von Orelli* hat, bei aller Bestreitung des Antagonismus von Glauben und Wissen, von dem Overbeck ausging, 1903 beim Erscheinen der 2. Auflage der „Christlichkeit" bemerkt, darin, daß „der *heutige Betrieb* der Theologie" für ein ernsthaftes Christentum „verhängnisvoll werden müsse", liege „eine Wahrheit, der man sich in der Tat ohne Oberflächlichkeit nicht verschließen" könne[65].

---

63 ZWTh 17, 1874, 299f. – Overbeck macht dazu die interessante Bemerkung, Hilgenfeld rede nicht als Apologet des Christentums, „wogegen ich im Princip nichts hätte, wenn es nur einer zu machen verstünde", sondern als Apologet der Theologie, und als solcher vermag er Overbeck nicht zu überzeugen (Overbeck an Hilgenfeld, 14.6.1874; bei H. M. Pölcher, ZRGG 6, 1954, 64).
64 ONB A 219 Christenthum (mein), S. 4.
65 Der Kirchenfreund, Basel, 37. Jg. 1903, S. 191.

VI. KAPITEL

Das Verhältnis zwischen Overbeck und Nietzsche

Schon *Treitschke* hat dem „unseligen Einfluß" Nietzsches deteriorierende Wirkungen auf Overbeck zugeschrieben[1]. Overbecks Lehrstuhlnachfolger *Eberhard Vischer* fand 1905, Overbeck nehme bei seiner Basler Antrittvorlesung 1870 „noch durchaus seinen Standpunkt innerhalb der Theologie", während dies dann „rasch anders" geworden sei, „und zwar zum großen Teile in Folge der sofort beginnenden Beziehungen zu Friedrich Nietzsche, die über Overbecks ganzes künftiges Leben entschieden haben"[2].

Aber unsere Darlegungen haben gezeigt, daß Overbecks kritische Haltung dem Christentum gegenüber bereits völlig deutlich ausgeprägt war, ehe er (1870) mit Nietzsche zusammentraf.

Overbecks Bemerkung, der Einfluß Nietzsches habe an seiner „Christlichkeit" „mitgeschrieben" (C. 13), besagt, daß das Manifestartige an Overbecks Bekundung sich an Nietzsche inspirierte: beide stimmten in der Unzeitgemäßheit, im Widerwillen gegen die herrschende Stimmung der Gründerzeit zusammen. Seine Freundschaft mit Nietzsche war „dabei", als er die Absage an die Zunftgenossen sich „von der Seele schrieb" (C. 19). Overbeck fühlte, daß er besser zu Nietzsche als zu den Theologen passe. Es war die freie Luft des Denkens, die ihn bei Nietzsche anzog. Gegenüber dem „Nietzschianismus", der später in die Theologie einzudringen begann, hatte er einen Widerwillen[3].

---

1 Treitschke an W. Gaß, 24.11.1874; Cornicelius III, 2, 406, Anm. 2; Overbeckiana I, 115, Anm. 3.

2 Kirchenblatt für die reformierte Schweiz, 8. Juli 1905, Nr. 28, S. 111. – ChW 36, 1922, Sp. 146 gibt Vischer aber zu, „daß es keines großen Anstoßes bedurfte, um ihn" (Overbeck) „aus den bereits gewonnenen Anschauungen über Religion und Wissenschaft die Folgerungen ziehen zu lassen, die er unter Nietzsches Einfluß gezogen hat" (vgl. auch schon Vischers Artikel RE 3. Aufl. XXIV, 1913, 299, Zeile 38ff.). – Zum früheren Standpunkt Vischers führt zurück die Bemerkung E. Staehelins, „in den stillen Gelehrten mit der rationalistischen, skeptischen und ahnenden Seele" sei durch Nietzsche „plötzlich ein Geist des Widerspruchs, ein Geist der Anklage, eine revolutionäre Leidenschaft" gefahren (Kirchenblatt für die reformierte Schweiz, 21. Juli 1921, Nr. 29, S. 114). Overbeck habe „im Grunde selbst gefühlt, daß mit der Nietzscheschen Beeinflussung etwas Wesensfremdes in ihn hineingekommen" sei (ebd. 115). – Vgl. auch Ernst Troeltsch, HZ 122, 1921, 281. – Richtig sind die Dinge gesehen, wenn H. Hermelink (Das Christentum in der Menschheitsgeschichte von der französischen Revolution bis zur Gegenwart, Bd. III, 1955, 460) sagt, Overbecks Freundschaft mit Nietzsche habe „zu einer gegenseitigen Bestärkung in der Gegnerschaft gegen das Christentum" geführt.

3 ONB A 232 Nietzsche und Theologen, S. 3.

Wenn Overbeck sagt, Nietzsche sei stets ebenso wenig wie er selbst „ernstlich religiös" gewesen[4], so sperrt sich freilich Nietzsches religiöses Verhältnis zur Welt gegen ein solches Urteil[5]. Man wird sagen müssen, daß Nietzsche weit mehr Anlagen für Religion besaß als Overbeck[6].

Overbeck meint, Nietzsche sei ein Schwärmer gewesen, und wie zu allen Dingen, so habe er sich auch zur Religion schwärmerisch verhalten. „Ehrgeiz, seine eigentliche Leidenschaft, trieb ihn wie zu allen Dingen so auch zur Religion hinaus"[7]. Von da aus möchte Overbeck die These *Karl Joëls* verstehen[8], daß Nietzsche „nicht sich Gott, wohl aber Gott, den Höchsten, einem noch Höheren, nämlich *Dionysos* geopfert" habe. An anderer Stelle deutet Overbeck aber auch an, daß man Nietzsches Invektiven gegen das Christentum aus Nietzsches „Noth" erklären müsse[9].

Das Verhältnis zwischen Overbeck und Nietzsche ist vor allem als menschliches Verhältnis zu würdigen. Zu den Gründen, die Overbeck dazu führten, die Mitarbeit am Nietzsche-Archiv von Elisabeth Förster-Nietzsche abzulehnen, gehörte vor allem der, daß Overbeck dieses Verhältnis nicht seines persönlichen Charakters entkleidet wissen wollte[10].

Anläßlich der 1916 nach mancherlei Streitigkeiten zwischen Frau Overbeck und Carl Albrecht Bernoulli einerseits und dem Nietzsche-Archiv andererseits erfolgten Publikation des Briefwechsels zwischen Nietzsche und Overbeck hat *Stefan Zweig* ein wenig idealisierend über Overbeck geschrieben: „Nicht der Meister ist er Nietzsche gewesen wie Richard Wagner, nicht der Jünger[11] wie Peter Gast, nicht der Geistesgenosse[12] wie Rohde, nicht der Blutgebundene wie die Schwester, nichts, nichts als der Freund, aber der Freund, der in diesem einen Begriff alle hohe und niedrige, alle große und kleine Tätigkeit des Vertrauten vereint. Alles ist er für Nietzsche, der Postmeister, der Kommissionär, der Bankier, der Arzt, der Vermittler, der Nachrichtenbringer, der ewige Tröster, der sanfte Beruhiger, immer zur Stelle, durch nichts zu verwirren, aufgetan für das, was er vom Wesen dieses Außerordentlichen zu verstehen vermag und ehrfürchtig auch vor dem Inkommensurablen, das auch seine Freundesliebe sich nicht zu errechnen weiß. Er ist der einzige Punkt Beständigkeit in der schwankenden Existenz Nietzsches, auf den er immer mit Sicherheit die Blicke richten kann, und wie aus einem tiefen Aufatmen der Dank-

---

4 Vgl. Bernoulli I, 217.
5 Vgl. K. J. Obenauer, Friedrich Nietzsche, der ekstatische Nihilist, 1924, 53ff. Vgl. im übrigen Kap. II, Anm. 175.
6 Vgl. Nietzsches von Frau Overbeck berichtete Äußerung, in ihm sei „ein überladenes, sich selbst aufhebendes Religionsbedürfnis" (Bernoulli I, 235).
7 ONB A 232 Nietzsche und Religion, S. 2.
8 Nietzsche und die Romantik, Neue Deutsche Rundschau 14, 1903, 458ff. Vgl. dazu Eb. Arnold, Urchristliches und Antichristliches im Werdegang Friedrich Nietzsches, Eilenburg 1910.
9 ONB A 232 Nietzsche (Christenthum) Kritik, S. 1.
10 Vgl. Bernoulli I, 66.
11 Overbeck findet, Nietzsche habe zu Recht sein (Overbecks) „mangelndes Adeptenthum" festgestellt (ONB A 232 Nietzsche und Ich, 1. Teil, S. 33f.).
12 Daß E. Rohde Nietzsches „Geistesgenosse" gewesen sei, wird man nur für die Jugendjahre und auch da nur mit Einschränkungen sagen können.

barkeit klingt einmal das heiter glückliche Wort seines Gefühls: ‚Mitten im Leben war ich vom guten Overbeck umgeben.‘ "[13]

Nietzsche selbst nannte Overbeck seinen „Freund und Gesinnungsbruder", er sei „der freieste Theolog, der jetzt nach meinem Wissen lebt und jedenfalls einer der größten Kenner der Kirchengeschichte"[14]. Für seine Analyse des Christentums hat Nietzsche sich der Fachkenntnisse Overbecks öfters bedient[15].

Was aber am Anfang die Freunde zusammenführte, war ihre Verehrung für *Schopenhauer*, und dies war auch der Punkt, an dem Overbecks Freundschaft mit *Treitschke* auseinanderging. Overbeck hat im Alter herausgefunden, daß Nietzsche in der Zeit, als er Schopenhauer als „Erzieher" vorstellte, selber bereits in der Abwendung von Schopenhauer begriffen war. Die Nietzsche-Forschung konnte erhellen, daß der scheinbare Abfall des Verfassers der „Geburt der Tragödie" zu „positivistischer Wissenschaftsgläubigkeit und kritischer Zersetzung"[16] in Wirklichkeit im Grundmuster von Nietzsches Denken angelegt war, das in Antithese und Umkehrung einherging[17]. Das (wohl im Anschluß an den „Zarathustra" geäußerte) Bewußtsein, er habe den Weg gefunden, „seine Ja und seine Nein zusammenschließen zu können"[18], weist auf Nietzsches philosophischen Grundgedanken, daß der „Nihilismus", dessen extremste Form die Erkenntnis der Ewigkeit des Nichts ist[19], seine Umkehrung erfahren könnte im Wollen der ewigen Wiederkehr des Gleichen[20].

Wenn Overbeck bei Nietzsche den „Optimismus . . . eines Desperado" konstatiert[21], so zeigt dies, in welchem Maße Nietzsches Philosophie Overbeck fremd war. Der Eindruck einer Ehrfurcht vor dem Inkommensurablen bei Nietzsche, den Stefan *Zweig* von Overbecks Briefen her gewonnen hat, führt irre, wenn man den kritischen Abstand übersieht, den Overbeck zu Nietzsches philosophischer Lebensaufgabe immer einnahm.

Einen Bezugspunkt des freundschaftlichen Verkehrs der beiden hat nach Overbecks Aussage (C. 15) die „Anhäufung von Mißmuth" den deutschen Zuständen gegenüber gebildet. Daß man von dem deutschen Größenwahn sich distanzieren müsse, stand für beide fest. Overbeck hat diese Haltung auch *Treitschke* gegenüber verteidigt. Es war der aristokratische Geist *Schopenhauer*s, der hier sich auswirkte, wie denn auch die anfängliche gemeinsame Verehrung *Wagners* eine aristokratische Grundlegung der Kultur intendierte.

---

13 Nietzsche und der Freund, Neue Freie Presse, Wien, 21. Dezember 1916.
14 Nietzsche an Malwida von Meysenbug, 6.4.1873; Nietzsches Briefe, ed. R. Oehler, 6.–10. Tsd. 1911, 162.
15 Siehe E. Benz, Nietzsches Ideen zur Geschichte des Christentums und der Kirche, 1956, 149f.
16 K. Jaspers, Nietzsche, 3. Aufl. 1950, 43.
17 Vgl. dazu L. Andreas-Salomé, Friedrich Nietzsche in seinen Werken, 1894. Aus der neueren Literatur vgl. besonders K. Schlechta–A. Anders, Nietzsche. Von den verborgenen Anfängen seines Philosophierens, 1962; K.-H. Dickopp, Nietzsches Kritik des Ich-denke, Diss. Bonn 1965 und vor allem P. Heller, Dialectics and Nihilism, 1966, 69ff.
18 Berichtet von Frau Overbeck, Bernoulli I, 248.
19 „Der Wille zur Macht" 55; TA 9,48 = Schlechta III, 853.
20 Vgl. K. Löwith, Nietzsches Philosophie der ewigen Wiederkehr des Gleichen, 1956.
21 Siehe Bernoulli I, 288.

Overbeck hat zur Erklärung seiner Freundschaft zu Nietzsche angeführt, sie seien „zwei Gelehrtennaturen, die über sich hinauswollen"[22], und er hat anmerkungsweise hinzugefügt: „Ich sage absichtlich ‚Gelehrten*naturen*‘, nicht nur ‚Gelehrte unserem *Berufe* nach‘ "[23]. *Nietzsche* hat die Grenzen des Gelehrtentums jedenfalls überschreiten *wollen*; seine Freundschaft zu Erwin *Rohde* versandet, weil dieser ein bloßer Gelehrter blieb und sich dabei wohlfühlte. Freilich war Rohde im Unterschied zu Overbeck „ein Satisfait der Reichsidee geworden"[24], aber er teilte doch mit Overbeck einen Stil der Gelehrsamkeit, dem sich *Nietzsche* zunehmend entfremdete. Wenn auch Nietzsches prophetischer Gestus nicht darüber hinwegtäuschen kann, daß er in der Tat nichts anderes als ein über sich hinauswollender Intellektueller gewesen ist, so hat er doch der Betätigung seines Intellekts eine Freiheit gegeben, die in der Professorenwelt unmöglich schien. Overbeck bemerkte, Nietzsche sei als *Gelehrter* „gar nicht ernst zu nehmen, als *Denker* gar sehr", und eben daran hänge es, daß er (Overbeck) gerade als *Gelehrter* „so außerordentlich viel von ihm gehabt" habe[25].

Bernoulli hat den Hang zu einer vernünftigen Weltbetrachtung mit Recht als verbindendes Element zwischen Overbeck und Nietzsche angesehen. Was Nietzsche an *Lichtenberg* angezogen habe, sei dasselbe, was Overbeck zu seinem besten Freund machte[26]. Aber man wird daneben beachten müssen, daß bei Overbeck Nietzsche gegenüber, wie er selber sagt, „fast immer nahezu simultan" „die Empfindung verletzenden Contrastes und innerster Anziehung" auftrat[27]. Nietzsche ist nicht nur „Rationalist", sondern auch „Schwärmer" gewesen. Und für das Heterogene brachte Overbeck zwar eine Schätzung auf (darauf beruht sein Interesse am Christentum), aber wenn ihn Nietzsche in suggestiver Art und Weise mit seiner Lehre von der ewigen Wiederkehr bekannt machen wollte, verließ er „rathlos" das Zimmer, weil er als denkender Mensch „Lehrsätze nur logisch, aber nicht", wie er es ausdrückt, „durch Faxen auffassen" konnte[28]. So konnte ihm Nietzsche nur als einer erscheinen, den beim Versuch, die Welt vernunftgemäß zu begreifen, „die Verzweiflung auf der Fahrt gepackt und der sein Fahrzeug selbst dabei preisgegeben" habe[29].

Overbeck hat in der trägen Gangart seines Denkens (C. 13) und in seinem fehlenden Ehrgeiz dasjenige gesehen, was ihn am meisten von Nietzsche unterschied. Was Nietzsche an ihm habe erleben können, sei ungleich weniger als umgekehrt er an Nietzsche, — „nicht nur weil ich schon meines Alters wegen der ‚Fertigere‘ war, sondern auch weil der Ehrgeiz bis zum Defect bei mir mangelte, der in Nietzsche brannte"[30]. Aber läßt sich die sachliche Divergenz so einfach aufs Psychologische verrechnen?

22 ONB A 232 Nietzsche und Ich, 1. Teil, S. 1; vgl. Bernoulli I, 63.
23 ONB ebd.; von Bernoulli I, 63 weggelassen.   24 Bernoulli II, 154.
25 Bernoulli I, 222. — Vgl. dazu R. Kiefer, Nietzsche und Overbeck — eine Arbeitsgemeinschaft (ZKG 57, 1938, 523—553).
26 Bernoulli II, 147.
27 ONB A 232 Nietzsche und Ich, 1. Teil, S. 1; vgl. Bernoulli I, 63.
28 ONB A 232 Nietzsche und (die) Religion, S. 5.
29 ONB A 235 Rationalismus (Allgemeines); vgl. CK 136.
30 ONB A 232 Nietzsche und Ich, 1. Teil, S. 19; vgl. Bernoulli I, 65.

Der von *Walter Benjamin* so gerühmte Vorschlag Overbecks, Nietzsche solle (1883!) in den Basler Schuldienst eintreten[31], schien Nietzsche zwar „sehr gut und fein empfunden"[32], wurde aber prompt mit der Bemerkung beantwortet: „Wenn Du doch aus dieser Universitäts-Welt heraustreten könntest! Und zumal aus der schweren Luft der noch mehr verschränkten als beschränkten Basler!"[33] Der Sinn von Nietzsches „Grenzenlosigkeit"[34] bestand darin, bei dem zu bleiben, was er als seine „Hauptsache", seine Aufgabe empfand[35].

Wohl strebte auch Overbeck nach Freiheit; es konnte dies aber, nachdem er sich einmal auf die Gelehrtenlaufbahn im Rahmen der Universität eingelassen hatte, nur eine *„innere"* Freiheit, eine private Gedankenfreiheit sein. Die Bemerkung Overbecks, es sei „der Grundfehler an Nietzsche" gewesen, „daß er in Literatur gemacht hat"[36], bezeichnet das Äußerste an Verständnislosigkeit, was Nietzsche seitens seines Freundes zustoßen konnte. Denn in jener „Literatur" fand die Expektoration dessen statt, was Nietzsche am tiefsten bewegte[37].

Daß Overbeck seit der „Christlichkeit" sich kaum noch an die Öffentlichkeit wandte und daß er nie öffentlich Nietzsche an die Seite trat, mußte Nietzsche ebenso befremdlich sein wie Overbeck die üppige literarische Produktion seines Freundes. Als Overbeck 1874 daran ging, die (übrigens nicht fortgesetzten) „Studien zur Geschichte der Alten Kirche" zu veröffentlichen, meldete es Nietzsche an Rohde folgendermaßen: „Unsern Overbeck habe ich zu meiner großen geheimen Freude wieder so weit, daß er Ostern auch wieder öffentlich loskämpft, in der Weise seiner Streit- und Friedensschrift Nr. 1. Siehst Du, hier geht's muthig zu, wir hauen um uns herum. Immer vorwärts mit strengem Fechten!"[38]

Overbeck sympathisierte sicherlich mit der polemischen Grundstimmung, wie sie sich in solchen Bekundungen Nietzsches ausspricht. Overbeck wollte den Theologen klarmachen, „daß die Geschichte der alten Kirche eine Disciplin ist, welche immer noch eine Fülle ungelöster Probleme bietet, sei es daß Vorurtheil diese bisher verwirrt oder daß es sie überhaupt ganz verhüllt hat"[39]. Auf diese Weise sprach er sein Mißvergnügen über den Betrieb der Theologie aus. Aber es ist das Charakteri-

---

31 Vgl. Deutsche Menschen, eine Folge von Briefen, ausgewählt und eingeleitet von Walter Benjamin, 1965, 104ff.
32 Nietzsche an Peter Gast, 6.4.1883; Friedrich Nietzsches Briefe an Peter Gast, 3. Aufl. 1924, 119.
33 Nietzsche an Overbeck, erh. 19.4.1883; BWNO 217.
34 Bernoulli II, 147.
35 Vgl. BWNO 216f. (Nietzsche an Overbeck, erhalten 19.4.1883).
36 Bernoulli II, 265.
37 Vgl. dazu etwa Nietzsches Brief an Rohde vom 11.11.1887, Friedrich Nietzsches Briefwechsel mit Erwin Rohde, 3. Aufl. 1923, 419 = Schlechta III, 1269f.; ferner Nietzsches Briefe an Gersdorff vom 1.4.1874, Nietzsches Briefe, ed. R. Oehler, 6.–10. Tsd. 1911, 172 = Schlechta III, 1098 und an Overbeck vom 2.7.1885, BWNO 298.
38 Nietzsche an Rohde, 19.3.1874; Friedrich Nietzsches Briefwechsel mit Erwin Rohde, 3. Aufl. 1923, 323 = Schlechta III, 1096; vgl. auch den Brief Nietzsches an Rohde vom 1.7.1874, Briefwechsel mit Erwin Rohde, ebd. 335.
39 Studien zur Geschichte der alten Kirche, 1875, Vorwort, S. III.

stische bei Overbeck, daß er seine Betrachtungen betont als „Erzeugnisse der Studirstube" präsentiert, „welche diesen ihren Ursprung gar nicht einmal zu verhüllen suchen"[40].

So sehr es sich um Grunde für Overbeck um die Explikation seines eigenen Selbstverständnisses handelt und also um seinen Widerspruch gegen die bestehende Theologie, so wenig nimmt er sich vor, einer Bildung, „die edel und erhaben genug wäre, um daran denken zu können, gegen das Christenthum Recht zu behalten" (C. 116), anders als so Raum zu schaffen, daß er seinen historischen Studien weiter nachgeht.

Eine Biographie über den Theologen *Vatke,* schreibt Overbeck 1885 an Nietzsche[41], sei ihm „lehrreich für die Lebensgefährlichkeit einer Metaphysik für den Gelehrten" gewesen.

„Hier war es die Hegel'sche gewesen, von welcher beflügelt der Mann schon früh den ersten Band einer noch jetzt durch ihren Reichthum an Einsichten, wie man mir sagt, unerreichten Geschichte der alttestamentlichen Religion lieferte. Dann verlor er den Glauben an Hegel und damit seine Flügel überhaupt, wurde sonst in den günstigsten Verhältnissen gegen 80 Jahre alt und ließ kaum noch etwas von sich hören, vom 2ten Bande niemals. Für ein zweites Flügelpaar muß man vollends eben nur den Flügeln leben, wie Du es thust."

Hatte *Overbeck* sich je *den* Flügeln, die *Schopenhauer* darbot, ganz anvertraut?

Im 3. Teil des „Zarathustra", der 1884 erschien, lehrt Nietzsche, daß der „erst stehn und gehn und laufen und klettern und tanzen lernen" müsse, der „einst fliegen lernen will"[42]. Aber es geht Nietzsche um das Ziel: „All mein Wandern und Bergsteigen: eine Noth war's nur und ein Behelf des Unbeholfenen: — *fliegen* allein will mein ganzer Wille", in den *Himmel* hinein fliegen[43]. Während Overbeck im „Sichzurechtfinden in jeder Art von Grenzen"[44] sich übte, wußte Nietzsche: „Wer die Menschen einst fliegen lehrt, der hat alle Grenzsteine verrückt; alle Grenzsteine selber werden ihm in die Luft fliegen, die Erde wird er neu taufen — als ‚die Leichte'."[45]

Nietzsches Höhenflug endete in der Nacht des Wahnsinns. Overbecks theologische Buchhaltung aber verfiele durch ihre Art des Umgangs mit dem Nicht-Geheuren leicht der Unansehnlichkeit, läge nicht über dem Anblick des „alten Mannes" Overbeck, „der mühselig und bestaubt die Steine herbeischleppt und auf ihre Tragkraft abklopft und dabei sich zum großen Baumeister berufen fühlt"[46], ein rührender Schimmer.

---

40 Ebd., S. IV. – Vgl. dazu Eb. Vischer in seiner Einleitung zu Overbecks „Selbstbekenntnissen", 1941, 56.

41 Overbeck an Nietzsche, 26.7.1885; BWNO 303f.

42 Also sprach Zarathustra, III, Vom Geist der Schwere; TA 7,285 = Schlechta II, 442.

43 Also sprach Zarathustra, III, Vor Sonnen-Aufgang; TA 7, 241 = Schlechta II, 415.

44 Bernoulli II, 147.

45 Also sprach Zarathustra, III, Vom Geist der Schwere; TA 7,282 = Schlechta II, 440.

46 Zitiert bei C. A. Bernoulli, BJB 1906, 192 aus einer Rede, die am Sarge Overbecks gehalten wurde.

Oft ist die Frage erörtert worden, auf welche Weise etwa Overbeck und Nietzsche sich gegenseitig beeinflußt hätten. Man wird gut daran tun, hier Overbecks Hinweis zu beachten, daß den Stoff zu ihren Gesprächen während der Zeit, als sie im gleichen Hause wohnten – das fünfjährige Kontubernium in der „Baumannshöhle" in Basel begann 1870[47] –, „zum allergeringsten Theile der Umstand der auch bei Nietzsche nicht fehlenden theologischen Anfänge" geliefert habe (C. 15).

Was Overbecks zentrale Konzeption, den diastatischen Sinn des Christentums, angeht, so ist zu beachten, daß *Schopenhauer*s Einfluß schon seit 1860 sich auf Overbeck erstreckte. Overbeck stand der sich in Antithese und Umkehrung entfaltenden Philosophie Nietzsches mit einer festen Beharrlichkeit gegenüber, die an der gesunden Verständigkeit *Shaftesbury*s und an *Schopenhauer*s Unerschütterlichkeit sich stärkte.

Für Overbeck blieb der Widerspruch zwischen bürgerlich-christlicher Synthese und genuin christlicher Diastase, auf dessen Herausstellung alle seine Studien hinausliefen, im Grunde unfruchtbar. Während Nietzsche seiner von dem *Baader*-Schüler Franz *Hoffmann* erkannten Berufung zu entsprechen sucht, „eine Art Krisis und höchste Entscheidung im Problem des Atheismus herbeizuführen"[48], begnügt sich Overbeck damit, „auf keinen Fall den Sieg" der ihm, soweit er absehen könne, „überhaupt verhüllten sogenannten ‚Wahrheit' . . . verstellt" zu haben[49]. Zu solcher Entsagung versteht er sich freiwillig wenigstens zu den Zeiten, in denen er sich als „anonymer Glückspinsel"[50] ganz wohlfühlt. Seine Aufzeichnungen über „Berufsmoral"[51] zeigen freilich, daß ihn in dieser Hinsicht in der Altersphase, der diese allgemeinen Reflexionen angehören, bisweilen Skrupel befielen.

Nietzsche hat die Frage nach den asketischen Idealen viel weiter vorangetrieben als Overbeck. In der „Genealogie der Moral" zeigt er, daß der „unbedingte Wille zur Wahrheit", der der Wissenschaft zugrundeliegt, „der *Glaube an das asketische Ideal selbst*" ist[52]. „Eine Philosophie, ein ‚Glaube' muß immer erst da sein, damit aus ihm die Wissenschaft eine Richtung, einen Sinn, eine Grenze, eine Methode, ein *Recht* auf Dasein gewinnt". „Es ist immer noch ein *metaphysischer Glaube*", so zitiert sich Nietzsche selber, „auf dem unser Glaube an die Wissenschaft ruht, – auch wir Erkennenden von Heute, wir Gottlosen und Antimetaphysiker, auch wir nehmen *unser* Feuer noch von jenem Brande, den ein Jahrtausende alter Glaube entzündet hat, jener Christen-Glaube, der auch der Glaube Plato's war, daß Gott die Wahrheit ist, daß die Wahrheit göttlich ist . . ."[53]

---

47 Vgl. darüber Bernoulli I, 59ff.

48 Ecce homo, Warum ich so gute Bücher schreibe; TA 11, 330 = Schlechta II, 1114. – Über den Vorblick, der sich von Baader aus auf Nietzsche eröffnete, vgl. E. Benz, Westlicher und östlicher Nihilismus in christlicher Sicht, o. J., 14ff.

49 ONB A 218 Berufsmoral (Allgemeines), S. 5; vgl. CK 289, wo die Wiedergabe unkorrekt ist.

50 ONB A 235 Rationalismus (Allgemeines); vgl. CK 136.

51 ONB A 218 Berufsmoral (Allgemeines).

52 Zur Genealogie der Moral, 3. Abhandlung, Was bedeuten asketische Ideale?, 24; TA 8,469 = Schlechta II, 890.

53 Ebd.; TA 8,470 = Schlechta II, 890f.; vgl. Die fröhliche Wissenschaft, 5. Buch, Wir Furchtlosen, 344; TA 6,301 = Schlechta II, 208.

Selbst der Atheismus der neueren Zeit folgt aus jenem Willen zur Wahrheit, der auf dem Boden des asketischen Ideals entstanden ist. Wenn das Christentum als „Dogma" an seiner eigenen „Moral", die zu unbedingter Redlichkeit zwingt, zugrundegegangen ist[54], so muß nun auch seine „Moral" selber zugrundegehen.

Overbeck aber glaubt an den „Sinn" der Wissenschaft, ohne sich diesen Glauben als Glauben einzugestehen. Seine Frage nach der Geschichte des Christentums *muß*, um eine sinnvolle Frage zu sein, einer *Wahrheit* sich anzunähern suchen. Der *Wert* jener geschichtlichen und philosophischen Wahrheit ist dabei stillschweigend vorausgesetzt. Die Belanglosigkeit des Christentums, die Overbeck immer deutlicher zu erkennen meint, impliziert jedoch die Belanglosigkeit seiner Erforschung[55]. Overbeck wird von der Konsequenz seines eigenen Vorurteils überrollt.

Nietzsche meint mit der Eklipse der christlichen „Moral" nicht weniger als dies, daß das Assassinen-Wort „Nichts ist wahr, alles ist erlaubt" allgemeine Bedeutung erlangen könnte[56]. Philosophisch ist darum zumindest „versuchsweise" „der Werth der Wahrheit . . . einmal *in Frage zu stellen*"[57]. Mit dem Hammer philosophierend tritt Nietzsche die Flucht nach vorne an.

Hier kommt eine Radikalität des Denkens zutage, wie sie Overbeck stets fremd geblieben ist. Die Verlegenheit, in die das bürgerliche Christentum bei Overbeck gerät, ist harmlos im Vergleich zu der *„nihilistischen"* Konsequenz, die nach Nietzsches Erkenntnis die von Overbeck als Korrelat des Schwundes der Christlichkeit anvisierte Demission der christlichen Zeitrechnung[58] nach sich zieht: „die Undurchführbarkeit *einer* Weltauslegung, der ungeheure Kraft gewidmet worden ist — erweckt das Mißtrauen, ob nicht *alle* Weltauslegungen falsch sind"[59].

Overbecks Unbehagen an der modernen Christlichkeit, jenem Zwitterwesen, kam nur bis zur Grenze einer Infragestellung der Bindungen der Modernität. Die historische Verschränkung, die *Overbeck* im Sinne hatte, bedeutet, wie Nietzsche es in einer Notiz 1873 ausdrückt, daß „alle Möglichkeiten des christlichen Lebens" durchprobiert seien und daß darum „Enthaltung am Platze" sei: „gegen die schlechten,

---

54 Zur Genealogie der Moral, 3. Abhandlung, Was bedeuten asketische Ideale?, 27; TA 8,480f. = Schlechta II, 897f. — Vgl. dazu einerseits G.-G. Grau, Christlicher Glaube und intellektuelle Redlichkeit, 1957, 177ff., andererseits Eberhard Arnold, Innenland, 1918, 65ff. — Zum Problem vgl. auch *Schleiermachers* Ausführungen über die Selbstkritik des Christentums in der 5. Rede über die Religion (Ausgabe von H.-J. Rothert, 1958, 163ff.).
55 Siehe ONB A 398; Overbeckiana II, 176f. — Vgl. dazu E. Reisner, Der begegnungslose Mensch, 1964, 121ff.; H.-I. Marrou, De la connaissance historique, 5. Aufl. 1966, 97ff.
56 Zur Genealogie der Moral, 3. Abhandlung, Was bedeuten asketische Ideale?, 24; TA 8,468 = Schlechta II, 889. — Vgl. dazu E. Biser, „Gott ist tot", 1962, 130ff.; ders., Nietzsches Kritik des christlichen Gottesbegriffs und ihre theologischen Konsequenzen (Phil. Jahrbuch der Görres-Gesellschaft 78, 1971, 34—65, 295—305); Jean Granier, Le problème de la vérité dans la philosophie de Nietzsche, 1966, passim; M. Horkheimer, Zur Kritik der instrumentellen Vernunft, 1967, 262ff.
57 Zur Genealogie der Moral, ebd.; TA 8,471 = Schlechta II, 891.
58 Siehe E. Rosenstock-Huessy, Des Christen Zukunft oder Wir überholen die Moderne, Neuausgabe 1965, 94, Anm. 17.
59 Aus dem Nachlaß der Achtzigerjahre; Schlechta III, 881.

gedankenlosen Pfuscher-Ärzte" müsse protestiert und die Sezierung des Christentums durch die „kritische Historie" behutsam eingeleitet werden[60].

Später aber deutete sich für *Nietzsche,* in der Konsequenz seiner zweiten „Unzeitgemäßen Betrachtung" über „Nutzen und Nachteil der Historie für das Leben" (1874), an, was die Folge sein könnte, wenn das übliche lineare Denken des historischen Bewußtseins verlassen würde: „Wenn alle Combinationsmöglichkeiten erschöpft wären, — was folgte dann noch? wie? müßte man nicht wieder beim Glauben anlangen? Vielleicht bei einem *katholischen* Glauben? . . . In jedem Fall könnte der Kreis wahrscheinlicher sein als der Stillstand."[61]

Der Glaube, von dem Nietzsche hier spricht, ist freilich nicht als göttliche Setzung verstanden, sondern als Möglichkeit des in seinen künftigen Möglichkeiten nicht auf gegenwärtige Aporien der Historie festzulegenden Menschen. Der Philosoph zieht einen christlichen Glauben als künftige Möglichkeit menschlichen Selbstverständnisses in Erwägung, ohne auf eine hier sich geltend machende letzte Verbindlichkeit seinerseits einzugehen. Nietzsches nachfolgender Angriff gegen das Christentum erklärt sich daraus, daß er sehr ernst mit der Potenz des Christentums rechnet. Für Overbecks historisches Bewußtsein dagegen ist das Ende der ernstzunehmenden Möglichkeiten des Christentums ein Resultat der kritischen Historie, das lediglich gegen ein unverständlicherweise fortdauerndes theologisches Vorurteil zu verteidigen ist.

Es wäre, so meinte Overbeck, Sache der Erben, mit seinen Vorarbeiten etwas anzufangen. Die zeitgemäße Bestreitung des Christentums hat sich seiner, was angesichts der Sprödigkeit des Materials verständlich sein mag, noch nicht wirklich angenommen. Freilich hat das Problem noch eine andere Seite: der Unglaube macht es sich heute bequemer als zu Zeiten Overbecks. Er meint mit der Historie zu Rande zu kommen, indem in pfuschender Eile eine Negativbilanz des Christentums gezogen wird. Overbeck nahm es nicht gar so leicht: „Gewissermaßen habe ich mich — wenn auch auf eine unverzeihlich wohlfeile Weise — der Sache (des Antichristenthums unter uns Menschen) geopfert."[62]

Noch bedenklicher als ein salopp einhergehender Unglaube wäre indes ein als Modeartikel erworbener Glaube. Wie sehr auch und gerade unsere Gläubigkeit im tiefsten ungläubig ist, erfahren wir erst in dem Maße, in dem wir das Licht der Vergebung als die einzige Möglichkeit des Lebens zu fassen vermögen[63]. Und von da aus wird

---

60 Nietzsche's Werke, 2. Abth., Bd. X (1903), 289f. — Vgl. K. Löwith, Jacob Burckhardt. Der Mensch inmitten der Geschichte, Neudruck 1966, 33f.; ders., Nietzsches Vollendung des Atheismus (in: H. Steffen, Nietzsche. Werk und Wirkungen, 1974), 11f.

61 So Nietzsche mündlich 1882, nach L. Andreas-Salomé, Friedrich Nietzsche in seinen Werken, 1894, 49. — Das Protestantische bezeichnet für Nietzsche das Moderne. „Katholisch" ist auch der Glaube der Reformatoren. — Zu diesem Problem vgl. E. Benz, s. o., Anm. 15, 73ff.

62 ONB A 219 Christenthum (mein), S. 8.

63 Eberhard Arnold, Die Ewigkeitsfrage als absolute Forderung und absolute Zusicherung, in: Christliche Freiheit, 40. Jg. des Ev. Gemeindeblatts für Rheinland und Westfalen, 1924, Sp. 417f.

auch erst deutlich werden können, in welchem Sinne Overbecks kritisches Lebenswerk, das so eindringlich beteuert, es sei in menschlicher Autorität kein Grund
für den Glauben an Gott zu finden[64], nicht vergeblich gewesen ist.

---

64 Vgl. H. F. Kohlbrügge, Predigten über die erste Epistel des Apostels Petrus, 1. Bd., 3. Aufl.
   1855, 91.

Abkürzungsverzeichnis

Bernoulli I, II	=	Carl Albrecht Bernoulli, Franz Overbeck und Friedrich Nietzsche. Eine Freundschaft, 2 Bde., Jena 1908
BGA	=	Karl Barth Gesamtausgabe, Zürich 1971ff.
BJB	=	Basler Jahrbuch
BNB	=	Nachlaß Carl Albrecht Bernoulli, Universitätsbibliothek Basel
BWBT	=	Karl Barth-Eduard Thurneysen, Ein Briefwechsel aus der Frühzeit der dialektischen Theologie, München und Hamburg 1966
BWNO	=	Friedrich Nietzsches Briefwechsel mit Franz Overbeck, herausgegeben von R. Oehler und C. A. Bernoulli, Leipzig 1916
C.	=	Franz Overbeck, Über die Christlichkeit unserer heutigen Theologie, fotomechanischer Nachdruck der 2., um eine Einleitung und ein Nachwort vermehrten Auflage, Darmstadt 1963
CD	=	Karl Barth, Die christliche Dogmatik im Entwurf, 1. Bd., Die Lehre vom Worte Gottes, München 1927
CK	=	Franz Overbeck, Christentum und Kultur. Gedanken und Anmerkungen zur modernen Theologie, aus dem Nachlaß herausgegeben von C. A. Bernoulli, fotomechanischer Nachdruck der 1. Aufl. von 1919, Darmstadt 1963
Cornicelius	=	Heinrich von Treitschkes Briefe, herausgegeben von M. Cornicelius, Bd. I–III, 2, Leipzig 1912–20
Heland I = Heland 1. Aufl.	=	Ernst Kilchner, Lucas Heland, Freiburg 1897
Heland II = Heland 2. Aufl.	=	Carl Albrecht Bernoulli, Lucas Heland, Neue Ausgabe, Berlin 1901
KD	=	Karl Barth, Die Kirchliche Dogmatik, I, 1–IV, 4, München bzw. Zollikon-Zürich 1932–1967
Kl	=	Titus Flavius Klemens von Alexandrien, Die Teppiche. Deutscher Text nach der Übersetzung von Franz Overbeck, herausgegeben und eingeleitet von C. A. Bernoulli und L. Früchtel, Basel 1936
LC	=	Literarisches Centralblatt für Deutschland
Methode	=	Carl Albrecht Bernoulli, Die wissenschaftliche und die kirchliche Methode in der Theologie, Freiburg 1897
ONB	=	Nachlaß Franz Overbeck, Universitätsbibliothek Basel
Overbeckiana I	=	Overbeckiana, Übersicht über den Franz-Overbeck-Nachlaß der Universitätsbibliothek Basel, I. Teil: Die Korrespondenz Franz Overbecks, herausgegeben in Zusammenarbeit mit M. Gabathuler von E. Staehelin, Basel 1962
Overbeckiana II	=	Overbeckiana, Übersicht über den Franz-Overbeck-Nachlaß der Universitätsbibliothek Basel, II. Teil: Der wissenschaftliche Nachlaß Franz Overbecks, beschrieben von M. Tetz, Basel 1962
PKZ	=	Protestantische Kirchenzeitung
R I	=	Karl Barth, Der Römerbrief, unveränderter Nachdruck der 1. Aufl. von 1919, Zürich 1963
R II	=	Karl Barth, Der Römerbrief, 8. Abdruck der neuen Bearbeitung, Zollikon-Zürich 1947
SB	=	Franz Overbeck, Selbstbekenntnisse. Mit einer Einleitung von Jacob Taubes, Frankfurt 1966

Schlechta I–III	=	Friedrich Nietzsche, Werke in drei Bänden, herausgegeben von K. Schlechta, 15.–18. Tsd. München 1963
SThU	=	Schweizerische Theologische Umschau
SW	=	Arthur Schopenhauer's sämmtliche Werke in sechs Bänden, herausgegeben von Eduard Grisebach, 2., mehrfach berichtigter Abdruck, Leipzig o. J.
TA	=	Nietzsches Werke, Taschen-Ausgabe, 11 Bde., Stuttgart 1921
TK	=	Karl Barth, Die Theologie und die Kirche, München 1928

Die übrigen Abkürzungen entsprechen dem Verfahren des Handwörterbuchs „Die Religion in Geschichte und Gegenwart" (RGG), 3. Aufl. 1957–1962.

Literaturverzeichnis

I. Overbeck

Overbeckiana, Übersicht über den Franz-Overbeck-Nachlaß der Universitätsbibliothek Basel,
I. Teil: Die Korrespondenz Franz Overbecks, Verzeichnisse, Regesten und Texte, herausgegeben in Zusammenarbeit mit Matthäus Gabathuler von Ernst Staehelin, Basel 1962.
II. Teil: Der wissenschaftliche Nachlaß Franz Overbecks, beschrieben von Martin Tetz, Basel 1962.

Schriften Overbecks:

Quaestionum Hippolytearum specimen summe venerabilis Theologorum ordinis Ienensis consensu et auctoritate pro gradu Licentiati et docendi potestate rite obtinendis die IV. m. Augusti a. MDCCCLXIV in publico defendet Franciscus Camillus Overbeck, Leipzig 1864.
Kurze Erklärung der Apostelgeschichte, von Dr. W(ilhelm) M(artin) L(eberecht) de Wette, 4. Aufl. bearbeitet und stark erweitert von Lic. theol. Franz Overbeck, Leipzig 1870.
Über Entstehung und Recht einer rein historischen Betrachtung der neutestamentlichen Schriften in der Theologie, Antritts-Vorlesung, Basel 1871.
Über die Christlichkeit unserer heutigen Theologie, Streit- und Friedensschrift, Leipzig 1873 (2., um eine Einleitung und ein Nachwort vermehrte Auflage, Leipzig 1903, Nachdruck Darmstadt 1963).
Studien zur Geschichte der alten Kirche. Erstes Heft, Schloß-Chemnitz 1875 (Nachdruck Darmstadt 1965).
Über die Auffassung des Streits des Paulus mit Petrus in Antiochien (Gal. 2, 11ff.) bei den Kirchenvätern, Programm zur Rectoratsfeier der Universität Basel, Basel 1877 (Nachdruck Darmstadt 1968).
Zur Geschichte des Kanons, Chemnitz 1880 (Nachdruck Darmstadt 1965).
Über die Anfänge der patristischen Literatur (HZ 48, NF 12, 1882, 417−472) (Separatdruck Basel und Darmstadt 1954).
Über die Anfänge der Kirchengeschichtsschreibung, Programm zur Rectoratsfeier der Universität Basel, Basel 1892 (Nachdruck Darmstadt 1965).
Die Bischofslisten und die apostolische Nachfolge in der Kirchengeschichte des Eusebius, Programm zur Rektoratsfeier der Universität Basel, Basel 1898.

Nachlaßpublikationen:

Franz Overbeck, Erinnerungen an Friedrich Nietzsche (Die Neue Rundschau 1906, Bd. 1, 209−231, 320−330).
Carl Albrecht Bernoulli, Franz Overbeck und Friedrich Nietzsche. Eine Freundschaft, 2. Bde., Jena 1908.
Franz Overbeck, Bismarck und das Christentum (Die Tat 1909, Bd. 1, 188−198).
Franz Overbeck, Das Johannesevangelium. Studien zur Kritik seiner Erforschung. Aus dem Nachlaß hg. von Carl Albrecht Bernoulli, Tübingen 1911.
Franz Overbeck, Vorgeschichte und Jugend der mittelalterlichen Scholastik. Eine kirchenhistorische Vorlesung, aus dem Nachlaß hg. von Carl Albrecht Bernoulli, Basel 1917 (Nachdruck Darmstadt 1971).
Franz Overbeck, Christentum und Kultur. Gedanken und Anmerkungen zur modernen Theologie. Aus dem Nachlaß hg. von Carl Albrecht Bernoulli, Basel 1919 (Nachdruck Darmstadt 1963).
Titus Flavius Klemens von Alexandrien, Die Teppiche (Stromateis). Deutscher Text nach der Übersetzung von Franz Overbeck, hg. und eingeleitet von Carl Albrecht Bernoulli und Ludwig Früchtel, Basel 1936.

Franz Overbeck, Selbstbekenntnisse, hg. und eingeleitet von Eberhard Vischer, Basel 1941.

Franz Overbeck, Selbstbekenntnisse. Mit einer Einleitung von Jacob Taubes, Frankfurt 1966.

Briefe:

Franz Overbeck, Briefe an Peter Gast, hg. von C. A. Bernoulli (Die Neue Rundschau 1906, Bd. 1, 26–51).

Franz Overbeck, Briefe an Heinrich von Treitschke und Erwin Rohde, hg. von C. A. Bernoulli (Die Neue Rundschau 1907, Bd. 2, 863–882).

Friedrich Nietzsches Briefwechsel mit Franz Overbeck, hg. von Richard Oehler und Carl Albrecht Bernoulli, Leipzig 1916.

Paul Burckhardt, Aus der Korrespondenz von Al(ois) E(manuel) Biedermann, in: Aus fünf Jahrhunderten schweizerischer Kirchengeschichte (Festschrift für Paul Wernle), Basel 1932, 317–358.

Gustav Krüger, Overbeckiana (ThBl 15, 1936, 100–104) (Briefe an G. Krüger).

Helmut M. Pölcher, Overbeckiana (ZRGG 6, 1954, 49–64) (Briefe an Adolf Hilgenfeld).

Martin Tetz, Adolf Jülichers Briefwechsel mit Franz Overbeck (ZKG 76, 1965, 307–322).

II. Overbecks Umwelt

Baur, Ferdinand Christian, Symbolik und Mythologie oder die Naturreligion des Alterthums, 3 Bde., Stuttgart 1824–25.

–, Die christliche Gnosis, Tübingen 1835 (Nachdruck Darmstadt 1967).

–, (Rezension von): Dähne, Geschichtliche Darstellung der jüdisch-alexandrinischen Religionsphilosophie (Jahrbücher für wissenschaftliche Kritik, 1835, 2. Hälfte, Sp. 737–792).

–, Abgenöthigte Erklärung gegen einen Artikel der Evangelischen Kirchenzeitung ... (Tübinger Zeitschrift für Theologie 9, 1836, Heft 3, 179–232).

–, Die christliche Lehre von der Dreieinigkeit und Menschwerdung Gottes in ihrer geschichtlichen Entwicklung, 3 Bde., Tübingen 1841–43.

–, Über die Composition und den Charakter des johanneischen Evangeliums (Theologische Jahrbücher 3, 1844, 1–191, 397–475, 615–700).

–, Paulus, der Apostel Jesu Christi, Stuttgart 1845.

–, Der Kritiker und der Fanatiker in der Person des Herrn Heinrich W. J. Thiersch, Stuttgart 1846.

–, Die Einleitung in das Neue Testament als theologische Wissenschaft (Theologische Jahrbücher 9, 1850, 463–566; 10, 1851, 70–94, 222–252, 291–328).

–, Die Epochen der kirchlichen Geschichtsschreibung, Tübingen 1852 (Nachdruck Darmstadt 1962).

–, Das Christenthum und die christliche Kirche der drei ersten Jahrhunderte, Tübingen 1853, 2. Aufl. 1860.

–, Cajus und Hipplytus (Theologische Jahrbücher 13, 1854, 330–366).

–, Kirchengeschichte des neunzehnten Jahrhunderts, herausgegeben von Eduard Zeller, Tübingen 1862.

–, Vorlesungen über neutestamentliche Theologie, herausgegeben von Ferdinand Friedrich Baur, Leipzig 1864 (Nachdruck Darmstadt 1973).

–, Lehrbuch der christlichen Dogmengeschichte, 3. Aufl. Leipzig 1867 (Nachdruck Darmstadt 1968).

–, Ausgewählte Werke in Einzelausgaben, 3 Bde., Stuttgart–Bad Cannstatt 1963–66.

Biedermann, Alois Emanuel, Christliche Dogmatik, Zürich 1869.

Conrady, Ludwig, Cultur und Christenthum, Wiesbaden 1868.

Delitzsch, Franz, Commentar zum Briefe an die Hebräer, Leipzig 1857.

Deussen, Paul, Die Elemente der Metaphysik, 2. Aufl. Leipzig 1890.

Dilthey, Wilhelm, Ferdinand Christian Baur, in: Gesammelte Schriften, Bd. IV, 2. Aufl. Göttingen 1959, 403–32, zuerst in Westermanns Monatsheften, September 1865 unter dem Pseudonym W. Hoffner.

Döllinger, Ignaz von, Hippolytus und Callistus oder die Römische Kirche in der ersten Hälfte des 3. Jahrhunderts, Regensburg 1853.

Dollfus, Charles, A propos de la nouvelle vie de Jésus par David Strauss, Paris 1865.

Donaldson, James, A Critical History of Christian Literature and Doctrine from the Death of the Apostles to the Nicene Council, Vol. II, London 1866.

Dräseke, Johannes, Der Brief an Diognetos, Leipzig 1881.

Duhm, Bernhard, Über Ziel und Methode der theologischen Wissenschaft, Basel 1889.

–, Das Geheimnis in der Religion, Freiburg und Leipzig 1896.

–, Das Buch Hiob (KHC XVI), Freiburg, Leipzig und Tübingen 1897.

–, Die Psalmen, (KHC XIV), Freiburg, Leipzig und Tübingen 1899.

Ebrard, Johannes Heinrich August, Die Apostelgeschichte (in: Olshausen, Biblischer Commentar, 3. Abth.), 4. Aufl. Königsberg 1862.

Faber, Hans, Das Christentum der Zukunft, Zürich 1904.

Flügel, Gustav, Mâni, seine Lehre und seine Schriften, Leipzig 1862.

Gaussen, Louis, Die Aechtheit der Heiligen Schriften vom Standpunkt der Geschichte und des Glaubens, 1. Theil, Basel 1864.

Gibbon, Edward, History of the Decline and Fall of the Roman Empire, 6 vols., London 1782–88.

Hagenbach, K(arl) R(udolf), Encyklopädie und Methodologie der Theologischen Wissenschaften, 11. Aufl. von Emil Kautzsch, Leipzig 1884.

Harnack, Adolf, Zur Quellenkritik des Gnosticismus, Leipzig 1873.

–, Das Mönchthum, seine Ideale und seine Geschichte, Gießen 1881 (2. Aufl. 1882, 3. Aufl. 1886).

–, Lehrbuch der Dogmengeschichte, Bd. I–III, Freiburg 1886–89 (5. Aufl. Tübingen 1931).

–, Geschichte der altchristlichen Literatur bis Eusebius, I–II, 2, Leipzig 1893–1904.

–, Das Wesen des Christentums, Leipzig 1900 (2. Aufl. 1900).

–, Reden und Aufsätze, Bd. I–II, Gießen 1903–1904 (2. Aufl. 1906).

Hartmann, Eduard von, Die Selbstzersetzung des Christenthums und die Religion der Zukunft, Berlin 1874.

Hase, Karl, Die Tübinger Schule, Leipzig 1855.

–, Das Klosterleben und die Heiligen (PrJ 9,1862,1–27).

Hausrath, Adolf, Neutestamentliche Zeitgeschichte, Theil 1–3, Heidelberg 1868–1874.

Haym, Rudolf, Feuerbach und die Philosophie, Halle 1847.

Henke, Heinrich Philipp Konrad, Allgemeine Geschichte der christlichen Kirche, Theil IV, Braunschweig 1801.

Hilgenfeld, Adolf, Die jüdische Apokalyptik in ihrer geschichtlichen Entwickelung, Jena 1857.

–, Die jüdischen Sibyllen und der Essenismus (ZWTh 14, 1871, 30–59).

–, Die Ketzergeschichte des Urchristenthums urkundlich dargestellt, Leipzig 1884.

Holtzmann, Heinrich Julius, Lehrbuch der neutestamentlichen Theologie, 2 Bde., Freiburg und Leipzig 1897.

Jacobsen, Jens Peter, Werke, Bd. III, Florenz und Leipzig 1898 (Niels Lyhne, Berlin 1911).

Keim, Theodor, Bedenken gegen die Aechtheit des hadrianischen Christenrescripts (Theologische Jahrbücher 15, 1856, 387ff.).

–, Die Geschichte Jesu von Nazara, 3 Bde., Zürich 1867–72.

–, Rom und das Christenthum, Berlin 1881.

Krenkel, Max, Paulus, der Apostel der Heiden, Leipzig 1869.

Krüger, Gustav, Aristides als Verfasser des Briefes an Diognet (ZWTh 37,1894, 206–223).

–, Geschichte der altchristlichen Litteratur in den ersten drei Jahrhunderten, Freiburg und Leipzig 1895.

–, Das Dogma vom Neuen Testament, Gießen 1896.

–, Die unkirchliche Theologie (ChW 14, 1900, 804–07).

Krummacher, Friedrich Wilhelm, Die Wahrheit der evangelischen Geschichte, besiegelt durch die ältesten nachapostolischen Zeugen, Berlin 1864.

(Kübel, Robert), Christliche Bedenken über modernes christliches Wesen. Von einem Sorgenvollen, Gütersloh 1888, 3. Aufl. 1889.

Lagarde, Paul de, Über das verhältniß des deutschen staates zur theologie, kirche und religion. ein versuch nichttheologen aufzuklären, Göttingen 1873 (Deutsche Schriften, München 1924).

Lasaulx, Ernst von, Der Untergang des Hellenismus und die Einziehung seiner Tempelgüter durch die christlichen Kaiser, München 1854.

Loisy, Alfred, L'Evangile et l'Eglise, 3. Aufl. Bellevue 1904.

Mezger, Paul, Richard Rothe, Berlin 1899.

Möhler, Johann Adam, Gesammelte Schriften und Aufsätze, 2 Bde., Regensburg 1839—40.

Müller, Karl, Kirchengeschichte, Bd. I, Freiburg 1892.

Murisier, E., Les maladies du sentiment religieux, Paris 1901.

Neander, August, Geschichte der christlichen Ethik, herausgegeben von D. Erdmann, Berlin 1864.

Oudin, Remi, Commentarius de scriptoribus Ecclesiae antiquis, Leipzig 1722.

Rémusat, Charles de, Shaftesbury (Revue des deux mondes, T. 42, 1862, 449—484).

Renan, Ernest, La vie de Jésus, 6. Aufl. Paris 1863.

—, Les Apôtres, Paris 1867.

—, St. Paul, Paris 1869.

—, L'Antéchrist, Paris 1873.

Réville, Albert, Les origines du christianisme d'après l'école de Tubingue: Le Dr. Baur et ses écrits (Revue des deux mondes, T. 45, 1863, 104—141).

Ritschl, Albrecht, Cajus oder Hippolytus? (Theologische Jahrbücher 13, 1854, 318—330).

—, Über geschichtliche Methode in der Erforschung des Urchristenthums (JDTh 6,1861,429—459).

—, Einige Erläuterungen zu dem Sendschreiben: „Die historische Kritik und das Wunder" (HZ 8, 1862, 85—99).

—, Die christliche Lehre von der Rechtfertigung und Versöhnung, Bd. I, 3. Aufl. Bonn 1889, Bd. II, 3. Aufl. Bonn 1889, Bd. III, 3. Aufl. Bonn 1888 (4. Aufl. 1895).

(Rocholl, Rudolf), Einsame Wege, 2 Bde., 2. Aufl. Leipzig 1898.

Schenkel, Daniel, Das Charakterbild Jesu, 2. Aufl. Wiesbaden 1864.

Schleiermacher, Friedrich, Über die Religion. Reden an die Gebildeten unter ihren Verächtern (1799), hg. von H.-J. Rothert, Hamburg 1958.

—, Kurze Darstellung des theologischen Studiums (1811), hg. von Heinrich Scholz, 3. Ausgabe Leipzig 1910.

—, Der christliche Glaube nach den Grundsätzen der evangelischen Kirche im Zusammenhange dargestellt, Berlin 1821—22 (2 Bde.).

—, Sämmtliche Werke, 1. Abth., Zur Theologie, Bd. 2, Berlin 1836.

—, Sendschreiben über seine Glaubenslehre an Lücke, neu hg. von Hermann Mulert, Gießen 1908.

—, Das Leben Jesu. Vorlesungen, hg. von K. A. Rütenik, Berlin 1864.

Schmidt, Hermann, Der paulinische Christus, Weimar 1867.

Scholten, Johann Heinrich, Die ältesten Zeugnisse betreffend die Schriften des Neuen Testamentes, Bremen 1867.

Schultz, Fr(iedrich) W(ilhelm), Die Schöpfungsgeschichte nach Naturwissenschaft und Bibel, Gotha 1865.

Schwarz, Karl, Zur Geschichte der neuesten Theologie, 2. Aufl. Leipzig 1856.

Schwegler, Albert, Der Montanismus und die christliche Kirche des 2. Jahrhunderts, Tübingen 1841.

—, Das nachapostolische Zeitalter in den Hauptmomenten seiner Entwickelung, 2 Bde., Tübingen 1846.

Shaftesbury, (Anthony Ashley Cooper Graf von), Characteristics of Men, Manners, Opinions, Times, vol. I—III, Basel 1790 (Die Moralisten, übersetzt, eingeleitet und mit Anmerkungen von Karl Wollf, Jena 1910).

Stap, A., Etudes historiques et critiques sur les origines du christianisme, Paris—Brüssel 1864.

Strauß, David Friedrich, Das Leben Jesu für das deutsche Volk bearbeitet, Leipzig 1864 (19. Aufl., 2 Bde., Leipzig o. J.).

–, Der Christus des Glaubens und der Jesus der Geschichte, Berlin 1865 (Neuausgabe Gütersloh 1971).

–, Der alte und der neue Glaube, Leipzig 1872 (Neuauflage, Leipzig o. J.).

Thenius, Otto, Das Evangelium der Evangelien, Leipzig 1865.

Thiersch, Heinrich Wilhelm Josias, Versuch zur Herstellung des historischen Standpunkts für
  die Kritik der neutestamentlichen Schriften, Erlangen 1845.

–, Einige Worte über die Aechtheit der neutestamentlichen Schriften und ihre Erweisbarkeit
  aus der ältesten Kirchengeschichte gegenüber den Hypothesen der neuesten Kritiker,
  Erlangen 1846.

–, Über christliches Familienleben, Frankfurt und Erlangen 1854.

Tischendorf, Constantin, Wann wurden unsere Evangelien verfaßt?, Leipzig 1865.

Vinet, Alexandre, Etudes sur Blaise Pascal, Paris 1848.

Vischer, Eberhard, Ist die Wahrheit des Christentums zu beweisen?, Tübingen und Leipzig 1902.

Volkelt, Johannes, Vorträge zur Einführung in die Philosophie der Gegenwart, München 1892.

Weiße, Christian Hermann, Die evangelische Geschichte kritisch und philosophisch bearbeitet,
  2 Bde., Leipzig 1838.

Weizsäcker, Carl, Untersuchungen über die evangelische Geschichte, ihre Quellen und den
  Gang ihrer Entwickelung, Gotha 1864.

Wernle, Paul, Die Renaissance des Christentums im 16. Jahrhundert (SGV 40), Tübingen und
  Leipzig 1904.

de Wette, W(ilhelm) M(artin) L(eberecht), Kurze Erklärung der Apostelgeschichte, 3. Aufl.
  Leipzig 1846.

Wittichen, Carl, Der geschichtliche Charakter des Evangeliums Johannis, Elberfeld 1869.

Zeller, Eduard, Die Apostelgeschichte nach ihrem Inhalt und Ursprung kritisch untersucht,
  Stuttgart 1854.

–, Die äußeren Zeugnisse über das Dasein und den Ursprung des vierten Evangeliums (Theologische Jahrbücher 4, 1845, 579–656).

–, Die Tübinger historische Schule (HZ 4, 1860, 90–173).

–, Die historische Kritik und das Wunder (HZ 6, 1861, 356–373).

–, Zur Würdigung der Ritschl'schen „Erläuterungen" (HZ 8, 1862, 100–116).

Ziegler, Heinrich, Theodor Keim. Sein Charakter und seine Bedeutung für die evangelische
  Kirche (PKZ 1879, 359–368).

III. Literatur über Overbeck

Bammel, Ernst, Overbeck über seine Freunde (ThZ 21, 1965, 113–115).

Barth, Karl, Immer noch unerledigte Anfragen (ChW 36, 1922, Sp. 249).

–, – Thurneysen, Eduard, Zur inneren Lage des Christentums, München 1920.

Benjamin, Walter, (Hg.), Deutsche Menschen. Eine Folge von Briefen, Frankfurt 1965.

Bernoulli, Carl Albrecht, Die wissenschaftliche und die kirchliche Methode in der Theologie,
  Freiburg, Leipzig und Tübingen 1897.

–, (Overbeck-Gedenkartikel in:) Neue Zürcher Zeitung, 30.6.1905, Nr. 179, Morgenblatt.

–, (Overbeck-Gedenkartikel in:) Der Samstag (Basel) 1.7.1905, Nr. 27, 385–388.

–, Franz Overbeck (BJB 1906, 136–192).

–, Franz Overbeck und Friedrich Nietzsche. Eine Freundschaft, 2 Bde., Jena 1908.

–, Franz Overbeck (Neue Schweizer Rundschau, Heft 1, 1931, 1–12).

(Siehe auch Bernoullis Ausführungen in den von ihm herausgegebenen Nachlaßausgaben, oben
  Teil I.)

Blaser, Klauspeter, Harnack in der Kritik Overbecks (ThZ 21,1965, 96–112).

Bornemann, Wilhelm, Franz Overbeck (PrBl 68, 1935, 85–88, 102–104).

Buske, Thomas, Overbecks theologisierte Christlichkeit ohne Glauben (ThZ 23, 1967, 396–
  411).

Cullmann, Oscar, Franz Overbeck (in: Andreas Staehelin, Hg., Professoren der Universität
  Basel aus fünf Jahrhunderten, Basel 1960, 198).

Emmelius, Johann-Christoph, Tendenzkritik und Formengeschichte, Diss. Bochum 1971 (Masch.).

Gasque, Ward, A History of the Criticism of the Acts of the Apostles, Tübingen 1975.

Gogarten, Friedrich, Umschau (Die Tat 13, 1921, 479–483).

Haller, Johannes, Lebenserinnerungen, Stuttgart 1960.

Harnack, Adolf, (Rezension von:) Franz Overbeck, Die Bischofslisten und die apostolische Nachfolge in der Kirchengeschichte des Eusebius (ThLZ 23, 1898, 657–660).

–, (Rezension von:) Franz Overbeck, Das Johannesevangelium (ThLZ 37, 1912, 8–14).

Hermelink, Heinrich, Das Christentum in der Menschheitsgeschichte von der französischen Revolution bis zur Gegenwart, Bd. III, Tübingen 1955.

H(ilgenfeld), A(dolf), (Rezension von:) de Wette, W. M. L., Kurze Erklärung der Apostelgeschichte, 4. Aufl. von Franz Overbeck (ZWTh 14, 1871, 153–157).

–, Der Brief an Diognetos (ZWTh 16, 1873, 270–286).

–, (Rezension von:) Franz Overbeck, Über die Christlichkeit unserer heutigen Theologie (ZWTh 17, 1874, 296–300).

His, Eduard, Basler Gelehrte des 19. Jahrhunderts, Basel 1941.

Kähler, Ernst, Zwei neue Overbeckiana (EvTh 25, 1965, 732–738).

Kantzenbach, Friedrich Wilhelm, Krisis der Theologie als Krisis der Gotteserfahrung (in: G. Vicedom, Hg., Das Mandat der Theologie und die Zukunft des Glaubens, München 1971, 88–103).

Keim, Theodor, Die Entstehungszeit des Briefes an Diognet (PKZ 20, 1873, 285–289, 309–314).

Kiefer, Robert, Die beiden Formen der Religion des Als-Ob. Hauptsächlich dargestellt an DeWette und Overbeck (Pädagogisches Magazin 1359), Langensalza 1932.

–, Nietzsche und Overbeck – eine Arbeitsgemeinschaft (ZKG 67, 1938, 523–553).

Köhler, Wolfgang, Christentum und Geschichte bei Franz Overbeck, Diss. phil. Erlangen 1950 (Masch.).

Krüger, Gustav, Patristik (RE 3. Aufl. XV, 1904, 1–13)

Lampl, Hans Erich, Franz Camille Overbeck, in: K. Deschner, Das Christentum im Urteil seiner Gegner, 1. Bd., Wiesbaden 1969, 354–366.

Langen, Joseph, (Besprechung von:) Franz Overbeck, Studien zur Geschichte der alten Kirche (ThLBl 10, 1875, 148–150).

Leese, Kurt, Der Protestantismus im Wandel der neueren Zeit, Stuttgart 1941.

–, Die Religion des protestantischen Menschen, 2. Aufl. München 1948.

(Lipsius, Richard Adelbert,) (Rezension von:) Franz Overbeck, Über den pseudojustinischen Brief an Diognet (LC 1873, 1249–1251).

–, (Rezension von:) Franz Overbeck, Über die Christlichkeit unserer heutigen Theologie (ebd. 1611f.).

Mettler, Artur, Franz Overbeck. Zum 100. Geburtstag am 16. November, Neue Zürcher Zeitung, 16.11.1937 (Nr. 2061).

Müller, Bernhard, Glaube und Wissen nach Franz Overbeck, Diss. Berlin (Kirchliche Hochschule) 1967.

Nachrichten. Jena, den 14. August 1864 (über Overbecks Erlangung des theologischen Licentiatengrades) (PKZ 1864, 746–748).

Nigg, Walter, Franz Overbeck. Versuch einer Würdigung, München 1931.

Orelli, Conrad von, in: Der Kirchenfreund (Basel), 22.5.1903, Nr. 11, 190–192.

–, in: Der Kirchenfreund (Basel), 30.6.1905, Nr. 13, 200–202.

Philipp, Wolfgang, Overbeck, Franz Camille (EKL II, 1958, 1785f.).

–, Der Protestantismus im 19. und 20. Jahrhundert, Bremen 1965.

Platzhoff-Lejeune, Eduard, (Gedenkartikel über Overbeck in:) Berliner Tageblatt, 6.7.1905, Nr. 339, Abendausgabe.

Räbiger, J(ulius) F., Theologik oder Encyklopädie der Theologie, Leipzig 1880.

Randa, Hermann, Nietzsche, Overbeck und Basel, Bern/Leipzig 1937.

Schindler, Hans, Barth und Overbeck, Gotha 1936 (Nachdruck Darmstadt 1974).

(Schmidt, Paul Wilhelm), (?) (Rezension von Overbecks „Christlichkeit") (PKZ 1874, 171–179).

–, De Wette-Overbecks Werk zur Apostelgeschichte und dessen jüngste Bestreitung (in: Festschrift zur Feier des 450jährigen Bestehens der Universität Basel, Basel 1910).

Staehelin, Ernst, Gedanken über Urgeschichte und Kirchengeschichte im Anschluß an Franz Overbeck (Kirchenblatt für die reformierte Schweiz 36, 1921, 113–115, 117–119).

Tetz, Martin, Über Formengeschichte in der Kirchengeschichte (ThZ 17, 1961, 413–431).

–, Altchristliche Literaturgeschichte – Patrologie (ThR 32, 1967, 1–42).

Troeltsch, Ernst, (Rezension von:) Franz Overbeck, Über die Christlichkeit unserer heutigen Theologie, 2. Aufl. (DLZ 24, 1903, 2472–2475).

–, (Rezension von:) Franz Overbeck, Christentum und Kultur (HZ 122, 1921, 279–287).

Vielhauer, Philipp, Overbeck, Franz Camille (RGG 3. Aufl. IV, 1960, 1750–1752).

–, Aufsätze zum Neuen Testament, München 1965.

Vischer, Eberhard, (Overbeck-Gedenkartikel in:) Basler Nachrichten, 28.6.1905, 2. Beilage zu Nr. 174.

–, (Overbeck-Gedenkartikel in:) Kirchenblatt für die reformierte Schweiz 28, 1905, 111–113.

–, Die Lehrstühle und der Unterricht an der theolog(ischen) Fakultät der Universität Basels seit der Reformation (in: Festschrift zur Feier des 450jährigen Bestehens der Universität Basel, Basel 1910).

–, Overbeck, Franz Camill (RE 3. Aufl. XXIV, 1913, 295–302).

–, Overbeck und die Theologen (Kirchenblatt für die reformierte Schweiz 35, 1920, 122–24, 125–127).

–, Vortrag über Overbeck, gehalten vor dem Geistlichkeitskapitel in Zürich (Zürichhorn) am 18. Mai 1921 (Manuskript im Nachlaß Eberhard Vischer, Universitätsbibliothek Basel).

–, Overbeck redivivus, Der neuentdeckte Overbeck (ChW 36,1922, 109–112, 125–130, 142–148).

–, Immer noch unerledigte Anfragen (ebd. 286f.).

–, Einleitung zu: Franz Overbeck, Selbstbekenntnisse, Basel 1941.

Walser, Paul, Franz Overbeck: Christentum und Kultur (Kirchenblatt für die reformierte Schweiz 35, 1920, 71–72, 75–76).

Wilson, John E., Continuity and Difference in the Course of Franz Overbeck's Thought, Diss. phil. Claremont (USA) 1975 (Masch.).

Zahn, Theodor, (Rezension von:) Overbeck, Franz, Über den pseudojustinischen Brief an Diognet (GGA 1873, 2. Stück, 106–116).

Zahrnt, Heinz, Ein „ungläubiger" Theologieprofessor (ZW 26, 1948/49, 225–230).

Zscharnack, Leopold, Overbeck, Franz (RGG 2. Aufl. IV, 1930, 843f.).

Zweig, Stefan, Nietzsche und der Freund (Neue Freie Presse, Wien, 21.12.1916).

Zur Erinnerung an Herrn Prof. Dr. Franz Overbeck, Basel 1905.

IV. Burckhardt

Burckhardt, Jacob, Gesamtausgabe, 14 Bde., Stuttgart und Basel 1929–34.

–, Die Zeit Constantins des Großen, Basel 1853 (jetzt in: Gesammelte Werke, Bd. I, Darmstadt 1962).

–, Weltgeschichtliche Betrachtungen, hg. von J. Oeri, 3. Aufl. Stuttgart 1918.

–, Historische Fragmente. Aus dem Nachlaß gesammelt von Emil Dürr, Neudruck mit einem Vorwort von Werner Kaegi, Stuttgart–Berlin 1942.

–, Briefe, ausgewählt und hg. von Max Burckhardt, Bremen 1965.

–, Briefe. Vollständige und kritisch bearbeitete Ausgabe. Mit Benützung des handschriftlichen Nachlasses hergestellt von Max Burckhardt, Basel 1949ff.

Briefe Jakob Burckhardts an Gottfried (und Johanna) Kinkel, hg. von Rud. Meyer-Kraemer, Basel 1921.

Joël, Karl, Jacob Burckhardt als Geschichtsphilosoph (in: Festschrift zur Feier des 450jährigen Bestehens der Universität Basel, Basel 1910).

Kaegi, Werner, Jacob Burckhardt. Eine Biographie, Bd. I–IV, Basel 1947–1967.
Loewenich, Walther von, Jakob Burckhardt und die Kirchengeschichte (ZW 18, 1946/47, 199–212).
Löwith, Karl, Jacob Burckhardt. Der Mensch inmitten der Geschichte, (1936), Stuttgart 1966.
Markwart, Otto, Jacob Burckhardt. Persönlichkeit und Jugendjahre, Basel 1920.
Martin, Alfred von, Nietzsche und Burckhardt, 3. Aufl. Basel 1945.
–, Die Religion Jacob Burckhardts, 2. Aufl. München 1947.
Neumann, Carl, Griechische Kulturgeschichte in der Auffassung Jacob Burckhardts (HZ 85, 1900, 385–452).
Seel, Otto, Jacob Burckhardt und die europäische Krise, Stuttgart 1948.

V. Treitschke

Treitschke, Heinrich von, Historische und Politische Aufsätze vornehmlich zur neuesten deutschen Geschichte (I), Leipzig 1865.
Gustav Freytag und Heinrich von Treitschke im Briefwechsel, Leipzig 1900.
Heinrich von Treitschkes Briefe, hg. von Max Cornicelius, Bd. I–III, 2, Leipzig 1912–20.
Boehlich, Walter (Hg.), Der Berliner Antisemitismusstreit, Frankfurt 1965.
Bußmann, Walter, Treitschke. Sein Welt- und Geschichtsbild, Göttingen 1952.
Hausrath, Adolf, Zur Erinnerung an Heinrich von Treitschke (Alte Bekannte II), Leipzig 1901.
Pfrieme, Johanna, Heinrich von Treitschkes Religiosität und religiöse Anschauungen, Diss. phil. Erlangen 1948 (Masch.).
Schiemann, Theodor, Heinrich von Treitschkes Lehr- und Wanderjahre 1834–1866, München und Leipzig 1896.

VI. Schopenhauer

Schopenhauer, Arthur, Sämmtliche Werke, 6 Bde., hg. von Eduard Grisebach, 2., mehrfach berichtigter Abdruck, Leipzig o. J.
–, Handschriftlicher Nachlaß, 4 Bde., hg. von Eduard Grisebach, Leipzig o. J.
Frommann, Hermann, Arthur Schopenhauer, Jena 1872.
Gwinner, Wilhelm, Schopenhauer aus persönlichem Umgang, Leipzig 1872 (2. Aufl.: Schopenhauers Leben, Leipzig 1878).
Lindner, Ernst Otto–Frauenstädt, Julius, Arthur Schopenhauer. Von ihm. Über ihn, Berlin 1863.
Mann, Thomas, Schopenhauer, Stockholm 1938.
Schlechta, Karl, Der junge Nietzsche und Schopenhauer (Schopenhauer-Jahrbuch XXVI, 1939, 289–300).
Schneider, Walther, Schopenhauer. Eine Biographie, Wien 1937.
Seillière, Ernest, Arthur Schopenhauer, Paris 1911.
Simmel, Georg, Schopenhauer und Nietzsche, 2. Aufl. München und Leipzig 1920.
Volkelt, Johannes, Arthur Schopenhauer, Stuttgart 1900.
Zint, Hans, Schopenhauer als Erlebnis, München/Basel 1954.

VII. Nietzsche

Nietzsches Werke, Taschen-Ausgabe, 11 Bde., Stuttgart 1921.
Nietzsche, Friedrich, Werke in drei Bänden, hg. von Karl Schlechta, 15.–18. Tsd. München 1963.
Nietzsches Briefe, ausgewählt und hg. von Richard Oehler, 6.–10. Tsd. Leipzig 1911.
Friedrich Nietzsches Briefe an Mutter und Schwester, hg. von Elisabeth Förster-Nietzsche, 2 Bde., Leipzig o. J.

Friedrich Nietzsches Briefwechsel mit Franz Overbeck, hg. von Richard Oehler und Carl Albrecht Bernoulli, Leipzig 1916.

Friedrich Nietzsches Briefwechsel mit Erwin Rohde, hg. von Elisabeth Förster-Nietzsche und Fritz Schöll, 3. Aufl. Leipzig 1923.

Friedrich Nietzsches Briefe an Peter Gast, hg. von Peter Gast, 3. Aufl. Leipzig 1924.

Andreas-Salomé, Lou, Friedrich Nietzsche in seinen Werken, Wien 1894.

Arnold, Eberhard, Urchristliches und Antichristliches im Werdegang Friedrich Nietzsches, Eilenburg 1910.

Benz, Ernst, Nietzsches Ideen zur Geschichte des Christentums und der Kirche (BZRGG III), Leiden 1956.

Bernoulli, Carl Albrecht, „Der wahre Sachverhalt" (Neue Zürcher Zeitung, 23. Oktober 1905, Morgenblatt; 24. Oktober 1905, Abendblatt).

–, Overbecks Freundschaft mit Nietzsche (Unterhaltungsbeilage zur Täglichen Rundschau, 12.11.1906 und 13.11.1906).

–, Franz Overbeck und Friedrich Nietzsche. Eine Freundschaft, 2 Bde., Jena 1908.

Biser, Eugen, „Gott ist tot". Nietzsches Destruktion des christlichen Bewußtseins, München 1962.

–, Nietzsches Kritik des christlichen Gottesbegriffs und ihre theologischen Konsequenzen (PhJ 78, 1971, 34–63, 295–305).

–, Die Waage des Geistes (Concilium 10, 1974, 326–334).

Dickopp, Karl-Heinz, Nietzsches Kritik des Ich-denke, Diss. Bonn 1965.

Förster-Nietzsche, Elisabeth, Nietzsches literarischer Nachlaß und Franz Overbeck (Berliner Tageblatt, 26.7.1905, Nr. 376).

–, Das Leben Friedrich Nietzsche's, Bd. I–II, 2, Leipzig 1895–1904.

–, Der junge Nietzsche, Leipzig 1912.

–, Der einsame Nietzsche, Leipzig 1914.

–, (Hg.) Der werdende Nietzsche, München 1924.

Gast, Peter, Zum Kapitel Nietzsche-Overbeck (Neue Zürcher Zeitung, 11.8.1905, 2. Abendblatt).

Granier, Jean, Le problème de la vérité dans la philosophie de Nietzsche, Paris 1966.

Heller, Erich, The Disinherited Mind, (1952), Harmondsworth 1961.

Heller, Peter, Dialectics and Nihilism, The University of Massachusetts Press, 1966.

Jaspers, Karl, Nietzsche und das Christentum, Hameln o. J. (1946).

–, Nietzsche, 3. Aufl. Berlin 1950.

Joël, Karl, Nietzsche und die Romantik (Neue Deutsche Rundschau 14, 1903, 458–501). (Buchausgabe: Jena 1905).

Klages, Ludwig, Die psychologischen Errungenschaften Nietzsches, Leipzig 1926.

Löwith, Karl, Nietzsches Philosophie der ewigen Wiederkehr des Gleichen, Stuttgart 1956.

–, Nietzsches Vollendung des Atheismus (in: H. Steffen, Hg., Nietzsche. Werk und Wirkungen, Göttingen 1974, 7–18).

Meyer, Richard M., Overbeck-Nietzsche (Deutsche Rundschau 35, 1908, 310–312).

–, Nietzsche, München 1913.

Möbius, P. J., Über das Pathologische bei Nietzsche, Wiesbaden 1902.

Obenauer, Karl Justus, Friedrich Nietzsche, der ekstatische Nihilist, Jena 1924.

Overbeck, Franz, Meine Antwort auf Frau Dr. Förster-Nietzsches neueste Publikationen, ihren Bruder betreffend (Frankfurter Zeitung, Nr. 343, 10.12.1904, 1. Morgenblatt).

Pfeil, Hans, Friedrich Nietzsche und die Religion, Regensburg 1949.

Podach, Erich F., Gestalten um Nietzsche, Weimar 1932.

–, (Hg.), Der kranke Nietzsche. Briefe seiner Mutter an Franz Overbeck, Wien 1937.

–, Friedrich Nietzsche und Lou Salomé, Zürich und Leipzig o. J.

–, Nietzsches Werke des Zusammenbruchs, Heidelberg 1961.

–, Ein Blick in Notizbücher Nietzsches, Heidelberg 1963.

Reyburn, H.A.–Hinderks, H. E., Friedrich Nietzsche, Kempen 1947.

Salin, Edgar, Jakob Burckhardt und Nietzsche, 2. Aufl. Heidelberg 1948.

Schlechta, Karl, Der Fall Nietzsche, München 1958.
–, – Anders, Anni, Friedrich Nietzsche. Von den verborgenen Anfängen seines Philosophierens, Stuttgart–Bad Cannstatt 1962.
Würzbach, Friedrich, (Hg.), Das Vermächtnis Friedrich Nietzsches, Graz 1943.
–, Nietzsche, München o. J.

VIII. Weitere Literatur

Arnold, Eberhard, Innenland, Berlin 1918.
–, Das Geheimnis der Urgemeinde (Das neue Werk, 2. Jg. 1920/21, 160–164).
–, Die Ewigkeitsfrage als absolute Forderung und absolute Zusicherung (Schluß) (Christliche Freiheit, 40. Jg. des Ev. Gemeindeblatts für Rheinland und Westfalen, 1924, Sp. 415–21).
Asendorf, Ulrich, Die europäische Krise und das Amt der Kirche (Arbeiten zur Geschichte und Theologie des Luthertums, Bd. XVII), Berlin und Hamburg 1967.
Aubert, Roger, Vaticanum I (Geschichte der ökumenischen Konzilien, Bd. XII), Mainz 1965.
Balthasar, Hans Urs von, Karl Barth, 2. Aufl. Köln 1962.
Barnikol, Ernst, Das ideengeschichtliche Erbe Hegels bei und seit Strauß und Baur im 19. Jahrhundert (WZ Halle/Wittenberg, Ges.-Sprachw. X, 1961, 281–328).
–, Karl Schwarz (1812–1885) in Halle vor und nach 1848 und die Gutachten der theologischen Fakultät. Theologen und Minister in der Restaurations- und Reaktionszeit (ebd., 499–633).
–, Ferdinand Christian Baur als rationalistisch-kirchlicher Theologe, Berlin 1970.
Barth, Heinrich, Das Problem des Ursprungs in der platonischen Philosophie, München 1921.
Barth, Karl, Der Römerbrief (1919), Nachdruck Zürich 1963.
–, Der Römerbrief, 8. Abdruck der neuen Bearbeitung (1922), Zollikon-Zürich 1947.
–, Das Wort Gottes und die Theologie, München 1924.
–, Die christliche Dogmatik im Entwurf, 1. Bd., Die Lehre vom Worte Gottes, München 1927.
–, Die Theologie und die Kirche, München 1928.
–, Die Kirchliche Dogmatik, I, 1–IV, 4, München bzw. Zollikon-Zürich 1932–67.
–, Die protestantische Theologie im 19. Jahrhundert, 3. Aufl. Zürich 1960.
–, Möglichkeiten liberaler Theologie heute (SThU 30, 1960, 95–101).
–, Einführung in die evangelische Theologie, Neuausgabe München und Hamburg 1968.
–, Gesamtausgabe, Zürich 1971ff.
Barth, Karl–Thurneysen, Eduard, Komm Schöpfer Geist!, 3. Aufl. München 1926.
– –, Suchet Gott, so werdet ihr leben!, 2. Aufl. München 1928.
– –, Ein Briefwechsel aus der Frühzeit der dialektischen Theologie, München und Hamburg 1966.
Bauer, Johannes, Zur Geschichte des Bekenntnisstandes der vereinigten ev.-prot. Kirche im Großherzogtum Baden, Heidelberg 1915.
Benz, Ernst, Westlicher und östlicher Nihilismus in christlicher Sicht, Stuttgart o. J.
Berger, Joachim, Die Verwurzelung des theologischen Denkens Karl Barths in dem Kerygma der beiden Blumhardts vom Reiche Gottes, 2 Bde., Diss. Berlin/Ost 1955 (Masch.).
Bergson, Henri, Die beiden Quellen der Moral und der Religion, Jena 1933.
Berkouwer, G(errit) C., Der Triumph der Gnade in der Theologie Karl Barths, Neukirchen 1957.
Bernoulli, Carl Albrecht, Die Heiligen der Merowinger, Tübingen 1900.
–, Lucas Heland, Neue Ausgabe, Berlin 1901.
–, Der Sonderbündler, Berlin 1904.
–, Moderne Christlichkeit (Die Neue Rundschau 1, 1904, 444–455).
–, Zum Gesundgarten, Jena–Leipzig 1906.
–, Jesus, wie sie ihn sahen, Basel 1928.
Carl Albrecht Bernoulli 10. Januar 1868–13. Februar 1937 (Gedenkschrift), Basel 1937.
Bieder, Werner, Die Apostelgeschichte in der Historie, ThSt (B) 61, Zürich 1960.

Blaser, Klauspeter, Geschichte – Kirchengeschichte – Dogmengeschichte in Adolf von Har-
nacks Denken, Diss. Mainz 1964.
Blumhardt, Christoph, Vom Reich Gottes, 3. Aufl. Berlin 1925.
Blumhardt, Johann Christoph, Ausgewählte Schriften in drei Bänden, Zürich 1947–49.
Bohlin, Torsten, Die Reich-Gottes-Idee im letzten halben Jahrhundert (ZThK NF 10, 1929,
1–27).
Bonhoeffer, Dietrich, Widerstand und Ergebung, 6. Aufl. München 1955 (Neuausgabe Mün-
chen 1970).
Bouillard, Henri, Karl Barth, 3 Bde., Paris 1957.
Brinkschmidt, Egon, Sören Kierkegaard und Karl Barth, Neukirchen 1971.
Brunner, Emil, Die Mystik und das Wort, Tübingen 1924.
–, Erlebnis, Erkenntnis und Glaube, 4. u. 5. Aufl. Zürich, o. J.
–, Religionsphilosophie evangelischer Theologie, 2. Aufl., München 1948.
Buddeberg, Siegfried, Grundformen christlichen Lebensgefühls, Stuttgart 1962.
Bultmann, Rudolf, Glauben und Verstehen, Bd. I–IV, Tübingen 1933–1965.
–, Neues Testament und Mythologie (in: Kerygma und Mythos, 1. Bd., hg. von H.-W. Bartsch,
4. Aufl. Hamburg 1960, 15–48).
–, Geschichte und Eschatologie, Tübingen 1958.
Burckhardt, Paul, Geschichte der Stadt Basel, Basel 1942.
Buri, Fritz, Die Bedeutung der neutestamentlichen Eschatologie für die neuere protestantische
Theologie, Zürich–Leipzig 1935.
Cadoux, Cecil J., The Early Church and the World (1925), Nachdruck Edinburgh 1955.
Campenhausen, Hans von, Tradition und Leben, Tübingen 1960.
Cornu, Auguste, Karl Marx und Friedrich Engels, Leben und Werk, Bd. 1, Berlin 1954.
Cullmann, Oscar, Christus und die Zeit, 3. Aufl. Zollikon-Zürich 1962.
–, Heil als Geschichte, Tübingen 1965.
Dempf, Alois, Selbstkritik der Philosophie, Wien 1947.
–, Kritik der historischen Vernunft, München 1957.
Duhm, Bernhard, Israels Propheten, 2. Aufl. Tübingen 1922.
Ebeling, Gerhard, Wort und Glaube, 1. Bd., 2. Aufl. Tübingen 1962.
Edel, Reiner-Friedemann, H. Thiersch als ökumenische Gestalt, (Diss. Marburg), Marburg 1962.
Elert, Werner, Der Kampf um das Christentum, München 1921.
–, Das christliche Ethos, Tübingen 1949.
Feuerbach, Ludwig, Das Wesen der Religion, 30 Vorlesungen, Leipzig o. J.
–, Das Wesen des Christentums, hg. von W. Schuffenhauer, 2 Bde., Berlin 1956.
–, Briefwechsel, hg. von W. Schuffenhauer, Leipzig 1963.
Flückiger, Felix, Der Ursprung des christlichen Dogmas, Zollikon–Zürich 1955.
Freud, Sigmund, Abriß der Psychoanalyse, Das Unbehagen in der Kultur, Frankfurt 1953.
–, Massenpsychologie und Ich-Analyse, Die Zukunft einer Illusion, Frankfurt 1967.
Frick, Robert, Die Geschichte des Reich-Gottes-Gedankens in der alten Kirche bis zu Origenes
und Augustin (BZNW 6), Gießen 1928.
Fuchs, Ernst, Zur Frage nach dem historischen Jesus, Tübingen 1960.
–, Hermeneutik, 3. Aufl. Bad Cannstatt 1963.
–, Marburger Hermeneutik, Tübingen 1968.
Gaß, Wilhelm, Optimismus und Pessimismus, Berlin 1876.
Geiger, Wolfgang, Spekulation und Kritik. Die Geschichtstheologie Ferdinand Christian Baurs
(FGLP 10, XXVIII), München 1964.
Gloege, Gerhard, Reich Gottes und Kirche im Neuen Testament, 2. Aufl. Darmstadt 1968.
Gogarten, Friedrich, Die religiöse Entscheidung, 3.–5. Tsd. Jena 1924.
–, Der Mensch zwischen Gott und Welt, Heidelberg 1952.
–, Verhängnis und Hoffnung der Neuzeit, Stuttgart 1958.
Gräßer, Erich, Das Problem der Parusieverzögerung in den synoptischen Evangelien und in
der Apostelgeschichte (BZNW 22), Berlin 1957.
–, Wort Gottes in der Krise?, Gütersloh 1969.

–, Text und Situation. Gesammelte Aufsätze, Gütersloh 1973.

Graß, Hans, Theologie und Kritik. Gesammelte Aufsätze und Vorträge, Göttingen 1969.

Grau, Gerd-Günther, Christlicher Glaube und intellektuelle Redlichkeit, Frankfurt 1957.

–, Die Selbstauflösung des christlichen Glaubens, Frankfurt 1963.

Grob, D., Ein überragender Basler Naturforscher, Basler Nachrichten, Nr. 480/1966, 11.11.1966.

Güttgemanns, Erhard, Offene Fragen zur Formgeschichte des Evangeliums, (BEvTh 54), 2. Aufl. München 1971.

Haenssler, Ernst Hermann, Die Krisis der theologischen Fakultät, Zürich 1929.

Haitjema, Theodor L., Karl Barths „kritische" Theologie, Wageningen 1926.

Hamer, Jérôme, O. P., Karl Barth. L'occasionalisme théologique de Karl Barth, Paris 1949.

Hazard, Paul, Die Krise des europäischen Geistes, Hamburg 1948.

–, Die Herrschaft der Vernunft, Hamburg 1949.

Hedinger, Ulrich, Hoffnung zwischen Kreuz und Reich, Zürich 1968.

Hirsch, Emanuel, Geschichte der neuern evangelischen Theologie, 5 Bde., 3. Aufl. Gütersloh 1964.

Hodgson, Peter C., The Formation of Historical Theology. A Study of Ferdinand Christian Baur, New York 1966.

Holmström, Folke, Das eschatologische Denken der Gegenwart, Gütersloh 1936.

Horkheimer, Max, Zur Kritik der instrumentellen Vernunft, Frankfurt 1967.

–, Vernunft und Selbsterhaltung, Frankfurt 1970.

Kamlah, Wilhelm, Christentum und Selbstbehauptung, Frankfurt 1940 (2. Aufl.: Christentum und Geschichtlichkeit, Stuttgart 1951).

–, Der Mensch in der Profanität, Stuttgart 1949.

–, Der Ruf des Steuermanns, Stuttgart 1949.

–, Utopie, Eschatologie, Geschichtsteleologie, Mannheim 1969.

Kant, Immanuel, Was ist Aufklärung?, hg. von J. Zehbe, Göttingen 1967.

Kilchner, Ernst (= C. A. Bernoulli), Lucas Heland, Freiburg 1897.

Kißling, Johannes B., Der deutsche Protestantismus 1817–1917, 2 Bde., Münster 1917/18.

Knox, Ronald A., Christliches Schwärmertum, Köln 1957.

Koepp, Wilhelm, Die gegenwärtige Geisteslage und die „dialektische" Theologie, Tübingen 1930.

Kohlbrügge, H. F., Predigten über die erste Epistel des Apostels Petrus, 1. Bd., 3. Aufl. Elberfeld 1855.

Kraus, Hans-Joachim, Geschichte der historisch-kritischen Erforschung des Alten Testaments von der Reformation bis zur Gegenwart, Neukirchen 1956 (2. Aufl. 1969).

–, Die Biblische Theologie, Neukirchen 1970.

Kümmel, Werner Georg, Das Neue Testament. Geschichte der Erforschung seiner Probleme, Freiburg/München 1958 (2. Aufl. 1970).

Küng, Hans, Die Kirche, Freiburg 1967.

Kutter, Hermann, Sie müssen!, Zürich 1903.

–, Wir Pfarrer, Leipzig 1907.

–, Die Revolution des Christentums, 3. Tsd. Jena 1912.

–, Das Unmittelbare, 3. Aufl. Basel 1921.

Kutter, Hermann jr., Hermann Kutters Lebenswerk, Zürich 1965.

Lachenmann, Hans, Welt in Gott. Skizze einer universalen Theologie, Hamburg 1960.

Liebing, Heinz, Ferdinand Christian Baurs Kritik an Schleiermachers Glaubenslehre (ZThK 54, 1957, 225–243).

–, Historisch-kritische Theologie (ZThK 57, 1960, 303–317).

Linder, Rudolf, Carl Albrecht Bernoulli und seine Dichtungen (in: Schweizer-Bühne, Zeitschrift für Theater und Literatur, Basel, Januar 1919, 1–6).

Littell, Franklin, H., Primitivismus (WKL, 1960, 1182–1187).

–, Das Selbstverständnis der Täufer, Kassel 1966.

Löwith, Karl, Von Hegel bis Nietzsche, Zürich–New York 1941; seit der 2. Aufl.: Von Hegel zu Nietzsche, 4. Aufl. Stuttgart 1958.

–, Wissen, Glaube und Skepsis, 7.–11. Tsd. Göttingen 1958.

–, Gesammelte Abhandlungen. Zur Kritik der geschichtlichen Existenz, Stuttgart 1960.

–, Weltgeschichte und Heilsgeschehen, 4. Aufl. Stuttgart 1961.

–, Vorträge und Abhandlungen. Zur Kritik der christlichen Überlieferung, Stuttgart 1966.

–, Gott, Mensch und Welt in der Metaphysik von Descartes bis zu Nietzsche, Göttingen 1967.

–, Aufsätze und Vorträge 1930–1970, Stuttgart 1971.

Marrou, Henri-Irénée, De la connaissance historique, 5. Aufl. Paris 1966.

Marx, Karl – Engels, Friedrich, Werke, Berlin 1957ff.

Meinhold, Peter, Geschichte der kirchlichen Historiographie, 2 Bde., Freiburg/München 1967.

Miskotte, Kornelis Heiko, Wenn die Götter schweigen, München 1963.

Moltmann, Jürgen, Theologie der Hoffnung, München 1964.

–, (Hg.), Anfänge der dialektischen Theologie, Teil I, 2. Aufl. München 1966, Teil II, München 1963.

–, Probleme der neueren evangelischen Eschatologie (VF 11, 1966, Heft 2, 100–124).

–, Perspektiven der Theologie, München 1968.

Neuenschwander, Ulrich, Protestantische Dogmatik und das Problem der biblischen Mythologie (Diss. Bern), Bern 1949.

Niebuhr, Reinhold, An Interpretation of Christian Ethics, New York 1935.

Pältz, Eberhard, Selbstanzeige zu: F. C. Baurs Verhältnis zu Schleiermacher, Diss. Jena 1955 (ThLZ 81, 1956, 570–572).

Pannenberg, Wolfhart, (Hg.), Offenbarung als Geschichte, 3. Aufl. Göttingen 1965.

Ratschow, Carl Heinz, Magie und Religion, Gütersloh 1947 (2. Aufl. 1955).

–, Der angefochtene Glaube, 2. Aufl. Gütersloh 1960.

–, (Hg.), Der christliche Glaube und die Religionen, Berlin 1967.

Reisner, Erwin, Der begegnungslose Mensch, Berlin 1964.

Sauter, Gerhard, Die Theologie des Reiches Gottes beim älteren und jüngeren Blumhardt, Zürich 1962.

–, Zukunft und Verheißung, Zürich 1965.

–, Theologie der Hoffnung (VF 11, 1966, Heft 2, 124–128).

Schäfer, Rolf, Das Reich Gottes bei Albrecht Ritschl und Johannes Weiß (ZThK 61, 1964, 64–88).

(Schiller, Friedrich), Schillers Werke, hg. von A. Kutscher, Bd. I, Berlin 1907.

Schlatter, Adolf, Das christliche Dogma, Calw und Stuttgart 1911.

–, Die Entstehung der Beiträge zur Förderung christlicher Theologie und ihr Zusammenhang mit meiner theologischen Arbeit (BFChTh 25,1), Gütersloh 1920.

–, Zur Theologie des Neuen Testaments und zur Dogmatik. Kleine Schriften, hg. von Ulrich Luck, München 1969.

Schlette, Heinz Robert, Skeptische Religionsphilosophie, Freiburg 1972.

Schlötermann, Heinz, Die protestantischen Wurzeln der Freireligiösen Bewegung (in: Die Freireligiöse Bewegung – Wesen und Auftrag, Mainz 1959, 49–66).

Schmidt, Johann Michael, Die jüdische Apokalyptik. Die Geschichte ihrer Erforschung von den Anfängen bis zu den Textfunden von Qumran, Neukirchen 1969.

Schmidt, Martin, Die Interpretation der neuzeitlichen Kirchengeschichte (ZThK 54, 1957, 174–212).

Schmitt, Carl, Donoso Cortés in gesamteuropäischer Interpretation, Köln 1950.

Schneider, Erich, Die Theologie und Feuerbachs Religionskritik (Studien zur Theologie und Geistesgeschichte des Neunzehnten Jahrhunderts, Bd. 1), Göttingen 1972.

Scholder, Klaus, Ferdinand Christian Baur als Historiker (EvTh 21,1961, 435–458).

Schott, Erdmann, Richard Rothes These vom Aufgehn der Kirche im Staat (Communio Viatorum 1959, 257–270).

Schweitzer, Albert, Geschichte der Leben-Jesu-Forschung, 6. Aufl. Tübingen 1951.

–, Kultur und Ethik, Sonderausgabe mit Einschluß von: Verfall und Wiederaufbau der Kultur, München 1960.

Simmel, Georg, Das Problem der religiösen Lage (in: Weltanschauung, hg. von M. Frischeisen-Köhler, Berlin 1911, 327–340).

–, Die Religion (in der Reihe „Die Gesellschaft", hg. von Martin Buber, Bd. II), 2. Aufl. Frankfurt/Main 1912.

Stadtland, Tjarko, Eschatologie und Geschichte in der Theologie des jungen Karl Barth, Neukirchen 1966.

Staehelin, Andreas, (Hg.), Professoren der Universität Basel aus fünf Jahrhunderten, Basel 1960.

Staehelin, Ernst, (Hg.), Im Bannkreis der Reichsgotteshoffnung, München o. J. (1925).

–, Eberhard Vischer (1865–1946) (BJB 1947, 7–14).

–, Die Verkündigung des Reiches Gottes in der Kirche Jesu Christi, 7. Bd., Von der Mitte des 19. Jahrhunderts bis zur Gegenwart, Basel 1965.

Stephan, Horst – Schmidt, Martin, Geschichte der evangelischen Theologie in Deutschland seit dem Idealismus, 3. Aufl. Berlin 1973.

Stern, Fritz, Kulturpessimismus als politische Gefahr, Bern–Stuttgart–Wien 1963.

Strauch, Max, Die Theologie Karl Barths, 4. Aufl. München 1930.

Thurneysen, Eduard, Dostojewski, 3. Aufl. München 1925.

–, Christoph Blumhardt, München 1926.

–, Das Wort Gottes und die Kirche, München 1927 (Neuausgabe München 1971).

–, Seelsorge im Vollzug, Zürich 1968.

(Thurneysen-Festschrift) Gottesdienst-Menschendienst, E. Thurneysen zum 70. Geburtstag, Zürich 1958.

Timm, Hermann, Karl Löwith und die protestantische Theologie (EvTh 27,1967,573–594).

Torrance, Thomas F., Karl Barth. An Introduction to his Early Theology, 1910–31, London 1962.

Troeltsch, Ernst, Adolf v. Harnack und Ferd. Christ. v. Baur (in: Festgabe ... A. von Harnack zum siebzigsten Geburtstag dargebracht, Tübingen 1921, 282–291).

Unamuno, Miguel de, Die Agonie des Christentums, München 1928.

Völkl, Richard, Christ und Welt nach dem Neuen Testament, Würzburg 1961.

Wallmann, Johannes, Ludwig Feuerbach und die theologische Tradition (ZThK 67, 1970, 56–86).

Walther, Christian, Typen des Reich-Gottes-Verständnisses. Studien zur Eschatologie und Ethik im 19. Jahrhundert (FGLP 10, XX), München 1961.

Weber, Hans Emil, „Eschatologie" und „Mystik" im Neuen Testament (BFChTh II, 20), Gütersloh 1930.

Weiß, Johannes, Die Predigt Jesu vom Reiche Gottes, Göttingen 1892 (2. Aufl. 1900, 3. Aufl. 1964).

–, Die Nachfolge Christi und die Predigt der Gegenwart, Göttingen 1895.

–, Die Idee des Reiches Gottes in der Theologie (Vorträge der theologischen Konferenz zu Gießen, 16), Gießen 1901.

Weiser, Christian Friedrich, Shaftesbury und das deutsche Geistesleben, Leipzig 1916 (Nachdruck Darmstadt 1969).

Wendland, Heinz-Dietrich, Ethik des Neuen Testaments, Göttingen 1970.

Werner, Martin, Der Sinn der apokalyptischen Weltanschauung (Kirchenblatt für die reformierte Schweiz 35, 1920, 73–75, 77–79).

–, Das Weltanschauungsproblem bei Karl Barth und Albert Schweitzer, Bern (zugleich München) 1924.

–, Die Entstehung des christlichen Dogmas, problemgeschichtlich dargestellt, 2. Aufl. Bern–Tübingen 1954.

–, Der protestantische Weg des Glaubens, Bd. I–II, Bern–Tübingen 1955–62.

Wittram, Reinhard, Das Interesse an der Geschichte, 2. Aufl. Göttingen 1963.

Zahn-Harnack, Agnes von, Adolf von Harnack, 2. Aufl. Berlin 1951.

Ziegler, Theobald, David Friedrich Strauß, 2 Teile, Straßburg 1908.

Personenregister

Anders, A. 204
Andreas-Salomé, L. 46, 204, 210
Arndt, E. M. 132
Arnold, Eb. 23, 203, 209f.
Arnold, G. 31, 104
Asendorf, U. 155
Aubert, R. 170

Baader, F. v. 208
Bachofen, J. J. 78
Barnikol, E. 101, 138f.
Barth, H. 89
Barth, K. 14, 23, 53, 79–97, 131, 138, 173
Bauer, B. 16, 57, 106, 111, 157
Bauer, J. 132
Bauer, K. 183
Baur, F. C. 20f., 23, 56, 102, 107f.,
    111–113, 120, 125, 135–141, 151,
    164, 168, 187, 189
Baur, F. F. 135
Beck, J. T. 181
Benjamin, W. 166, 206
Benz, E. 15f., 158, 204, 208, 210
Berger, J. 82f.
Bergson, H. 152
Bernoulli, C. A. 9–13, 19, 24, 25–78,
    82–85, 87f., 92, 106, 108, 126, 141,
    144, 153, 158, 166, 168, 172, 179,
    183–185, 192, 196, 200, 203–208
Bertheau, C. 113
Bertheau, E. 113
Bertholet, A. 113
Beyschlag, W. 157
Bie, O. 40
Biedermann, A. E. 103, 197–200
Biser, E. 23, 209
Bismarck, O. v. 41
Blaser, K. 9
Blumhardt, Chr. 82f.
Blumhardt, J. Chr. 82f., 87, 90
Bluntschli, J. K. 132
Boehlich, W. 142
Böhme, J. 138
Bonhoeffer, D. 95
Bornemann, W. 68–71
Bouillard, H. 79
Brenner, C. 176

Brinkschmidt, E. 79, 91
Brückner, W. 189
Brunner, E. 84f.
Buddeberg, S. 24
Bultmann, R. 17
Burckhardt, C. R. 55, 63
Burckhardt, J. 13, 37, 56, 151–158, 163,
    193, 210
Burckhardt, M. 5, 156
Burckhardt, P. 197f., 200
Buri, F. 5
Buske, Th. 22

Carpenter, E. 190
Cornicelius, M. 156, 198, 202
Cornu, A. 101, 119
Courtin, J. 21

Dähne, F. 120
Daub, K. 103
Delitzsch, F. 121
Dempf, A. 24
Descartes, R. 18, 80
Deussen, P. 160, 179
Dickopp, K.-H. 204
Dilthey, W. 120f., 141
Dollfus, Ch. 134
Donoso Cortés, J. F. M. 155
Dorner, I. A. 105, 113
Dostojewskij, F. M. 79
Dürr, E. 155
Duhm, B. 25–30, 32–36, 42f., 65, 77

Ebeling, G. 171
Ebers, G. 184
Echtermeyer, Th. 101
Eckermann, J. P. 118
Edel, R. F. 112
Elert, W. 61
Emmelius, J.-C. 17, 20f., 70, 172
Engelhardt, M. v. 176
Engels, F. 101, 111, 119
Erasmus 95
Eucken, R. 22
Ewald, H. 113

Studien zur Theologie und Geistesgeschichte des 19. Jahrhunderts

11   Georg Schwaiger (Hrsg.)
Kirche und Theologie im 19. Jahrhundert
279 Seiten, Leinen

Referate und Berichte des Arbeitskreises "Katholische Kirche". Anhang: Schriften-
verzeichnis J. A. Möhler.

12   Peter Friedrich · Ferdinand Christian Baur als Symboliker
198 Seiten, Leinen

Diese Arbeit zielt darauf ab, Baurs ungewöhnlich gehaltvollen und originellen Beitrag
als Kirchen- und Dogmen-Historiker und als bedeutender Symboliker zur Kontrovers-
theologie im 19. Jahrhundert ans Licht zu bringen.

**13   Franz Courth · Das Leben Jesu von David Friedrich Strauß
in der Kritik Johann Evangelist Kuhns**
318 Seiten, Leinen

Die erste grundlegende katholische Antwort auf "Das Leben Jesu" von D. F. Strauß
bietet der Exeget und nachmalige Dogmatiker Johann Evangelist Kuhn. Bei der
Auseinandersetzung beider Tübinger geht es letztlich um die Frage nach dem Ansatz
der Theologie, da Strauß die Glaubenswahrheit ohne Bezug auf die Geschichte begründen will, für Kuhn hingegen aber gilt, daß die Geschichte das erste Kriterium jeder wahren Glaubensaussage ist.

14   Reinhard Leuze · Die außerchristlichen Religionen bei Hegel
255 Seiten, Leinen

Die vorliegende Untersuchung, die sich mit allen von Hegel in seine Religionsphilosophie aufgenommenen außerchristlichen Religionen befaßt, will sich mit dem Vorwurf
auseinandersetzen, er habe gewissermaßen freihändig sein religionsphilosophisches System konstruiert, ohne Rücksicht auf die damals bekannten religionswissenschaftli-
chen Ergebnisse zu nehmen.

16   Henning Theurich
Theorie und Praxis der Predigt bei Carl Immanuel Nitzsch
261 Seiten, kartoniert

Die vorliegende Arbeit ist die erste auf die Predigtarbeit von Nitzsch konzentrierte
Monographie aufgrund seines Gesamtwerkes. An diesem historisch begrenzten Gegenstand wird die praktisch-theologische Theoriebildung bei Nitzsch im Verhältnis zu
seinen eigenen Predigten und zu Studentenpredigten im homiletischen Unterricht
erörtert.

In Vorbereitung:

17   Franz Eichinger
Die Philosophie Jacob Senglers als philosophische Theologie
Etwa 200 Seiten, kartoniert

18   Christoph Keller · Das Theologische in der Moraltheologie
Eine Untersuchung historischer Modelle aus der Zeit des Deutschen Idealismus.
Etwa 384 Seiten, kartoniert

Vandenhoeck & Ruprecht   Göttingen und Zürich